OUTLIVE

A ARTE E A CIÊNCIA DE VIVER MAIS E MELHOR

OUTLIVE

A ARTE E A CIÊNCIA DE VIVER MAIS E MELHOR

PETER ATTIA

COM BILL GIFFORD

Tradução de Bruno Fiuza
e Roberta Clapp

TÍTULO ORIGINAL
Outlive: The Science And Art of Longevity

PREPARAÇÃO
Mariana Moura

REVISÃO
Theo Araújo
Victoria Rebello

DESIGN DE CAPA ORIGINAL
Rodrigo Corral Studio

REVISÃO TÉCNICA
Gilberto Stam

DIAGRAMAÇÃO
Ilustrarte Design e Produção Editorial

CIP-BRASIL. CATALOGAÇÃO NA PUBLICAÇÃO
SINDICATO NACIONAL DOS EDITORES DE LIVROS, RJ

A895o

Attia, Peter, 1973-
Outlive : a arte e a ciência de viver mais e melhor / Peter Attia, Bill Gifford ; tradução Bruno Fiuza, Roberta Clapp. - 1. ed. - Rio de Janeiro : Intrínseca, 2023.
480 p. ; 23 cm.

Tradução de: Outlive
Inclui índice
ISBN 978-65-5560-615-7

1. Longevidade. 2. Envelhecimento - Prevenção. I. Gifford, Bill. II. Fiuza, Bruno. III. Clapp, Roberta. IV. Título.

23-84943 CDD: 612.68
CDU: 612.68

Gabriela Faray Ferreira Lopes - Bibliotecária - CRB-7/6643

[2023]
Todos os direitos desta edição reservados à
EDITORA INTRÍNSECA LTDA.
Av. das Américas, 500, bloco 12, sala 303
Barra da Tijuca, Rio de Janeiro - RJ
CEP 22640-904
Tel./Fax: (21) 3206-7400
www.intrinseca.com.br

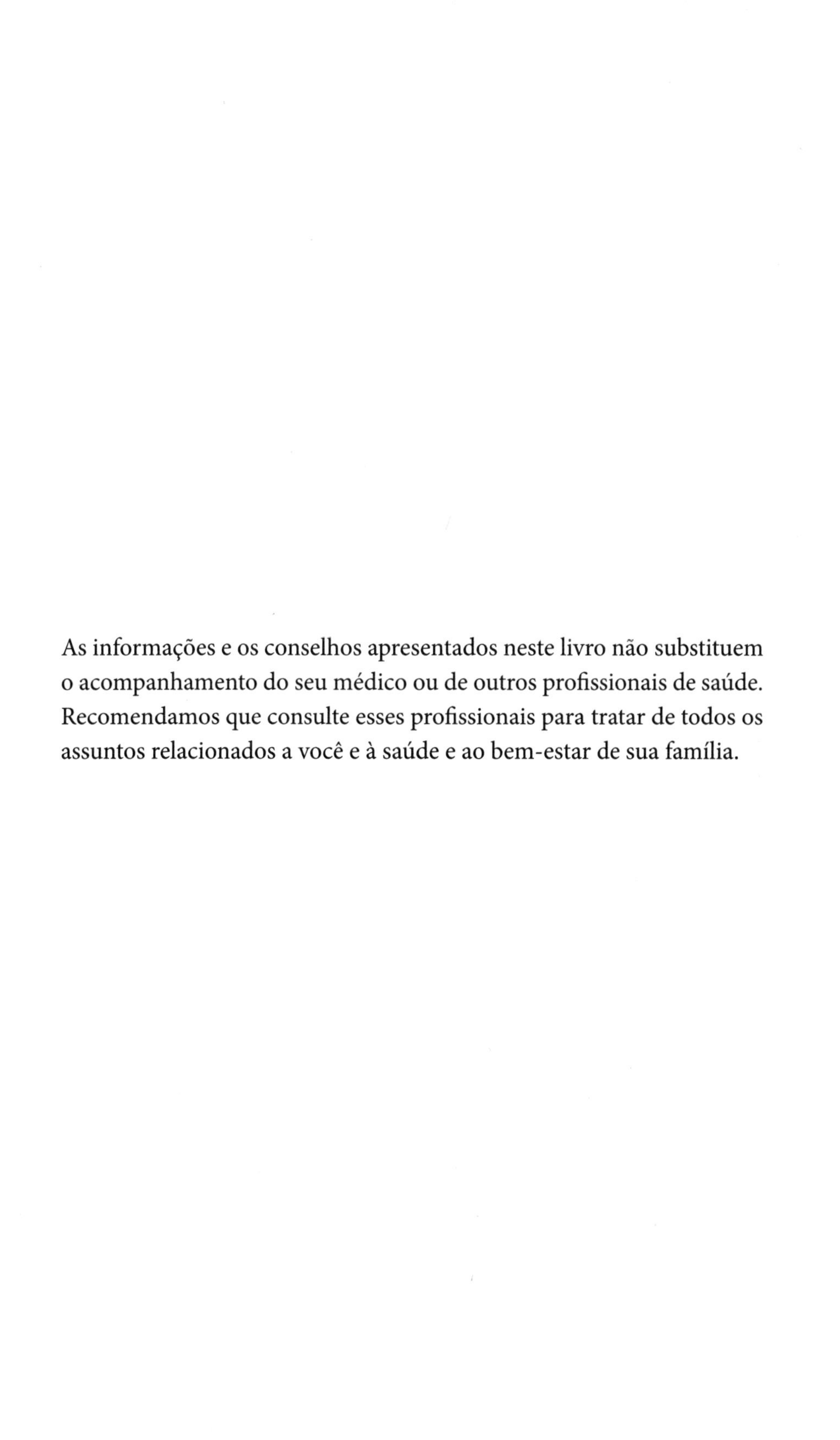

As informações e os conselhos apresentados neste livro não substituem o acompanhamento do seu médico ou de outros profissionais de saúde. Recomendamos que consulte esses profissionais para tratar de todos os assuntos relacionados a você e à saúde e ao bem-estar de sua família.

Para meus pacientes.
E para Jill, Olivia, Reese e Ayrton... obrigado pela paciência.

NOTA DO AUTOR

Escrever sobre ciência e medicina para o público geral exige encontrar um equilíbrio entre a concisão e o detalhe, entre o rigor e a inteligibilidade. Fiz o possível para achar o ponto ideal entre esses polos, preservando a precisão das informações e ao mesmo tempo mantendo o livro acessível ao público leigo. Cabe a você julgar se acertei ou não.

SUMÁRIO

INTRODUÇÃO

No sonho, eu tento pegar ovos que caem.

Estou parado na calçada de uma cidade grande e suja, que se parece muito com Baltimore, segurando uma cesta forrada e olhando para o alto. A intervalos de poucos segundos, vejo um ovo cair lá de cima em minha direção e corro para tentar apanhá-lo com a cesta.

Eles vêm em alta velocidade e faço o possível para pegá-los, correndo de um lado para outro com a cesta estendida como se fosse uma luva de beisebol. Mas não consigo apanhar todos. Alguns deles — muitos, na verdade — se quebram no chão, espalhando a gema amarelada nos meus sapatos e no meu uniforme de médico. Fico desesperado, torcendo para que aquilo acabe.

De onde os ovos estão vindo? Deve haver alguém em cima de um prédio, ou em uma varanda, simplesmente jogando-os como se não fosse nada de mais. Mas não consigo ver ninguém, e estou tão atabalhoado que mal tenho tempo para pensar nisso. Apenas corro, tentando pegar o máximo de ovos possível. E fracasso miseravelmente. Quando percebo que, não importa o esforço, jamais vou conseguir apanhar todos os ovos, uma sensação toma conta do meu corpo. Eu me sinto sobrecarregado e impotente.

Então eu acordo, perdendo mais uma oportunidade de ter uma boa noite de sono.

Esquecemos quase todos os nossos sonhos, mas, passadas duas décadas, não consigo tirar esse da cabeça. Ele se embrenhou no meu sono inúmeras vezes quando eu era residente de cirurgia no Hospital Johns Hopkins, durante minha formação como cirurgião oncológico. Foi uma das melhores épocas da minha vida, ainda que às vezes eu tivesse a sensação de que estava enlouquecendo. Não era raro que eu e meus colegas trabalhássemos por 24 horas seguidas. Tudo o que eu queria era dormir, mas o sonho vivia arruinando meu sono.

Os cirurgiões da equipe do Hopkins eram especialistas em casos graves, como câncer de pâncreas, o que significava que eles muitas vezes eram a única esperança que os pacientes tinham de escapar da morte. Esse tipo de câncer cresce sorrateiramente, sem apresentar sintomas, e costuma ser descoberto já em estágio bastante avançado. A cirurgia era uma opção somente para cerca de 20% a 30% dos pacientes. Nós éramos a última esperança deles.

Nossa arma preferida era o chamado procedimento de Whipple, que envolvia remover a cabeça do pâncreas e a parte superior do intestino delgado, chamada duodeno. É uma operação difícil e arriscada e, quando a técnica foi criada, sua aplicação era quase sempre fatal. Mesmo assim, os cirurgiões tentavam executá-la — o que mostra o quanto o câncer de pâncreas é desesperador. Durante meu período de residência, mais de 99% dos pacientes sobreviviam por pelo menos trinta dias após a cirurgia. Tínhamos ficado muito bons em apanhar os ovos.

Naquela época, eu estava determinado a me tornar o melhor cirurgião oncológico que pudesse. Tinha me esforçado muito para chegar onde estava; quase todos os meus professores do ensino médio e até mesmo meus pais não esperavam que eu fizesse faculdade, muito menos que me formasse na Escola de Medicina de Stanford. Porém, cada vez mais, eu me sentia dividido. Por um lado, adorava a complexidade daquelas cirurgias e ficava em êxtase toda vez que tínhamos sucesso em um procedimento. Conseguimos remover o tumor? Pegamos o ovo, ou assim achávamos.

Por outro lado, eu começava a me perguntar: o que era "sucesso"? A verdade era que quase todos aqueles pacientes morreriam em alguns anos, apesar de tudo.[14] O ovo inevitavelmente cairia no chão. Qual era de fato nossa conquista ali?

Quando finalmente aceitei a futilidade daquilo, me senti tão frustrado que troquei a medicina por outra carreira completamente distinta. Mas, então, uma confluência de eventos acabou por mudar radicalmente a forma como eu via a saúde e a doença. Voltei à medicina com uma abordagem e esperança renovadas.

Para explicar por que isso aconteceu, preciso retomar meu sonho dos ovos caindo. Em suma, finalmente me dei conta de que a única forma de resolver o problema não era aprimorando a capacidade de apanhar os ovos, mas tentando impedir que os jogassem. Tínhamos que descobrir como chegar ao alto do prédio, achar a pessoa e tirá-la dali.

Eu teria adorado fazer esse trabalho na vida real; quando lutava boxe, na juventude, eu tinha um gancho de esquerda muito bom. Mas, obviamente, a medicina é um pouco mais complicada. Por fim, percebi que precisávamos abordar a situação — a queda dos ovos — de uma forma inteiramente nova, com uma nova mentalidade e um novo conjunto de ferramentas.

Muito resumidamente, é disso que trata este livro.

PARTE I

CAPÍTULO 1

Corrida de fundo

Da morte rápida à morte lenta

Chega uma hora em que é preciso parar de tirar as pessoas do rio
e ir à nascente para descobrir por que elas estão caindo nele.

— BISPO DESMOND TUTU

Nunca vou esquecer o primeiro paciente que vi morrer. Eu estava no início do segundo ano da faculdade de medicina e estava passando uma noite de sábado no hospital como voluntário, como os professores nos incentivavam a fazer. Mas nosso papel era apenas observar, porque àquela altura ainda não sabíamos o suficiente para intervir.

Em determinado momento, uma mulher de trinta e poucos anos deu entrada na emergência se queixando de falta de ar. Ela era da região leste de Palo Alto, um bolsão de pobreza em meio a uma cidade abastada. Enquanto as enfermeiras colocavam os sensores de batimentos cardíacos em seu peito e uma máscara de oxigênio sobre o nariz e a boca, eu me sentei ao seu lado, jogando conversa fora para distraí-la. *Qual é o seu nome? Você tem filhos? Há quanto tempo tem sentido isso?*

Subitamente, ela contraiu o rosto de medo e ficou ofegante. Então revirou os olhos e desmaiou.

Em questão de segundos, enfermeiras e médicos lotaram a emergência e deram início a uma intervenção completa, introduzindo um tubo nas vias aéreas da paciente e injetando medicamentos potentes como um último esforço para reanimá-la. Ao mesmo tempo, um dos residentes começou a fazer massagem cardíaca no corpo inerte. A cada dois minutos, todo mundo se afastava enquanto o médico levava o desfibrilador ao peito da mulher, cujo corpo se contorcia devido à descarga elétrica. Tudo era milimetricamente coreografado; eles sabiam o que precisava ser feito.

Eu me encolhi em um canto, tentando não atrapalhar, mas o residente que estava fazendo a massagem cardíaca me chamou e disse: "Ei, cara, pode vir aqui me render? É só continuar massageando com essa mesma força e esse mesmo ritmo, tá?".

Então comecei a fazer massagem cardíaca pela primeira vez na vida em alguém que não fosse um manequim. Mas nada deu resultado. Ela morreu ali mesmo, enquanto eu ainda massageava seu peito. Poucos minutos antes, eu tinha perguntado sobre sua família. Momentos depois, uma enfermeira puxava o lençol para cobrir o rosto da paciente, e todos se dispersaram com a mesma rapidez com que haviam chegado.

Não era um acontecimento raro para nenhum dos demais presentes, mas eu estava apavorado, horrorizado. *O que diabos aconteceu aqui?*

Eu veria muitos outros pacientes morrerem, mas a morte daquela mulher me assombrou por anos. Hoje suspeito que ela provavelmente morreu por causa de uma embolia pulmonar massiva, mas fiquei me perguntando o que realmente havia de errado. O que teria acontecido antes de ela chegar ao hospital? Será que as coisas teriam sido diferentes se ela tivesse tido acesso a melhores cuidados médicos? Seu triste destino poderia ter sido outro?

Mais tarde, como residente de cirurgia do Johns Hopkins, eu aprenderia que a morte ocorre em duas velocidades: rápida e lenta. No centro de Baltimore, a morte rápida dominava as ruas, mediada por armas de fogo, facas e carros em alta velocidade. Por mais perverso que pareça, a violência da cidade era um "diferencial" do programa de formação. Embora eu tenha escolhido o Hopkins por sua excelência em cirurgia de câncer de fígado e pâncreas, o fato de o hospital receber uma média de mais de dez casos de trauma penetrante por dia, majoritariamente ferimentos por arma de fogo ou por faca, significava que eu e meus colegas teríamos inúmeras oportunidades de aprimorar nossas habilidades cirúrgicas, reparando corpos que, com enorme frequência, eram de homens jovens, pobres e negros.

Se os traumas dominavam as noites, os dias pertenciam aos pacientes com doenças vasculares, gastrointestinais e, principalmente, câncer. A diferença era que as "feridas" desses pacientes eram provocadas por tumores de crescimento lento, agindo por muito tempo sem serem detectados, e nem todos sobreviviam — nem mesmo os ricos, os que estavam no topo do mundo. Para o câncer, não importa quanto dinheiro você tem. Tampouco quem é o cirurgião. Se o tumor quiser achar uma forma de tirar sua vida, ele vai achar. No fim das contas, essas mortes lentas me perturbavam ainda mais.

Mas este não é um livro sobre a morte. Pelo contrário.

Mais de 25 anos depois que aquela mulher deu entrada na emergência, ainda pratico a medicina, mas de uma forma muito diferente da que eu havia imaginado. Não faço mais cirurgias, nem as oncológicas nem as de outros tipos. Se você vier até mim para falar de uma irritação na pele ou fratura no braço, provavelmente não serei de grande utilidade.

Afinal de contas, o que eu faço?

Boa pergunta. Se eu a escutasse em uma festa, tentaria de todas as formas mudar de assunto. Ou mentiria e diria que sou um piloto de corrida, que é o que eu quero ser quando crescer de toda forma (plano B: pastor de ovelhas).

Meu foco enquanto médico é a *longevidade*. O problema é que, de certo modo, eu odeio essa palavra. Ela foi implacavelmente contaminada, ao longo de séculos, por uma sucessão de charlatães e impostores que afirmavam possuir o elixir secreto para uma vida mais longa. Não quero ser associado a essas pessoas e não sou arrogante a ponto de achar que por acaso sou eu quem terá alguma resposta fácil para esse problema que intriga a humanidade há milhares de anos. Se a longevidade fosse algo simples, então talvez não houvesse necessidade de escrever este livro.

Vou começar pelo que a longevidade não é. Longevidade não significa viver para sempre. Nem mesmo viver até os 120 ou 150 anos, algo que supostos especialistas prometem de maneira banal a seus seguidores. A não ser que haja alguma grande descoberta que, de algum modo, reverta dois bilhões de anos de história evolutiva e nos liberte da flecha do tempo, tudo e todos os que estão vivos hoje inevitavelmente morrerão. É uma via de mão única.

Longevidade também não significa apenas comemorar mais e mais aniversários à medida que definhamos lentamente. Foi o que aconteceu com um infeliz personagem da mitologia grega chamado Titônio, que pediu aos deuses a vida eterna. Para sua alegria, os deuses concederam seu desejo. Entretanto, como ele se esqueceu de pedir também a juventude eterna, seu corpo nunca parou de envelhecer. Ops.

A maioria dos meus pacientes percebe isso instintivamente. Quando chegam para a primeira consulta, geralmente dizem que *não* querem viver mais se for para ficarem presos a um estado de saúde cada vez pior. Muitos deles acompanharam os pais ou avós enquanto estes padeciam de tal destino, ainda vivos, mas tolhidos pela fragilidade física ou pela demência. Eles não desejam reencenar o sofrimento de seus parentes. É neste momento que eu os interrompo. Digo que, se os pais atravessaram uma velhice sofrida, ou morreram mais cedo do que deveriam, isso não significa que deva acontecer o mesmo com você. O passado não precisa ditar o futuro. Nossa longevidade é mais maleável do que pensamos.

No começo do século XX, a expectativa de vida girava em torno dos cinquenta anos, e a maioria das pessoas provavelmente morria de causas "rápidas": acidentes, ferimentos e doenças infecciosas de vários tipos.[1] Desde então, a morte lenta suplantou a rápida. A maioria das pessoas que está lendo este livro pode ter a expectativa de morrer na casa dos setenta ou oitenta anos, mais ou menos, e quase sempre de causas "lentas". Presumindo que não seja adepto de comportamentos ultra-arriscados como praticar *BASE jumping*, participar de corridas de moto ou usar o celular enquanto dirige, são esmagadoras as chances de que alguém faleça em decorrência de uma das doenças crônicas do envelhecimento, às quais chamo de os quatro cavaleiros: doença cardíaca, câncer, doença neurodegenerativa ou diabetes tipo 2 e disfunções metabólicas relacionadas. Para alcançar a longevidade — viver bem e por mais tempo —, é preciso entender e enfrentar essas causas de morte lenta.

A longevidade tem dois componentes. O primeiro é *até quando* você vive, sua expectativa de vida cronológica, mas o segundo, igualmente importante, é o *quão bem* você vive — a qualidade do seu tempo de vida. Isso é chamado de healthspan, a expectativa de vida saudável, e foi o que Titônio se esqueceu de pedir. Em geral, o healthspan é definido como o tempo de vida sem debilidades ou doenças, mas acho isso muito simplista. Estou tão longe das "debilidades e doenças" quanto quando tinha 25 anos e estudava medicina, mas meu eu de vinte e poucos anos era capaz de dar uma surra no meu eu cinquentão, tanto física quanto mentalmente. Isso é um fato inegável. Portanto, a segunda parte do nosso plano de longevidade é preservar e aprimorar nossas capacidades físicas e mentais.

A questão-chave é: para onde eu vou a partir daqui? Qual é minha trajetória futura? Hoje, na meia-idade, os sinais de alerta são abundantes. Já fui ao funeral de amigos de escola, o que ilustra o aumento drástico no risco de mortalidade que começa nessa fase da vida. Ao mesmo tempo, muitos dos que estão hoje na casa dos trinta, quarenta e cinquenta presenciaram o avanço a toda velocidade de seus pais pela estrada da incapacidade física, da demência ou de doenças crônicas. É sempre triste assistir a esse processo, o que reforça um dos meus princípios fundamentais: a única forma de criar um futuro melhor — projetar uma trajetória melhor — para si mesmo é *começar a pensar* nesse assunto e agir *agora*.

Um dos principais obstáculos que qualquer pessoa enfrenta na busca pela longevidade é o fato de que as habilidades que eu e meus colegas adquirimos durante nossa formação médica se provaram muito mais eficazes contra a morte rápida do que contra a morte lenta. Aprendemos a tratar fraturas, combater infecções com antibióticos poderosos, auxiliar e até substituir órgãos comprometidos, além de descomprimir a coluna ou o cérebro em caso de lesões graves. Tínhamos uma capacidade incrível de salvar vidas e restaurar a função total de corpos machucados, inclusive ressuscitando pacientes que estavam quase mortos. Mas tivemos muito menos êxito em ajudar pacientes portadores de doenças crônicas — como câncer, doenças cardiovasculares ou neurológicas — a escapar da morte lenta. Conseguíamos aliviar os sintomas e, muitas vezes, atrasar um pouco o fim, mas não parecíamos capazes de reajustar o relógio como fazíamos com os problemas agudos. Havíamos nos tornado melhores em pegar os ovos, mas não podíamos fazer muito para impedir que continuassem a ser lançados do alto do prédio.

O problema é que abordávamos os dois grupos de pacientes — as vítimas de trauma e os portadores de doenças crônicas — com o mesmo roteiro básico. Nosso trabalho era *impedir que o paciente morresse*, independentemente de qualquer coisa. Eu me lembro de um caso em particular, um menino de quatorze anos que uma noite chegou à emergência do hospital à beira da morte. Ele estava em um carro atingido em cheio por um motorista que avançou o sinal vermelho a uma velocidade assassina. Seus sinais vitais estavam fracos e suas pupilas, fixas e dilatadas, indício de traumatismo craniano grave. Ele estava a um passo da morte. Como chefe do setor de trauma, imediatamente fiz o protocolo de reanimação, mas, assim como com a mulher na emergência de Stanford, não deu certo. Meus colegas queriam que eu desistisse, mas bati o pé e me recusei a declará-lo morto. Continuei com as tentativas de reanimação, injetando bolsas e bolsas de sangue e epinefrina no corpo inerte, porque não aceitava o fato de que a vida de um menino inocente pudesse acabar daquele jeito. Por fim, chorei sentado na escada, desejando ter podido salvá-lo. Mas, quando ele chegou a mim, seu destino já estava selado.

Esse *ethos* está arraigado em qualquer pessoa que se lance à medicina: ninguém pode morrer no meu turno. Também é assim que lidávamos com nossos pacientes oncológicos. Mas, muitas vezes, ficava evidente que chegamos tarde demais, quando a doença já havia progredido tanto que a morte era praticamente inevitável. No entanto, assim como com o menino que se acidentou, fazíamos todo o possível para prolongar a vida do paciente, adotando tratamentos tóxicos e, por vezes, dolorosos até o último minuto, na melhor das hipóteses ganhando apenas mais algumas semanas ou meses de vida.

O problema não é que não estejamos tentando. A medicina moderna dedicou esforços e recursos inacreditáveis para cada uma dessas doenças. Mas nosso progresso não tem sido propriamente espetacular, com exceção, talvez, das doenças cardiovasculares, cujas taxas de mortalidade foram reduzidas em dois terços no mundo industrializado em cerca de sessenta anos (embora ainda haja mais a ser feito, como veremos).[2] As taxas de mortalidade por câncer, por outro lado, quase não se alteraram nos mais de cinquenta anos desde que foi declarada a guerra contra a doença, apesar do investimento em pesquisas na ordem das centenas de bilhões de dólares em gastos públicos e privados.[3] A diabetes tipo 2 continua a representar uma grande crise de saúde pública e não dá sinais de retração; da mesma forma, o Alzheimer e outras doenças neurodegenerativas relacionadas assombram nossa crescente população idosa, praticamente sem tratamentos eficazes à vista.

Mas, em todos esses casos, nossa interferência se dá no momento errado, bem depois que a doença se assentou, e muitas vezes quando já é tarde demais — quando os ovos já estão caindo. Eu ficava arrasado toda vez que tinha que dizer a um paciente oncológico que ele tinha seis meses de vida, sabendo que a doença provavelmente havia se estabelecido em seu corpo muitos anos antes de ser diagnosticada. Perdemos muito tempo. Embora a prevalência de cada uma das doenças dos quatro cavaleiros aumente drasticamente com a idade, em geral elas começam muito antes do que somos capazes de perceber e demoram muito para matar. Mesmo quando alguém tem um ataque cardíaco e morre "de repente", a doença provavelmente passou duas décadas se estabelecendo nas artérias coronarianas. A morte lenta é ainda mais lenta do que imaginamos.

A conclusão lógica é que precisamos intervir mais cedo para tentar deter os quatro cavaleiros — ou, melhor ainda, para evitá-los por completo. Nenhum tratamento contra o câncer de pulmão em estágio avançado reduziu a mortalidade tanto quanto a redução do tabagismo em todo o mundo nas últimas duas décadas, em parte graças à proibição generalizada. Uma simples medida preventiva (não fumar) salvou mais vidas do que qualquer intervenção que a medicina tenha concebido para os estágios avançados da doença. No entanto, a medicina convencional ainda insiste em esperar até o momento do diagnóstico para intervir.

A diabetes tipo 2 fornece um exemplo perfeito disso. As diretrizes de tratamento da Associação Americana de Diabetes especificam que um paciente pode ser diagnosticado com diabetes mellitus quando o resultado de um teste de HbA1c* é igual ou maior a 6,5%, correspondendo a um nível médio de glicose no sangue de 140 mg/dL (o normal gira em torno de 100 mg/dL, ou um HbA1c de 5,1%). Esses pacientes são submetidos a um tratamento extensivo, que inclui medicamentos que ajudam o corpo a produzir mais insulina e reduzem a quantidade de glicose que o corpo produz, bem como a insulina em si, para forçar a estocagem de glicose nos tecidos extremamente resistentes à insulina.

Mas se o teste de HbA1c voltar à faixa dos 6,4%, indicando uma média de glicose no sangue de 137 mg/dL — apenas três pontos a menos —, tecnicamente o paciente não tem diabetes tipo 2. Em vez disso, ele apresenta uma condição chamada pré-diabetes, cujas diretrizes de tratamento recomendam exercícios leves, pequenas mudanças na alimentação, o uso eventual de um medicamento para controle da glicose chamado metformina e "monitoramento anual" — basicamente, esperar para ver se o paciente vai de fato desenvolver diabetes antes de tratá-la como uma questão urgente.

Eu diria que esta abordagem à diabetes tipo 2 é quase inteiramente equivocada. Como veremos no capítulo 6, essa doença pertence a um espectro de distúrbios metabólicos que se inicia muito antes de alguém cruzar o limiar

---

* O HbA1c afere a quantidade de hemoglobina glicada no sangue, o que permite estimar o nível médio de glicose no sangue do paciente nos noventa dias anteriores.

mágico do diagnóstico em um exame de sangue. Ela é apenas a estação final. O momento de intervir é bem antes de o paciente se aproximar dessa zona; até a condição de pré-diabetes já é tarde demais. É absurdo e nocivo tratar essa doença como um resfriado ou uma fratura, algo que ou você tem ou não tem; não é algo binário. No entanto, muitas vezes, o diagnóstico clínico é o ponto a partir do qual nossas intervenções começam. Por que isso é visto como normal?

Acredito que nosso objetivo deva ser agir o mais cedo possível, para tentar *prevenir* o desenvolvimento de diabetes tipo 2 e de todos os outros cavaleiros. Em nossa abordagem, devemos ser proativos, em vez de reativos. Mudar essa mentalidade deve ser o primeiro passo na luta contra a morte lenta. Queremos retardar ou mesmo evitar o surgimento dessas condições para que possamos viver mais tempo *sem* doenças, em vez de tentar prolongar a vida *com* elas. Isso significa que o melhor momento para intervir é antes que os ovos comecem a cair — como descobri sentindo na pele.

Em 8 de setembro de 2009, um dia que jamais vou esquecer, eu estava em uma praia na Ilha Catalina quando minha esposa, Jill, virou-se para mim e disse: "Peter, acho que você deveria fazer alguma coisa para ser um pouco menos não magro."

Fiquei tão chocado que quase deixei cair meu cheeseburger. "Menos não magro?". Minha amada esposa tinha mesmo dito *aquilo*?

Eu estava bastante seguro de que havia merecido o hambúrguer, bem como a Coca-Cola que estava na minha outra mão, depois de nadar de Los Angeles até aquela ilha, atravessando 34 quilômetros de mar aberto — uma jornada que levara quatorze horas, nadando contra a corrente por boa parte do trajeto. Um minuto antes, eu estava em êxtase por ter riscado aquela maratona aquática da minha lista de coisas a fazer.* Só que eu havia me tornado o Peter-não-magro.

Mas imediatamente me dei conta de que Jill tinha razão. Sem perceber, eu tinha chegado aos 95 quilos, uns bons vinte a mais do que o peso da minha categoria quando eu lutava boxe na adolescência. Como muitos caras de meia-idade, ainda me considerava um "atleta", apesar da dificuldade de fazer

* Na verdade, foi a segunda vez que eu fiz essa travessia. Alguns anos antes, fui nadando de Catalina para Los Angeles, mas o sentido inverso exigiu quatro horas a mais por causa da corrente.

meu corpo roliço caber em uma calça tamanho 46. Fotos daquela época me lembram de que minha barriga era igual à de Jill quando ela estava grávida de seis meses. Eu me tornara um orgulhoso proprietário de um "corpo de pai", e ainda nem havia chegado aos quarenta.

Os exames de sangue revelaram problemas piores do que os que eu era capaz de ver no espelho. Apesar de me exercitar feito um doido e manter o que acreditava ser uma dieta saudável (descontado o fortuito cheeseburger pós-natação), de alguma forma desenvolvi resistência à insulina, um dos primeiros passos rumo à diabetes tipo 2 e muitas outras mazelas. Meus níveis de testosterona estavam abaixo do quinto percentil para um homem da minha idade. Não é exagero dizer que minha vida estava em risco — não iminente, mas, no longo prazo, sem dúvida. Eu sabia exatamente aonde essa estrada poderia levar. Amputei os pés de pessoas que, vinte anos antes, eram muito parecidas comigo. Em termos familiares, minha própria árvore genealógica estava repleta de homens que morreram de doenças cardiovasculares na casa dos quarenta.

Aquele momento na praia marcou o início do meu interesse pela — mais uma vez essa palavra — longevidade. Eu tinha 36 anos e estava à beira do precipício. Nossa primeira filha, Olivia, tinha acabado de nascer. Desde o momento em que a segurei nos braços, enrolada em seu cobertor branco, eu me apaixonei e soube que minha vida tinha mudado para sempre. Em pouco tempo, no entanto, eu também me daria conta de que meus vários fatores de risco e minha genética provavelmente apontavam para uma morte precoce por doenças cardiovasculares. O que eu ainda não sabia era que minha situação era perfeitamente contornável.

Quando mergulhei na literatura científica, fiquei tão obcecado em entender a nutrição e o metabolismo quanto antes eu havia sido obcecado por cirurgia oncológica. Como sou insaciavelmente curioso por natureza, procurei os principais especialistas nessas áreas e os convenci a me guiar nessa busca por conhecimento. Eu queria entender como havia chegado àquele estado, o que isso significava para o meu futuro e descobrir como voltar aos trilhos.

Minha próxima tarefa foi tentar entender a verdadeira natureza e as causas da aterosclerose, que persegue os homens da família do meu pai. Dois irmãos dele morreram de ataque cardíaco antes dos cinquenta, e um terceiro, aos sessenta anos. Daí foi um pequeno salto para o câncer, que sempre me fascinou, e para as doenças neurodegenerativas, como o Alzheimer. Por fim, comecei a estudar o dinâmico campo da gerontologia, para entender o que move o processo de envelhecimento e como ele pode ser retardado.

Talvez minha conclusão mais importante tenha sido a de que a medicina moderna não sabe quando nem como tratar as doenças crônicas do envelhecimento que provavelmente serão a causa da morte da maioria das pessoas. Isso acontece, em parte, porque cada um dos quatro cavaleiros é extremamente complexo, por ser mais um *processo* de adoecimento do que uma doença aguda, como um resfriado. O que é surpreendente é que, de certa forma, isso é uma boa notícia. Cada um dos cavaleiros é cumulativo, o produto de múltiplos fatores de risco somados ao longo do tempo. Ocorre que muitos desses mesmos fatores de risco isolados são relativamente fáceis de frear ou mesmo eliminar. Melhor ainda, eles compartilham certas características ou particularidades que os tornam vulneráveis a algumas das táticas e mudanças de comportamento que serão debatidas neste livro.

O maior erro da medicina é tentar tratar todas essas condições na ponta errada da escala de tempo: depois que estão entrincheiradas, em vez de antes de fincarem raízes. Como consequência, ignoramos alertas importantes e perdemos oportunidades de intervir em momentos em que ainda existe a possibilidade de combater essas doenças, melhorar a saúde e potencialmente aumentar a expectativa de vida.

Só para citar alguns exemplos:

- Apesar de investir bilhões de dólares em financiamento de pesquisa sobre os cavaleiros, a medicina tradicional cometeu erros crassos quanto às causas básicas deles. Vamos examinar novas teorias promissoras sobre a origem e as causas de cada um, além de possíveis estratégias de prevenção.
- O perfil típico de colesterol que você recebe em seus exames anuais e debate com o médico, junto com muitas suposições subjacentes (por exemplo, colesterol "bom" e "ruim"), é traiçoeiro e tão simplista a ponto de ser quase inútil. Esse marcador não nos fala o suficiente sobre o risco real de morrermos de doença cardíaca, e assim não tomamos as providências necessárias para deter essa assassina.
- Milhões de pessoas sofrem de uma doença hepática pouco conhecida e subdiagnosticada, que é um possível precursor da diabetes tipo 2. No entanto, os exames de sangue de quem está nos estágios iniciais desse

distúrbio metabólico geralmente se enquadram na faixa "normal". Infelizmente, dado o grau de risco da sociedade hoje, "normal" ou "na média" não é o mesmo que "ótimo".

- O distúrbio metabólico que leva à diabetes tipo 2 também ajuda a favorecer o desenvolvimento de doenças cardíacas, câncer *e* doença de Alzheimer. Cuidar da nossa saúde metabólica pode reduzir o risco de surgimento de todos os quatro cavaleiros.
- Quase todas as "dietas" são parecidas: talvez ajudem algumas pessoas, mas são inúteis para a maioria delas. Em vez de discutir dietas, vamos nos concentrar na *bioquímica nutricional* — como a combinação de nutrientes que você ingere afeta seu metabolismo e sua fisiologia, e como usar os dados e a tecnologia para criar o melhor padrão alimentar para você.
- Um macronutriente em particular exige mais atenção do que a maioria das pessoas imagina: não são os carboidratos, nem as gorduras, mas as proteínas — elas é que se tornam extremamente importantes à medida que envelhecemos.
- O exercício é sem dúvida o "remédio" mais potente para a longevidade. Nenhuma outra intervenção é tão eficaz em prolongar nossa expectativa de vida e preservar nossas capacidades física e cognitiva. Mas a maioria das pessoas não pratica exercícios o suficiente, sem contar que se exercitar da maneira errada também pode acabar sendo nocivo.
- Por fim, como aprendi da forma mais difícil, não faz sentido correr atrás da saúde física e da longevidade se ignorarmos nossa saúde emocional. O sofrimento psíquico pode devastar nossa saúde em todas as frentes e precisa ser tratado.

Por que o mundo precisa de mais um livro sobre longevidade? Eu me fiz essa pergunta várias vezes nos últimos anos. A maioria dos autores neste campo se enquadra em categorias específicas. Existem os verdadeiros crentes, que insistem que se você seguir a dieta específica deles (quanto mais restritiva, melhor), ou meditar de determinada forma, ou comer um tipo particular de superalimento, ou preservar sua "energia" de maneira adequada, será capaz de evitar a morte e viver para sempre. O que muitas vezes lhes falta em rigor científico eles compensam em paixão.

No outro extremo do espectro há aqueles que estão convencidos de que a ciência em breve vai descobrir como interromper o processo de envelhecimento, atuando em alguma dimensão celular obscura, revertendo o encurtamento dos telômeros ou "reprogramando" nossas células para que não precisemos mais envelhecer. É extremamente improvável que isso vá acontecer enquanto estivermos vivos, embora seja indiscutível que a ciência está dando saltos enormes em relação à nossa compreensão do envelhecimento e dos quatro cavaleiros. Estamos aprendendo muito, de fato, mas a parte complicada é saber como aplicar esse novo conhecimento a pessoas de verdade, fora do laboratório — ou, no mínimo, como minimizar nossas perdas caso essa ciência prepotente não consiga criar a pílula da longevidade.

É assim que vejo meu papel: não sou cientista de laboratório nem pesquisador clínico, sou mais um tradutor, ajudando você a entender e a pôr em prática essas descobertas. Isso requer não só um conhecimento profundo da ciência, mas também um pouco de arte, como a tarefa de traduzir um poema de Shakespeare para outro idioma. É preciso entender exatamente o significado das palavras (a ciência), ao mesmo tempo em que captamos o tom, as sutilezas, as emoções e o ritmo (a arte). Da mesma forma, minha abordagem à longevidade está firmemente calcada na ciência, mas também há muita arte em descobrir como e quando aplicar nosso conhecimento a você, paciente, com seus genes, sua história, seus hábitos e seus objetivos específicos.

Acredito que já sabemos mais do que o suficiente para mudar o cenário atual. É por isso que este livro se chama *Outlive*. Estou usando os dois sentidos da palavra: viver mais e viver melhor. Ao contrário de Titônio, você pode ultrapassar sua expectativa de vida *e também* desfrutar de uma saúde melhor, aproveitando esse tempo adicional.

Meu objetivo é criar um manual de instruções aplicáveis à *prática* da longevidade. Um guia que vai ajudar você a "outlive", a viver mais e melhor. Espero convencê-lo de que, com o tempo e os esforços adequados, existe a possibilidade real de aumentar sua expectativa de vida em uma década e seu healthspan em duas, o que significa que você pode viver como alguém vinte anos mais novo.

Mas minha intenção aqui não é dizer exatamente *o que fazer*, e sim ajudar você a *aprender a pensar* em como fazer essas coisas. Para mim, essa foi a jornada, um processo obsessivo de estudo, tentativa e erro que começou naquele dia na costa rochosa da Ilha Catalina.

De maneira mais ampla, a longevidade exige uma mudança de paradigma na medicina, que oriente nossos esforços para a prevenção de doenças crônicas e o aumento do nosso healthspan. E isso precisa ser posto em prática agora, em vez de esperarmos que uma doença se instaure ou que nossas capacidades física e cognitiva estejam comprometidas. Não é uma medicina "preventiva"; é uma medicina *proativa*, e acredito que tem o potencial não apenas de mudar a vida de todos, como também de aliviar muito do sofrimento que nossa sociedade de modo geral vivencia. Essa mudança também não virá do *establishment* médico; ela só vai ocorrer se e quando os pacientes e médicos exigirem.

Somente ao mudar nossa abordagem em relação à própria medicina seremos capazes de chegar ao topo do prédio e impedir que os ovos sejam lançados. Ninguém deve se dar por satisfeito ao ficar lá embaixo, tentando apanhá-los.

CAPÍTULO 2

Medicina 3.0

Repensando a medicina para a era das doenças crônicas

A hora de consertar o telhado é quando o tempo está bom.

— JOHN F. KENNEDY

Não me lembro qual foi a gota d'água na minha crescente frustração com a formação em medicina, mas sei que o começo do fim se deu graças a um medicamento chamado gentamicina. No final do meu segundo ano de residência, tive um paciente com sepse grave na UTI. Ele estava sendo mantido vivo basicamente por este medicamento, que é um poderoso antibiótico intravenoso. O problema é que a gentamicina tem uma janela terapêutica muito estreita. Se você der muito pouco, não fará efeito nenhum no paciente, mas se der demais, pode prejudicar os rins e a audição. A dosagem é calculada com base no peso do paciente e na meia-vida esperada do medicamento no corpo, e, como sou um pouco nerd em matemática (na verdade, mais do que um pouco), certa noite desenvolvi um modelo matemático que previa a hora exata em que o paciente precisaria da próxima dose: 4h30 da manhã.

Como previsto, quando deu 4h30 fizemos um exame e descobrimos que os níveis de gentamicina no sangue estavam justamente no ponto em que ele precisaria de outra dose. Pedi à enfermeira que lhe desse a medicação, mas uma colega de UTI, uma *trainee* que estava um nível acima de nós, residentes, na hierarquia do hospital, discordou. Eu não faria isso, disse ela. É melhor dar às sete, quando começa o próximo turno da enfermagem. Aquilo me intrigou, porque sabíamos que o paciente ficaria mais de duas horas basicamente desprotegido de uma infecção maciça que poderia matá-lo. Por que esperar? Quando minha colega saiu, pedi à enfermeira que desse o remédio mesmo assim.

Mais tarde naquela manhã, nas rondas, apresentei o paciente à médica responsável e expliquei o que havia feito e por quê. Achei que ela ficaria feliz com minha atenção aos cuidados com o paciente — ministrar o medicamento na dosagem certa —, mas ela se virou e me passou a maior descompostura da minha vida até então. Àquela altura, fazia mais de 24 horas que eu estava acordado, mas não estava tendo alucinações. Ela gritou comigo e até me ameaçou de demissão por ter tentado melhorar a forma como administrávamos a medicação de um paciente em estado grave. Sim, eu havia desconsiderado a sugestão (não uma ordem direta) de uma colega, minha superior imediata, e isso estava errado, mas a reprimenda da médica me deixou surpreso. Não deveríamos *sempre* buscar melhores formas de fazer as coisas?

Por fim, engoli o orgulho e pedi desculpas pela insubordinação, mas esse foi apenas um incidente entre muitos. À medida que a residência avançava, meus questionamentos sobre a profissão só aumentavam. Volta e meia, eu e meus colegas entrávamos em conflito com a cultura de resistência à mudança e à inovação. Existem algumas boas razões pelas quais a medicina é conservadora por natureza, é claro. Mas, às vezes, parecia que todo o edifício da medicina moderna estava tão firmemente calcado nas tradições que era incapaz de mudar sequer um pouco, mesmo que houvesse o potencial de salvar a vida das pessoas de quem deveríamos cuidar.

No meu quinto ano, atormentado por questionamentos e frustrações, informei aos meus superiores que sairia naquele mês de junho. Meus colegas e mentores acharam que eu estava maluco; quase ninguém abandona a residência, certamente não no Hopkins, faltando apenas dois anos para a conclusão. Mas nada me faria mudar de ideia. Jogando nove anos de formação médica no lixo, ou assim parecia, consegui um emprego na McKinsey & Company, a famosa consultoria empresarial. Minha esposa e eu nos mudamos para a sofisticada região de Palo Alto, em São Francisco, onde adorei morar quando estudava em Stanford. Era o mais longe possível da medicina (e de Baltimore), e eu estava contente. A sensação era a de que tinha desperdiçado uma década da minha vida. Mas, apesar de tudo, esse suposto desvio acabou por remodelar a forma como eu enxergava a medicina — e, mais importante, cada paciente.

A palavra-chave, no fim das contas, era *risco*.

A McKinsey me contratou inicialmente para a área de saúde, mas, por minha formação em exatas (estudei matemática aplicada e engenharia mecânica na faculdade, planejando fazer doutorado em engenharia aeroespacial), fui transferido para o setor de risco de crédito. Isso foi em 2006, às vésperas da crise financeira global, mas antes que todo mundo entendesse a magnitude do que estava para acontecer, com exceção das pessoas apresentadas no livro *A jogada do século*, de Michael Lewis, que inspirou o filme *A grande aposta*.

Nosso trabalho era ajudar os bancos norte-americanos a cumprir regras novas, que exigiam que eles mantivessem reservas suficientes para cobrir perdas inesperadas. Os bancos eram bons em estimar perdas *esperadas*, mas ninguém sabia muito bem como lidar com as perdas *inesperadas*, que por definição eram muito mais difíceis de prever. Nossa tarefa era analisar os dados internos dos bancos e criar modelos matemáticos para tentar prevê-las com base nas correlações entre as classes de ativos, o que era tão complicado quanto parece, como um jogo de dados em cima de um jogo de dados.

O que começou como um exercício para ajudar os maiores bancos dos Estados Unidos a superar obstáculos regulatórios revelou um desastre iminente no que era considerado um de seus portfólios menos arriscados e mais estáveis: os empréstimos hipotecários de alto risco. No segundo semestre de 2007, chegamos à terrível mas inevitável conclusão de que os grandes bancos estavam prestes a perder mais dinheiro em hipotecas nos dois anos seguintes do que em toda a década anterior.

No final do mesmo ano, após seis meses de trabalho contínuo, tivemos uma reunião importante com o alto escalão da empresa que era nossa cliente, um grande banco norte-americano. Normalmente, meu chefe, enquanto sócio sênior do projeto, teria feito a apresentação, mas, dessa vez, pediu que eu fizesse, argumentando: "Com base na sua escolha de carreira anterior, desconfio de que você seja mais bem preparado para dar a pior notícia do mundo às pessoas."

Aquilo não era diferente de informar um diagnóstico terminal. Em uma sala de reunião em um dos andares mais altos, mostrei à diretoria do banco os números que prenunciavam o colapso. Enquanto fazia a apresentação, observei no rosto dos executivos os cinco estágios do luto descritos por Elisabeth Kübler-Ross em seu clássico livro *Sobre a morte e o morrer*: negação, raiva, barganha, depressão e aceitação. Nunca tinha visto aquilo acontecer fora de um quarto de hospital.

Meu desvio pelo mundo da consultoria chegou ao fim, mas abriu meus olhos para um grande ponto cego da medicina, que é a compreensão do risco. Nos setores financeiro e bancário, entender o risco é a chave da sobrevivência. Os grandes investidores não assumem riscos cegamente, mas com um conhecimento profundo tanto do risco quanto da recompensa. Como aprendi com os bancos, o estudo do risco de crédito é uma ciência, ainda que imperfeita. Embora o risco também seja obviamente importante na medicina, a profissão médica costuma encará-lo de forma mais emotiva do que analítica.

O problema começou com Hipócrates. A maioria das pessoas conhece o famoso ditado grego antigo: "Primeiro, não prejudicar."[1] Essa frase atesta de maneira sucinta a responsabilidade primordial do médico, que é a de não matar os pacientes nem fazer algo que possa piorar sua condição, em vez de melhorá-la. Faz sentido. Há apenas três problemas nisso: (a) Hipócrates nunca disse essas palavras de fato,* (b) é uma bobagem completa e (c) é ineficaz em vários níveis.

"Não prejudicar"? É sério isso? Muitos dos tratamentos adotados por nossos antepassados médicos, desde a época de Hipócrates até o século XX, tinham *maior* potencial de prejudicar do que de curar. Dor de cabeça? Você seria elegível à trepanação, ou seja, que fizessem um furo no seu crânio. Feridas estranhas nas partes íntimas? Tente não gritar enquanto um médico ancestral aplica mercúrio tóxico em seus órgãos genitais. E então, é claro, havia o milenar recurso à sangria, que geralmente era a última coisa de que uma pessoa doente ou ferida precisava.

Porém, o que mais me incomoda na frase "Primeiro, não prejudicar" é a implicação de que a melhor opção de tratamento é sempre aquela com o me-

* A frase "Primeiro, não prejudicar" não aparece nos escritos originais de Hipócrates. Ele disse que "o médico deve ter dois objetivos, fazer o bem e evitar fazer o mal". Isso foi transformado em "Primeiro, não prejudicar" por um cirurgião britânico aristocrático do século XIX chamado Thomas Inman, cujo outro motivo para ter ficado famoso é... bem, nenhum. Por algum motivo, esse se tornou o lema sagrado da profissão médica por toda a eternidade.

nor risco imediato — muitas vezes, isso significa não fazer nada. Todo médico digno de seu diploma tem uma história que contraria esse absurdo. Aqui está uma das minhas: em um dos últimos atendimentos que fiz como residente no setor de trauma, um garoto de dezessete anos deu entrada com um ferimento a faca na parte superior do abdômen, logo abaixo do processo xifoide, o pequeno pedaço de cartilagem que fica na extremidade inferior do esterno. Ele parecia estável quando chegou, mas pouco depois começou a agir de forma estranha, ficando muito ansioso. Um ultrassom rápido sugeriu que ele estava com líquido no pericárdio, o resistente saco fibroso ao redor do coração. Aquilo se tornou uma grande emergência, porque, se houvesse acúmulo excessivo de fluidos ali, o coração iria parar e ele morreria em um ou dois minutos.

Não havia tempo de levá-lo até a sala de cirurgia; ele poderia facilmente morrer a caminho, no elevador. Visto que ele já havia até mesmo desmaiado, em uma fração de segundo tive que tomar a decisão de fazer uma incisão no peito do paciente ali mesmo, abrindo o pericárdio para aliviar a pressão no coração. Foi estressante, um banho de sangue, mas deu certo, e os sinais vitais dele logo se estabilizaram. Sem dúvida, o procedimento era extremamente arriscado e causou grandes danos no curto prazo, mas, se eu não o tivesse feito, o paciente poderia ter morrido à espera de um procedimento mais seguro e estéril na sala de cirurgia. A morte rápida não espera ninguém.

A razão pela qual eu tive que agir de maneira tão drástica naquele momento foi a assimetria do risco: não fazer nada — "não prejudicar" — provavelmente teria resultado na morte dele. Por outro lado, mesmo que eu estivesse errado no diagnóstico, a cirurgia de tórax que realizamos às pressas apresentava um baixo risco, embora obviamente não fosse o programa ideal de ninguém para uma noite de quarta-feira. Depois que o tiramos do perigo iminente, ficou evidente que a ponta da faca havia perfurado ligeiramente a artéria pulmonar, um ferimento simples que precisou de dois pontos apenas, uma vez que ele estava estabilizado e na sala de cirurgia. Ele foi para casa quatro dias depois.

O risco não é algo a ser evitado a todo custo; pelo contrário, é algo que precisamos entender e analisar, e então trabalhar com ele. Cada coisa que fazemos, na medicina e na vida, é baseada em algum cálculo de risco *versus* recompensa. Comeu uma salada pronta do hortifrúti no almoço? Existe uma pequena chance de haver bactérias *E. coli* na alface. Foi dirigindo até o hortifrúti para comprá-la? Igualmente arriscado. Mas, no geral, a salada provavelmente é algo benéfico para você (ou pelo menos não tão ruim quanto algumas outras coisas que você poderia comer).

Às vezes, como no caso da minha vítima de esfaqueamento, precisamos dar um voto de confiança. Em outras situações, de menor pressão, você pode ter que escolher com mais cuidado entre submeter um paciente a uma colonoscopia, um procedimento com risco de lesão baixo, mas real, ou não fazer o exame e potencialmente deixar passar um diagnóstico de câncer. A questão é: um médico que *nunca* prejudicou ninguém, ou que pelo menos nunca encarou esse risco, provavelmente também nunca fez muita coisa para ajudar um paciente. E, como no caso daquela vítima de esfaqueamento, às vezes não fazer nada é a escolha mais arriscada de todas.

Inclusive, eu meio que gostaria que Hipócrates tivesse testemunhado a operação no rapaz que havia sido esfaqueado — ou qualquer procedimento em um hospital moderno, na verdade. Ele teria ficado maravilhado com tudo, desde os instrumentos de aço até os antibióticos e a anestesia, passando pelas luzes elétricas brilhantes.

Embora seja verdade que devemos muito aos antigos — como as vinte mil novas palavras que a faculdade de medicina acrescentou ao meu vocabulário, a maioria derivada do grego ou do latim —, a noção de uma marcha contínua de progresso desde a era de Hipócrates até o presente é uma ficção. Para mim, houve duas eras distintas na história da medicina, e agora podemos estar às vésperas de uma terceira.

A primeira era, simbolizada por Hipócrates, mas que se estendeu por quase dois mil anos após sua morte, é a que chamo de *Medicina 1.0*. Suas conclusões eram baseadas na observação direta e mais ou menos estruturadas na pura adivinhação, algumas das quais acertaram o alvo; outras, nem tanto. Hipócrates defendia a caminhada como exercício, por exemplo, e era da opinião de que "nos alimentos podem ser encontrados excelentes remédios; nos alimentos podem ser encontrados péssimos remédios", o que vale até hoje. Mas grande parte da Medicina 1.0 passou longe do alvo, como no conceito de "humores" corporais, para citar apenas um exemplo entre muitos. A maior contribuição de Hipócrates foi a ideia de que as doenças eram causadas pela natureza, não pela ação dos deuses, como se acreditava até então. Isso, por si só, representou um passo enorme na direção certa. Portanto, é difícil ser muito crítico em relação a ele e seus contemporâneos. Eles fizeram o melhor que podiam sem entender de ciência nem de método científico. É impossível usar uma ferramenta que ainda não foi inventada.

A *Medicina 2.0* surgiu em meados do século XIX, com o advento da teoria microbiana das doenças, que suplantou a ideia de que a maioria das enfermidades era transmitida por "miasmas", ou odores fétidos provenientes de pessoas e animais doentes ou do esgoto. Isso estimulou a adoção de melhores práticas sanitárias por parte dos médicos e, por fim, o desenvolvimento de antibióticos. Mas essa transição não foi nem um pouco pacífica; não foi como se um dia Louis Pasteur, Joseph Lister e Robert Koch simplesmente tivessem publicado seus estudos inovadores,* e o restante da classe médica tivesse se alinhado a eles e mudado a forma como faziam tudo da noite para o dia. Na prática, a passagem da Medicina 1.0 para a 2.0 foi uma longa e sangrenta marcha que durou séculos, encontrando trincheiras de guerra abertas pelo *establishment* em inúmeros pontos ao longo do trajeto.

Vejamos o caso do pobre Ignaz Semmelweis, um obstetra vienense que estava preocupado com a morte de muitas mulheres que haviam acabado de dar à luz no hospital onde ele trabalhava. O médico concluiu que a inusitada "febre puerperal" poderia estar, de alguma forma, ligada às autópsias que ele e os colegas realizavam pela manhã, antes dos partos feitos à tarde, sem lavar as mãos entre uma coisa e outra. Os germes ainda não haviam sido descobertos, mas, mesmo assim, Semmelweis acreditava que os médicos estavam transmitindo *alguma coisa* que era responsável pelo adoecimento daquelas mulheres. Suas observações foram muito mal recebidas. Os colegas o condenaram ao ostracismo, e o obstetra morreu em um manicômio em 1865.

Naquele mesmo ano, Joseph Lister apresentou pela primeira vez com sucesso o princípio da cirurgia antisséptica, usando técnicas de esterilização para operar um menino em um hospital em Glasgow. Foi a primeira aplicação prática da teoria microbiana das doenças. Semmelweis estava certo.

A transição da Medicina 1.0 para a 2.0 foi impulsionada, em parte, por novas tecnologias, como o microscópio, mas era majoritariamente uma *nova forma de pensamento*. As bases foram lançadas em 1628, quando Francis Bacon articulou pela primeira vez o que hoje conhecemos como método científico.

* Pasteur descobriu a existência de patógenos e micro-organismos transportados pelo ar que respondiam pela decomposição dos alimentos; Lister desenvolveu técnicas cirúrgicas antissépticas; e Koch identificou as bactérias causadoras da tuberculose e do cólera.

Isso representou uma grande mudança em termos filosóficos, partindo da observação e adivinhação para a observação e, em seguida, a formulação de uma hipótese, que, como sinalizou Richard Feynman, é basicamente uma forma sofisticada de se dizer "palpite".

O passo seguinte é crucial: pôr essa hipótese/palpite à prova rigorosa, para determinar se está ou não correta, algo também conhecido como experimentação. Em vez de usar tratamentos que *acreditavam* que pudessem funcionar, apesar das vastas evidências anedóticas em contrário, os cientistas e médicos podiam testar e avaliar sistematicamente potenciais curas e, então, optar por aquelas com melhor desempenho nos experimentos. No entanto, decorreram três séculos entre o ensaio de Bacon e a descoberta da penicilina, o verdadeiro divisor de águas da Medicina 2.0.

A Medicina 2.0 foi transformadora. É um aspecto que definiu nossa civilização, uma máquina de guerra científica que erradicou doenças mortais como a poliomielite e a varíola. Seu êxito teve como consequência a contenção do HIV e da aids nas décadas de 1990 e 2000, transformando o que parecia uma praga que ameaçava toda a humanidade em uma doença crônica administrável. Eu incluiria também a descoberta recente da cura da hepatite C. Lembro que ouvi na faculdade que a hepatite C era uma epidemia incontrolável, que sobrecarregaria a infraestrutura de transplantes de fígado nos Estados Unidos em 25 anos. Hoje, a maioria dos casos pode ser curada após um curto (embora ainda muito caro) regime medicamentoso.

Talvez ainda mais surpreendente tenha sido o rápido desenvolvimento de não apenas uma, mas várias vacinas eficazes contra a Covid-19 menos de um ano após a eclosão da pandemia, no início de 2020. O genoma do vírus foi sequenciado poucas semanas depois das primeiras mortes, permitindo a elaboração rápida de vacinas que visavam especificamente atingir as proteínas da superfície do vírus. O avanço dos tratamentos contra a doença também foi notável, e vários tipos de medicamentos antivirais foram produzidos em menos de dois anos. Isso simboliza a Medicina 2.0 no seu auge.

No entanto, ela se provou muito menos bem-sucedida contra doenças de longo prazo, como o câncer. Embora livros como este sempre alardeiem o fato de que a expectativa de vida quase dobrou desde fins do século XIX, a maior parte desse progresso pode ter resultado exclusivamente dos antibióticos e das melhorias no saneamento, como defende Steven Johnson em seu livro *Longevidade*.[2] Robert J. Gordon, economista da Universidade Northwestern, analisou dados de mortalidade de 1900 para cá (Figura 1) e descobriu que, se você subtrair as mortes decorrentes das oito principais doenças infectocontagiosas, amplamente contidas pelo advento dos antibióticos na década de 1930, as taxas gerais de mortalidade caíram relativamente pouco ao longo do século XX.[3] Isso significa que a Medicina 2.0 fez pouco progresso contra os quatro cavaleiros.

Figura 1. **Mudança nas taxas de mortalidade desde 1900**

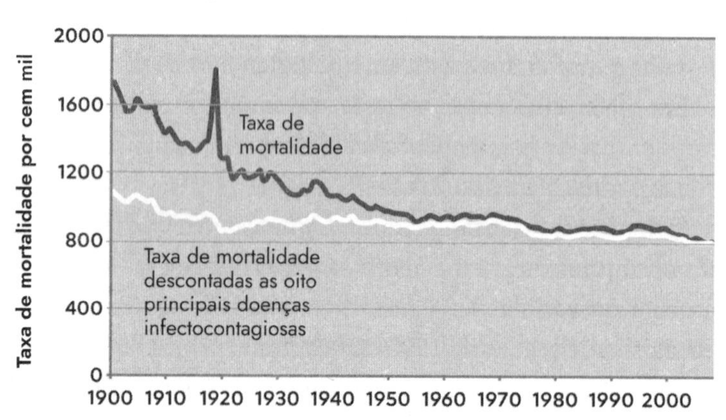

Este gráfico mostra como as taxas reais de mortalidade apresentam *pouca* melhora desde 1900, uma vez descontadas as oito principais doenças infectocontagiosas, amplamente controladas pelo advento dos antibióticos no início do século XX. Fonte: Gordon (2016).

Rumo à Medicina 3.0

Durante meu período afastado da medicina, percebi que eu e meus colegas fomos treinados para resolver os problemas de uma era anterior: as doenças agudas e as lesões cujos tratamentos levaram à evolução da Medicina 2.0. Essas mazelas tinham um horizonte de eventos muito mais curto; para nossos pacientes oncológicos, o próprio tempo era o inimigo. E sempre chegávamos tarde demais.

Na verdade, isso só ficou óbvio para mim durante meu pequeno ano sabático, imerso no mundo da matemática e das finanças, refletindo todos os dias sobre a natureza do risco. O problema dos bancos não era muito diferente da situação que alguns dos meus pacientes encaravam: fatores de risco supostamente pequenos, com o tempo, se transformaram em uma catástrofe imparável e desproporcionais. As doenças crônicas operam de modo semelhante, crescendo pouco a pouco ao longo de anos e décadas — e, uma vez fincadas as raízes, é difícil eliminá-las. A aterosclerose, por exemplo, começa muitas décadas antes de a pessoa passar por um "episódio" coronariano que pode levar à morte. Mas esse episódio, com grande frequência um ataque cardíaco, muitas vezes marca o ponto em que se dá início ao tratamento.

É por isso que acredito que precisamos de uma nova forma de pensar as doenças crônicas, seu tratamento e como manter a saúde no longo prazo. O objetivo dessa nova medicina, que chamo de *Medicina 3.0*, não é entupir as pessoas de remédios e mandá-las de volta para casa depois de remover os tumores, torcendo pelo melhor; mas, acima de tudo, impedir que os tumores apareçam e se espalhem. Ou evitar aquele primeiro ataque cardíaco. Ou desviar alguém do caminho rumo à doença de Alzheimer. Nossos tratamentos e nossas estratégias de prevenção e diagnóstico precisam mudar para se adequar à natureza dessas doenças, com seus lentos e extensos preâmbulos.

Já ficou claro que a medicina está mudando rapidamente em nosso tempo. Muitos especialistas preveem uma nova época gloriosa, a da medicina "personalizada" ou de "precisão", em que os cuidados serão feitos sob medida segundo as necessidades exatas dos pacientes, até os seus próprios genes. Indiscutivelmente, trata-se de um objetivo nobre; é claro que não há dois pacientes exatamente iguais, mesmo quando apresentam o que parece ser uma infecção respiratória idêntica. Um tratamento que funciona para um pode ser inútil para o outro, seja porque o sistema imunológico reage de maneira diferente, seja porque a infecção é viral, não bacteriana. Mesmo hoje em dia, ainda é extremamente difícil distinguir uma da outra, o que resulta em milhões de prescrições inúteis de antibióticos.

Muitos pensadores da área acreditam que essa nova era será impulsionada pelos avanços da tecnologia, e provavelmente estão certos; no entanto, a tecnologia tem sido (até agora) um fator limitante. Eu explico. Por um lado, os aperfeiçoamentos tecnológicos nos permitem reunir mais dados sobre os pacientes do que nunca, e os próprios pacientes têm maior capacidade de monitorar seus biomarcadores. Isso é bom. Melhor ainda, a inteligência artificial e o aprendizado de máquina estão sendo utilizados no processamento dessa enorme profusão de dados. Com isso, é possível chegar a análises acerca do risco de um paciente desenvolver doenças cardíacas, por exemplo, que sejam mais certeiras do que os cálculos simples baseados nos fatores de risco que temos hoje. Outros apontam para as possibilidades da nanotecnologia, que permitiria aos médicos diagnosticar e tratar doenças por meio de partículas microscópicas bioativas injetadas na corrente sanguínea. Mas os nanorrobôs ainda não chegaram, e, a não ser que haja um grande salto nas pesquisas públicas ou privadas, pode levar algum tempo até que se tornem realidade.

O problema é que nossa *ideia* de medicina personalizada ou de precisão está sempre um pouco além da tecnologia necessária para concretizar todo o seu potencial. É um pouco parecido com o conceito de carro autônomo, sobre o qual se fala há quase tanto tempo quanto os automóveis colidem uns com os outros, ferindo e matando pessoas. Visivelmente, excluir o erro humano o máximo possível da equação seria algo positivo. Mas só hoje a tecnologia está começando a se aproximar de um conceito que alimentamos há décadas.

Se você quisesse criar um carro "autônomo" na década de 1950, sua melhor opção seria amarrar um tijolo no pedal do acelerador. Sim, o veículo andaria sozinho, mas não teria como reduzir a velocidade, parar nem virar para contornar obstáculos. Obviamente, não é ideal. Mas isso significa que devemos abandonar o conceito de carro autônomo? Não, significa apenas que, na época, ainda não tínhamos as ferramentas que temos hoje para permitir que os veículos operem de forma autônoma e segura: computadores, sensores, inteligência artificial, aprendizado de máquina e assim por diante. Este sonho antes distante agora parece estar ao nosso alcance.

É quase a mesma história com a medicina. Duas décadas atrás, ainda amarrávamos tijolos nos pedais do acelerador, metaforicamente falando. Hoje, estamos nos aproximando do ponto em que podemos começar a aplicar tecnologias apropriadas a fim de aprimorar nossa compreensão dos pacientes enquanto indivíduos singulares. Por exemplo, os médicos costumam contar com dois testes para avaliar a saúde metabólica dos pacientes: um exame de glicose feito em jejum, normalmente realizado uma vez por ano; ou o teste de HbA1c de que falamos antes, que nos dá uma estimativa da glicemia média nos noventa dias anteriores ao exame. Mas esses testes têm limitações, porque são estáticos e se referem ao passado. Por isso, muitos dos meus pacientes usam um dispositivo que monitora os níveis de glicose no sangue em tempo real, o que me permite conversar com eles sobre nutrição de uma forma específica, diferenciada e pautada por feedbacks, algo que não era possível nem mesmo uma década atrás. Essa tecnologia, conhecida como "monitoramento contínuo da glicose" (CGM, na sigla em inglês), me possibilita observar como o *metabolismo particular de cada paciente* reage a determinado padrão alimentar, para então fazer alterações em sua dieta com agilidade. Com o tempo, teremos muito mais sensores semelhantes, que vão nos permitir adaptar nossas terapias e intervenções com mais rapidez e precisão. O carro autônomo será muito mais competente em acompanhar o vaivém da estrada, sem nunca sair da pista.

Mas a Medicina 3.0, na minha opinião, não tem a ver de fato com a tecnologia; pelo contrário, ela exige uma evolução em nossa mentalidade, uma mudança na forma como encaramos a prática. Eu dividi essa mentalidade em quatro pontos principais.

Primeiro, *a Medicina 3.0 dá muito mais ênfase à prevenção do que ao tratamento.* Quando Noé construiu a arca? Muito antes de começar a chover. A Medicina 2.0 tenta descobrir como se secar depois que já começou a chover. A Medicina 3.0 estuda a meteorologia e busca definir se precisamos reformar o telhado ou construir um barco.

Segundo, *a Medicina 3.0 olha para o paciente como um indivíduo único.* A Medicina 2.0 trata todos basicamente da mesma forma, guiando-se pelas descobertas dos ensaios clínicos que fundamentam a medicina pautada em evidências. Esses ensaios recebem *inputs* heterogêneos (as pessoas que foram objeto do estudo ou dos estudos) e devolvem resultados homogêneos (a média dos resultados de todas essas pessoas). A medicina pautada em evidências insiste em aplicar essas descobertas médias a todos os indivíduos. O problema é que nenhum paciente é estritamente mediano. A Medicina 3.0 pega essas mesmas descobertas e dá um passo além, examinando a fundo os dados para determinar o grau de semelhança do paciente com o indivíduo "médio" do estudo e avaliar se as descobertas podem ou não ser aplicáveis. Pense nisso como uma medicina "influenciada" por evidências.

A terceira mudança em termos filosóficos tem a ver com nossa postura em relação ao risco. *Na Medicina 3.0, nosso ponto de partida é a análise honesta e a aceitação do risco, incluindo o de não fazer nada.*

Muitos exemplos ilustram como a Medicina 2.0 tem uma compreensão equivocada sobre o risco, mas um dos mais expressivos tem a ver com a terapia de reposição hormonal (TRH) para mulheres na pós-menopausa, há muito arraigada como procedimento-padrão antes dos resultados do estudo da Iniciativa de Saúde da Mulher (WHI, na sigla em inglês) publicado em 2002. Esse ensaio clínico abrangente, envolvendo milhares de mulheres na terceira idade, comparou uma variedade de indicadores de saúde em mulheres que faziam ou não a TRH. O estudo constatou um aumento relativo de 24% no risco de desenvolver câncer de mama entre um subconjunto de mulheres que faziam a TRH, e as manchetes em todo o mundo a condenaram como uma terapia perigosa e cancerígena.[4] Subitamente, com base nesse único estudo, o tratamento de reposição hormonal se tornou quase um tabu.

O aumento constatado de 24% no risco parecia assustador mesmo. Mas aparentemente ninguém se importava com o fato de o aumento do risco *absoluto* de desenvolvimento de câncer de mama entre as mulheres no estudo permanecer minúsculo. Cerca de cinco em cada mil mulheres no grupo de TRH desenvolveram câncer de mama, contra quatro em cada mil no grupo de controle, que não recebeu hormônios. O aumento do risco absoluto foi de apenas 0,1%. Em termos potenciais, a TRH estava associada a um caso a mais de câncer de mama em cada mil pacientes. No entanto, esse pequeno aumento no risco absoluto foi considerado superior a quaisquer benefícios, o que significa que as mulheres na menopausa estariam potencialmente sujeitas a ondas de calor e suores noturnos, bem como à perda de densidade óssea e de massa muscular, além de outros sintomas desagradáveis — para não falar do risco teoricamente maior de sofrer de doença de Alzheimer, como veremos no capítulo 9.

A Medicina 2.0 prefere descartar essa terapia, com base em um único ensaio clínico, a tentar entender as nuances envolvidas e lidar com elas. A Medicina 3.0 levaria esse estudo em consideração, admitindo, porém, as inevitáveis limitações e os vieses embutidos. A pergunta-chave que a Medicina 3.0 faz é se essa intervenção, a terapia de reposição hormonal, com um aumento relativamente pequeno no risco *médio* em um grupo vasto de mulheres com mais de 65 anos, ainda pode ser benéfica para nossa paciente, *individualmente*, com seu conjunto singular de sintomas e fatores de risco. O quanto ela se assemelha ou difere das participantes do estudo? Uma diferença enorme: nenhuma das mulheres selecionadas para o ensaio era realmente sintomática, e a maioria estava na pós-menopausa havia anos. Então, será que as descobertas desse estudo eram mesmo aplicáveis para mulheres que estão entrando ou acabaram de entrar na menopausa (e são supostamente mais novas)? Por fim, existe alguma outra explicação possível para o ligeiro aumento observado no risco associado a esse protocolo específico de TRH?*

---

* Um mergulho mais profundo nos dados sugere que o pequeno aumento no risco de câncer de mama possivelmente se deu graças ao tipo de progesterona sintética usado no estudo, e não ao estrogênio; o diabo mora sempre nos detalhes.

De forma mais ampla, meu argumento é que, no nível do paciente individual, devemos estar dispostos a fazer perguntas mais profundas comparando o risco, a recompensa e o custo da terapia, bem como fazemos com praticamente qualquer outra coisa que desejemos fazer.

A quarta e, talvez, maior mudança é que, enquanto a Medicina 2.0 se concentra majoritariamente na expectativa de vida e é quase inteiramente voltada para evitar a morte, *a Medicina 3.0 presta muito mais atenção à manutenção do healthspan, a qualidade de vida.*

O healthspan era um conceito que mal existia quando comecei a faculdade de medicina. Meus professores falavam pouco ou nada sobre como ajudar os pacientes a manter as capacidades física e cognitiva à medida que envelheciam. A palavra *exercício* quase nunca era mencionada. O sono era totalmente ignorado, tanto nas aulas quanto na residência, já que rotineiramente trabalhávamos 24 horas seguidas. Nossa formação em nutrição também era mínima ou inexistente.

Hoje, a Medicina 2.0 pelo menos admite a importância do healthspan, mas a definição-padrão — o tempo de vida sem debilidades ou doenças — é insuficiente, ao meu ver. Queremos mais do que apenas a ausência de doenças ou debilidades. Queremos prosperar, em todos os sentidos, durante a segunda metade de nossa vida.

Outra questão relacionada é que a longevidade em si, e o healthspan em particular, não se encaixam no modelo de negócios do sistema de saúde atual. Existem poucos códigos de reembolso de seguro que atendam a maior parte das intervenções preventivas necessárias para aumentar a expectativa de vida e o healthspan, segundo o que acredito. Os convênios de saúde não pagam muita coisa para um médico dizer que o paciente deve mudar a maneira como se alimenta, ou monitorar seus níveis de glicose no sangue, a fim de ajudar a prevenir o desenvolvimento de diabetes tipo 2. No entanto, o convênio pagará pela insulina (muito cara) do mesmo paciente *depois* que ele for diagnosticado. Da mesma forma, não há código de cobrança que custeie um programa de exercícios abrangente, projetado para preservar a massa muscular e o senso de equilíbrio enquanto aumenta a resistência a lesões. Mas, se o paciente cair e quebrar o quadril, a cirurgia e a fisioterapia serão cobertas. Quase todo o dinheiro vai para o tratamento, não para a prevenção — e quando digo "prevenção", me refiro à *prevenção do sofrimento humano.* Continuar ignorando o healthspan, da forma que temos feito, não apenas condena as pessoas a uma velhice de doença e sofrimento, como também nos levará à falência, em última instância.

Quando apresento essa visão aos meus pacientes, costumo falar em iceberg — mais especificamente, do tipo que encerrou a primeira e última viagem do *Titanic*. Às 21h30 daquela fatídica noite, o enorme navio a vapor recebeu uma mensagem urgente de outra embarcação avisando que ele estava indo em direção a um campo de gelo. A mensagem foi ignorada. Mais de uma hora depois, outro navio emitiu pelo telégrafo um alerta de icebergs na trajetória do navio. O operador de comunicações do *Titanic*, que estava ocupado tentando se comunicar com a ilha canadense de Terra Nova através de frequências de rádio sobrecarregadas, respondeu (em código Morse): "Sai daqui; cala a boca."[5]

Havia outros problemas. O navio estava viajando a uma velocidade alta demais para uma noite de nevoeiro com pouca visibilidade. As águas estavam extraordinariamente calmas, dando à tripulação uma falsa sensação de segurança. E, embora houvesse binóculos a bordo, eles estavam guardados e ninguém tinha a chave, o que significa que o vigia do navio podia contar apenas com seus olhos nus. Quarenta e cinco minutos depois do último contato por rádio, o vigia avistou o iceberg fatal apenas quinhentos metros à frente. Todo mundo sabe como a história acaba.

Mas e se o *Titanic* tivesse radar e sonar (que só foram desenvolvidos durante a Segunda Guerra Mundial, mais de quinze anos depois)? Ou, melhor ainda, GPS e imagens de satélite? Em vez de tentar cruzar o labirinto de icebergs fatais, torcendo pelo melhor, o capitão poderia ter feito um ligeiro ajuste de curso um ou dois dias antes e evitado toda a confusão. Isso é precisamente o que os capitães de navios fazem hoje, graças à tecnologia aprimorada que tornou os naufrágios como o do *Titanic* uma coisa do passado, relegados a filmes sentimentais e nostálgicos com trilhas sonoras piegas.

O problema é que as ferramentas da medicina não nos permitem ver muito além do horizonte. Nosso "radar", por assim dizer, não é muito poderoso. Os mais longos ensaios clínicos randomizados sobre o uso das estatinas na prevenção primária de doenças cardíacas, por exemplo, abrangem de cinco a sete anos. Nossa janela de previsão de risco mais extensa é de dez anos. Mas uma doença cardiovascular pode levar décadas para se desenvolver.

A Medicina 3.0 olha para a situação através de uma lente de mais longo alcance. Uma pessoa de quarenta anos deve se preocupar com o perfil de risco cardiovascular que terá dali a trinta ou quarenta anos, não apenas dez. Portanto, precisamos de ferramentas de alcance muito maior do que ensaios clínicos comparativamente curtos. Precisamos de radares de longo alcance, GPS, imagens de satélite e tudo o mais. Não apenas uma foto.

Como digo aos meus pacientes, gostaria de ser o capitão do navio deles. Meu trabalho, da forma como enxergo, é guiá-los através do campo de gelo. Estou em busca de icebergs 24 horas por dia, sete dias por semana. Quantos existem pelo caminho? Quais estão mais perto? Se desviarmos, isso nos colocará na rota de outros perigos? Existem icebergs maiores e mais perigosos à espreita no horizonte, fora de vista?

Isso nos leva à talvez mais importante diferença entre a Medicina 2.0 e a Medicina 3.0. Na primeira, você é um passageiro no navio, sendo transportado de forma um tanto passiva. A segunda exige muito mais de você, paciente: você precisa estar bem informado, ter um grau razoável de alfabetização em medicina, ter uma visão clara sobre os seus objetivos e estar ciente da verdadeira natureza do risco. Deve estar disposto a mudar hábitos arraigados, aceitar novos desafios e se aventurar além da zona de conforto, se necessário. Você sempre tem um papel ativo, nunca é passivo, e encara os problemas, mesmo aqueles desconfortáveis ou assustadores, em vez de ignorá-los até que seja tarde demais. É a sua pele que está em jogo, em um sentido muito literal. E você toma decisões importantes.

Porque, nesse cenário, você não é mais um passageiro do navio; você é o capitão.

CAPÍTULO 3

Objetivo, estratégia, táticas

Um guia para a leitura deste livro

> Estratégia sem tática é o caminho mais lento para a vitória.
> Tática sem estratégia é o ruído que precede a derrota.
>
> — SUN TZU

Muitos anos atrás, peguei um voo para São Francisco a fim de comparecer ao enterro da mãe de uma grande amiga dos tempos de faculdade, que vou chamar de Becky. Como os pais dela moravam perto de Palo Alto, onde estudei medicina, várias vezes fui convidado para jantar com eles. Era comum comermos no jardim, lindamente planejado e meticulosamente cuidado pela mãe de Becky, Sophie.

Eu me lembrava de Sophie como uma mulher enérgica e atlética, que parecia imune ao tempo. Mas não a via desde meu casamento, quase quinze anos antes. Becky me inteirou do que perdi. A partir dos setenta e poucos anos, Sophie enfrentou um declínio físico acentuado que começou quando ela escorregou e caiu enquanto cuidava do jardim, rompendo um músculo do ombro. Dessa lesão vieram dores tão fortes no pescoço e nas costas que ela não conseguia mais cuidar do jardim nem jogar golfe, suas duas maiores paixões na aposentadoria. Ela só ficava sentada em casa, deprimida. Então, nos últimos dois anos de vida, ela mergulhou na demência, antes de morrer de infecção respiratória aos 83 anos.

No velório, todos concordavam que foi uma "bênção" Sophie não ter precisado permanecer naquele estado de demência por tanto tempo, mas, sentado no banco da igreja, fiquei refletindo sobre o fato de que ela passou a última década de sua vida incapaz de fazer qualquer uma das atividades que lhe davam prazer e ainda sentindo muitas dores. Ninguém mencionava isso. Estávamos reunidos para lamentar a morte biológica de Sophie, mas me entristecia ainda mais ela ter sido privada de viver a alegria de seus últimos anos.

Costumo falar de Sophie com meus pacientes, não porque a história seja incomum, mas porque infelizmente é recorrente. Todos nós vimos pais, avós, cônjuges ou amigos passarem por provações semelhantes. O triste é que quase esperamos que isso aconteça com os mais velhos; e, mesmo cientes disso, relativamente poucos de nós tomam medidas que possam nos ajudar a evitar esse destino. Mesmo para Becky, que cuidou da mãe nos difíceis anos finais, a ideia de que poderia acabar na mesma situação era provavelmente a última coisa que passava pela sua cabeça. O futuro, para a maioria de nós, continua sendo uma abstração nebulosa.

Conto a história de Sophie para ajudar a ilustrar um conceito fundamental na minha abordagem da longevidade: a necessidade de pensar e planejar as últimas décadas de nossa vida — nossos setenta, oitenta, noventa anos ou mais. Para muita gente, como Sophie, os últimos dez anos de vida não são uma época particularmente feliz. As pessoas normalmente padecem de pelo menos um dos quatro cavaleiros e dos efeitos dos tratamentos decorrentes dessas doenças. As habilidades cognitivas e físicas costumam estar reduzidas ou já ausentes. Em geral, essas pessoas são incapazes de fazer atividades que antes amavam, seja praticar jardinagem, jogar xadrez, andar de bicicleta ou qualquer outra coisa que lhes dê alegria. Eu chamo isso de "década marginal", que para muitos, se não para a maioria, é um período de definhamento e limitação.

Peço a todos os meus pacientes que esbocem um futuro alternativo para si mesmos. O que você *quer* fazer nas suas últimas décadas? Qual é o seu plano para o resto da vida?

Todo mundo tem uma resposta um pouco diferente: viajar, continuar a jogar golfe e fazer trilhas, ou simplesmente brincar com os netos e bisnetos (no topo da minha lista). O objetivo desse exercício é duplo. Em primeiro lugar, ele obriga as pessoas a pensarem no próprio fim, algo que a maioria de nós prefere evitar. Os economistas chamam isso de "desconto hiperbólico", a tendência natural de escolher a gratificação imediata em detrimento dos potenciais ganhos futuros, principalmente se implicarem muito esforço. Em segundo lugar, ressalta a importância do healthspan. Se Becky quiser desfrutar de uma vida saudável e gratificante nos seus últimos anos de vida, em vez de repetir o destino da mãe, ela terá que preservar e, com sorte, melhorar as suas capacidades físicas e cognitivas a cada década daqui até lá. Caso contrário, a atração gravitacional do envelhecimento fará seu trabalho, e ela vai definhar como a mãe.

Como sou o cara dos números, gosto de visualizar a expectativa de vida e o healthspan em termos de uma função matemática, como na Figura 2, a seguir — um dos muitos gráficos que eu desenho para meus pacientes. O eixo horizontal (X) do gráfico representa a sua expectativa de vida, quanto tempo você vai viver, enquanto o eixo vertical (Y) representa uma espécie de soma total das suas capacidades física e cognitiva, as duas dimensões do healthspan associadas à idade. (Obviamente, o healthspan não é verdadeiramente quantificável, mas peço que aceite minha simplificação.)

A linha sólida representa a trajetória natural da sua vida: você nasceu no tempo zero, e, para fins do nosso diagrama, vamos dizer que a sua saúde física e cognitiva começa em 100%. Você se mantém relativamente robusto até mais ou menos a quinta década de vida, quando a sua saúde física e cognitiva provavelmente vai começar a sofrer um declínio gradual, mas constante, até a morte (healthspan = zero), por volta dos sessenta ou setenta anos. Essa seria uma expectativa de vida razoável para um caçador-coletor ou membro de tribo agrária primitiva, desde que evitasse uma morte prematura provocada por doenças infecciosas ou outro tipo de fatalidade.

Agora observe o curso típico da vida moderna, representado pela linha de traços curtos no gráfico, identificada como "Med 2.0". Você vai viver um pouco mais, graças ao relativo conforto e segurança de nossa vida. Mas, na meia-idade, você vai sentir gradualmente algumas mudanças. Perderá um pouco da força e da energia da juventude. Pode notar que de vez em quando esquece senhas, nomes de conhecidos ou atores de filmes que assistiu há muito tempo. Seus amigos e colegas vão começar a ser diagnosticados com câncer, doenças cardiovasculares e condições relacionadas, como pressão alta e diabetes ou pré-diabetes. Você vai começar a ir a enterros de amigos da escola.

Figura 2. Expectativa de vida x Healthspan na Medicina 2.0 x Medicina 3.0

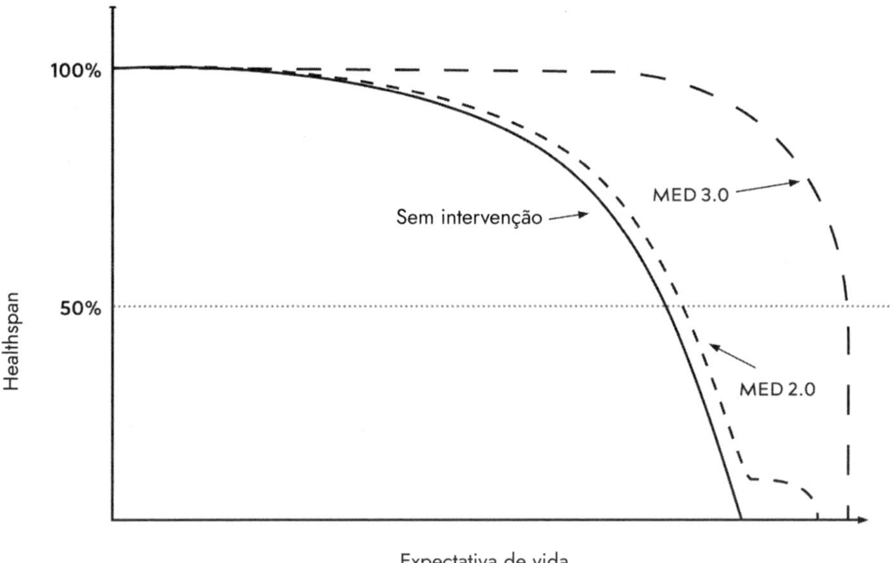

Em determinado ponto, o declínio começa a se acentuar. Por fim, em torno dos 70 ou 75 anos, mais ou menos, as capacidades cognitivas e físicas vão ser reduzidas aproximadamente à metade (representadas pela linha pontilhada horizontal), que, de certo modo, defino arbitrariamente como o ponto abaixo do qual você não é mais capaz de fazer as coisas que deseja com facilidade. Você está limitado, e coisas ruins começam a acontecer com mais frequência e com maiores consequências. Uma coisa é quebrar o fêmur em um acidente de esqui aos quarenta anos, quando você ainda é forte e resiliente; outra, bem diferente, é quebrá-lo caindo na calçada aos 75 anos e operando com 25% de sua capacidade. Ao mesmo tempo, o risco de desenvolver uma doença crônica cresce exponencialmente.

É aqui que entra a Medicina 2.0. Tratamos a doença cardíaca, o câncer ou qualquer outra coisa que nos acometer, prolongando a vida por alguns meses ou anos, se tivermos sorte. É quando a curva de expectativa de vida/healthspan se achata horizontalmente para a direita, representando esse adiamento da morte. Mas veja *onde* isso ocorre: quando o healthspan já está comprometido. Isso significa que adiamos a morte sem melhorar significativamente a qualidade de vida, algo que representa bem a Medicina 2.0. Essa é a "década marginal" que a maioria de nós pode esperar ter no nosso atual sistema.

Agora, observe a linha de traços compridos no gráfico. Ela representa a trajetória ideal. É isso que você quer ter. Em vez de experimentar um declínio lento começando na meia-idade, o healthspan como um todo permanece o mesmo *ou até mesmo melhora* na casa dos cinquenta ou mais. Você está mais em forma e mais saudável aos 55 e até aos 65 anos do que aos 45, e permanece em boa forma física e com bom desempenho cognitivo até os 70 ou 80 anos, e talvez mais. Você vai parecer ter uma década a menos, ou quem sabe até duas, do que a idade mostrada no seu passaporte. Há muito mais espaço abaixo dessa curva, e todo esse espaço representa uma vida mais longa e melhor: mais tempo com a família, correndo atrás das suas paixões, viajando ou continuando a fazer um trabalho significativo. Além disso, quando você começa a decair, a descida é íngreme, mas relativamente curta. É quando a curva de longevidade se aproxima da forma quadrada.

Nesse cenário, vivemos mais, e vivemos melhor por mais tempo. Superamos nossa expectativa de vida e também as expectativas da sociedade em relação a como deve ser ter uma idade avançada. Em vez de uma "década marginal" decadente, podemos desfrutar do que seria uma "década bônus", ou "décadas bônus", já que estamos prosperando em todos os sentidos. Este é nosso objetivo: retardar a morte e aproveitar ao máximo os anos a mais. O resto de nossa vida se torna um tempo a ser saboreado, em vez de temido.

A pergunta que vem a seguir, obviamente, é: como fazer isso? Como prolongar a expectativa de vida e, ao mesmo tempo, estender o healthspan? Como evitar a morte provocada pelos quatro cavaleiros enquanto retardamos, ou até mesmo revertemos, o declínio físico, cognitivo e emocional?

Qual é o plano?

É aqui que a maioria das pessoas pega o caminho errado. Elas querem um atalho, uma tática bem preto no branco: é *isso* o que você tem que comer (e não comer), é *assim* que você deve se exercitar, são *esses* os suplementos ou medicamentos de que você precisa, e assim por diante. Existem depósitos abarrotados de livros que alegam ter a resposta, mas este que você está lendo agora não é um deles. Acredito que neste ponto precisamos fazer uma pausa e dar um passo para trás, para não pularmos a etapa mais importante do processo: a estratégia.

Leia outra vez a citação de Sun Tzu que abre este capítulo: "Tática sem estratégia é o ruído que precede a derrota." Ele estava falando de guerra, mas isso se aplica aqui também. Para atingir nossos objetivos, primeiro precisamos ter uma *estratégia*: uma abordagem ampla, um arcabouço conceitual ou modelo mental que tenha embasamento científico, se ajuste sob medida aos nossos objetivos e nos proporcione opções. As táticas específicas fluem a partir da estratégia, e a estratégia deriva do objetivo. A essa altura, já sabemos qual é o objetivo, mas a estratégia é a chave para a vitória.

O maior erro que as pessoas costumam cometer é confundir estratégia e tática, julgando que ambas são a mesma coisa. Não são. Gosto de explicar essa distinção usando uma das lutas de boxe mais memoráveis de todos os tempos: a de Muhammad Ali contra George Foreman, o famoso embate "Rumble in the Jungle", que aconteceu em Kinshasa, antigo Zaire, em 1974. O *objetivo* de Ali, obviamente, era vencer Foreman e reconquistar o título dos pesos pesados. O problema era que o oponente era mais novo, mais forte, mais agressivo e o favorito para ganhar de lavada. É difícil associar essa imagem à do cara jovial que vende grills elétricos hoje em dia, mas naquela época George Foreman era considerado a criatura mais impiedosa que já havia calçado uma luva de boxe. Ele era visto como invencível, literalmente. Todos os especialistas concordavam que, por mais fascinante e adorado que fosse, Ali não tinha nenhuma chance — e era por isso que precisava de uma estratégia.

Ali sabia que tinha algumas pequenas vantagens sobre Foreman por ser mais rápido, mais experiente e mais resiliente em termos psicológicos. Também sabia que o adversário era cabeça-quente e sujeito a acessos de raiva. Em vez de tentar responder a cada golpe de Foreman, Ali decidiu induzir o lutador mais jovem e menos experiente a se desgastar sozinho, deixando-o frustrado, cansado e, portanto, vulnerável. Se conseguisse, tinha a certeza de que seria uma luta mais equilibrada. Esta era a estratégia: irritar Foreman e deixá-lo se debater até ficar esgotado, e então Ali poderia armar uma ofensiva.

Dessa estratégia fluíram táticas hoje lendárias: primeiro, atacar Foreman com uma sequência de diretos com a mão direita, um golpe óbvio e até mesmo desrespeitoso que sem dúvida deixaria Foreman furioso. Ninguém acerta desse jeito o campeão mundial dos pesos pesados. Ali então deixou um enfurecido Foreman persegui-lo pelo ringue e pressioná-lo contra as cordas, desperdiçando energia, enquanto se concentrava em tentar minimizar o impacto dos golpes que levava — o famoso *rope-a-dope*.

Nos primeiros rounds, todo mundo achou que Foreman estava acabando com Ali, incluindo o próprio Foreman. Mas, como a estratégia de Ali era tentar superar Foreman, ele havia treinado para suportar as investidas. Por volta do quinto round, é quase possível ver Foreman se dar conta: *Droga, já estou cambaleando*. Enquanto isso, o condicionamento físico superior de Ali significava que ele ainda tinha bastante combustível. Ele venceu a luta por nocaute no oitavo round.

A tática é aquilo que você faz quando está efetivamente no ringue. A estratégia é a parte mais difícil, porque requer um estudo cuidadoso do adversário, identificar os seus pontos fortes e fracos, e descobrir como usá-los a seu favor, muito antes de pisar de fato no ringue. Neste livro, vamos aplicar essa abordagem em três partes rumo à longevidade: **objetivo → estratégia → tática.**

Nossa estratégia

A caminho da luta com Foreman, Ali sabia que o tempo estava a seu favor. Quanto mais tempo mantivesse o oponente irritado e desperdiçando energia enquanto evitava ser nocauteado, maiores seriam suas chances de vitória no longo prazo. Infelizmente, em geral, o tempo definitivamente não está a nosso favor. A todo momento, o risco de contrair uma doença e morrer nos assombra, da mesma forma que a gravidade puxa um atleta de salto em distância em direção ao solo.

É claro que nem todo problema que encaramos pede uma estratégia. Na prática, a maioria não pede. Você não precisa de uma estratégia se o seu objetivo for, digamos, evitar queimaduras solares. As opções táticas óbvias são: usar protetor solar, camisa de manga comprida e calça, além de um chapéu grande, talvez, ou até mesmo evitar a exposição ao sol. Mas para viver mais e melhor precisamos de uma estratégia, porque a longevidade é um problema muito mais complexo do que uma queimadura solar.*

Viver mais significa atrasar a morte provocada por *todos* os quatro cavaleiros. Os cavaleiros compartilham de um poderoso fator de risco: a idade. À medida que você envelhece, o risco de que pelo menos uma dessas doenças comece a se instalar no seu corpo aumenta de forma exponencial. Infelizmente, não há muito a fazer em relação à nossa idade cronológica — mas do que estamos falando, propriamente, ao discutir o "envelhecimento"? Não se trata

* Ainda assim, evitar as queimaduras solares, que contribuem para o envelhecimento da pele, sem falar no risco de desenvolver um melanoma, é sem dúvida uma boa ideia.

apenas da passagem do tempo, mas, sim, do que acontece dentro de nós, sob a superfície, nos órgãos e células, conforme o tempo passa. A entropia age todos os dias no nosso corpo.

"O envelhecimento se caracteriza por uma perda progressiva da integridade fisiológica, levando ao comprometimento das funções normais e ao aumento da vulnerabilidade à morte", escrevem os autores de um influente artigo de 2013 ao descrever o que chamaram de "marcos do envelhecimento".[1] Eles continuam: "Essa deterioração é o maior fator de risco para as principais patologias humanas, incluindo câncer, diabetes, distúrbios cardiovasculares e doenças neurodegenerativas".

O próprio processo de envelhecimento é o que nos torna vulneráveis a essas doenças e afeta nosso healthspan. Uma pessoa que morre de ataque cardíaco não ficou doente uma hora antes. A doença estava agindo dentro dela, silenciosa e invisível, havia décadas. Conforme a pessoa envelhecia, os seus próprios mecanismos internos de defesa se enfraqueciam e a doença ia ganhando vantagem. Vimos algo semelhante na pandemia de Covid-19. O vírus infectou pessoas de todas as faixas etárias, mas matou desproporcionalmente pessoas mais velhas, justamente porque expôs e explorou a sua vulnerabilidade preexistente à doença e à morte: um sistema imunológico enfraquecido, problemas cardiovasculares e respiratórios, e afins. Portanto, a estratégia deve levar em conta os efeitos do envelhecimento, assim como Ali levou em consideração a diferença de idade ao buscar um modo de derrotar Foreman. Sem a estratégia certa, é quase certo que Ali teria perdido a luta.

É por isso que não podemos simplesmente pular para a tática, o ponto onde eu lhe digo o que fazer. Se você se sentir tentado a isso, meu conselho é que faça uma pausa e respire fundo para se acostumar à ideia. Sem uma compreensão da estratégia e da ciência que dá base a ela, as táticas vão parecer sem sentido, e você vai ficar para sempre no carrossel das dietas, dos exercícios e dos suplementos milagrosos da moda. Você vai ficar preso à mentalidade da Medicina 2.0, buscando uma solução rápida para os problemas. A única forma de se tornar um estrategista hábil é adotar a Medicina 3.0 como mentalidade, o que requer, primeiro, que você se torne um mestre estrategista.

Nos capítulos a seguir, vamos nos aprofundar em alguns dos mecanismos subjacentes ao processo de envelhecimento e também analisar de perto o funcionamento intrínseco de cada doença provocada pelos quatro cavaleiros. Como e quando elas surgem? Que forças internas e externas as impulsionam?

Como se sustentam? E o mais importante: como podem ser adiadas ou mesmo evitadas? Como veremos no próximo capítulo, é assim que os centenários alcançam uma expectativa de vida extraordinariamente longa: em comparação com a média, eles retardam em décadas ou evitam por completo o aparecimento de doenças crônicas.

Também vamos nos deter no healthspan — mais uma dessas palavras da moda que foram desgastadas a ponto de perder todo o significado. A definição-padrão, o tempo de vida em que não temos doenças e debilidades, nivela muito por baixo. Se não estamos doentes nem confinados em casa, será que estamos "saudáveis"? Prefiro usar um vocabulário mais contundente — tão contundente que muitas vezes deixa meus pacientes desconfortáveis.

Eis outra forma de pensar a respeito. A expectativa de vida lida com a morte, que é binária: primeiro você está vivo, depois está morto. É irreversível. Mas, antes disso, às vezes muito antes, a maioria das pessoas atravessa um período de declínio que eu costumo dizer que é como morrer em câmera lenta. Sem dúvida foi esse o caso de Sophie, a mãe de Becky. Pode acontecer com mais rapidez, como após um grave acidente, mas geralmente é tão lento que mal notamos as mudanças.

Eu penso no healthspan e na sua deterioração em termos de três categorias, ou vetores. O primeiro vetor de deterioração é o declínio cognitivo. Nossa velocidade de processamento diminui. Não podemos mais resolver problemas complexos com a mesma rapidez e facilidade de antes. A memória começa a falhar. As funções executivas tornam-se menos confiáveis. Nossa personalidade muda, e, se isso se estender por muito tempo, até mesmo nosso eu senciente se perde. Felizmente, a maioria das pessoas não progride até a demência completa, mas muitas experimentam algum declínio na capacidade cognitiva durante o envelhecimento. Nosso objetivo é minimizar isso.

O segundo vetor de deterioração é o declínio e a eventual perda das funções do corpo físico. Isso pode preceder ou suceder o declínio cognitivo; não há uma ordem preestabelecida. Mas, à medida que envelhecemos, a fragilidade nos persegue. Perdemos massa muscular e força, além de densidade óssea, resistência, estabilidade e equilíbrio, até ficar quase impossível levar uma sacola de compras para casa. As dores crônicas nos impedem de fazer coisas que antes fazíamos com facilidade. Ao mesmo tempo, a progressão inexorável da aterosclerose pode nos deixar ofegantes quando caminhamos até a porta de casa para buscar o jornal (se é que ainda vão existir jornais quando estivermos velhos). Ou, como aconteceu com Sophie, podemos levar uma vida relativamente ativa e saudável até sofrermos uma queda ou lesão inesperada que nos leve a uma espiral descendente da qual nunca nos recuperamos.

Meus pacientes raramente imaginam que *eles* serão afetados por tal declínio. Peço que sejam muito específicos sobre o futuro ideal. O que desejam fazer quando forem mais velhos? É impressionante como as previsões costumam ser otimistas. Eles se sentem extremamente confiantes de que, quando estiverem na casa dos setenta ou oitenta anos, ainda vão praticar *snowboard* ou *kickboxing*, ou qualquer outra coisa que gostem de fazer hoje.

Então eu paro e explico: olha, para isso você vai precisar de um certo nível de força muscular e condicionamento aeróbico nessa idade. Mas, mesmo hoje, aos 52 anos (por exemplo), a sua força e o seu consumo máximo de oxigênio (VO_2 máx.) quase não bastam para fazer essas coisas e é quase certo que vão decair daqui em diante. Portanto, a escolha se dá entre: (a) render-se ao declínio ou (b) traçar um plano, começando *agora*.

Não importa o quanto os seus objetivos para a terceira idade sejam ambiciosos, sugiro que você se familiarize com algo chamado "atividades da vida diária", uma lista usada para mensurar a saúde e a funcionalidade dos idosos. A lista inclui tarefas básicas, como preparar uma refeição, andar sem ajuda, tomar banho e se vestir, usar o telefone, ir ao mercado, cuidar das próprias finanças etc. Agora, imagine viver sem poder se alimentar, tomar banho ou andar alguns quarteirões para tomar um café com os amigos. Hoje achamos essas coisas triviais, mas, para continuar a viver ativamente conforme envelhecemos, preservando até mesmo essas habilidades mínimas, precisamos começar a formar e manter diligentemente uma base de condicionamento físico.

A terceira e última categoria de deterioração, acredito, tem a ver com a saúde emocional. Ao contrário das outras, essa categoria praticamente independe da idade; pode acometer jovens a princípio saudáveis na casa dos vinte anos ou começar a emergir na meia-idade, como aconteceu comigo. Ou bem mais tarde. Segundo pesquisas, a felicidade tende a atingir seu ponto mais baixo na casa dos quarenta (aos 47 anos, para ser mais exato), mas, como aprendi por meio de experiências sofridas, a crise da meia-idade costuma ter raízes muito mais antigas, na adolescência ou na infância. E podemos não perceber que estamos em perigo até chegarmos a um ponto crítico, como no meu caso. A forma como lidamos com isso tem um grande impacto na nossa saúde física, na nossa felicidade e na nossa sobrevivência.

Para mim, a longevidade enquanto conceito só é de fato significativa na medida em que afrontamos ou contornamos *todos* esses vetores de declínio simultaneamente. Porque nenhum desses componentes da longevidade, por si só, vale muita coisa sem os outros. Viver até os cem anos sem a mente *e* o corpo intactos não é algo que alguém escolheria em sã consciência. De maneira análoga, uma qualidade de vida ótima, mas que é interrompida em tenra idade, também não é nada desejável. Da mesma forma, manter uma boa saúde ao longo do envelhecimento, mas sem amor, amizade e sentido, é um purgatório que eu não desejaria nem ao meu pior inimigo.

A distinção importante aqui é que, embora a morte em si seja inevitável, o mesmo não se dá com essa deterioração da qual estamos falando. Nem todo mundo que morre na casa dos oitenta ou noventa anos conhece o terreno da devastação cognitiva, física ou emocional. Isso é contornável — e acredito que, em grande parte, seja opcional, apesar de exercer uma atração gravitacional cada vez maior ao longo do tempo. Como veremos em capítulos adiante, a deterioração cognitiva, física e até emocional pode ser retardada e mesmo revertida, em alguns casos, por meio da aplicação das táticas adequadas.

Outra questão-chave é que a expectativa de vida e o healthspan não são variáveis independentes, mas estão fortemente interligadas. Se você aumentar a força muscular e melhorar a capacidade cardiorrespiratória, também vai reduzir o risco de morrer por qualquer causa em um grau muito maior do que tomando qualquer coquetel de medicamentos. O mesmo vale para uma melhor saúde cognitiva e emocional. As atitudes que tomamos para melhorar nosso healthspan quase sempre vão aumentar também nossa expectativa de vida. É por isso que nossas táticas visam principalmente melhorar o healthspan; a melhoria da expectativa de vida vem a reboque.

Táticas

A principal diferença entre a Medicina 2.0 e a 3.0 tem a ver com como e *quando* aplicamos as táticas. Normalmente, a Medicina 2.0 intervém apenas quando algo dá muito errado, como diante de uma infecção ou de uma fratura, com soluções de curto prazo para o problema imediato. Na Medicina 3.0, as táticas precisam se encaixar no dia a dia. Nós comemos essas táticas, respiramos essas táticas e dormimos nelas, literalmente.

Basicamente, a Medicina 2.0 se baseia em duas táticas: procedimentos (por exemplo, cirurgia) e medicamentos. As táticas da Medicina 3.0 se enquadram em cinco domínios gerais: exercício, nutrição, sono, saúde emocional e moléculas exógenas, ou seja, medicamentos, hormônios ou suplementos. Não vou falar muito sobre moléculas, para não dobrar o tamanho deste livro, mas uma coisa que eu digo é que não evito as substâncias farmacêuticas por não serem "naturais". Considero muitas drogas e suplementos, incluindo medicamentos para redução de lipídios, como itens essenciais do nosso kit de ferramentas da longevidade, e espero que em um futuro não muito distante tenhamos mais ferramentas — ainda mais eficazes — à nossa disposição.

Remédios e suplementos à parte, o primeiro domínio tático é o exercício. Assim como healthspan, o exercício é outro daqueles termos excessivamente amplos que me deixam incomodado, porque pode abranger tudo, desde uma caminhada no parque até um passeio de bicicleta pela montanha, uma partida de tênis ou um treino de levantamento de peso na academia. Tudo isso conta como "exercício" mas, obviamente, cada atividade tem efeitos (e riscos, também) bastante distintos. Então, vamos destrinchar os componentes mais importantes dessa coisa chamada "exercício": força, estabilidade, eficiência aeróbica e capacidade aeróbica máxima. Aumentar os seus limites em cada uma dessas áreas é um pré-requisito se você espera atingir o máximo da sua expectativa de vida e do seu healthspan. Mais uma vez, meu objetivo não é dizer a você como perder peso em pouco tempo nem como aprimorar a aparência estética do seu abdômen. Queremos manter a força física, a resistência e a estabilidade em uma ampla gama de movimentos, ao mesmo tempo em que evitamos as dores e as debilidades.

Com o tempo, meu pensamento mudou também em relação a essa área. Eu priorizava a nutrição acima de tudo, mas hoje considero o exercício o "remédio" mais potente do nosso arsenal em termos de expectativa de vida e healthspan. Os dados não deixam dúvida: o exercício não apenas retarda a morte, como também previne o declínio cognitivo e físico mais do que qualquer outra intervenção. Também temos a tendência de nos sentirmos melhor quando nos exercitamos, então essa prática provavelmente exerce algum impacto na saúde emocional, ainda que seja difícil mensurá-lo. Minha expectativa é que você entenda não apenas o *como*, mas também o *porquê* de vários exercícios, para que seja capaz de elaborar um programa que se adapte às suas metas.

Nosso segundo domínio é a nutrição. Não vou dizer para você comer isso, não comer aquilo, nem prescrever uma dieta específica que todos deveriam seguir, e definitivamente não vou tomar partido nas querelas inúteis e intermináveis sobre a melhor dieta: a de baixo consumo de carboidrato, a paleolítica, a vegana etc. Vamos evitar essas discussões fervorosas em favor das evidências bioquímicas. Os dados científicos mais recentes dizem que o que você come importa, mas o termo de primeira ordem é *quanto* você come: o número de calorias colocadas no corpo.

A forma como você vai chegar à "zona cachinhos dourados" — nem muito, nem pouco, mas na medida certa — varia de acordo com inúmeros aspectos. Meu objetivo é dar as ferramentas para você determinar o melhor padrão alimentar para si. Mas lembre-se de que nenhuma das táticas que vamos discutir é talhada em pedra; buscamos a confirmação do máximo de fontes possível para tentar estabelecer o que funciona ou não. Uma boa estratégia nos permite adotar novas táticas e descartar as antigas, sempre de acordo com nossos objetivos.

A seguir vem o sono, que eu e muitos outros ignoramos por tempo demais. Felizmente, na última década, esse tema enfim passou a receber a devida atenção. Hoje, entendemos muito melhor a sua importância e o que pode dar errado no curto e longo prazo quando ele fica comprometido (*spoiler*: muita coisa). Poucas coisas se comparam à sensação de acordar depois de uma ótima noite de sono, sentindo-se completamente revigorado e preparado para o dia. Um sono de qualidade é fundamental para os processos inatos de restauração fisiológica, sobretudo no cérebro, ao passo que um sono ruim dá início a um efeito dominó no que se refere às consequências negativas, desde resistência à insulina até declínio cognitivo, além de problemas de saúde mental. Eu também era uma daquelas pessoas que adoravam virar noites e que achavam que dormir era para quem não tinha nada melhor para fazer. O resumo da ópera é que descobri o quanto estava errado de uma forma bastante dramática. Hoje estou convencido de que o maior problema do Peter-não-magro era menos a alimentação e mais a privação de sono.

Para finalizar, vamos explorar a importância da saúde emocional, que acredito ser um componente tão importante do healthspan quanto os demais. Essa é uma área na qual tenho muito pouca experiência profissional, mas muita experiência de vida. Portanto, embora não disponha, como nos outros capítulos, de muitos dados experimentais e estudos concretos nos quais me apoiar, vou compartilhar a jornada extensa e sofrida que percorri até fazer as pazes com coisas que aconteceram comigo no passado, mudar meu comportamento e restaurar os laços que comprometi. Na pior das hipóteses, pode servir como um alerta e um estímulo para você rever o estado do seu lar emocional, caso seja necessário.

Vou tratar da minha jornada com muito mais detalhes no capítulo 17, mas uma frase desse período está sempre comigo, quase como um mantra. É algo que uma das minhas terapeutas, Esther Perel, me disse no início do nosso trabalho:

"Não é irônico que toda a sua vida profissional se baseie em tentar fazer as pessoas viverem mais, mas que você não dedique *nenhuma* energia para ser menos infeliz, para sofrer menos em termos emocionais?"

Ela prosseguiu: "Por que você iria querer viver mais se está tão infeliz?"

A linha de raciocínio dela era incontestável e mudou toda a minha forma de abordar a longevidade.

De "pautado em evidências" para "influenciado por evidências"

É importante, claro, que nossa estratégia seja pautada em evidências. Infelizmente, a busca pela longevidade é o ponto onde a ferramenta mais poderosa da Medicina 2.0, o ensaio clínico randomizado em seres humanos, chega a uma rua sem saída. Os ensaios controlados randomizados são usados para estabelecer uma relação de causa e efeito em situações relativamente simples e de curto prazo. É bastante fácil, por exemplo, fazer um estudo que comprova que o protetor solar previne queimaduras solares. Mas estudos como esse são de uso limitado em nossa busca pela longevidade.

É aqui que minha abordagem pode irritar algumas pessoas. Os puristas da medicina pautada em evidências exigem dados de ensaios clínicos randomizados (ECRs) antes de fazer *qualquer coisa*. Esses ensaios são o padrão-ouro da evidência médica, mas também ressaltam algumas das principais limitações da Medicina 2.0, a começar pelo curto horizonte de tempo. De modo geral, o tipo de questão clínica mais bem resolvida pelos ECRs envolve intervenções simples, como vacinas ou medicamentos para reduzir o colesterol. Administramos esse tratamento durante um período relativamente curto, de seis meses a talvez cinco ou seis anos, no máximo, e procuramos um resultado específico que comprove seu efeito. A vacina reduz a taxa de doenças graves e mortes? O medicamento reduz o colesterol e previne a morte por doenças cardíacas, ou pelo menos o risco de ataque cardíaco, em indivíduos suscetíveis?

Esse tipo de estudo é o alicerce da medicina pautada em evidências. Mas se nosso objetivo é a longevidade, a situação se complica um pouco. Um ensaio clínico de um ano, ou mesmo um estudo de cinco anos, não vai nos dizer tudo o que precisamos saber sobre os processos de doenças que levam décadas para se desenvolver. Nunca haverá um ensaio clínico que oriente uma estratégia de prevenção cardiovascular para um homem saudável de quarenta anos. Um estudo assim demandaria muito tempo. Além disso, fora do campo da farmacologia, as intervenções são complexas demais, principalmente se envolvem exercícios, alimentação e sono. Estudar a longevidade desse modo é quase impossível, a não ser que pudéssemos, de alguma forma, pegar cem mil bebês, atribuir quatro ou cinco intervenções diferentes de maneira aleatória a cada um e acompanhá-los ao longo da vida inteira. Isso (supostamente) geraria uma receita sólida e pautada em evidências para maximizar a expectativa de vida e o healthspan. Mas os obstáculos são intransponíveis, sobretudo porque levaria um século para concluir o estudo.

A opção B é examinar os diferentes dados que temos e, então, desenvolver uma estratégia que triangule esses dados. Isso pode não resolver em *definitivo* o problema, mas ao menos nos aponta a direção certa. Nossa estratégia, nesse sentido, se baseia na combinação de insights de cinco fontes de dados diferentes, que, analisadas de maneira isolada, provavelmente não seriam fortes o bastante para servir de base à ação. Quando tomadas em conjunto, no entanto, proporcionam um alicerce sólido para nossas táticas. Mas nossa estrutura de apoio precisa mudar — de uma medicina de precisão exclusivamente pautada em evidências para uma medicina de precisão influenciada por evidências e adaptada ao risco.

Nossa primeira fonte de dados vem de estudos sobre centenários, pessoas que viveram até os cem anos ou mais, muitas vezes com boa saúde. Elas estão na ponta extrema, a pequena fatia da população que superou a expectativa de vida média em duas décadas ou mais. No geral, essas pessoas retardaram ou evitaram por completo as doenças que matam a maioria de nós, e muitas se mantiveram em boa forma. Queremos saber como conseguiram essa proeza. O que as pessoas centenárias têm em comum? Quais genes compartilhados podem lhes dar uma vantagem sobre as não centenárias? O que explica a sobrevivência e o envelhecimento aparentemente mais lento dessas pessoas? E, acima de tudo, o que podemos fazer para ter a mesma sorte?

Essas evidências ganham força pelo fato de que os centenários representam nossa "espécie de interesse" — ou seja, são seres humanos. Infelizmente, os dados sobre eles são quase de todo observacionais, em vez de experimentais, então não podemos estabelecer propriamente relações de causa e efeito. As histórias de vida e os hábitos dos centenários tendem a ser idiossincráticos, para dizer o mínimo, e o fato de que eles são relativamente poucos significa que pode ser difícil tirar conclusões definitivas (vamos falar em mais detalhes sobre os centenários no capítulo seguinte).

Em seguida, vamos observar os dados de expectativa de vida de "modelos" animais, como ratos de laboratório. Claro que é muito mais fácil, em termos éticos e logísticos, testar táticas de alteração da expectativa de vida em ratos, que em geral vivem apenas dois ou três anos, do que em seres humanos. Temos um enorme volume de dados sobre como diferentes tipos de intervenções, tanto na dieta quanto na forma de moléculas exógenas, afetam a vida útil dos ratos. A limitação, claro, é que os ratos não são seres humanos; muitos medicamentos apresentaram bons resultados em camundongos, mas depois tiveram um fracasso retumbante em estudos com a nossa espécie. Existem outros tipos de modelos animais, incluindo uma pequena espécie de verme nematoide chamado *C. elegans*, que com frequência é usado em pesquisas, bem como moscas-da-fruta, cães, primatas e até mesmo humildes células de levedura. Todos têm pontos fortes e fracos. A regra geral, para mim, é que, se for possível demonstrar que determinada intervenção aumenta a expectativa de vida ou o healthspan de várias espécies ao longo de um bilhão de anos de evolução, por exemplo, de vermes a macacos, então sou mais propenso a levá-la em consideração.

Uma terceira e importante fonte de informação que sustenta nossa estratégia vem de estudos sobre o impacto, nos seres humanos, dos quatro cavaleiros: doenças cardiovasculares e cerebrovasculares, câncer, doença de Alzheimer e condições neurodegenerativas relacionadas, além de diabetes tipo 2 e distúrbios metabólicos relacionados. Como essas doenças começam? Como progridem? Que fatores de risco ajudam a provocá-las ou alimentá-las? Que fatores subjacentes são comuns a elas? Quais as modalidades de tratamento de ponta para o estágio "avançado" da doença — e o que isso nos diz sobre o desenvolvimento de uma estratégia de prevenção? Queremos conhecer cada uma dessas doenças de cabo a rabo, entender as suas fraquezas e vulnerabilidades, assim como Ali estudou Foreman de antemão.

Em quarto lugar, vamos analisar as conclusões em termos moleculares e mecanicistas derivadas do estudo do envelhecimento em modelos humanos e animais. Aprendemos muito sobre as mudanças celulares que ocorrem durante o processo de envelhecimento e em doenças específicas. A partir disso, também desenvolvemos algumas ideias de como intervir nessas mudanças, por meio de moléculas exógenas (por exemplo, medicamentos) ou mudanças comportamentais (por exemplo, exercícios).

Nossa derradeira fonte de insights é um método muito inteligente de análise chamado randomização mendeliana (RM), que ajuda a preencher a lacuna entre os ensaios clínicos randomizados, capazes de estabelecer a causalidade, e a epidemiologia pura, que muitas vezes não é capaz de fazê-lo. Vamos falar em detalhes de epidemiologia mais adiante, mas, embora tenha se mostrado útil em certas situações, como para determinar a correlação entre tabagismo e câncer de pulmão, ela tem sido menos útil em cenários mais complexos. A randomização mendeliana ajuda a descobrir relações causais entre fatores de risco modificáveis (por exemplo, o colesterol LDL) e um resultado de interesse (por exemplo, câncer) em situações em que experimentos randomizados não podem ser realizados com facilidade. Isso acontece porque a randomização fica a cargo da natureza.* Ao levar em conta a variação aleatória em genes relevantes e compará-los com os resultados observados, ela elimina muitos dos vieses e variáveis de confusão que limitam a serventia da epidemiologia pura.

Por exemplo, alguns estudos epidemiológicos sugeriram uma relação inversa entre o colesterol LDL e o risco de câncer. Ou seja, pessoas com colesterol LDL mais baixo parecem ter risco maior de desenvolver um câncer. Mas essa relação é *causal*? Essa é uma pergunta complexa, mas muito relevante. Em caso positivo, isso implicaria que a redução do colesterol LDL, por meio das estatinas, por exemplo, aumenta o risco de câncer, o que, é evidente, seria uma

* Para que a RM funcione de maneira adequada, algumas condições devem ser respeitadas. Primeiro, a variante genética analisada deve estar associada ao fator de risco de interesse (isso é chamado de presunção de relevância); segundo, ela não pode compartilhar uma causa comum com o resultado (isso é chamado de presunção de independência); e terceiro, ela não pode afetar o resultado, exceto por meio do fator de risco (isso é chamado de presunção de restrição de exclusão).

má notícia. A epidemiologia não tem como nos dizer a direção da causalidade, então recorremos à RM.

Com a RM, podemos analisar as variações genéticas que resultam em níveis baixos, médios e altos de colesterol LDL. Esses genes ocorrem aleatoriamente, então servem como substituto para um experimento natural randomizado. Ao examinar a correlação entre os níveis de colesterol LDL resultantes e a incidência de câncer, podemos responder à pergunta sem os fatores de confusão que costumam assolar a epidemiologia tradicional. E eis que o colesterol LDL baixo não provoca nem aumenta o risco de desenvolver um câncer.[2] Se usarmos a mesma técnica para observar o efeito dos níveis de colesterol LDL nas doenças cardiovasculares (a variável dependente), descobrimos que os níveis elevados de colesterol LDL têm, sim, uma relação de causalidade com as doenças cardiovasculares (como vamos ver no capítulo 7).[3]

O leitor atento vai notar que um conceito esteve ostensivamente ausente deste capítulo até agora: a certeza absoluta. Demorei um pouco para entender isso quando fiz a transição da matemática para a medicina, mas na biologia é raro podermos "provar" algo da mesma forma definitiva que na matemática. Os sistemas vivos são confusos, caóticos e complexos, e nossa compreensão até mesmo de coisas simples está em constante evolução. O melhor que podemos esperar é reduzir o grau de incerteza. Um bom experimento em biologia apenas aumenta ou diminui a confiança na probabilidade de que a hipótese seja verdadeira ou falsa (embora seja possível ter certeza de algumas coisas, como as evidências por trás da ideia de que os médicos devem lavar as mãos e usar luvas esterilizadas antes de uma operação).

Na ausência de ensaios clínicos randomizados, repetidos diversas vezes, com décadas de duração, que possam responder às nossas perguntas com certeza absoluta, somos obrigados a pensar em termos de probabilidade e risco. De certa forma, é como traçar uma estratégia de investimento: buscamos as táticas que têm a maior probabilidade, com base no que sabemos hoje, de proporcionar um retorno acima da média sobre o capital, operando dentro de nossa tolerância individual ao risco. Em Wall Street, esse tipo de vantagem é chamado de alfa, e vamos pegar emprestada essa ideia e aplicá-la à saúde. Proponho que, com algumas mudanças não ortodoxas, mas bastante razoáveis, no estilo de vida, você pode minimizar as ameaças mais graves à sua expectativa de vida e ao seu healthspan e alcançar a sua medida de longevidade alfa.

Meu objetivo aqui é fornecer ferramentas que você possa aplicar à sua situação específica — se você precisa prestar atenção à regulação da glicose, ao peso, à condição física, ao risco de doença de Alzheimer, ou o que for. Suas táticas particulares jamais devem ser estáticas, mas, sim, evoluir de acordo com o necessário, à medida que você avança pela vida com todas as suas incertezas — e à medida que aprendemos mais sobre a ciência do envelhecimento e o funcionamento de doenças como o câncer. Conforme a situação muda, as táticas podem (e devem) mudar, porque, como disse certa vez o grande filósofo Mike Tyson: "Todo mundo tem um plano até levar um soco na cara."

Um conselho que teria feito bem a George Foreman.

PARTE II

CAPÍTULO 4

Centenários

Quanto maior a sua idade, mais saudável você é

O uísque é um bom remédio, pois deixa seus músculos amaciados.

— RICHARD OVERTON (1906-2018)

Em seus últimos anos de vida, Richard Overton gostava de aliviar as tensões diárias com uma dose de uísque e algumas baforadas no charuto, que acendia diretamente no fogão a gás em sua casa em Austin, Texas. Ele jurava que nunca tragava — quem avisa amigo é. O sr. Overton, como era chamado, nasceu durante o governo de Theodore Roosevelt, na primeira década do século XX, e morreu no final de 2018, aos 112 anos.

Sem ficar para trás, o britânico Henry Allingham, veterano da Primeira Guerra Mundial, atribuiu seus 113 anos de vida a "cigarros, uísque e mulheres fogosas, muito fogosas".[1] É uma pena que ele nunca tenha conhecido a bem-aventurada francesa Jeanne Calment, que certa vez disse em tom jocoso: "Só tive uma ruga na vida, e estou sentada em cima dela."[2] Ela andou de bicicleta até os cem anos e fumou até os 117. Talvez não devesse ter parado, porque morreu cinco anos depois, aos 122, o que faz dela a pessoa mais velha que já viveu.

Mildred Bowers, relativamente jovem, com 106 anos, preferia cerveja, abrindo uma gelada todos os dias às quatro da tarde em ponto — já são sempre cinco horas em algum lugar, certo?[3] Theresa Rowley, de Grand Rapids, em Michigan, atribuiu o crédito por viver até os 104 anos à sua Coca Diet diária, enquanto Ruth Benjamin, de Illinois, disse que a chave para chegar ao 109º aniversário foi a sua porção diária de bacon. "E batatas, preparadas da forma que for", acrescentou. Todos eram jovens em comparação com a italiana Emma Morano, que comia três ovos por dia, dois deles crus, até morrer, aos 117 anos.

Se fôssemos epidemiologistas de Saturno e todas as informações a que tivéssemos acesso fossem artigos sobre pessoas centenárias em publicações como *USA Today* e *Good Housekeeping*, poderíamos concluir que o segredo da longevidade extrema é o café da manhã especial na lanchonete Denny's, acompanhado de uísque Jim Beam e um bom charuto. E talvez seja mesmo. Outra hipótese é que essas celebridades centenárias estejam tirando sarro da nossa cara. Não temos como ter certeza, porque não há como fazer um experimento relevante, por mais que eu quisesse muito abrir o *Journal of the American Medical Association* e ver o título "Donuts de chocolate com recheio de creme aumentam a expectativa de vida? Um ensaio clínico randomizado".

Torcemos para que haja algum tipo de "segredo" por trás de uma vida mais longa, saudável e feliz. Esse desejo orienta nossa obsessão em descobrir os hábitos e os rituais especiais de quem vive por mais tempo. Ficamos fascinados com pessoas como a sra. Calment, que parecem ter escapado da atração gravitacional da morte apesar de terem fumado ou cometido outras barbaridades ao longo da vida. Foram os passeios de bicicleta que a salvaram? Ou foi alguma outra coisa, como o meio quilo de chocolate que ela supostamente comia toda semana?

De modo mais geral, é válido perguntar: o que os centenários saudáveis de fato têm em comum? E, mais importante, o que podemos aprender com eles — se é que existe alguma coisa para aprender? Eles realmente vivem mais graças a comportamentos idiossincráticos, como tomar uísque, ou apesar deles? Há algum outro fator comum que explique essa longevidade extrema ou é só uma questão de sorte?

Pesquisas mais rigorosas com grandes grupos de centenários lançaram (ainda mais) dúvidas sobre a ideia de que é preciso ter comportamentos "saudáveis", que não resisto a colocar entre aspas, para atingir a longevidade extrema. De acordo com os resultados de um estudo abrangente com judeus asquenazes centenários, conduzido por Nir Barzilai na Faculdade de Medicina Albert Einstein, no Bronx, os centenários não são mais preocupados com a saúde do que o resto de nós.[4] Inclusive, podem ser menos: uma grande proporção dos quase quinhentos participantes do estudo fumava e bebia, em alguns casos por décadas. Se foi possível tirar alguma conclusão, era a de que os homens centenários do estudo eram *menos* propensos a se exercitar regularmente aos setenta anos do que os integrantes do grupo de controle da mesma idade. E muitos estavam acima do peso. Um tapa na cara do estilo de vida saudável.

Será que os centenários são apenas sortudos? É fato que, por si só, a idade os torna extremamente discrepantes em termos estatísticos. Em 2021, havia pouco menos de cem mil centenários nos Estados Unidos, de acordo com o censo.[5] E, embora esse número tenha aumentado quase 50% em apenas duas décadas, a faixa acima dos cem anos ainda representa apenas cerca de 0,03% da população, ou cerca de 1 em cada 3.333 de nós.

Depois de dez décadas de vida, o ar fica bastante rarefeito com muita rapidez. Quem vive até o 110º aniversário conquista uma vaga no grupo de ultraelite dos "supercentenários", a faixa etária mais restrita do mundo, com apenas cerca de trezentos membros independentemente do momento histórico (embora o número varie). Só para dar uma ideia de como esse clube é exclusivo, para cada supercentenário no mundo na hora em que escrevo existem cerca de nove bilionários.

No entanto, ninguém chegou perto do recorde da sra. Calment. A segunda pessoa mais velha já registrada, Sarah Knauss, nascida na Pensilvânia, tinha apenas 119 anos quando morreu em 1999. Desde então, a pessoa mais velha do mundo raramente ultrapassou os 117 anos e quase sempre é uma mulher. Embora alguns indivíduos tenham alegado ter vivido uma vida extremamente longa, de 140 anos ou mais, Calment continua sendo a única pessoa a ter comprovadamente vivido mais de 120 anos, levando alguns pesquisadores a aventar a hipótese de que seja o limite máximo da expectativa de vida humana programado em nossos genes.

Estamos interessados em uma questão um pouco diferente: por que algumas pessoas ultrapassam com tanta facilidade a marca dos oitenta anos, que representa a linha de chegada para a maioria? Será que essa longevidade excepcional — e esse healthspan excepcional — se dá, acima de tudo, em função dos genes?

Segundo estudos realizados com irmãos gêmeos escandinavos, os genes podem ser responsáveis por apenas cerca de 20% a 30% da variação geral na expectativa de vida.[6] O problema é que, quanto mais você envelhece, mais eles começam a ser relevantes. Para os centenários, parecem ser extremamente relevantes. Ser irmã de um centenário aumenta em oito vezes a probabilidade de você chegar a essa idade, ao passo que irmãos de centenários têm dezessete vezes mais chances de comemorar o centésimo aniversário, de acordo com dados relativos a mil indivíduos da pesquisa sobre os centenários da Nova Inglaterra, que monitora indivíduos extremamente longevos desde 1995 (mas, como esses indivíduos cresceram nas mesmas famílias, com estilos de vida e hábitos supostamente semelhantes, essa descoberta também pode se dever a fatores ambientais).[7] Se você não tiver irmãos centenários, a segunda melhor opção é ter pais longevos.

É por isso que acho tão importante obter um histórico familiar detalhado dos meus pacientes: preciso saber quando os parentes morreram e qual foi a causa. Quais são os "icebergs" mais prováveis que podem surgir no caminho, em termos genéticos? E se você tiver centenários na sua árvore genealógica, meus parabéns. Esses genes são, afinal de contas, uma espécie de sorte herdada. Na minha família, porém, se você chegasse à aposentadoria já estaria de bom tamanho. Portanto, se você for como eu e a maioria das pessoas que estão lendo este livro, os seus genes provavelmente não o levarão muito longe. Por que deveríamos nos preocupar com essa linha de investigação?

Porque estamos analisando uma questão mais relevante: será que podemos, por meio dos hábitos, colher os mesmos benefícios que os centenários obtêm "de graça" por meio dos genes? Ou, em termos mais técnicos, podemos simular o *fenótipo* dos centenários, as características físicas que lhes permitem resistir a doenças e sobreviver por tanto tempo, mesmo que não tenhamos o mesmo *genótipo* deles? É possível superar nossa própria expectativa de vida se formos inteligentes, estratégicos e atuantes em relação a isso?

Se a resposta a essa pergunta for sim, como acredito que seja, então entender o funcionamento intrínseco de quem foi premiado na loteria do tempo — compreender como alcançar a longevidade extrema — é uma empreitada valiosa, que pode servir para embasar nossa estratégia.

Quando comecei a me interessar pela longevidade, meu maior medo era que, de alguma forma, descobríssemos como retardar a morte, porém sem prolongar o healthspan, *à la* Titônio (e *à la* Medicina 2.0). Meu erro foi presumir que esse *já era* o destino dos longevos, e que todos eles estão essencialmente fadados a passar os anos suplementares de vida em um asilo ou sob outro tipo de cuidado diário.

Uma análise mais profunda dos dados obtidos em diversos estudos abrangentes com centenários do mundo todo revela uma imagem mais esperançosa. É verdade que muitos centenários vivem em um estado um tanto frágil: a taxa geral de mortalidade em norte-americanos com cem anos ou mais é de impressionantes 36%, o que significa que, aos 103 anos, a vovó tem uma chance em três de morrer nos doze meses seguintes.[8] A morte está batendo à porta. Indo mais a fundo, descobrimos que muitos dos centenários morrem de pneumonia e outras infecções oportunistas, e que alguns poucos, como a sra. Calment, de fato morrem do que costumava ser chamado de velhice. Mas a grande maioria ainda sucumbe às doenças do envelhecimento — os quatro cavaleiros.

A distinção crucial, fundamental, é que os centenários tendem a desenvolver essas doenças *muito mais tarde* — isso quando as desenvolvem. Não estamos falando de dois, três nem mesmo cinco anos mais tarde; estamos falando de décadas. De acordo com uma pesquisa de Thomas Perls, da Universidade de Boston, e colegas, chamada pesquisa sobre os centenários da Nova Inglaterra, uma em cada cinco pessoas, considerando a população geral, terá recebido algum diagnóstico de câncer até os 72 anos.[9] Entre os centenários, essa média só é alcançada depois dos cem anos, quase *três décadas* mais tarde. Da mesma forma, um quarto da população geral receberá o diagnóstico de alguma doença cardiovascular clinicamente aparente aos 75 anos; entre os centenários, essa prevalência é alcançada apenas aos 92 anos. O mesmo padrão se aplica à perda óssea, ou osteoporose, que atinge os centenários dezesseis anos depois da média, bem como ao AVC, à demência e à hipertensão: os centenários sucumbem a essas condições muito mais tarde; isso quando sucumbem.

A longevidade deles não se limita ao retardamento das doenças. Essas pessoas também costumam desafiar o estereótipo da terceira idade como um período de sofrimento e decadência. De acordo com Perls, Barzilai e outros pesquisadores, os centenários tendem a ter uma saúde muito boa no geral — o que, novamente, não é o que a maioria das pessoas espera. Isso não significa que aqueles que vivem por um século ainda vão estar jogando golfe e pulando de paraquedas até o final da vida, mas os participantes do estudo de Perls, todos com no mínimo 95 anos, se saíram muito bem em avaliações-padrão de função cognitiva e de capacidade de executar as atividades da vida diária de que falamos no capítulo 3, como preparar refeições e cortar as unhas dos pés, tarefas aparentemente simples que se tornam um desafio monumental na velhice.

Curiosamente, apesar de o número de mulheres centenárias superar o de homens na proporção de quatro para um, no mínimo, eles costumam se sair melhor nos testes cognitivos e funcionais. Isso pode parecer ilógico a princípio, já que as mulheres vivem mais do que os homens, em média. Perls acredita que haja uma espécie de processo de seleção, porque eles são mais suscetíveis a ataques cardíacos e AVCs a partir da meia-idade, enquanto elas se mostram mais vulneráveis a essas condições apenas uma ou duas décadas mais tarde, e morrem em decorrência delas com menos frequência.

Isso tende a eliminar os indivíduos mais frágeis da população masculina, de modo que *apenas* os homens com uma saúde relativamente robusta chegam ao centésimo aniversário, ao passo que as mulheres tendem a sobreviver por mais tempo *com* doenças e debilidades relacionadas à idade. Perls diz que isso é "uma faca de dois gumes", pois as mulheres vivem mais, mas tendem a ter uma saúde pior.[10] "Os homens costumam estar em melhor forma", disse ele. (Os autores não fizeram essa avaliação, mas meu palpite é que isso pode ter a ver com o fato de os homens terem mais massa muscular, em média, o que está fortemente relacionado a uma maior expectativa de vida e a melhores capacidades, como trataremos mais adiante nos capítulos sobre a prática de exercícios.)

Mas mesmo que não estejam em tão boa forma na décima primeira década, esses indivíduos já desfrutaram de muitos anos a mais de vida saudável em comparação com o restante da população. O healthspan deles, assim como a expectativa de vida, é extraordinariamente extenso. O que é ainda mais surpreendente é que, também segundo a equipe de Perls, os supercentenários e os "semissupercentenários" (com idade entre 105 e 109 anos) na verdade tendem a ter uma saúde ainda *melhor* do que os centenários comuns. Trata-se dos supersobreviventes, e, em uma idade avançada como a deles, a expectativa de vida e o healthspan são quase a mesma coisa. Como Perls e colegas disseram no título de um artigo, "Quanto maior a sua idade, mais saudável você é".[11]

Em termos matemáticos, os genes garantiram aos centenários uma *diferença de fase* no tempo — ou seja, toda a expectativa de vida e o healthspan foram deslocados uma ou duas (ou três!) décadas adiante. Eles não apenas vivem mais, como ao longo de quase toda a vida permanecem mais saudáveis e biologicamente mais jovens do que os seus pares. Aos sessenta anos, as suas artérias coronárias são tão saudáveis quanto as de pessoas de 35 anos. Aos 85 anos, eles provavelmente pareciam, se sentiam e se movimentavam como se estivessem na casa dos sessenta. Pareciam pertencer a uma geração anterior àquela indicada pela idade em seus documentos. É *esse* o efeito que queremos replicar.

Voltemos às noções de "década marginal" e "década bônus" que apresentamos no capítulo 3 e ao gráfico que mede expectativa de vida *versus* healthspan. Como a Medicina 2.0 muitas vezes aumenta a expectativa de vida no contexto de um healthspan baixo, ela *alarga* a janela de morbidade, o período de doenças e debilidades no final da vida. As pessoas ficam doentes por mais tempo antes de morrer. Vive-se a "década marginal", em grande parte, na condição de paciente. Os centenários, por outro lado, costumam permanecer doentes e/ou incapacitados por um período muito menor do fim de sua vida do que as pessoas que morrem duas ou três décadas mais jovens. Isso é chamado de *compressão da morbidade*, e se refere ao encurtamento do período de declínio ao final da vida, prolongando o período de vida saudável, ou healthspan.

Um dos objetivos da Medicina 3.0 é ajudar as pessoas a viver uma vida mais parecida com a dos centenários — só que melhor. Os centenários não apenas vivem mais, mas também vivem mais com mais saúde, o que significa que muitos deles desfrutam de uma, ou duas, ou mesmo três "décadas bônus". Muitas vezes, são mais saudáveis aos noventa anos do que a média das pessoas na casa dos sessenta. E, quando começam a declinar, o declínio é curto. É isso que queremos: viver mais tempo com boas capacidades, sem doenças crônicas e com um período mais curto de morbidades ao final da vida.

A diferença é que, enquanto a maioria dos centenários parece granjear a longevidade e a boa saúde quase por acaso, graças aos genes e/ou à sorte, nós precisamos alcançar isso intencionalmente. O que nos leva às próximas duas perguntas: *como* os centenários retardam ou evitam doenças crônicas? E como podemos fazer o mesmo?

É aqui que entra a genética — os genes da longevidade que a maioria de nós não possui porque não teve a oportunidade de escolher os pais. Mas se pudermos identificar os genes específicos que dão vantagem aos centenários, talvez possamos fazer a engenharia reversa do seu fenótipo, do seu efeito.

Parece ser uma tarefa relativamente simples: sequenciar os genomas de alguns milhares de centenários e ver quais genes individuais ou as suas variantes são mais predominantes nesse grupo do que na população em geral. Esses genes seriam os principais candidatos. Mas, quando os pesquisadores fizeram isso, examinando milhares de indivíduos por meio de estudos de associação do genoma, saíram quase de mãos vazias. Esses indivíduos pareciam ter muito pouco em comum em termos genéticos. A longevidade, no caso deles, talvez fosse uma questão de sorte, no fim das contas.

Por que os genes da longevidade são tão fugidios? E, acima de tudo, por que os centenários são tão raros? Tudo se resume à seleção natural.

Espere um pouco, talvez você esteja pensando. Durante toda a nossa vida aprendemos que a evolução e a seleção natural nos otimizaram incansavelmente ao longo de um bilhão de anos, privilegiando genes vantajosos e eliminando os prejudiciais — a sobrevivência do mais apto etc. Então, por que é que *todos nós* não compartilhamos esses genes centenários que estimulam a longevidade, sejam quais forem? Por que não somos todos "aptos" a viver até os cem anos?

A resposta curta é que a evolução na verdade não se importa se vivemos esse tempo todo. A seleção natural nos dotou de genes que funcionam maravilhosamente bem para nos ajudar a crescer, nos reproduzir, criar nossa prole e talvez ajudar a criar a prole de nossa prole. Assim, a maioria de nós pode chegar à quinta década relativamente em boa forma. Depois, no entanto, as coisas começam a desandar. A razão evolutiva disso é que, após a idade reprodutiva, a seleção natural perde boa parte de sua força. Os genes que se mostram desfavoráveis ou mesmo nocivos na meia-idade não são eliminados depois, porque já foram passados adiante. Para dar um exemplo óbvio: o gene (ou os genes) responsável pela calvície masculina. Quando somos jovens, nosso cabelo é bonito e vistoso, ajudando-nos a atrair parceiras. Mas a seleção natural não está nem aí se um homem (ou mesmo uma mulher) na casa dos cinquenta tem ou não uma vasta cabeleira.

A calvície não é muito relevante para a longevidade, para minha sorte. Mas esse fenômeno geral também explica por que os genes que podem tornar alguém predisposto a desenvolver Alzheimer ou alguma outra doença em idade mais avançada não desapareceram do nosso *pool* genético. Em suma, para a seleção natural não importa se temos Alzheimer (ou calvície) na velhice. Isso não afeta nossa aptidão reprodutiva. No momento em que a demência aparecer, provavelmente já teremos transmitido nossos genes. O mesmo se aplica aos genes que aumentam o risco de desenvolver doenças cardíacas ou câncer na meia-idade. A maioria de nós ainda carrega esses genes ruins — inclusive alguns centenários, por sinal. E existe até mesmo a hipótese de que esses genes tenham conferido algum tipo de vantagem no início da vida, um fenômeno conhecido como "pleiotropia antagonista".

Uma teoria plausível defende que os centenários vivem muito porque também possuem outros genes que os protegem das falhas no nosso genoma típico, ao prevenir ou retardar o surgimento de doenças cardiovasculares e câncer, bem como preservar a função cognitiva décadas depois que outros a perderam. Mas apesar de permitir que os genes nocivos floresçam em idade avançada, a seleção natural não faz quase nada para promover os genes mais úteis que estimulam a longevidade, pelas razões listadas. Assim, parece que não existem dois centenários que tenham seguido exatamente o mesmo percurso genético rumo à velhice extrema. Há inúmeras formas de alcançar a longevidade, não apenas uma ou duas.

Dito isso, um punhado de potenciais genes da longevidade se sobressaíram em vários estudos, e alguns deles provavelmente são relevantes para nossa estratégia. Um dos genes individuais mais potentes já descobertos está relacionado ao metabolismo do colesterol, da glicose — e ao risco de desenvolvimento do Alzheimer.

Talvez você já tenha ouvido falar desse gene, chamado *APOE*, por causa do seu conhecido impacto no risco de surgimento da doença de Alzheimer. Ele codifica uma proteína chamada *APOE* (apolipoproteína E), envolvida no transporte e processamento do colesterol, e possui três variantes: *e2*, *e3* e *e4*. Destas, a *e3* é de longe a mais comum, mas ter uma ou duas cópias da variante *e4* parece multiplicar o risco de desenvolver doença de Alzheimer por um fator entre dois e doze.[12] É por isso que testo todos os meus pacientes quanto ao genótipo *APOE*, conforme vamos falar no capítulo 9.

A variante *e2* do *APOE*, por outro lado, parece proteger os seus portadores contra a demência — e também está fortemente associada à longevidade. De acordo com uma grande metanálise, feita em 2019, de sete estudos distintos sobre a longevidade, com base em um total de quase trinta mil participantes, os portadores de pelo menos uma cópia do *APOE e2* (e nenhuma do *e4*) tinham cerca de 30% mais chances de atingir a velhice extrema (definida como

97 anos para homens e 100 para mulheres) do que pessoas com a combinação-padrão *e3/e3*.[13] Enquanto isso, aqueles com duas cópias do *e4*, uma de cada genitor, tinham 81% *menos* chances de viver tanto tempo, segundo a análise. Essa é uma diferença bem grande.

Vamos explorar a função da *APOE* em mais detalhes no capítulo 9, mas essa proteína provavelmente é relevante para nossa estratégia em diversos graus. Primeiro, e de maneira mais óbvia, ela parece desempenhar um papel em retardar (ou não) o aparecimento da doença de Alzheimer, de acordo com a variante. É provável que isso não seja coincidência, porque, como veremos, a *APOE* desempenha um papel importante no transporte do colesterol pelo corpo, principalmente no cérebro; a variante *APOE* de uma pessoa também tem forte influência no metabolismo da glicose. Sua correlação estreita com a longevidade sugere que devemos concentrar os esforços na saúde cognitiva e prestar atenção especial às questões relacionadas ao colesterol e às lipoproteínas (as partículas que carregam o colesterol, das quais vamos tratar no capítulo 7), bem como ao metabolismo da glicose (capítulo 6).

Os pesquisadores identificaram dois outros genes relacionados ao colesterol, conhecidos como *CETP* e *APOC3*, que também estão relacionados à longevidade extrema (e podem explicar por que os centenários raramente morrem de doenças cardíacas). Mas é pouco provável que um gene isoladamente, ou mesmo três dúzias deles, seja responsável pela longevidade extrema e pelo healthspan dos centenários. Estudos genéticos mais amplos sugerem que centenas, senão milhares, de genes podem estar envolvidos, cada um dando uma pequena contribuição — e que não existe um genoma centenário "perfeito".

Na prática, essa é uma boa notícia para aqueles cuja árvore genealógica carece de centenários, porque sugere que, mesmo no nível genético, não existe uma solução mágica; a longevidade talvez seja uma questão de detalhes, em que intervenções relativamente pequenas, com efeito cumulativo, nos ajudam a replicar a expectativa de vida e o healthspan dos centenários. Dito de outra forma, se quisermos ultrapassar nossa expectativa de vida e viver melhor por mais tempo, vamos ter que fazer por merecer — por meio de pequenas mudanças cumulativas.

Outro candidato a gene da longevidade que despontou em diversos estudos sobre centenários no mundo todo também oferece algumas pistas para embasar nossa estratégia. São as variantes de um gene chamado *FOXO3*, que parecem ser diretamente relevantes para a longevidade humana.

Em 2008, Bradley Willcox, da Universidade do Havaí, e colegas fizeram a análise genética dos participantes de um estudo de longa duração sobre a saúde e longevidade de homens havaianos de ascendência japonesa. No estudo, os pesquisadores identificaram três polimorfismos de nucleotídeo único (variantes, ou SNP, na sigla em inglês) no *FOXO3* fortemente associados ao envelhecimento saudável e à longevidade.[14] Desde então, vários outros estudos descobriram que inúmeros grupos de pessoas longevas também parecem ter mutações em tal gene, incluindo californianos, habitantes da Nova Inglaterra, dinamarqueses, alemães, italianos, franceses, chineses e judeus asquenazes norte-americanos — tornando esse um dos poucos genes relacionados à longevidade que podem ser encontrados em diferentes grupos étnicos e em localizações geográficas variadas.[15]

O *FOXO3* pertence a uma família de "fatores de transcrição", que regulam a forma como outros genes são expressos, ou seja, se são ativados ou "silenciados". Eu enxergo isso como um departamento de manutenção celular. As responsabilidades dele são vastas, abrangendo uma variedade de tarefas de reparo celular, regulação do metabolismo, cuidado de células-tronco e vários outros tipos de tarefas domésticas, inclusive o descarte dos dejetos celulares. Mas esse gene não faz o trabalho pesado propriamente dito, como varrer, esfregar, consertar pequenos danos à parede e assim por diante. O que ele faz é delegar o trabalho a outros genes mais especializados; a operários terceirizados, digamos assim. Quando é ativado, o *FOXO3* por sua vez ativa genes que geralmente mantêm as células mais saudáveis. O papel que ele desempenha também parece ser importante ao evitar que células saudáveis se transformem em células cancerosas.

É aqui que começamos a ter alguma esperança, porque o *FOXO3* pode ser ativado ou silenciado pelos nossos próprios comportamentos. Por exemplo, quando estamos ligeiramente privados de nutrientes, ou quando estamos nos exercitando, esse gene tende a ficar mais ativo, que é o que queremos.

Além do *FOXO3*, a própria expressão genética parece desempenhar um papel importante, mas ainda pouco compreendido, na longevidade. Segundo uma análise genética de centenários espanhóis, eles apresentavam um padrão de expressão genética extremamente jovem, mais próximo de um grupo de controle de pessoas na casa dos vinte anos do que de octogenários.[16] Não está claro como exatamente isso acontecia com esses centenários, mas pode ter algo a ver com o *FOXO3*, ou algum outro regulador da expressão genética ainda desconhecido.

Ainda temos mais perguntas do que respostas quando se trata da genética por trás da longevidade extrema, mas isso pelo menos aponta para uma direção mais otimista. Embora nosso *genoma* seja imutável, pelo menos em um futuro próximo, a *expressão* genética pode ser influenciada pelo ambiente e pelos nossos comportamentos. Por exemplo, de acordo com um estudo de 2007, pessoas mais velhas que adotaram uma rotina regular de exercícios passaram a ter um padrão mais jovem de expressão genética depois de seis meses.[17] Isso sugere que a genética *e* o ambiente desempenham um papel na longevidade, e que pode ser possível colocar em prática intervenções que reproduzam pelo menos parte da boa sorte genética dos centenários.

Acredito que é válido pensar nos centenários como o resultado de um experimento natural que nos diz algo importante sobre como viver mais e melhor. Só que, nesse caso, Darwin e Mendel, o geneticista austríaco, são os cientistas. O experimento envolve pegar genomas humanos aleatórios e expô-los a uma variedade de ambientes e comportamentos. Os centenários possuem a combinação correta do genoma X para sobreviver no ambiente Y (talvez com a ajuda dos comportamentos Z). O experimento não é nada simples; provavelmente existem muitos caminhos que levam à longevidade, envolvendo ou não a genética.

A maioria de nós, é claro, não pode esperar passar impune se adotar alguns dos comportamentos extravagantes dos centenários, como fumar e beber por décadas. Mas, ainda que não imitemos (e, em muitos casos, não devemos mesmo) essas "táticas", os centenários podem ajudar a embasar nossa estratégia. O superpoder deles é a capacidade de resistir ao aparecimento de doenças crônicas ou retardá-las em uma, duas ou até três décadas, mantendo um healthspan relativamente bom.

É essa diferença de fase que queremos emular. Mas a Medicina 2.0, que se concentra quase exclusivamente em nos ajudar a viver mais tempo *com* as doenças, não vai nos proporcionar isso. As intervenções dela quase sempre chegam tarde demais, quando a doença já se estabeleceu. Temos que olhar para o outro lado da linha do tempo e tentar retardar ou conter as doenças antes que surjam. Precisamos nos concentrar em retardar o *despertar* da doença, em vez de aumentar a sua *duração* — e não apenas de uma, mas de *todas* as doenças crônicas. Nosso objetivo é viver mais tempo *sem* doença nenhuma.

Isso nos remete a outro defeito da Medicina 2.0, que em geral encara essas doenças como inteiramente isoladas umas das outras. Tratamos a diabetes como se não tivesse relação nenhuma com o câncer e o Alzheimer, por exemplo, mesmo sendo um fator de risco relevante para ambos. Essa abordagem de cada doença por si se reflete na estrutura compartimentada dos Institutos Nacionais de Saúde (NIHs, na sigla em inglês), com instituições separadas dedicadas ao câncer, a doenças cardíacas e assim por diante. Tratamos essas doenças como coisas distintas, quando na verdade deveríamos nos concentrar nas semelhanças entre elas.

"Estamos tentando atacar doenças cardíacas, câncer, AVC e Alzheimer, uma de cada vez, como se de alguma forma não estivessem relacionadas entre si", diz S. Jay Olshansky, que estuda a demografia do envelhecimento na Universidade de Illinois em Chicago. "Mas, na verdade, o fator de risco subjacente a quase tudo o que acontece conosco à medida em que envelhecemos, tanto em termos das doenças que nos acometem quanto da fragilidade e da incapacidade a elas associadas, está relacionado ao processo biológico subjacente do envelhecimento."

No capítulo seguinte, vamos analisar uma intervenção específica, uma substância que provavelmente retarda ou atrasa o processo biológico subjacente do envelhecimento em um nível mecanicista. Ela também pode se mostrar relevante para nossa estratégia, mas, por enquanto, isso significa adotar duas abordagens paralelamente. Precisamos pensar desde cedo na prevenção de *doenças específicas*, que vamos explorar em detalhes nos capítulos dedicados aos quatro cavaleiros. E precisamos pensar desde cedo na prevenção *geral*, visando a todos os quatro cavaleiros de uma vez só, por meio dos fatores de risco mais comuns.

Essas abordagens se sobrepõem, como veremos: a redução do risco de ter doenças cardiovasculares com foco em lipoproteínas específicas (colesterol) também pode reduzir o risco de desenvolver a doença de Alzheimer, por exemplo, embora o mesmo não se aplique ao câncer. As medidas que adotamos para melhorar a saúde metabólica e prevenir a diabetes tipo 2 quase certamente reduzem também o risco de doenças cardiovasculares, câncer e Alzheimer. Alguns exercícios reduzem o risco de desenvolver todas as doenças crônicas, enquanto outros ajudam a manter a resiliência física e cognitiva que os centenários obtêm, em grande parte, graças aos genes. Esse nível de prevenção e intervenção pode parecer excessivo para os padrões da Medicina 2.0, mas eu diria que é mais do que necessário.

No fim das contas, acho que o segredo dos centenários se resume a uma palavra: *resiliência*. Eles são capazes de resistir e evitar o câncer e as doenças cardiovasculares, mesmo quando fumam por décadas, bem como de manter uma saúde metabólica ideal, muitas vezes apesar de uma dieta desleixada. E resistem ao declínio cognitivo e físico por muito mais tempo do que os seus pares. É essa resiliência que queremos cultivar, assim como Ali se preparou para perseverar e, por fim, derrotar Foreman. Ele se preparou de forma inteligente e meticulosa, treinou muito antes da luta e implementou a estratégia desde o primeiro soar do gongo. Talvez ele não pudesse resistir para sempre, mas suportou rounds suficientes para conquistar seu objetivo e vencer a luta.

CAPÍTULO 5

Comer menos, viver mais?

A relação científica entre dieta e saúde

Cientistas que seguem as regras inventadas por outra pessoa
não têm muitas chances de fazer descobertas.

— JACK HORNER

No outono de 2016, eu me juntei a três amigos no Aeroporto Intercontinental George Bush, em Houston, para embarcar em uma viagem de férias um tanto inusitada. Pegamos um voo noturno de onze horas até Santiago, no Chile, onde tomamos café da manhã antes de embarcar em outro avião para voar por mais seis horas no sentido oeste, cruzando quase quatro mil quilômetros de mar aberto rumo à Ilha de Páscoa, a porção de terra habitada mais isolada do mundo. Éramos todos homens na casa dos quarenta anos, mas aquele não era um fim de semana típico entre amigos.

A maioria das pessoas conhece a Ilha de Páscoa por causa das cerca de mil cabeças de pedra gigantes misteriosas, chamadas *moai*, espalhadas pela costa, mas há muito mais do que isso. Os exploradores europeus que ali desembarcaram no domingo de Páscoa de 1722 deram esse nome à ilha, mas os nativos a chamam de Rapa Nui. É um lugar extremo, isolado e espetacular. A ilha em forma de triângulo com uma área de aproximadamente 163 quilômetros quadrados é o que resta de um trio de vulcões antigos que surgiu a mais de três quilômetros de profundidade, milhões de anos atrás. Uma das extremidades da ilha é cercada por falésias altíssimas que mergulham no lindo oceano azul. O assentamento humano mais próximo fica a mais de 1.500 quilômetros de distância.

Não estávamos lá como turistas. Aquela era uma peregrinação rumo à fonte de uma das moléculas mais intrigantes de toda a medicina, da qual a maioria das pessoas nunca ouviu falar. A história de como essa molécula foi descoberta e revolucionou o estudo da longevidade é uma das sagas mais incríveis da biologia. Essa molécula, batizada de rapamicina, também transformou o transplante de órgãos, proporcionando a milhões de pacientes uma segunda chance na vida. Mas não foi por isso que viajamos mais de quinze mil quilômetros até aquele local remoto. Fomos até lá porque se demonstrou que a rapamicina fazia algo que nenhum outro fármaco tinha feito antes: aumentar a expectativa de vida máxima de um mamífero.

Essa descoberta ocorreu, pelo menos em parte, graças ao trabalho de um membro do nosso grupo, David Sabatini, então professor de biologia no Instituto Whitehead do Instituto de Tecnologia de Massachusetts (MIT, na sigla em inglês). David ajudou a descobrir a principal via de ação celular da rapamicina. Também na viagem estava outro biólogo, chamado Navdeep Chandel ("Nav" para os íntimos), um amigo de David da Universidade Northwestern que estuda metabolismo e mitocôndrias — as pequenas organelas que produzem energia (e fazem várias outras coisas) em nossas células. Meu amigo Tim Ferriss completava o quarteto. Tim é empreendedor e escritor, não cientista, mas tem o dom de fazer as perguntas certas e trazer uma nova perspectiva às coisas. Além disso, eu sabia que ele estaria disposto a nadar no mar comigo todos os dias, reduzindo mais ou menos à metade a probabilidade de eu ser devorado por um tubarão.

Um dos propósitos da viagem era explorar o local para uma conferência científica inteiramente dedicada à pesquisa daquela substância incrível. Mas, acima de tudo, queríamos fazer uma peregrinação ao local de origem dessa molécula extraordinária e prestar homenagem à sua descoberta quase acidental.

Depois de deixarmos as malas no hotel de trinta quartos, a primeira parada foi em Rano Kau, o vulcão extinto de trezentos metros de altura que domina a porção sudoeste da ilha. Nosso destino era o centro da cratera, onde há um grande lago pantanoso, com cerca de 1,5 quilômetro de diâmetro e que tinha uma aura mística entre os habitantes locais. De acordo com uma lenda que ouvimos, quando as pessoas se sentiam doentes ou indispostas, elas desciam até a cratera e às vezes passavam a noite no leito do vulcão, que se acreditava ter poderes curativos especiais.

É aqui que começa a história da rapamicina. No final de 1964, uma expedição médico-científica canadense chegou à Ilha de Páscoa, tendo partido de Halifax a bordo de um navio militar. Eles passaram semanas realizando pesquisas e prestando assistência médica valiosa aos habitantes locais, e levaram para casa inúmeros espécimes incomuns da flora e da fauna da ilha, incluindo amostras de solo da área da cratera. É provável que os cientistas tenham ouvido a mesma lenda sobre as propriedades curativas do local.

Alguns anos depois, um pote de terra da Ilha de Páscoa acabou indo parar na bancada do laboratório de um bioquímico de Montreal chamado Suren Sehgal, que trabalhava para uma farmacêutica canadense chamada Ayerst. Ele descobriu que aquela amostra de solo estava saturada de um agente antifúngico estranho e potente, aparentemente produzido por uma bactéria chamada *Streptomyces hygroscopicus*. Intrigado, Sehgal isolou e cultivou a bactéria, depois começou a testar aquela misteriosa substância no laboratório. Ele a batizou de rapamicina, a partir de Rapa Nui, o nome nativo da Ilha de Páscoa (*-micina* é o sufixo normalmente aplicado a agentes antimicrobianos). No entanto, o laboratório da Ayerst foi fechado de repente, e os chefes de Sehgal ordenaram que ele destruísse todas as amostras que estava pesquisando.

Sehgal desobedeceu a essas ordens. Um dia, às escondidas, levou para casa um frasco de rapamicina. Seu filho Ajai, que originalmente seria o quinto membro de nossa peregrinação, se lembra de abrir o freezer de casa para pegar sorvete quando criança e ver um recipiente bem embrulhado, onde estava escrito NÃO COMER. O frasco sobreviveu à mudança da família para Princeton, em Nova Jersey, para onde Sehgal foi transferido. Em 1987, quando a gigante farmacêutica Wyeth adquiriu a Ayerst, os novos chefes perguntaram se Sehgal tinha algum projeto interessante que gostaria de executar. Ele tirou o frasco de rapamicina do freezer e retomou o trabalho.

Sehgal acreditava ter encontrado uma cura para o pé de atleta, o que já seria um grande feito. A certa altura, lembra seu filho Ajai, ele preparou uma pomada caseira contendo rapamicina para um vizinho que estava com uma erupção cutânea esquisita; o problema desapareceu quase imediatamente. Mas a substância acabou servindo para muito mais do que um novo spray para pés da Dr. Scholl, provando ter efeitos poderosos sobre o sistema imunológico, até que, em 1999, a Food and Drug Administration (FDA) aprovou a sua utilização em pacientes transplantados para auxiliar na não rejeição aos novos órgãos. Quando era residente de cirurgia, eu a distribuía como se fosse bala para pacientes de transplantes de rim e fígado. Às vezes chamada de sirolimo, a rapamicina também é usada como revestimento em stents arteriais para evitar que os vasos sanguíneos voltem a entupir. E não parou por aí, mesmo depois da morte de Sehgal, em 2003. Um medicamento análogo* à rapamicina, chamado everolimo foi aprovado para uso contra um tipo de câncer renal, em 2007.

O composto foi considerado tão importante que, no início dos anos 2000, a Wyeth-Ayerst colocou uma placa na Ilha de Páscoa, não muito longe da cratera do vulcão, em homenagem ao local onde a rapamicina foi descoberta. Porém, quando fomos procurar a placa, descobrimos, para nosso espanto, que ela havia sido roubada.

A rapamicina tem aplicações tão diversas graças a uma propriedade que Sehgal chegou a observar, mas nunca explorou: a tendência a retardar o processo de crescimento e divisão celular. David Sabatini foi um dos poucos cientistas que deram continuidade ao trabalho de Sehgal, na tentativa de explicar esse fenômeno. Compreender a rapamicina passou a ser um projeto de vida. Tudo começou na pós-graduação, quando ele ajudou a elucidar como aquele composto único atuava na célula, a partir de uma pilha de artigos que o próprio Sehgal havia fotocopiado. Por fim, Sabatini e outros pesquisadores descobriram que a rapamicina agia diretamente em uma proteína intracelular muito importante batizada de alvo mecanicista da rapamicina (mTOR, na sigla em inglês; pronuncia-se *em-tór*).[1]**

Por que estamos interessados na mTOR? Porque no fim das contas esse mecanismo é um dos mais importantes mediadores da longevidade em nível celular. Não apenas isso, mas também porque possui um alto grau de "conser-

---

* Um medicamento análogo é um composto com estrutura molecular semelhante, mas não idêntica; por exemplo, a oxicodona é um análogo da codeína.

** É a partir daqui que a nomenclatura fica um pouco confusa. Em suma: a rapamicina bloqueia ou inibe a atividade da mTOR, uma proteína encontrada nas células. Para aumentar a confusão, a mTOR foi originalmente chamada de *alvo mamífero da rapamicina*, para distingui-la de outra versão de *alvo da rapamicina* (TOR, na sigla em inglês), descoberta em leveduras. A TOR e a mTOR são essencialmente idênticas, o que significa que esse mesmo mecanismo básico é encontrado em toda a árvore da vida, perpassando um bilhão de anos de evolução.

vação", o que significa que ela é encontrada em praticamente todas as formas de vida, desde leveduras a moscas, vermes e até nós, seres humanos.[2] Na biologia, "conservação" é o termo usado para indicar que algo foi transmitido por meio da seleção natural ao longo de várias espécies e classes de organismos — um sinal de que a evolução considerou aquilo muito importante.

Era algo insólito: aquela molécula exótica, encontrada apenas em um pedaço de terra isolado no meio do oceano, agia de forma similar a um interruptor que inibia um mecanismo celular muito específico presente em quase todos os seres vivos. Era uma combinação perfeita, e esse fato ainda me surpreende toda vez que penso nele.

O papel da mTOR é basicamente equilibrar a necessidade de crescimento e reprodução de um organismo com a disponibilidade de nutrientes.[3] Quando existe abundância de alimento, a mTOR é ativada e a célula (ou o organismo) entra em modo de crescimento, produzindo novas proteínas e ativando a divisão celular, com o objetivo final da reprodução. Quando os nutrientes são escassos, a mTOR é suprimida e as células entram em uma espécie de modo "reciclagem", quebrando os componentes celulares e fazendo uma faxina, em termos gerais. A divisão celular e o crescimento diminuem ou param e a reprodução é suspensa, de modo que o organismo economize energia.

"Até certo ponto, a mTOR é como o empreiteiro geral da célula", explica Sabatini.[4] Essa proteína está no centro de uma extensa e complexa rede de vias ascendentes e descendentes que basicamente regulam o metabolismo. Ela detecta a presença de nutrientes, principalmente certos aminoácidos, e ajuda a formar proteínas, os blocos de construção celulares essenciais. Como ele disse, "basicamente, a mTOR atua nos principais processos celulares".[5]

Em 9 de julho de 2009, uma breve mas importante reportagem científica apareceu no jornal *New York Times* com a manchete: "Antibiótico retarda o envelhecimento em experimento com camundongos". Não parecia grande coisa. O "antibiótico" era a rapamicina (que não é de fato um antibiótico), e, de acordo com o estudo, os camundongos que receberam a substância tinham vivido significativamente mais, em média, do que o grupo de controle: as fêmeas 13% a mais, e os machos, 9%.

A história estava escondida na página A20, mas a repercussão foi impressionante. Embora tenha sido administrada no final da vida, quando os camundongos já estavam "velhos" (seiscentos dias, equivalentes a sessenta anos humanos, aproximadamente), a rapamicina aumentou a expectativa de vida restante dos animais em 28% para os machos e 38% para as fêmeas. Era como se uma pílula fosse capaz de fazer uma mulher de 60 anos viver até os 95 anos. Os autores do estudo, publicado na revista *Nature*, especularam que a rapamicina poderia aumentar a expectativa de vida "adiando a morte por câncer, retardando os mecanismos do envelhecimento, ou as duas coisas ao mesmo tempo".[6] A verdadeira manchete, no entanto, era que jamais havia sido encontrada uma molécula capaz de aumentar a expectativa de vida de um mamífero. Nunca.

Os resultados eram especialmente convincentes porque o experimento foi realizado por três equipes de pesquisadores em três laboratórios diferentes, usando um total de 1.901 animais geneticamente diversos, e os resultados foram consistentes em toda a amostra. Melhor ainda, outros laboratórios reproduziram rápida e prontamente o experimento com os mesmos resultados, o que é relativamente raro, mesmo em se tratando de descobertas divulgadas com alarde.[7]

Pode parecer surpreendente, mas os estudos que mais chamam a atenção, aqueles sobre os quais você lê no jornal ou vê no noticiário, em sua maioria não apresentam os mesmos resultados quando repetidos. Por exemplo: a descoberta, bastante divulgada em 2006, de que uma substância encontrada na casca das uvas (e no vinho tinto), o resveratrol, aumentava a expectativa de vida de camundongos com excesso de peso.[8] Isso deu origem a inúmeras matérias e até a uma longa reportagem no programa *60 Minutes* sobre os benefícios dessa incrível molécula (e, por extensão, do vinho tinto). As vendas de suplementos de resveratrol dispararam. No entanto, outros laboratórios não conseguiram reproduzir as descobertas iniciais. Quando o resveratrol foi submetido ao mesmo tipo de teste rigoroso aplicado à a rapamicina, como parte de um programa do Instituto Nacional do Envelhecimento para testar possíveis intervenções antienvelhecimento, a molécula *não* aumentou a expectativa de vida de uma população igualmente diversificada de camundongos normais.[9]

O mesmo se aplica a outros suplementos badalados, como o ribosídeo de nicotinamida (NR, na sigla em inglês), que também falhou em aumentar a vida útil de forma consistente em camundongos.[10] Claro, não há nenhum dado que comprove que qualquer um desses suplementos aumente a expectativa de vida ou melhore a saúde de seres humanos. Mas, desde 2009, diversos estudos confirmaram que a rapamicina pode prolongar a expectativa de vida de camundongos de forma bastante confiável.[11] Isso também ficou comprovado em experimentos com leveduras e moscas-da-fruta, às vezes em paralelo a manipulações genéticas que reduziram a atividade da mTOR. Assim, qualquer pessoa poderia concluir com razão que havia algo de bom em inativar a mTOR, pelo menos temporariamente — e que a rapamicina tem potencial para se tornar um medicamento que aumenta a longevidade.

Para os cientistas que estudam o envelhecimento, descobrir o efeito da rapamicina no aumento da expectativa de vida levou a uma grande comoção, mas não foi exatamente uma surpresa. Foi a consagração de décadas, senão séculos, de observações de que a quantidade de alimentos que ingerimos está relacionada à quantidade de tempo que vivemos. Essa ideia remonta a Hipócrates, mas experimentos bem mais recentes demonstraram, repetidas vezes, que reduzir a ingestão de alimentos em animais de laboratório pode prolongar sua vida.[12]

A primeira pessoa a efetivamente colocar em prática a ideia de *comer menos*, de forma rigorosa e documentada, não foi um grego antigo nem um cientista moderno, mas um empresário veneziano do século XVI chamado Alvise Cornaro. Um incorporador imobiliário que começou do zero e ficou extremamente rico drenando pântanos e transformando-os em terras produtivas, Cornaro (cujos amigos chamavam de "Luigi") tinha uma bela e jovem esposa e uma casa de campo nos arredores de Veneza com seu próprio teatro. Ele adorava dar festas. Mas, ao se aproximar dos quarenta anos, começou a padecer de "uma série de enfermidades", como ele mesmo escreveu — dor de estômago, ganho de peso e sede contínua, um sintoma clássico de pré-diabetes.

A causa era óbvia: banquetes demais. A cura era igualmente óbvia: acabar com as refeições e festanças opulentas, aconselharam os médicos. O Luigi-não-magro hesitou. Não queria abrir mão do seu estilo de vida ostentoso. Mas, à medida que os sintomas foram piorando, ele percebeu que precisava fazer uma severa correção de curso, caso contrário não veria a filha crescer. Reunindo toda a sua força de vontade, ele adotou uma dieta espartana que consistia em cerca de 350 gramas de comida por dia, geralmente na forma de algum tipo de ensopado à base de frango. Era nutritivo, mas não satisfazia muito. "[Eu] constantemente me levanto da mesa com vontade de comer e beber mais", escreveu ele mais tarde.

Depois de um ano nesse regime, a saúde de Cornaro melhorou drasticamente. Como ele mesmo registrou: "Eu me vi (...) inteiramente livre de todas as minhas queixas." Ele manteve a dieta, e, quando chegou aos oitenta anos, estava tão feliz por ter vivido tanto, com tão boa saúde, que se sentiu compelido a compartilhar o segredo com o mundo. Então, escreveu um relato autobiográfico intitulado *Tratado da vida sóbria*, ainda que definitivamente não fosse um discurso de abstêmio, pois ele acompanhava o seu ensopado da longevidade com duas generosas taças de vinho todos os dias.

As prescrições de Cornaro sobreviveram por muito tempo depois de sua morte, em 1565. Nos séculos seguintes, o livro foi reimpresso em vários idiomas, elogiado por Benjamin Franklin, Thomas Edison e outros luminares, tornando-se talvez o primeiro livro de dieta da história a se tornar um best-seller. Mas foi somente em meados do século XX que os cientistas começaram a colocar rigorosamente à prova a ideia de que comer menos pode prolongar a vida de uma pessoa (ou, pelo menos, a vida de animais de laboratório).

Não estamos falando de inscrever animais no Vigilantes do Peso. A restrição calórica (RC) sem desnutrição é um método experimental preciso em que um grupo de animais (controle) é alimentado *ad libitum*, o que significa que eles comem o quanto quiserem, enquanto o grupo ou grupos de teste recebem uma dieta semelhante contendo todos os nutrientes necessários, mas com 25% ou 30% menos calorias totais (aproximadamente). Os animais em dieta restritiva são então comparados com os do grupo de controle.

Os resultados têm sido notavelmente consistentes. Segundo estudos que datam da década de 1930, limitar a ingestão calórica pode aumentar a vida útil de camundongos ou ratos em algo em torno de 15% a 45%, dependendo da idade em que tem início a dieta e do grau de restrição.[13] Não só isso, como os animais subalimentados também parecem ser visivelmente mais saudáveis para a idade que têm, desenvolvendo menos tumores espontâneos do que os camundongos alimentados normalmente. A RC parece melhorar tanto a expectativa de vida quanto o healthspan. Alguém poderia pensar que a fome não é nada saudável, mas, na verdade, os cientistas descobriram que quanto menos alimentavam os animais, mais eles viviam. Esses efeitos parecem estar, até certo ponto, associados à dosagem, quase como o que ocorre com um medicamento.

O impacto da RC na longevidade parece praticamente universal. Inúmeros laboratórios descobriram que restringir a ingestão calórica aumenta a expectativa de vida não apenas em ratos e camundongos (as cobaias mais comuns), mas também em leveduras, vermes, moscas, peixes, hamsters, cães e até, inusitadamente, aranhas. Foi constatado que a RC aumenta a vida útil em quase todos os organismos-modelo em que foi testada, com a curiosa exceção das moscas domésticas. Parece que, em geral, os animais subalimentados se tornam mais resistentes e aptos a sobreviver, pelo menos em um ambiente controlado e livre de germes como um laboratório.

No entanto, isso não significa que eu recomendo a restrição calórica radical como tática para meus pacientes. Por um lado, a eficácia da RC permanece em questão fora do laboratório; animais magros demais podem ser mais suscetíveis à morte por infecção ou baixas temperaturas. E se, por um lado, comer um pouco menos funcionou bem para Luigi Cornaro, assim como para alguns dos meus pacientes, para a maioria das pessoas é difícil, se não impossível, manter uma restrição calórica severa no longo prazo. Além disso, não há evidências de que a RC extrema realmente maximize a função da longevidade em um organismo tão complexo como o do ser humano, que vive em um ambiente com maior grau de variação do que os animais citados. Apesar de parecer provável que ela reduza o risco de sucumbir a pelo menos alguns dos cavaleiros, parece igualmente provável que o aumento na taxa de mortalidade devido a infecções, traumas e fragilidade ofusque esses ganhos.

O verdadeiro valor da pesquisa sobre a restrição calórica está nos insights que ela proporcionou para nossa compreensão do processo de envelhecimento em si. Os estudos sobre a RC ajudaram a descobrir mecanismos celulares importantes para a relação entre nutrientes e longevidade. Reduzir a quantidade de nutrientes disponíveis para uma célula parece ativar vias inatas que aumentam a resistência ao estresse e a eficiência metabólica da célula — todas relacionadas, de alguma forma, à mTOR.

A primeira delas é uma enzima chamada proteína quinase ativada por AMP (AMPK, na sigla em inglês). A AMPK é como a luz do tanque de combustível no painel do carro: quando detecta níveis baixos de nutrientes (combustível) ela é ativada, desencadeando uma reação em cascata.[14] Embora isso normalmente aconteça como uma resposta à carência de nutrientes, a AMPK também é ativada quando nos exercitamos, reagindo à queda temporária nos níveis de nutrientes. Assim como você mudaria o trajeto se a luz do tanque de combustível acendesse, indo para o posto de gasolina mais próximo em vez da casa da sua avó, a AMPK incita a célula a poupar energia e buscar fontes alternativas.

A enzima faz isso, primeiro, estimulando a produção de novas mitocôndrias, as minúsculas organelas que produzem energia na célula, por meio de um processo chamado biogênese mitocondrial. Com o tempo, ou pela falta de uso, as mitocôndrias tornam-se vulneráveis ao estresse oxidativo e a danos genômicos, o que provoca disfunção e falência. Reduzir a quantidade de nutrientes disponíveis, por meio da restrição calórica ou de exercícios, estimula a produção de mitocôndrias novas e mais eficientes para substituir as antigas e danificadas. Essas mitocôndrias novas em folha ajudam a célula a produzir mais ATP, a moeda da energia celular, com o combustível disponível. A AMPK também estimula o corpo a fornecer mais combustível para essas novas mitocôndrias, produzindo glicose no fígado (sobre o qual vamos falar no capítulo seguinte) e liberando a energia armazenada nas células adiposas.

Mais importante, a AMPK atua para inibir a atividade da mTOR, que regula o crescimento celular. Mais especificamente, parece ser uma queda no volume de aminoácidos que induz ao desligamento da mTOR e, com isso, o de todos os processos anabólicos (de crescimento) que a mTOR controla. Em vez de produzir novas proteínas e passar por divisão celular, a célula entra em um modo mais eficiente de consumo de combustível e mais resistente ao estresse, ativando um processo fundamental de reciclagem celular chamado *autofagia*, que significa "comer a si mesmo" (ou, melhor ainda, "devorar a si mesmo").

A autofagia representa o lado catabólico do metabolismo, quando a célula para de produzir novas proteínas e começa a quebrar as proteínas velhas e outras estruturas celulares em seus componentes de aminoácidos, e usa esses detritos como matéria-prima para construir novas. É uma forma de reciclagem celular, que remove o lixo acumulado na célula e o reaproveita ou descarta. Em vez de ir à loja de materiais de construção para comprar mais madeira, *drywall* e parafusos, o "empreiteiro" celular vasculha os escombros da casa que acabou de demolir em busca de materiais que possa reutilizar, seja para reformar a célula, seja para queimar e produzir energia.

A autofagia é essencial à vida.[15] Se ela for completamente desativada, o organismo morre. Imagine se você parasse de tirar (ou reciclar) o lixo; em pouco tempo sua casa se tornaria inabitável. Em vez dos sacos de lixo, no entanto, essa limpeza celular é feita através de organelas especializadas chamadas lisossomos, que empacotam proteínas velhas e outros detritos, incluindo patógenos, e os trituram (com a ajuda de enzimas) para depois os reutilizar. Além disso, os lisossomos também decompõem e destroem os chamados agregados, que são aglomerados de proteínas danificadas que se acumulam com o tempo. Os agregados de proteína têm sido associados a doenças como Parkinson e Alzheimer, então é bom se livrar deles; a autofagia deficiente tem sido associada a patologias relacionadas ao Alzheimer e também à esclerose lateral amiotrófica (ELA), à doença de Parkinson e a outros distúrbios neurodegenerativos. Camundongos que carecem de um gene específico de autofagia sucumbem à neurodegeneração dentro de dois a três meses.[16]

Ao expurgar as proteínas danificadas e outros resíduos, a autofagia permite que as células funcionem de forma mais limpa e eficaz, ajudando a torná-las mais resistentes ao estresse. Mas, à medida que envelhecemos, a autofagia perde força. Acredita-se que uma autofagia deficiente seja um gatilho importante de inúmeros fenótipos e doenças relacionadas ao envelhecimento, como a neurodegeneração e a osteoartrite. Assim, acho fascinante que esse mecanismo celular tão importante seja estimulado por certas intervenções, como por uma redução temporária no volume de nutrientes (como quando estamos nos exercitando ou jejuando) ou pela rapamicina. (O Comitê Nobel compartilha desse fascínio, tendo concedido o Nobel de Fisiologia ou Medicina de 2016 ao cientista japonês Yoshinori Ohsumi por seu trabalho na elucidação da regulação genética da autofagia.)

No entanto, o efeito de promoção da autofagia é apenas uma das razões pelas quais a rapamicina pode ter futuro como um fármaco que aumenta a longevidade. De acordo com Matt Kaeberlein, pesquisador da Universidade de Washington, que estuda a rapamicina e a mTOR há algumas décadas, os benefícios da substância são muito mais amplos, e a rapamicina e seus derivados têm um enorme potencial de uso em seres humanos no que tange ao prolongamento da expectativa de vida e do healthspan.

Embora o uso da rapamicina em seres humanos já tenha sido aprovado para inúmeras indicações, existem obstáculos significativos para a realização de um ensaio clínico que analise seu eventual impacto no envelhecimento humano — principalmente seus possíveis efeitos colaterais em pessoas saudáveis, sendo o risco de imunossupressão o mais relevante deles.

Historicamente, a rapamicina foi aprovada para tratar pacientes indefinidamente após o transplante de órgãos, em um coquetel de três ou quatro fármacos destinados a suprimir a parte do sistema imunológico que atacaria e destruiria o novo órgão. Esse efeito imunossupressor explica por que houve alguma relutância em cogitar (ou mesmo estudar) seu uso no contexto da retardação do envelhecimento em pessoas saudáveis, apesar de uma vasta base de dados em estudos com animais sugerir que a substância é capaz de aumentar a expectativa de vida e o healthspan. Seus supostos efeitos imunossupressores pareciam assustadores demais para serem driblados. Portanto, era pouco provável que a rapamicina cumprisse sua promessa enquanto substância promotora da longevidade em seres humanos.

Mas tudo isso começou a mudar no final de dezembro de 2014, com a publicação de um estudo mostrando que o everolimo, um análogo da rapamicina, na prática *melhorava* a resposta imunológica adaptativa a uma vacina ministrada em um grupo de pacientes mais velhos.[17] No estudo, liderado pelos cientistas Joan Mannick e Lloyd Klickstein, que trabalhavam na Novartis, o grupo de pacientes que recebia uma dose semanal moderada de everolimo parecia apresentar uma melhor resposta à vacina contra a gripe, com o menor número de efeitos colaterais relatados. Esse estudo sugeriu que a rapamicina (e seus derivados) pode efetivamente ser mais um *modulador* imunológico do que um "imunossupressor", como quase sempre se afirmou antes desse estudo: isto é, sob regimes de dosagem completamente diferentes, ela pode aumentar a imunidade ou mesmo inibi-la.

Até a publicação desse estudo, eu (assim como muitos outros médicos) basicamente havia perdido as esperanças de que a rapamicina pudesse ser usada como terapia preventiva em pessoas saudáveis. Presumi que seus aparentes efeitos imunossupressores eram graves demais. Mas esse estudo, muito bem realizado e controlado, sugere, na verdade, o contrário. Parece que a imunossupressão resultou do uso diário de rapamicina em doses baixas a moderadas. Os participantes do estudo receberam doses moderadas a altas, seguidas de um período de descanso, e essa administração cíclica teve o efeito oposto, de atiçamento do sistema imunológico.

Parece estranha a ideia de que administrar doses diferentes do mesmo medicamento possa ter efeitos tão díspares, mas faz sentido se você entender a estrutura da mTOR, que na verdade é composta por dois complexos separados: o complexo 1 da mTOR (mTORC1) e o complexo 2 da mTOR (mTORC2).

Cada um deles tem funções diferentes, mas (correndo o risco de simplificar demais) os benefícios relacionados à longevidade parecem resultar da inibição do complexo 1. Uma administração diária do medicamento, como normalmente é feito em pacientes submetidos a transplantes, parece inibir ambos os complexos, ao passo que administrar o medicamento de maneira breve ou cíclica inibe principalmente o mTORC1, ativando os benefícios relacionados à longevidade, com menos efeitos colaterais indesejados. (Um análogo da rapamicina que inibisse seletivamente o mTORC1, mas não o mTORC2, seria ideal para fins de longevidade, mas ainda não foi desenvolvido com sucesso.)

Da forma como é hoje, os efeitos colaterais conhecidos continuam sendo um obstáculo para qualquer ensaio clínico da rapamicina visando à geroproteção (retardo do envelhecimento) em pessoas saudáveis. Para contornar esses entraves, Kaeberlein está realizando um grande ensaio clínico com a rapamicina em cães de estimação, que não são um substituto tão ruim para os seres humanos, pois são grandes, mamíferos, compartilham do nosso ambiente e envelhecem de modo semelhante a nós.[18] Em uma fase preliminar desse estudo, que ele chama de "projeto envelhecimento canino", o pesquisador descobriu que a rapamicina de fato parecia melhorar a função cardíaca em animais mais velhos.[19] Ele afirma: "Uma coisa que me surpreendeu foram as diferentes formas pelas quais a rapamicina não apenas retarda o declínio, como também melhora as coisas. Parece haver claramente, pelo menos em alguns órgãos, uma função rejuvenescedora."[20]

Kaeberlein também observou que a rapamicina parece reduzir a inflamação sistêmica, talvez por diminuir a atividade das chamadas células senescentes, células "mais velhas" que pararam de se dividir, mas não morreram; essas células secretam um coquetel tóxico de citocinas pró-inflamatórias, substâncias químicas que podem prejudicar as células vizinhas. A rapamicina parece reduzir essas citocinas inflamatórias. Também melhora a vigilância contra o câncer, pela qual o corpo, provavelmente o sistema imunológico, detecta e elimina as células cancerígenas. Em outro estudo recente, o grupo de Kaeberlein descobriu que a rapamicina parecia melhorar a saúde periodontal (da gengiva) em cães mais velhos.

A fase principal do projeto envelhecimento canino, envolvendo cerca de seiscentos cães de estimação, já está em andamento; espera-se que os resultados desse ensaio clínico mais amplo saiam em 2026. (Nota: sou um dos financiadores dessa pesquisa.) Os cães desse estudo também estão sendo submetidos a um esquema de dosagem cíclica semanal com rapamicina, semelhante ao protocolo do estudo imunológico realizado em seres humanos, em 2014. Se os resultados forem positivos, não me surpreenderia se o uso da rapamicina para aumentar a longevidade se tornasse mais comum. Um número pequeno, mas crescente, de pessoas, incluindo eu e alguns dos meus pacientes, já toma rapamicina *off-label* pelos potenciais benefícios geroprotetores. Não posso falar por todos, mas, de acordo com minha experiência, tomá-la ciclicamente parece reduzir os efeitos colaterais indesejados.

Mesmo assim, os obstáculos a serem superados para obter aprovação em uso humano de maneira mais ampla permanecem assustadores. A grande maioria das pessoas que tomam rapamicina hoje é de pacientes transplantados que já têm problemas graves de saúde e comorbidades múltiplas. Em populações como essa, os efeitos colaterais da rapamicina parecem menos significativos do que em pessoas mais saudáveis.

"Há uma tolerância muito baixa aos efeitos colaterais, por parte do público e das agências reguladoras, no que se refere ao tratamento de pessoas saudáveis", diz Kaeberlein. "A intenção é retardar o envelhecimento antes que as pessoas fiquem doentes, para mantê-las saudáveis por mais tempo, então, de inúmeras formas, é o oposto da abordagem biomédica tradicional, segundo a qual normalmente esperamos até que as pessoas adoeçam e então tentamos tratá-las."

O verdadeiro obstáculo, na realidade, é a estrutura regulatória enraizada na Medicina 2.0, que (ainda) não reconhece que "retardar o envelhecimento" e "retardar o surgimento de doenças" são objetivos legítimos por si só. Essa abordagem de aplicação do medicamento estaria pautada na Medicina 3.0, pois usaríamos uma substância para ajudar pessoas saudáveis a se manterem saudáveis, em vez de curar ou aliviar uma doença específica. Logo, essa visão tende a ser recebida com muito mais escrutínio e ceticismo. No entanto, se estamos falando de prevenir as doenças do envelhecimento, que matam 80% das pessoas, sem dúvida vale a pena ter uma conversa séria sobre o nível de risco que é ou não aceitável na busca por esse objetivo. Parte do meu propósito com este livro é levar essa conversa adiante.

Isso já pode estar começando a acontecer. A FDA deu o sinal verde para um ensaio clínico com outro fármaco que tem benefícios potenciais para aumentar a longevidade, a metformina, usada para tratar a diabetes. Esse ensaio, chamado "Visando ao envelhecimento com a metaformina" (Tame, na sigla em inglês), teve início de uma forma muito diferente. Há anos, milhões de pessoas tomam metformina. Ao longo do tempo, os pesquisadores notaram (e os estudos pareciam confirmar) que havia uma incidência menor de câncer entre esses pacientes do que na população em geral. Uma análise abrangente de 2014 mostrava que os diabéticos que tomavam metformina chegavam a viver mais do que os não diabéticos, o que é algo impressionante.[21] Mas nenhuma dessas observações "prova" que a metformina é geroprotetora — daí a necessidade de um ensaio clínico.

Mas é difícil, se não impossível, medir o envelhecimento em si com precisão. Então, o pesquisador-chefe do Tame, Nir Barzilai, que conhecemos no capítulo anterior, decidiu analisar outra questão: a administração de metformina a indivíduos saudáveis de fato retarda o surgimento de doenças relacionadas ao envelhecimento, indicando assim seu efeito sobre este processo. Espero que algum dia, talvez em um futuro próximo, possamos fazer testes semelhante em seres humanos com a rapamicina, que acredito ter um potencial ainda maior como agente promotor da longevidade.*

No momento, porém, vamos pensar no fato de que *tudo* de que tratamos neste capítulo, desde a mTOR e a rapamicina à restrição calórica, aponta em uma direção: o que comemos e a forma como metabolizamos o que comemos parecem desempenhar um papel gigantesco na longevidade. No capítulo seguinte, examinaremos muito mais detalhadamente como os distúrbios metabólicos ajudam a instigar e promover doenças crônicas.

* Antes de deixar Rapa Nui, nós quatro prometemos colocar uma nova placa em homenagem à descoberta da rapamicina no lugar daquela que foi perdida, reverenciando a contribuição única da ilha para a biologia molecular e o papel de Suren Sehgal em preservar e decifrar a importância dessa molécula.

CAPÍTULO 6

A crise da abundância

Será que os genes ancestrais são capazes de lidar com a dieta moderna?

O sofrimento humano que pode ser evitado costuma ser causado não tanto pela estupidez quanto pela ignorância, particularmente sobre nós mesmos.

— CARL SAGAN

Quando se trata de coordenar residentes de cirurgia juniores, há uma regra não escrita que Hipócrates poderia ter expressado da seguinte forma: *Primeiro, não deixe que eles prejudiquem*. Essa regra vigorou com toda a força durante meus primeiros meses no Johns Hopkins, em 2001, na oncologia cirúrgica. Estávamos prestes a remover parte do cólon ascendente de um paciente, e uma das minhas atribuições era o "pré-operatório", basicamente um briefing/semi-interrogatório no dia anterior à cirurgia, para garantir que sabíamos tudo o que precisávamos saber sobre o histórico médico do paciente.

Eu me reuni com esse paciente e descrevi o procedimento, lembrei que ele não poderia comer nada depois das oito da noite e fiz uma série de perguntas de rotina, incluindo se fumava e o quanto bebia. Essa última pergunta foi ensaiada para que parecesse improvisada, despojada, mas eu sabia que estava entre os itens mais importantes da minha lista. Se o paciente consumisse quantidades significativas de álcool (normalmente mais de quatro ou cinco doses por dia), os anestesiologistas tinham que saber, para receitar medicações específicas durante a fase de recuperação, geralmente benzodiazepínicos, como o Valium, de modo a evitar a abstinência. Caso contrário, o paciente pode correr risco de passar por *delirium tremens* (DT), uma condição que pode até mesmo ser fatal.

Fiquei aliviado quando ele disse que bebia pouco. Uma coisa a menos com que me preocupar. No dia seguinte, levei o paciente para a sala de cirurgia e fiz meu checklist de residente. Levaria alguns minutos até que os anestesistas o colocassem para dormir, e depois disso eu poderia colocar a sonda de Foley na bexiga dele, esfregar a pele com Betadine, arrumar os lençóis cirúrgicos e, então, me afastar para que o residente-chefe e o cirurgião fizessem a primeira incisão. Se eu tivesse sorte, ajudaria na abertura e fechamento do abdômen. Caso contrário, estaria ali para retrair o fígado, tirando-o do caminho dos cirurgiões seniores para que eles tivessem uma visão desobstruída do órgão que precisava ser removido, que ficava meio que escondido debaixo do fígado.

À medida que a cirurgia avançava, nada parecia fora do comum. Os cirurgiões tiveram que atravessar um pouco de gordura abdominal para chegar à cavidade peritoneal, mas nada que não víssemos quase todos os dias. Antes de se cortar a última das várias membranas que separam o mundo exterior da cavidade abdominal, fica pairando uma expectativa. Uma das primeiras coisas que você vê, conforme a incisão aumenta, é a ponta do fígado, que sempre considerei um órgão muito subestimado. Os "caras bacanas" da medicina se especializam no cérebro ou no coração, mas o fígado é o verdadeiro burro de carga do corpo — e vê-lo é de tirar o fôlego. Normalmente, um fígado saudável tem uma cor púrpura profunda, escura, com uma linda textura sedosa. Hannibal Lecter não estava equivocado: de fato parece que fica delicioso com favas e um bom Chianti.

O fígado daquele paciente parecia bem menos apetitoso ao emergir por debaixo da gordura omental. Em vez de um arroxeado vivo e saudável, era manchado e meio alaranjado, com nódulos salientes de gordura amarela. Parecia um *foie gras* estragado. O cirurgião me deu um olhar severo e bufou: "Você disse que esse cara não bebia!"

Era óbvio que aquele sujeito bebia muito; seu fígado dava todos os sinais disso. E, por ter falhado em obter essa informação, eu potencialmente coloquei a vida dele em risco.

Entretanto, depois descobri que eu não tinha errado. Quando o paciente acordou, após a cirurgia, ele confirmou que raramente bebia álcool, quase nunca. De acordo com minha experiência, antes de uma cirurgia os pacientes oncológicos raramente mentem sobre beber ou qualquer outro aspecto, especialmente quando confessar isso significa uma receita de Valium ou, melhor ainda, algumas cervejas com o jantar no hospital. Mas o fígado dele era definitivamente como o de um alcoólatra, o que parecia estranho para todo mundo.

Isso aconteceria inúmeras vezes mais durante minha residência. Toda vez, ficávamos coçando a cabeça. Mal sabíamos que estávamos testemunhando o nascimento, ou talvez o desabrochar, de uma epidemia silenciosa.

Cinco décadas antes, Samuel Zelman, um cirurgião de Topeka, no Kansas, se deparou com uma situação semelhante ao operar um paciente que conhecia pessoalmente, porque o sujeito era auxiliar no hospital onde trabalhava. Ele tinha certeza de que o homem não bebia, de modo que ficou surpreso ao descobrir que o fígado estava repleto de gordura, assim como o do meu paciente, décadas depois.

Aquele homem, na verdade, bebia outra coisa: Coca-Cola. Zelman sabia que ele consumia uma quantidade absurda de refrigerante, até mais de vinte garrafas em um único dia. As garrafas eram aquelas menores, mais antigas, não as grandes que existem hoje, mas, mesmo assim, o cirurgião estimou que seu paciente estava ingerindo 1.600 calorias extras por dia além das já fartas refeições. Entre os colegas, observou Zelman, ele se destacava pelo apetite.

Com a curiosidade atiçada, o cirurgião recrutou outros dezenove indivíduos obesos, mas não alcoólatras, para um estudo clínico.[1] Ele fez exames de sangue e urina e fez uma biópsia do fígado deles, um procedimento delicado que é realizado com uma agulha nem um pouco delicada. Todos os participantes apresentavam um ou mais sinais de prejuízo na função hepática, de forma estranhamente semelhante aos conhecidos estágios de comprometimento do fígado observados em alcoólatras.

Esta síndrome, normalmente atribuída ao alcoolismo ou à hepatite, foi muitas vezes observada, mas pouco compreendida. Quando começou a ser vista em adolescentes, nas décadas de 1970 e 1980, os médicos, preocupados, alertaram que havia uma epidemia oculta causada pelo consumo excessivo de álcool por indivíduos dessa faixa etária. Mas o álcool não era o culpado. Em

1980, uma equipe da Mayo Clinic apelidou essa "doença até então sem nome" de esteatose hepática (EHNA), que, desde então, se transformou em uma praga global.[2] Mais de uma em cada quatro pessoas no mundo tem algum grau de EHNA ou seu precursor, conhecido como doença hepática gordurosa não alcoólica (DHGNA), que é o que havíamos observado no paciente que foi operado naquele dia.[3]

A DHGNA tem uma forte correlação com a obesidade e a hiperlipidemia (colesterol alto), mas muitas vezes passa despercebida, principalmente no estágio inicial. A maioria dos pacientes não sabe que tem, assim como os médicos, porque a DHGNA e a EHNA não apresentam sintomas óbvios. Os sinais precoces geralmente aparecem apenas em exames de sangue que medem a presença da enzima hepática alanina aminotransferase (ALT). O aumento dos níveis de ALT costuma ser o primeiro indício de que existe algo de errado com o fígado, embora também possa ser um sintoma de outra coisa, como uma infecção viral recente ou uma reação a um medicamento. Mas há muitos médicos por aí que não fazem ideia de que os seus pacientes estão nos estágios iniciais da doença, porque os níveis de ALT ainda estão "normais".

A próxima pergunta a se fazer é: o que é normal? De acordo com a Labcorp, uma empresa líder em medicina diagnóstica, o intervalo aceitável para a ALT é inferior a 33 unidades internacionais por litro para mulheres e a 45 UI/L para homens (embora os intervalos possam variar de laboratório para laboratório). Mas "normal" não é o mesmo que "saudável". Os intervalos de referência para esses exames são baseados nos percentis atuais,* mas, à medida que a população em geral se torna menos saudável, a média pode se afastar dos níveis ideais. É como o que aconteceu com o peso. No final dos anos 1970, o homem adulto norte-americano médio pesava 78 quilos.[4] Hoje, ele pesa quase 91 quilos. Na década de 1970, um homem de 91 quilos seria considerado muito acima do peso; hoje ele é meramente mediano. Portanto, podemos ver que, no século XXI, "mediano" não é sinônimo de bom.

No que diz respeito aos valores hepáticos da ALT, o Colégio Americano de Gastroenterologia revisou recentemente suas diretrizes para recomendar a avaliação clínica da doença hepática em homens com ALT acima de 33 e mulheres com ALT acima de 25 — valores significativamente abaixo dos atuais intervalos "normais".[5] Mas mesmo isso pode não ser baixo o suficiente: um

* Geralmente, o "normal" está entre o 2,5º e o 97,5º percentis, um espectro muito amplo.

estudo de 2002 que excluiu pessoas que *já* apresentavam gordura no fígado sugeriu limites máximos de 30 para homens e 19 para mulheres.[6] Portanto, mesmo que seus exames estejam dentro do intervalo de referência, isso não significa que o seu fígado esteja realmente saudável.

A DHGNA e a EHNA são basicamente dois estágios da mesma doença. A DHGNA é o primeiro estágio, causado (resumidamente) por mais gordura entrando ou sendo produzida no fígado do que saindo dele. O passo seguinte rumo ao cadafalso metabólico é a EHNA, que é basicamente a DHGNA somada à inflamação, semelhante à hepatite, mas sem uma infecção viral. Essa inflamação provoca cicatrizes no fígado, porém, mais uma vez, não há sintomas óbvios. Isso pode parecer assustador, mas nem tudo está perdido. Tanto a DHGNA quanto a EHNA podem ser revertidas. Se você conseguir remover a gordura do fígado (normalmente por meio da perda de peso), a inflamação será resolvida e a função hepática voltará ao normal. O fígado é um órgão extremamente resiliente, de um jeito quase milagroso. Talvez seja o órgão de maior capacidade regenerativa do corpo humano. Quando uma pessoa saudável doa uma parte do fígado, tanto o doador quanto o receptor ficam com um fígado quase do tamanho normal e totalmente funcional cerca de oito semanas após a cirurgia, e a maior parte desse crescimento ocorre logo nas duas primeiras semanas.

Em outras palavras, o fígado pode se recuperar de danos bastante extensivos, incluindo até mesmo a remoção parcial. Mas se a EHNA não for controlada ou revertida, os danos e as cicatrizes podem evoluir para uma cirrose. Isso acontece em cerca de 11% dos pacientes com EHNA e, obviamente, é muito mais grave. A partir desse ponto, a arquitetura celular do órgão começa a ser afetada, dificultando muito a possibilidade de reversão. Um paciente com cirrose provavelmente morrerá devido a complicações decorrentes da insuficiência hepática, a menos que receba um transplante. Em 2001, quando operamos o homem com gordura no fígado, a EHNA respondia oficialmente por pouco mais de 1% dos transplantes de fígado nos Estados Unidos; em 2025, espera-se que a EHNA associada à cirrose seja a principal responsável por esses transplantes.[7]

Por mais devastadora que seja, a cirrose não é o único desfecho que chama minha atenção. Eu me preocupo com a DHGNA e a EHNA — e você também deveria —, porque elas são a ponta do iceberg de uma epidemia global de distúrbios metabólicos, que vai desde a resistência à insulina até a diabetes tipo 2. Esta é tecnicamente uma doença distinta, definida com clareza pelos níveis de glicose, mas eu a vejo como a última parada de um percurso que passa por muitas outras estações, incluindo hiperinsulinemia, pré-diabetes e DHGNA/EHNA. Se você está em qualquer ponto desse percurso, ainda que seja nos estágios iniciais da DHGNA, provavelmente está a caminho também de se encontrar com pelo menos um dos outros cavaleiros (doenças cardiovasculares, câncer e Alzheimer). Como veremos nos próximos capítulos, as disfunções metabólicas aumentam exponencialmente o risco de todas essas doenças. Portanto, não se pode combater os cavaleiros sem primeiro enfrentar as disfunções metabólicas.

Repare que eu disse "disfunção metabólica" e não "obesidade", o bicho-papão preferido de todo mundo na área da saúde. É uma distinção importante. De acordo com os Centros de Controle e Prevenção de Doenças (CDCs), mais de 40% da população norte-americana é obesa (considerando-se um IMC* maior que trinta), enquanto cerca de outro terço está acima do peso (IMC de 25 a trinta).[8] Estatisticamente, ser obeso significa estar sujeito a um maior risco de desenvolver doenças crônicas, então se dá muita atenção ao "problema da obesidade", mas tenho uma visão mais ampla: a obesidade é apenas um dos sintomas de um distúrbio metabólico subjacente, como a hiperinsulinemia, que também leva ao ganho de peso. Mas nem todos os obesos não são saudáveis em termos metabólicos, e vice-versa. Existem mais coisas por trás da saúde metabólica do que parece.

Já na década de 1960, antes que a obesidade se tornasse um problema generalizado, um endocrinologista de Stanford chamado Gerald Reaven observou que o excesso de peso frequentemente vinha acompanhado de outros marcadores de problemas de saúde. Ele e seus colegas notaram que vítimas de ataque cardíaco muitas vezes apresentavam altos níveis de glicose em jejum e alta taxa de triglicerídeos, bem como pressão arterial elevada e obesidade abdominal. Quanto mais desses requisitos o paciente "cumpria", maior o risco de doenças cardiovasculares.

Na década de 1980, Reaven batizou esses distúrbios relacionados de "Síndrome X" — em que o fator X, ele acabou por concluir, era a resistência à insulina. Hoje chamamos esse conjunto de problemas de "síndrome metabólica", definida a partir dos cinco critérios a seguir:

---

* O índice de massa corporal (IMC) está longe de ser um indicador perfeito, pois não capta a proporção de gordura no músculo, mas é bom o bastante para os nossos propósitos aqui.

1. pressão arterial elevada (> 130/85)
2. níveis elevados de triglicerídeos (> 150 mg/dL)
3. níveis baixos de colesterol HDL (< 40 mg/dL em homens ou < 50 mg/dL em mulheres)
4. adiposidade central (circunferência da cintura > 100 cm em homens ou > 90 cm em mulheres)
5. glicemia em jejum elevada (> 110 mg/dL)

Se você cumpre três ou mais desses critérios, então é portador de síndrome metabólica — que acomete cerca de 120 milhões de norte-americanos, de acordo com um artigo de 2020 publicado no *Journal of the American Medical Association*.[9] Cerca de 90% da população dos Estados Unidos apresenta pelo menos um desses fatores.[10] Mas observe que a obesidade é apenas um dos critérios; ela *não é* indispensável para o diagnóstico da síndrome metabólica. Visivelmente, o problema é mais profundo do que o simples ganho de peso indesejado. Isso tende a corroborar minha visão de que a obesidade, em si, não é a questão, apenas um sintoma de outros problemas.

Estudos descobriram que aproximadamente um terço das pessoas obesas (pelo cálculo do índice de massa corporal) são efetivamente saudáveis em termos metabólicos, de acordo com muitos dos mesmos parâmetros usados para definir a síndrome metabólica (pressão arterial, triglicerídeos, colesterol e glicemia em jejum, entre outros). Ao mesmo tempo, segundo alguns estudos, entre 20% e 40% dos adultos não obesos podem não ser metabolicamente saudáveis, segundo os mesmos critérios. Uma alta porcentagem de pessoas obesas também está doente em termos metabólicos, claro — mas, como ilustra a Figura 3, muitas pessoas com peso normal estão no mesmo barco, o que deve servir de alerta para todo mundo. Não tem a ver com o seu peso. Mesmo que você seja magro, ainda assim precisa ler este capítulo.

Esse diagrama (baseado em dados dos NIHs e não no artigo do *Journal of the American Medical Association* que acabamos de mencionar) mostra com veemência que a obesidade e a disfunção metabólica não são a mesma coisa; estão bem longe disso, na verdade. Cerca de 42% da população norte-americana é obesa (IMC > 30). Partindo de uma estimativa conservadora de que cem milhões de norte-americanos apresentam os critérios que indicam a síndrome metabólica, quase exatamente um terço *não é* obeso. Muitas dessas pessoas estão acima do peso de acordo com o IMC (25 a 29,9), mas quase 10 milhões de norte-americanos são magros (IMC 19 a 24,9), mas não são saudáveis em termos metabólicos.

Figura 3. **Desassociando obesidade e saúde metabólica**

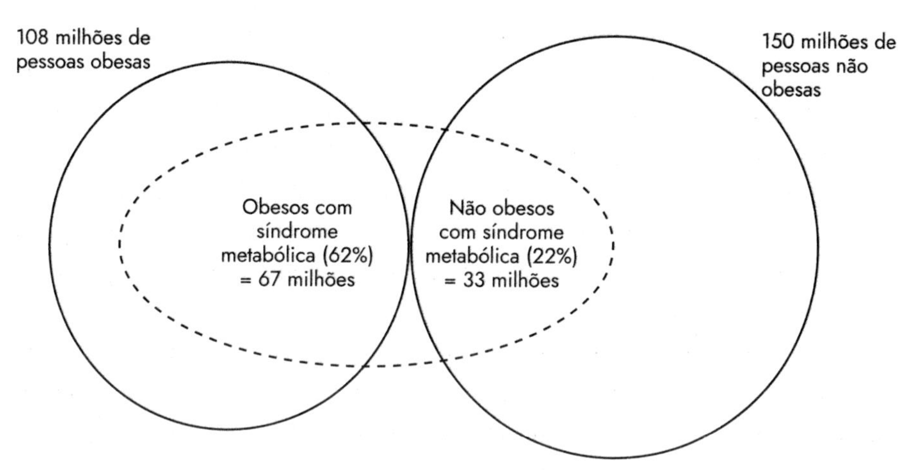

Prevalência relativa da disfunção metabólica nos segmentos obesos e não obesos da população. Fonte: Análise interna baseada em dados do Instituto Nacional de Diabetes e Doenças do Trato Digestivo e Renais (2021).

Algumas pesquisas sugerem que essas pessoas podem correr riscos mais sérios. Uma grande metanálise de estudos com um tempo médio de acompanhamento de 11,5 anos mostrou que as pessoas dessa categoria têm mais do que o triplo de risco de morrer por qualquer causa e/ou evento cardiovascular do que os indivíduos metabolicamente saudáveis não obesos.[11] Enquanto isso, os indivíduos metabolicamente saudáveis, mas obesos, *não* apresentavam um risco significativamente aumentado. Conclui-se que a obesidade não é a única que provoca malefícios à saúde; mas também a disfunção metabólica. É com ela que estamos preocupados.

O metabolismo é o processo pelo qual absorvemos nutrientes e os quebramos para serem usados pelo corpo. Em alguém metabolicamente saudável, esses nutrientes são processados e enviados para o destino final. Entretanto, quando alguém não está metabolicamente saudável, muitas das calorias consumidas acabam indo parar onde não são necessárias, na melhor das hipóteses — ou sendo inteiramente nocivas, na pior.

Se você come uma rosquinha, por exemplo, o corpo tem que decidir o que fazer com as calorias. Correndo o risco de simplificar demais, os carboidratos dessa rosquinha têm dois destinos possíveis. Primeiro, podem ser convertidos em glicogênio, a forma de armazenamento da glicose, ideal para uso no curto prazo. Cerca de 75% desse glicogênio acaba no músculo esquelético e os outros 25% vão para o fígado, embora a proporção varie. Um homem adulto normalmente pode armazenar cerca de 1.600 calorias em glicogênio somando esses dois locais, ou energia suficiente para cerca de duas horas de exercício de resistência pesado. É por isso que, se você estiver correndo uma maratona ou fazendo um longo percurso de bicicleta e não repuser as energias de alguma forma, é provável que você "dê PT", ficando totalmente exausto, o que não é uma experiência agradável.

Uma das inúmeras tarefas importantes que o fígado desempenha é converter o glicogênio armazenado novamente em glicose, e, em seguida, liberá-la conforme necessário para manter estáveis os níveis de glicose no sangue, mecanismo conhecido como *homeostase glicêmica*. Essa tarefa é extremamente delicada: há sempre cerca de cinco gramas (aproximadamente uma colher de chá) de glicose circulando na corrente sanguínea de um homem adulto médio. Essa colher de chá não dura mais do que alguns minutos, porque a glicose é absorvida pelos músculos e, principalmente, pelo cérebro, de modo que o fígado precisa repô-la continuamente, modulando com precisão para manter os níveis mais ou menos constantes. Podemos considerar que cinco gramas de glicose, espalhados por todo o sistema circulatório, é uma quantidade normal, ao passo que sete gramas — uma colher e meia de chá — já indicam diabetes. Como eu disse, o fígado é um órgão incrível.

Temos uma capacidade muito maior, quase ilimitada, de armazenar energia na forma de gordura — o segundo destino possível para as calorias daquela rosquinha. Até mesmo um adulto relativamente magro pode carregar dez quilos de gordura no corpo, o que representa incríveis noventa mil calorias de energia armazenada.

Quem toma a decisão de onde alocar a energia da rosquinha são os hormônios, principalmente a insulina, que é secretada pelo pâncreas quando o corpo detecta a presença de glicose, o produto final da quebra da maioria dos carboidratos (como os da rosquinha). A insulina ajuda a transportar a glicose até onde é necessária, mantendo a homeostase glicêmica. Se você por acaso estiver disputando uma etapa do Tour de France e comer a rosquinha, ou praticando outro tipo de exercício físico intenso, essas calorias serão consumidas quase instantaneamente pelos músculos. Mas em uma pessoa sedentária típica, que não consome depressa o glicogênio muscular, grande parte do excesso de energia da rosquinha vai acabar nas células adiposas (ou, mais especificamente, nos triglicerídeos contidos nas células adiposas).

A questão é que a gordura — isto é, a gordura subcutânea, a camada que fica logo abaixo da pele — é na verdade o lugar *mais seguro* para armazenar o excesso de energia. A gordura, em si, não é ruim. É, de fato, onde devemos estocar as calorias excedentes. Foi assim que evoluímos. Embora a gordura possa não ser desejável cultural ou esteticamente no mundo moderno, a gordura subcutânea desempenha um papel importante na manutenção da saúde metabólica. Gerald Shulman, endocrinologista da Universidade de Yale e um dos maiores pesquisadores da diabetes, publicou um elegante experimento que demonstrava a necessidade da gordura: ao implantar cirurgicamente tecido adiposo em camundongos resistentes à insulina, tornando-os *mais* gordos, ele descobriu que a disfunção metabólica dos animais foi quase instantaneamente curada.[12] As novas células adiposas sugaram todo o excesso de glicose no sangue e o armazenaram em segurança.

Pense na gordura como uma espécie de zona-tampão metabólica, absorvendo e armazenando a energia excedente em segurança até que seja necessária. Se comemos rosquinhas demais, essas calorias serão armazenadas na camada de gordura subcutânea; quando, digamos, fazemos uma trilha ou nadamos, parte dessa gordura é liberada para ser usada pelos músculos. Esse fluxo de gordura continua indefinidamente, e, desde que você não ultrapasse a sua capacidade de armazenamento de gordura, fica tudo bem.

No entanto, se você continuar a consumir um volume de energia maior do que o necessário, essas células de gordura subcutânea vão se encher lentamente, principalmente se uma pequena proporção dessa energia armazenada estiver sendo utilizada. Quando alguém atinge o limite da capacidade de armazenamento de energia em forma de gordura subcutânea, mas continua a ingerir calorias em excesso, toda essa energia precisa de outro lugar para ir. As rosquinhas (ou qualquer que seja a fonte de calorias) provavelmente ainda estão sendo convertidas em gordura, mas agora o corpo precisa encontrar espaços alternativos para armazená-la.

É quase como se você tivesse uma banheira e ligasse a torneira. Se você deixar a torneira aberta mesmo depois que a banheira estiver cheia e o ralo tampado (ou seja, se você for sedentário), a água vai começar a transbordar, fluindo para lugares onde não é desejada ou necessária, como o chão do banheiro ou o corredor e as escadas. O mesmo acontece com o excesso de gordura. As calorias vão inundando o tecido adiposo subcutâneo até ele atingir a capacidade máxima, e o excesso começa a se espalhar por outras áreas do corpo: para o sangue, na forma de excesso de triglicerídeos; para o fígado, contribuindo para a DHGNA; para o tecido muscular, contribuindo diretamente para a resistência à insulina nos músculos (como vamos ver); e até mesmo ao redor do coração e do pâncreas (Figura 4). Nenhum desses lugares, obviamente, é ideal para o acúmulo de gordura; a DHGNA é apenas uma das muitas consequências indesejáveis desse transbordamento de gordura.[13]

A gordura também começa a se infiltrar no abdômen, acumulando-se entre os órgãos. Embora a gordura subcutânea seja considerada relativamente inofensiva, o mesmo não se pode dizer dessa "gordura visceral". As células adiposas secretam citocinas inflamatórias, como TNF-α e IL-6, marcadores-chave que provocam inflamação, a uma distância muito curta dos órgãos mais importantes do corpo. Talvez seja por isso que a gordura visceral está ligada ao aumento do risco de desenvolver câncer e doenças cardiovasculares.

A capacidade de armazenamento de gordura varia bastante de indivíduo para indivíduo. Voltando à analogia com a banheira, algumas pessoas têm uma capacidade de armazenamento de gordura subcutânea equivalente à de uma banheira comum, enquanto a de outras pode se parecer mais com uma jacuzzi ou um ofurô. Outras ainda podem ter apenas o equivalente a um balde de vinte litros. Também faz diferença, obviamente, a quantidade de "água" que está *entrando* na banheira pela torneira (as calorias nos alimentos) e *saindo* pelo ralo (ou seja, sendo consumida por meio de exercícios ou de outras formas).

A capacidade individual de armazenamento de gordura parece ser influenciada por fatores genéticos. Estamos generalizando, mas pessoas de ascendência asiática (por exemplo) tendem a ter uma capacidade muito menor de armazenar gordura, em média, do que os caucasianos.[14] Existem outros fatores em jogo também, mas isso explica, em parte, por que algumas pessoas são obesas, mas metabolicamente saudáveis, enquanto outras parecem "magras" e mesmo assim apresentam três ou mais indicativos de síndrome metabólica. São essas pessoas que correm maior risco, de acordo com a pesquisa de Mitch Lazar, da Universidade da Pensilvânia, porque pode acontecer de uma pessoa "magra" ter uma capacidade muito menor de armazenar gordura com segurança.[15] Descontados todos os outros fatores, alguém que carrega um pouco de gordura corporal também pode ter maior capacidade de armazenamento de gordura e, portanto, maior liberdade metabólica do que alguém que pareça mais magro.

Figura 4. **Como o excesso de gordura aumenta o risco cardiometabólico**

↑ Consumo de energia

e/ou

↓ Gasto de energia
- ↓ Atividade física
- ↑ Tempo de inatividade
- ↓ Exercício pesado

Excesso de energia

Saturação da capacidade de expansão do tecido adiposo

OU

Incapacidade de expansão do tecido adiposo subcutâneo (p. ex., lipodistrofia)

TRANSBORDAMENTO DE LIPÍDIOS

↑ Gordura visceral

↑ Gordura no fígado

↑ Gordura no epicárdio, pericárdio e miocárdio

↑ Gordura muscular

↑ Gordura nos rins

↑ Gordura no pâncreas

Resistência à insulina/inflamação

Prejuízo na secreção de insulina

Maior risco cardiometabólico

Maior risco de diabetes tipo 2

MAIOR RISCO DE DOENÇAS CARDIOVASCULARES

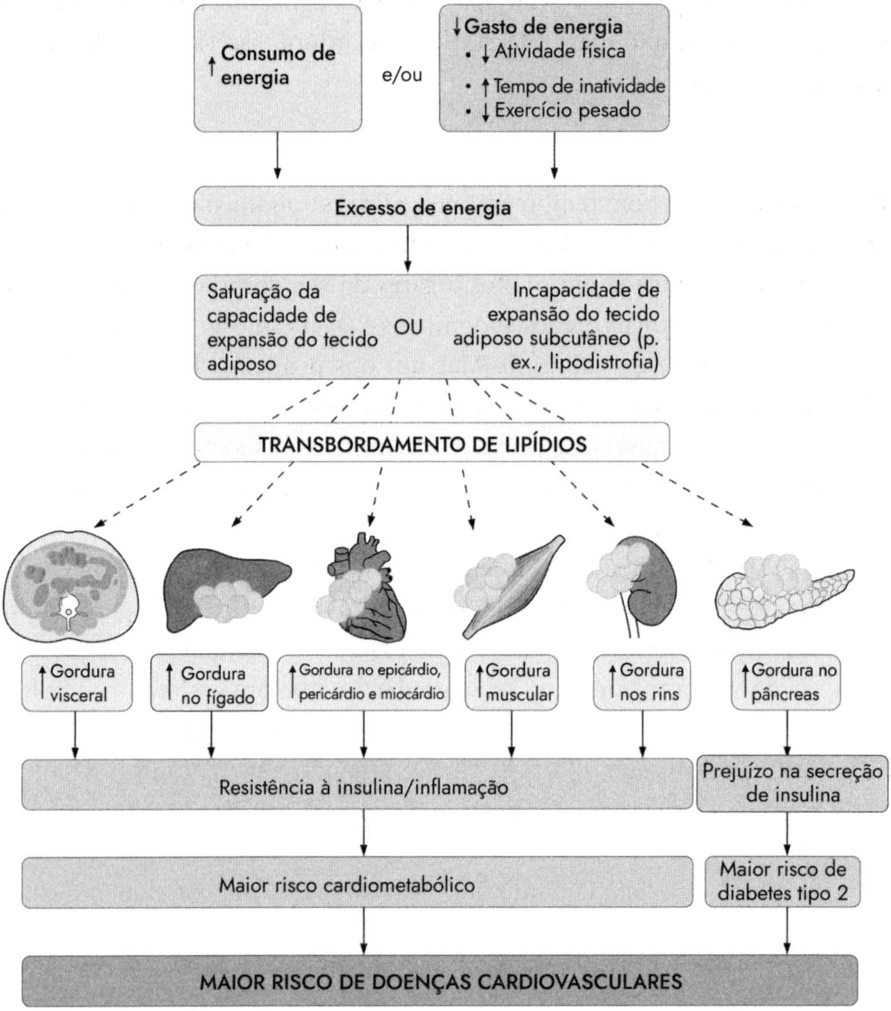

Fonte: Tchernof e Després (2013).

Não é preciso de muita gordura visceral para os problemas surgirem. Digamos que você seja um homem de quarenta anos que pesa noventa quilos. Se você tem 20% de gordura corporal, o que o coloca mais ou menos na média

(50º percentil) da sua idade e gênero, isso significa que você tem 18 quilos de gordura espalhados pelo corpo. Mesmo que apenas 4,5 quilos sejam de gordura visceral, você seria enquadrado na categoria de risco excepcionalmente alto de desenvolver doenças cardiovasculares e diabetes tipo 2, na faixa superior de risco que engloba 5% dos indivíduos da sua idade e gênero. É por isso que insisto que meus pacientes façam um exame de densitometria óssea todos os anos, pois estou muito mais interessado na gordura visceral deles do que na gordura corporal total.

Pode ter levado um bom tempo para chegar a esse ponto, mas agora você está em apuros — mesmo que você e seu médico ainda não tenham percebido. A gordura está acumulada em muitos lugares do seu corpo onde não deveria, como no fígado, entre os órgãos abdominais e até mesmo ao redor do coração, independentemente do seu peso. Mas um dos primeiros lugares onde essa gordura transbordante irá causar problemas é nos músculos, pois ela se insinua entre as fibras musculares, como o marmoreio em um bife. Conforme isso se acentua, gotículas de gordura microscópicas aparecem até mesmo *dentro* das células musculares.

É aí que provavelmente tem início a resistência à insulina, concluiu Gerald Shulman depois de três décadas de pesquisa.[16] Essas gotículas de gordura podem estar entre os primeiros destinos do excesso de energia/transbordamento de gordura e, à medida que se acumulam, começam a afetar a complexa rede de mecanismos de transporte dependentes da insulina que normalmente abastecem as células musculares de glicose. Quando esses mecanismos deixam de funcionar, a célula para de "ouvir" os sinais da insulina. Por fim, essa resistência à insulina avança sobre outros tecidos, como o fígado, mas Shulman acredita que ela se origina no músculo. Vale notar que um componente-chave desse processo parece ser o sedentarismo. Se uma pessoa não é fisicamente ativa e não está queimando energia por meio dos músculos, a resistência à insulina provocada pelo transbordamento de gordura progride muito mais depressa. (É por isso que Shulman exige que os participantes dos seus estudos, em sua maioria jovens universitários, se abstenham de praticar atividades físicas, a fim de forçar uma resistência à insulina.)

Resistência à insulina é um termo que ouvimos muito, mas o que de fato significa? Tecnicamente, significa que as células, a princípio as musculares, pararam de ouvir os sinais da insulina, mas outra forma de visualizar isso é imaginar a célula como um balão sendo enchido de ar. Chega uma hora em que o balão se expande até o ponto em que fica muito difícil continuar a enchê-lo. É preciso soprar cada vez mais. É aqui que entra a insulina, para ajudar a facilitar o processo. O pâncreas começa a secretar cada vez mais insulina, para tentar remover o excesso de glicose da corrente sanguínea e alocá-la nas células. Isso funciona por algum tempo, e os níveis de glicose no sangue permanecem normais, até que você atinge um limite em que o "balão" (as células) não consegue receber mais "ar" (glicose).

Esse é o ponto em que o problema aparece em um hemograma-padrão, pois a glicemia em jejum começa a subir. Isso significa que você tem níveis altos de insulina e glicose no sangue *ao mesmo tempo*, e as células estão fechando os portões para a entrada de glicose. Se as coisas continuarem assim, o pâncreas ficará cansado e será menos capaz de organizar uma resposta à insulina. Isso se agrava, como você deve imaginar, devido à gordura alojada também no próprio pâncreas. É possível enxergar o círculo vicioso se formando: o transbordamento de gordura ajuda a dar início à resistência à insulina, o que resulta no acúmulo de ainda mais gordura, o que, por sua vez, compromete a capacidade de armazenar calorias de qualquer outra forma que não seja gordura. Há muitos outros hormônios envolvidos na produção e na distribuição de gordura, incluindo a testosterona, o estrogênio, a lipase hormônio-sensível* e o cortisol.

O cortisol é particularmente problemático, com o duplo efeito de esgotar a gordura subcutânea (que geralmente é benéfica) e substituí-la por gordura visceral, mais prejudicial. Essa é uma das razões pelas quais o nível de estresse e a qualidade do sono, que afetam a liberação de cortisol, interessam tanto ao metabolismo. Mas a insulina parece ser a promotora mais potente do acúmulo de gordura, porque ela age como uma espécie de via de mão única, permitindo que a gordura entre na célula ao mesmo tempo em que atrapalha a liberação de energia das células adiposas (por meio de um processo chamado lipólise).[17] A insulina está relacionada apenas com o armazenamento da gordura, não com a utilização dela.

Quando os níveis de insulina permanecem cronicamente altos, surgem mais problemas. O ganho de peso e, por fim, a obesidade são apenas um sinto-

---

* Uma enzima presente nas células adiposas que ajuda a converter os triglicerídeos armazenados em ácidos graxos livres.

ma dessa condição, conhecida como hiperinsulinemia. Eu diria que esses raramente são os sintomas mais graves: como vamos ver nos capítulos a seguir, a insulina também é um potente hormônio sinalizador de crescimento que ajuda a provocar tanto a aterosclerose quanto o câncer. E, quando a resistência à insulina começa a se desenvolver, a mesa já está posta para a diabetes tipo 2, que traz consigo uma série de consequências desagradáveis.

Nosso conhecimento cada vez maior sobre a DHGNA e a EHNA reflete o surgimento de uma epidemia global de diabetes tipo 2 um século atrás. Assim como o câncer, o Alzheimer e as doenças cardíacas, a diabetes tipo 2 é conhecida como uma "doença da civilização", o que significa que ela só ganhou destaque na era moderna. Entre as tribos primitivas e em épocas muito antigas, era amplamente desconhecida. Seus sintomas foram sendo observados ao longo de milhares de anos, remontando ao Egito Antigo (bem como à Índia Antiga), mas foi o médico grego Areteu da Capadócia que a batizou de *diabetes*, descrevendo-a como "um detrimento da carne e dos membros para dentro da urina".[18]

Naquela época a diabetes era extremamente rara, observada com pouquíssima frequência. Quando a diabetes tipo 2 surgiu, a partir do início do século XVIII, era a princípio uma doença da elite, que acometia papas, artistas, comerciantes abastados e nobres que podiam comprar aquele item de luxo conhecido como açúcar. Acredita-se que o compositor Johann Sebastian Bach tenha sofrido dessa condição, assim como outras figuras notáveis.[19] Também era comum estar associada à gota, uma queixa típica da classe alta decadente. Isso, como veremos em breve, não era coincidência.

No início do século XX, a diabetes estava se tornando uma doença das massas. Em 1940, o famoso diabetologista Elliott Joslin estimou que cerca de uma pessoa em cada trezentas a quatrocentas era diabética, representando um aumento significativo em relação a apenas algumas décadas antes, ainda que a doença continuasse relativamente incomum.[20] Em 1970, na época em que nasci, a prevalência era de uma a cada cinquenta pessoas.[21] Hoje, mais de 11% da população adulta dos Estados Unidos, uma em cada nove pessoas, tem o diagnóstico clínico de diabetes tipo 2, de acordo com um relatório dos CDCs de 2022, incluindo mais de 29% dos adultos acima de 65 anos.[22] Outros 38% dos adultos norte-americanos, ou mais de um em cada três, apresentam pelo menos um sintoma de pré-diabetes. Isso significa que quase metade da população do país está prestes a desenvolver diabetes tipo 2, se é que já não tem.

Uma observação rápida: a diabetes ocupa apenas a sétima ou oitava posição entre as principais causas de morte nos Estados Unidos, atrás de doença renal, acidentes e Alzheimer.[23] Em 2020, pouco mais de cem mil mortes foram atribuídas à diabetes tipo 2, sendo uma fração desse número devida a doenças cardiovasculares ou câncer.[24] Considerando essas cifras, ela mal se qualifica como um cavaleiro. Mas acredito que o número real de mortes decorrentes dela seja muito maior e que, portanto, subestimamos o seu verdadeiro impacto. Pacientes com diabetes têm um risco muito maior de desenvolver doenças cardiovasculares, bem como câncer, Alzheimer e outros tipos de demência; podemos dizer que a diabetes associada à disfunção metabólica é algo que todas essas mazelas têm em comum. É por isso que eu dou tanta ênfase à saúde metabólica e que há tanto tempo me preocupo com a epidemia de doenças metabólicas não só nos Estados Unidos, mas também no mundo todo.

Por que essa epidemia está ocorrendo agora?

A explicação mais simples é que nosso metabolismo, da forma como evoluiu ao longo de milênios, não está preparado para lidar com a dieta ultramoderna, que surgiu apenas no século passado. A evolução não é mais nossa amiga, porque nosso ambiente mudou muito mais rápido do que nosso genoma jamais seria capaz de mudar. A evolução quer que engordemos quando os nutrientes são abundantes: no passado, quanto mais energia pudéssemos armazenar, maiores seriam nossas chances de sobreviver e nos reproduzir. Precisávamos ser capazes de suportar períodos sem muita comida, e a seleção natural assim fez, nos dotando de genes que nos ajudam a conservar e armazenar energia na forma de gordura. Isso permitiu que nossos ancestrais distantes sobrevivessem a períodos de fome, frio e estresse fisiológico, como doenças e gravidez. Mas esses genes se mostraram menos vantajosos no mundo desenvolvido atual, onde muitas pessoas têm acesso a uma quantidade quase ilimitada de calorias.

Outro problema é que nem todas essas calorias são criadas da mesma forma, assim como nem todas são metabolizadas da mesma forma. Uma fonte abundante de calorias na dieta atual, a frutose, também se revela um poderoso agente de disfunção metabólica se consumida em excesso. A frutose não é um nutriente novo, obviamente. É a forma de açúcar encontrada em quase todas as frutas e, como tal, é essencial à dieta de muitas espécies, desde morcegos e beija-flores até ursos, macacos e seres humanos. Mas acontece que nós temos uma capacidade singular de transformar as calorias da frutose em gordura.[25]

Muitas pessoas gostam de demonizar a frutose, especialmente na forma de xarope de milho com alto teor de frutose, sem entender de fato por que ela é tão prejudicial. A história é complicada, mas fascinante. A questão-chave é que a frutose não é metabolizada como outros açúcares. Quando metabolizamos a frutose, assim como alguns outros tipos de alimento, são produzidas grandes quantidades de ácido úrico, que é mais conhecido por ser o causador da gota, mas que também tem sido associado à pressão arterial elevada.

Mais de duas décadas atrás, um nefrologista da Universidade do Colorado chamado Rick Johnson notou que o consumo de frutose parecia ser um importante agente causador não só da pressão alta, como também do ganho de peso. "Percebemos que a frutose tinha efeitos que não podiam ser explicados por seu conteúdo calórico", diz Johnson.[26] O culpado parecia ser o ácido úrico. Outros mamíferos, inclusive alguns primatas, possuem uma enzima chamada uricase, que os ajuda a eliminá-lo. Mas nós, seres humanos, carecemos dessa enzima importante e aparentemente benéfica, então o ácido úrico se acumula, com todas as suas consequências negativas.

Johnson e sua equipe começaram a investigar nossa história evolutiva, em colaboração com um antropólogo britânico chamado Peter Andrews, pesquisador aposentado do Museu de História Natural de Londres e especialista na evolução dos primatas.[27] Outros pesquisadores já haviam notado que alguma mutação genética aleatória foi responsável pelo desaparecimento da uricase em nossa espécie há bastante tempo em nosso passado evolutivo, mas o motivo permanecia um mistério. Johnson e Andrews vasculharam os registros evolutivos e fósseis e chegaram a uma teoria intrigante: que essa mutação pode ter sido essencial para o próprio surgimento da espécie humana.

O que eles descobriram foi que, milhões de anos atrás, nossos ancestrais primatas migraram da África para o norte, em direção ao que é hoje a Europa. Naquela época, o continente era exuberante e semitropical, mas à medida que o clima foi lentamente esfriando, a paisagem mudou. Árvores caducifólias (que perdem a folhagem nos meses frios) e prados abertos substituíram as florestas tropicais, e as árvores frutíferas das quais os macacos dependiam para se alimentar começaram a desaparecer, principalmente as figueiras, um alimento básico de sua dieta. Pior ainda, os macacos passaram a enfrentar uma nova e desconfortável estação fria, que conhecemos como "inverno". Para sobreviver, esses macacos precisavam ser capazes de armazenar parte das calorias que ingeriam na forma de gordura. Mas isso não era algo natural, porque eles tinham evoluído na África, onde sempre havia alimento à disposição. Portanto, o metabolismo deles não priorizava o armazenamento de gordura.

Em algum momento, nossos ancestrais primatas passaram por uma mutação genética aleatória que efetivamente ativou a capacidade de transformar frutose em gordura: o gene da uricase foi "silenciado" ou perdido. A partir de então, quando esses macacos consumiam frutose, passou-se a gerar muito ácido úrico, o que os levava a armazenar um volume muito maior de calorias provenientes da frutose na forma de gordura. Essa capacidade inédita de armazenar gordura permitiu que eles sobrevivessem no clima mais frio. Eles podiam passar o verão se empanturrando de frutas, engordando, para encarar o inverno.

Essas mesmas espécies de símios, ou seus sucessores na escala evolutiva, voltaram para a África, onde com o tempo evoluíram para hominídeos e depois para o *Homo sapiens* — e ao mesmo tempo transmitiam a mutação silenciadora da uricase para nós, seres humanos. Isso, por sua vez, permitiu que nos espalhássemos por todo o globo, porque conseguíamos armazenar energia para nos ajudar a sobreviver em climas frios e estações em que os alimentos não eram abundantes.

No mundo moderno, porém, esse mecanismo de armazenamento de gordura persiste, embora não seja mais tão útil. Não precisamos mais nos preocupar em procurar frutas nem engordar para suportar um inverno frio. Graças aos milagres da tecnologia de alimentos moderna, estamos quase nadando em um mar de frutose, especialmente na forma de refrigerantes, mas também escondida em alimentos aparentemente mais inocentes, como iogurtes e molhos para salada industrializados.*

Qualquer que seja a forma que assuma, a frutose não representa um problema quando consumida da maneira que nossos ancestrais faziam, antes que o açúcar se tornasse onipresente: principalmente como frutas *in natura*. É muito difícil engordar se entupindo de maçãs, por exemplo, porque a frutose da maçã entra em nosso sistema de forma relativamente lenta, misturada às fibras e à água, e tanto o intestino quanto o metabolismo podem processá-la

* Embora esteja na moda vilanizar o xarope de milho com alto teor de frutose, que é 55% frutose e 45% glicose, vale ressaltar que o bom e velho açúcar de mesa (sacarose) é quase idêntico, sendo composto por 50% de frutose e 50% de glicose. Portanto, não há muita diferença entre os dois.

normalmente. Mas se bebermos litros de suco de maçã, são outros quinhentos, como vou explicar em breve.

A frutose não é a única coisa que aumenta a produção de ácido úrico; alimentos ricos em uma substância chamada purina, como determinadas carnes, queijos, anchova e cerveja, também estimulam a produção de ácido úrico. É por isso que a gota, uma condição marcada pelo excesso de ácido úrico, era tão comum entre aristocratas glutões antigamente (e ainda hoje). Examino os níveis de ácido úrico dos meus pacientes não só porque níveis altos podem promover o armazenamento de gordura, mas também porque ele está ligado à pressão alta. Um nível elevado de ácido úrico é um sinal precoce de que precisamos olhar para a saúde metabólica do paciente, para sua dieta, ou ambas.

Outra questão é que a glicose e a frutose são metabolizadas de forma muito diferente no nível celular. Quando um neurônio, uma célula muscular, intestinal ou de qualquer outro tipo quebra a glicose, quase instantaneamente ela terá à disposição mais trifosfato de adenosina (ATP), a "moeda" da energia celular. Mas essa energia não é gratuita: a célula precisa gastar uma pequena quantidade de ATP para produzir mais ATP, assim como às vezes você precisa gastar dinheiro para ganhar dinheiro. No metabolismo da glicose, esse gasto energético é regulado por uma enzima específica que impede que a célula "gaste" ATP demais no metabolismo.

No entanto, quando metabolizamos grandes quantidades de frutose, uma enzima diferente assume o comando, e essa enzima *não* freia o "gasto" de ATP.[28] Em vez disso, os níveis de energia (ATP) dentro da célula caem rápida e drasticamente. Essa queda súbita nos níveis de energia faz com que a célula ache que ainda estamos com fome. Os mecanismos são um pouco complicados, mas o ponto principal é que, embora seja rica em energia, a frutose basicamente engana o metabolismo, fazendo com que ele pense que estamos gastando energia — e que precisamos ingerir ainda mais alimento e armazenar mais energia na forma de gordura.*

* Essa queda nos níveis de ATP celular aciona uma enzima chamada *adenosina deaminase* (AMPD, na sigla em inglês), a irmã gêmea malvada da AMPK, a enzima que alerta sobre os níveis baixos de "combustível" de que falamos no capítulo anterior. Quando a AMPK é ativada, ela aciona todo tipo de programa de sobrevivência celular, incluindo a queima de gordura armazenada, que ajuda a permitir que o organismo sobreviva sem alimento. Mas quando a frutose ativa a AMPD, ela nos leva para o armazenamento de gordura. (Esse efeito cascata também dispara a sensação de fome, ao bloquear a leptina, o hormônio da saciedade.)

Em nível macro, consumir grandes quantidades de frutose líquida simplesmente extrapola a capacidade que o intestino tem de lidar com ela; o excesso é desviado para o fígado, onde muitas dessas calorias vão acabar se transformando em gordura. Eu vi pacientes mergulhando na DHGNA porque bebiam um excesso de vitaminas "saudáveis" de frutas, pela mesma razão: eles ingeriam uma quantidade grande de frutose em muito pouco tempo. Dessa forma, a disponibilidade quase infinita de frutose líquida na dieta moderna, já rica em calorias, nos conduz até a disfunção metabólica se não formos cuidadosos (e, acima de tudo, se não formos fisicamente ativos).

Às vezes eu me lembro daquele paciente que me apresentou à esteatose. Ele e o "paciente zero" de Samuel Zelman, o que bebia uma quantidade absurda de garrafas de Coca-Cola por dia, tinham o mesmo problema: consumiam muito mais calorias do que precisavam. No fim das contas, ainda acho que o excesso de calorias é o mais relevante.

Claro, meu paciente estava no hospital por causa não da DHGNA, mas do câncer de cólon. A operação transcorreu com sucesso: removemos a parte cancerosa do cólon e ele logo se recuperou. O tumor estava bem estabelecido, mas não havia metástase. Tenho a lembrança de ver o cirurgião ficar bastante satisfeito com a operação, pois havíamos descoberto o câncer a tempo. Aquele homem tinha uns 40 ou 45 anos, com muita vida ainda pela frente.

Mas o que aconteceu com esse paciente? Ele visivelmente estava no estágio inicial da doença metabólica. Fico me perguntando se as duas coisas poderiam estar relacionadas, a gordura no fígado e o câncer. Qual era o quadro dele, em termos metabólicos, dez anos antes da cirurgia naquele dia? Como veremos no capítulo 8, a obesidade e a disfunção metabólica são fatores de risco poderosos para o câncer. Será que aqueles problemas metabólicos subjacentes estavam alimentando o câncer de alguma forma? O que teria acontecido se os problemas subjacentes do paciente, cujo fígado gorduroso trouxe isso à tona, tivessem sido identificados uma década ou mais antes? Será que teríamos chegado a nos conhecer?

Parece pouco provável que a Medicina 2.0 tivesse resolvido a situação dele. A cartilha, conforme abordamos no capítulo 1, é esperar até que o HbA1c de uma pessoa ultrapasse o limite mágico de 6,5% antes de diagnosticá-la com diabetes tipo 2. Mas até lá, como vimos neste capítulo, a pessoa já pode estar com um risco elevado. Para combater essa epidemia desenfreada de distúrbios metabólicos, dos quais a DHGNA é apenas um prelúdio, precisamos tomar as rédeas da situação muito antes.

Uma das razões pelas quais considero importante o conceito de síndrome metabólica é que ele nos ajuda a ver esses distúrbios como parte de um *continuum*, não como uma condição binária isolada. Seus cinco critérios relativamente simples são úteis para prever seu risco no nível populacional. Mas ainda acho que confiar nisso significa esperar demais para declarar que existe um problema. Por que esperar até que alguém cumpra três dos cinco requisitos? Um deles geralmente já é um mau sinal. Uma abordagem da Medicina 3.0 seria procurar os indícios anos antes. Queremos intervir *antes* que o paciente desenvolva de fato a síndrome metabólica.

Isso significa ficar atento aos primeiros sinais de complicação. Nos meus pacientes, eu monitoro vários biomarcadores relacionados ao metabolismo, mantendo o olhar aguçado para coisas como ácido úrico elevado, homocisteína elevada, inflamações crônicas e até enzimas hepáticas ALT ligeiramente elevadas. As lipoproteínas, sobre as quais vamos falar em detalhes no capítulo seguinte, também são importantes, principalmente os triglicerídeos; observo a proporção entre os triglicerídeos e o colesterol HDL (que deve ser inferior a 2:1 ou, melhor ainda, inferior a 1:1), bem como os níveis de VLDL, uma lipoproteína que transporta os triglicerídeos — fatores que podem aparecer muitos anos antes que o paciente se enquadre na definição de síndrome metabólica. Esses biomarcadores ajudam a nos dar uma imagem mais clara da saúde metabólica geral do paciente do que o HbA1c, que não é muito específico isoladamente.

Mas a primeira coisa que procuro, o canário na mina de carvão do distúrbio metabólico, é a insulina elevada. Como vimos, a primeira resposta do corpo aos primeiros indícios de resistência à insulina é produzir *mais* insulina. Voltemos a nossa analogia com o balão: à medida que fica mais difícil encher de ar (glicose) o balão (célula), precisamos soprar com cada vez mais força (ou seja, produzir mais insulina). A princípio, isso parece dar certo: o corpo continua sendo capaz de manter a homeostase glicêmica, um nível estável de glicose no sangue. Mas a insulina, especialmente a insulina pós-prandial, já está subindo.

Um exame que gosto de fazer nos pacientes é o teste oral de tolerância à glicose (TOTG), em que o paciente ingere trezentos mililitros de uma bebida adocicada, quase intragável, chamada Glucola, que contém 75 gramas de glicose pura, ou cerca de duas vezes mais açúcar do que contém uma lata de Coca-Cola normal.* Em seguida, medimos os níveis de glicose e *também* de insulina do paciente a cada trinta minutos ao longo das duas horas seguintes. Normalmente, os níveis de glicose no sangue aumentam, seguidos por um pico de insulina, mas a glicose vai baixando a um ritmo constante à medida que a insulina faz seu trabalho de retirá-la da corrente sanguínea.

Em termos superficiais, tudo certo: a insulina fez seu trabalho e controlou a glicose. Mas, em um indivíduo no estágio inicial de resistência à insulina, os níveis de insulina vão aumentar vertiginosamente nos primeiros trinta minutos e depois permanecerão elevados, ou até aumentarão ainda mais na hora seguinte. Esse pico de insulina pós-prandial é um dos principais alertas de que nem tudo vai bem.

Gerald Reaven, que morreu em 2018 aos 89 anos, teria concordado. Ele se esforçou por décadas para que a resistência à insulina fosse reconhecida como a principal causa da diabetes tipo 2, uma ideia que hoje é bastante aceita. No entanto, a diabetes é apenas um dos riscos: descobriu-se que a resistência à insulina está associada a enormes aumentos no risco de câncer (até doze vezes), doença de Alzheimer (cinco vezes) e morte por doenças cardiovasculares (quase seis vezes).[29] Tudo isso reforça os motivos pelos quais abordar a disfunção metabólica e, de maneira ideal, preveni-la é a pedra angular da minha abordagem à longevidade.

Parece pelo menos plausível que meu paciente com gordura no fígado tenha ficado com níveis elevados de insulina em algum momento, bem antes daquela cirurgia. Mas também é extremamente improvável que a Medicina 2.0 sequer cogitasse tratá-lo, o que me deixa perplexo. Se qualquer outro hormônio ficasse desequilibrado dessa forma, como o da tireoide ou mesmo o cortisol, os médicos agiriam imediatamente para corrigir a situação. O cortisol elevado pode ser um sintoma de doença de Cushing, enquanto o hormônio da tireoide elevado pode ser um sinal de doença de Graves ou alguma outra forma de hipertireoidismo. Esses dois distúrbios endócrinos (ou seja, *hormonais*) exigem e recebem tratamento assim que são diagnosticados. Não fazer nada seria classificado como negligência médica. Mas no caso da hiperinsulinemia, por algum motivo, ficamos esperando sem fazer nada. Somente

* Para fins de comparação, uma Coca-Cola normal de trezentos mililitros contém 39 gramas de xarope de milho com alto teor de frutose, que é basicamente metade glicose e metade frutose.

quando a diabetes tipo 2 é diagnosticada é que tomamos medidas sérias. É como esperar até que a doença de Graves provoque exoftalmia, os olhos saltados característicos das pessoas com hipertireoidismo não tratado, antes de fazer qualquer intervenção.

É um retrocesso não tratarmos a hiperinsulinemia como um distúrbio endócrino legítimo. Fazer isso pode ter um impacto maior na saúde e na longevidade humana do que qualquer outro alvo de terapia. Nos três próximos capítulos, vamos explorar as outras três principais doenças do envelhecimento — doenças cardiovasculares, neurodegenerativas e câncer —, todas elas alimentadas pela disfunção metabólica. Espero que fique evidente para você, assim como está para mim, que o primeiro passo lógico na busca por retardar a morte é colocar nossa casa metabólica em ordem.

A boa notícia é que temos uma autonomia enorme quanto a isso. Mudar a forma como nos exercitamos, como nos alimentamos e como dormimos (ver Parte III) pode virar o jogo a nosso favor. A má notícia é que é preciso esforço para fugir do ambiente-padrão moderno, que conspirou contra nossos antigos (e previamente úteis) genes de armazenamento de gordura, ao incentivar cada um de nós a se alimentar de mais, se mexer de menos e dormir aquém do necessário.

CAPÍTULO 7

Tique-taque

Enfrentar e prevenir as doenças cardíacas, as maiores assassinas do planeta

Existe um grau de risco envolvido na ação, sempre há.
Mas há muito mais risco na inação.

— HARRY S. TRUMAN

Uma das desvantagens da minha profissão é que o excesso de conhecimento pode se tornar uma espécie de maldição. Quando voltei a mergulhar na medicina, após o hiato no mundo corporativo, percebi que já sabia qual a causa mais provável da minha morte: acho que estou fadado a morrer de uma doença cardíaca.

Eu fico me perguntando por que minha ficha demorou tanto a cair. Quando tinha cinco anos, o irmão mais velho do meu pai, Francis — o preferido dele, entre os oito irmãos — morreu de um ataque cardíaco súbito aos 46 anos. Quando meu irmão Paul nasceu, dois dias depois, meu pai, aflito, escolheu Francis como nome do meio. Assim como alguns nomes se repetem nas famílias, na minha a predisposição para desenvolver doenças cardiovasculares precocemente também parece se repetir. Outro tio sofreu um ataque cardíaco fatal aos 42 anos, enquanto um terceiro conseguiu chegar aos 69 antes de morrer do coração, idade em que talvez isso seja um pouco mais comum, mas, ainda assim, ele era muito jovem.

Meu pai tem sorte, porque viveu longos 85 anos (até agora). Ainda assim, ele tem um stent em uma das artérias coronárias, lembrança de um episódio cardíaco não tão grave aos sessenta e poucos. Um dia, quando estava na pedreira de calcário onde trabalhava, ele sentiu uma dor no peito e foi parar na emergência do hospital, onde foi constatado que ele havia sofrido um infarto. O stent, um pequeno tubo de metal vazado, foi colocado mais ou menos um ano depois. Na verdade, não estou convencido de que o mecanismo tenha feito alguma diferença — na época do procedimento, meu pai já não apresentava sintomas —, mas talvez o tenha assustado a ponto de passar a ser mais disciplinado com os remédios e a dieta.

Portanto, embora meu perfil de colesterol seja excelente e eu me alimente com moderação, não fume, tenha uma pressão arterial normal e raramente beba, ainda assim corro um risco. Sinto que estou preso naquela anedota do Charlie Munger, sobre o cara que só quer saber *onde* vai morrer, para garantir que nunca vá até lá. Infelizmente, muitas vezes as doenças cardíacas vão até você.

Quando estava na faculdade de medicina, meu professor de patologia do primeiro ano gostava de fazer uma pergunta capciosa: qual é a "apresentação" (ou sintoma) mais comum de doença cardíaca? Não era dor no peito, dor no braço esquerdo nem falta de ar, as respostas mais comuns; era morte súbita. Você sabe que o paciente tem uma doença cardíaca porque acabou de morrer do coração. É por isso que, segundo meu professor, os únicos médicos que entendiam de fato as doenças cardiovasculares eram os patologistas. O argumento era: no momento em que um patologista vê seu tecido arterial, é porque você está morto.

Embora a taxa de mortalidade dos primeiros ataques cardíacos, que acontecem de surpresa, tenha caído significativamente, graças a melhorias no suporte básico de vida e a intervenções imediatas, como cateterismo cardíaco e medicamentos para desfazer coágulos de modo a interromper o episódio logo no início, aproximadamente um terço dessas ocorrências ainda é fatal, de acordo com Ron Krauss, cientista sênior e diretor de pesquisa em aterosclerose do Instituto de Pesquisa do Hospital Pediátrico de Oakland.

Em termos globais, as doenças cardíacas e os AVCs , que reúno sob a rubrica de doenças cardiovasculares ateroscleróticas (DCVA), são a principal causa de morte,[1] matando cerca de 2,3 mil pessoas todos os dias só nos Estados Unidos, de acordo com o CDC — mais do que qualquer outra causa, até mesmo o câncer.[2] Não são apenas os homens que estão em risco: as mulheres norte-americanas têm até dez vezes mais chances de morrer de aterosclerose do que de câncer de mama (não é um erro de digitação: uma chance em três contra uma em trinta).[3] Mas as fitas cor-de-rosa de conscientização sobre o câncer de mama superam em muito as fitas vermelhas da Associação Americana do Coração para conscientização sobre as doenças cardíacas entre as mulheres.

A morte dos meus tios permanece um mistério para mim. Eles moravam no Egito, e não tenho ideia do que o exame de sangue deles mostraria ou, mais importante, em que estado estavam as artérias coronárias deles. Tenho certeza de que fumavam, mas talvez, se tivessem tido acesso a melhores cuidados médicos, também poderiam ter sobrevivido, como meu pai. Ou, talvez, o destino deles fosse inescapável, em decorrência dos genes. Tudo o que eu sei é que uma pessoa que morre de ataque cardíaco aos 42 anos está jovem demais.

Eu sempre soube sobre meus tios, mas a ficha só caiu para mim quando eu estava na casa dos trinta e me tornei pai. De repente, a consciência da minha própria mortalidade me pegou como uma daquelas ondas que surgem sem aviso quando estou nadando no mar. Este livro provavelmente não teria sido escrito se não fosse por esse histórico familiar.

Como a maioria das pessoas de 36 anos, o Peter-não-magro mal pensava em doenças cardíacas. Por que deveria fazer isso? Meu coração era forte o suficiente para me sustentar ao longo dos trinta quilômetros de extensão do Canal da Catalina, trabalhando continuamente por mais de catorze horas, como um motor a diesel roncando suave no peito. Eu achava que estava em ótima forma. Mas, mesmo assim, fiquei preocupado, por conta do histórico da minha família. Então, insisti para que meu médico pedisse uma tomografia computadorizada do meu coração, e isso acabou mudando por completo a visão que eu tenho da vida.

O exame foi calibrado para detectar calcificação nas minhas artérias coronárias, um sinal de aterosclerose avançada. Os resultados mostraram que eu tinha um "escore" 6 de cálcio. Isso parece baixo e é, em termos absolutos; uma pessoa com a doença em estágio avançado pode apresentar um escore bem acima de mil. Mas, para alguém de 36 anos, deveria ser zero. Meu escore de 6 significava que eu tinha mais cálcio nessas artérias do que 75% a 90% das pessoas da minha idade. Conforme fui me aprofundando na patologia da doença, fiquei consternado ao saber que já era um pouco tarde. O escore de cálcio é tido como um preditor de risco futuro, o que de fato é, mas também como medida do dano histórico e existente. E eu já estava fora da curva. Eu ainda estava na casa dos trinta, mas tinha as artérias de um homem de 55 anos.

Fiquei triste com essa revelação, embora, sabendo o que sei agora, ela não seja de todo surpreendente. Na época, eu estava acima do peso e no limite da resistência à insulina, dois enormes fatores de risco que por si só ajudam a criar um ambiente que favorece e acelera o desenvolvimento de lesões ateroscleróticas. No entanto, como meu escore de cálcio era "apenas" 6 e meu importantíssimo colesterol LDL ("ruim") era "normal", o conselho médico que ouvi foi — que rufem os tambores! — não fazer nada. Parece familiar?

"Não fazer nada" não faz meu estilo, como você já deve ter percebido. Eu achava que estava no mau caminho e precisava descobrir como mudar. Minha curiosidade me lançou em uma jornada de anos para entender a aterosclerose. O que eu descobri — com a generosa ajuda dos meus mentores Tom Dayspring, Allan Sniderman e Ron Krauss (entre outros), todos especialistas de renome mundial em patologia cardíaca e/ou estudo de lipídios — foi de cair o queixo.

Embora sejam a condição mais comum entre aquelas relacionadas à idade, as doenças cardíacas também são mais fáceis de prevenir do que o câncer ou o Alzheimer. Sabemos muitas coisas sobre como e por que elas começam e como progridem. Embora não possam ser propriamente curadas nem revertidas da mesma forma que (às vezes) a diabetes tipo 2, é relativamente fácil adiá-la se você for esperto e prestar atenção desde cedo. É também o exemplo raro de doença crônica cuja prevenção, em alguma medida, já é um foco da Medicina 2.0. Temos um variado estoque de remédios para baixar a pressão arterial e o colesterol que efetivamente reduzem o risco de morte para muitos pacientes, e temos exames de sangue e de imagem (como o que analisou meu escore de cálcio) que minimamente nos fornecem um retrato, ainda que embaçado, da saúde cardiovascular de uma pessoa. Já é um começo.

Apesar de termos uma boa compreensão da doença aterosclerótica e sua progressão, bem como das ferramentas que temos para preveni-la, ela *ainda* mata mais pessoas por ano nos Estados Unidos do que o câncer, muitas delas completamente do nada. Estamos perdendo essa guerra. Não tenho a pretensão saber todas as respostas, mas acho que isso se deve, pelo menos em parte, ao fato de que ainda existem alguns pontos cegos importantes em nosso entendimento sobre o que efetivamente impacta o risco de desenvolver a doença, como ela progride e, acima de tudo, em que momento é preciso agir para travar seu embalo.

O problema fundamental, acredito, é a Medicina 2.0 clássica: as diretrizes para lidar com o risco de doenças cardiovasculares se baseiam em uma janela de tempo excessivamente curta em comparação com a linha do tempo da doença. Precisamos começar a tratá-las e preveni-las muito mais cedo. Se tivermos êxito nisso, o retorno é potencialmente enorme: a alta prevalência de homens centenários na Sardenha, por exemplo, é amplamente atribuída à capacidade deles de evitar ou retardar o surgimento de doenças circulatórias. Menos homens entre os oitenta e os cem anos morrem de doenças cardíacas na Sardenha do que em qualquer outro lugar da Itália.[4]

Mas não estamos nem perto disso. As doenças cardíacas continuam sendo nosso assassino mais mortal, o pior dos cavaleiros. Nas páginas seguintes, espero convencer você de que não precisa ser assim: com a estratégia certa e atenção aos fatores de risco certos *na hora certa*, deve ser possível eliminar grande parte da morbidade e da mortalidade que ainda é associada a doenças cardiovasculares e cerebrovasculares ateroscleróticas.

Em suma: essa deveria ser a décima principal causa de morte, não a primeira.

Os cientistas vêm explorando os mistérios médicos do coração humano há quase tanto tempo quanto os poetas investigam suas profundezas metafóricas. É um órgão maravilhoso, um músculo incansável que bombeia sangue pelo corpo a cada instante de nossas vidas. Ele bate forte quando estamos nos exercitando, desacelera quando dormimos e faz até microajustes em sua frequência entre as batidas, um fenômeno extremamente importante chamado variabilidade da frequência cardíaca. E, quando ele para, nós também paramos.

Nossa rede vascular é igualmente milagrosa, uma teia de veias, artérias e capilares que, se esticadas e colocadas em fileira, dariam mais de duas voltas ao redor da Terra (cerca de cem mil quilômetros, se você estiver contando).[5] Cada vaso sanguíneo por si só é uma maravilha da ciência e da engenharia de materiais, capaz de se expandir e se contrair dezenas de vezes por minuto, permitindo que substâncias vitais atravessem suas membranas e se ajustando a grandes oscilações na pressão do fluido, com o mínimo de desgaste. Nenhum material criado pelo homem chega perto disso. Se um vaso sofre um dano, outros crescem para ocupar seu lugar, garantindo que haja um fluxo contínuo de sangue pelo corpo todo.

No entanto, por incrível que pareça, nosso sistema circulatório está longe de ser perfeito — na verdade, ele é quase perfeitamente projetado para gerar doenças ateroscleróticas no curso normal da vida diária. Isso se deve, em grande parte, a outra função importante do nosso sistema de vasos. Além de transportar oxigênio e nutrientes para os tecidos e levar embora os resíduos, nosso sangue carrega moléculas de colesterol entre as células.

É quase um palavrão: *colesterol*. Seu médico provavelmente pronuncia essa palavra com a testa franzida, porque, como todos sabem, o colesterol é um vilão. Bem, parte dele é — o LDL, ou colesterol "ruim", que inevitavelmente é contraposto ao HDL, ou colesterol "bom". Eu quase tenho um troço quando escuto esses termos, de tão sem sentido que eles são. E o "colesterol total", a primeira taxa que as pessoas citam quando falamos de doenças cardíacas, é só um pouco mais relevante para o risco cardiovascular do que a cor dos seus olhos. Então, vamos voltar um pouco e ver o que de fato é o colesterol, o que ele faz e como contribui para o desenvolvimento das doenças cardíacas.

O colesterol é essencial à vida. Ele é fundamental para produzirmos algumas das estruturas mais importantes do corpo, incluindo as membranas celulares; os hormônios, como a testosterona, a progesterona, o estrogênio e o cortisol; e os ácidos biliares, que são necessários para digerirmos os alimentos. Todas as células podem sintetizar o próprio colesterol, mas cerca de 20% do (grande) suprimento do nosso corpo se encontra no fígado, que atua como uma espécie de repositório de colesterol, enviando-o para as células que precisam dele e recebendo-o de volta pela circulação.

Como o colesterol pertence à família dos lipídios (ou seja, gorduras), ele não é solúvel em água e, portanto, não tem como se dissolver no plasma como a glicose ou o sódio e viajar livremente pela corrente sanguínea. Por isso, precisa ser transportado em minúsculas partículas esféricas chamadas *lipoproteínas*, o "L" final em LDL e HDL, que agem como pequenos submarinos de carga. Como o nome sugere, as lipoproteínas são parte lipídio (por dentro) e parte proteína (por fora); a proteína é essencialmente o recipiente que permite que elas viajem pelo plasma, ao mesmo tempo que transporta sua bagagem de lipídios não solúveis em água, incluindo colesterol, triglicerídeos e fosfolipídios, além de vitaminas e outras proteínas que precisam ser distribuídas para os tecidos mais distantes.

A razão de serem chamadas de lipoproteínas de alta densidade e baixa densidade (HDL e LDL, respectivamente, nas siglas em inglês) tem a ver com a proporção de gordura em relação à proteína que cada uma carrega. As LDLs carregam mais lipídios, enquanto as HDLs carregam mais proteínas em relação à gordura e, portanto, são mais densas. Além disso, essas partículas (e outras lipoproteínas) frequentemente trocam carga umas com as outras, o que é parte da razão que me revolta quando ouço aquela história de tachá-las de "boas" e "ruins". Quando um HDL transfere seu "colesterol bom" para uma partícula de LDL, esse colesterol de repente se torna "ruim"?

A resposta é não, porque não é o colesterol em si que causa problemas, mas a natureza da partícula na qual ele é transportado. Cada partícula de lipoproteína é revestida por uma ou mais moléculas grandes, chamadas apolipoproteínas, que fornecem estrutura, estabilidade e, mais importante, solubilidade à partícula. As partículas de HDL são revestidas por um tipo de molécula chamada apolipoproteína A (ou apoA), enquanto as LDL são revestidas pela apolipoproteína B (ou apoB). Essa distinção pode parecer trivial, mas está na raiz da aterosclerose: cada lipoproteína que contribui para a doença — não apenas o LDL, mas várias outras* — carrega a assinatura da proteína apoB.

Outro grande equívoco sobre as doenças cardiovasculares é a crença de que elas são causadas pelo colesterol que ingerimos. De acordo com essa visão ultrapassada e simplista, comer alimentos ricos em colesterol faz com que o suposto colesterol ruim se acumule no sangue e depois nas paredes das artérias, como se você jogasse a gordura do bacon pelo ralo da pia sempre que preparasse o café da manhã. Mais cedo ou mais tarde, a tubulação vai entupir.

Em um comunicado de 1968 da Associação Americana do Coração, o pobre ovo foi acusado de provocar doenças cardíacas devido ao seu alto teor de colesterol.[6] Ele ficou no purgatório nutricional por décadas, mesmo após diversos artigos de pesquisa mostrarem que o colesterol dietético (e, particularmente, o consumo de ovos) pode não ter muito a ver com as doenças cardíacas. Comer muita gordura saturada pode, *sim*, aumentar os níveis de lipoproteínas causadoras de aterosclerose no sangue,[7] mas a maior parte do

---

* Existem também lipoproteínas de muito baixa densidade (VLDLs, na sigla em inglês), que mencionamos no capítulo anterior, bem como lipoproteínas de densidade intermediária (IDLs, também na sigla em inglês). Elas carregam ainda mais gordura do que as LDLs, grande parte na forma de triglicerídeos, e também são marcadas com a apoB. Além disso, embora as partículas de HDL tenham várias apoAs, cada LDL (ou VLDL, ou IDL) tem apenas uma partícula de apoB, tornando relativamente fácil medir sua concentração.

colesterol que consumimos na alimentação acaba sendo excretado.[8] A maior parte do colesterol que fica na corrente sanguínea é, na verdade, produzida pelas próprias células. No entanto, as diretrizes dietéticas norte-americanas alertaram a população a não consumir alimentos ricos em colesterol por décadas, e as tabelas nutricionais até hoje informam os consumidores da quantidade de colesterol presente em cada porção de alimentos industrializados.

Até mesmo Ancel Keys, o famoso cientista nutricional que foi um dos responsáveis pela noção de que a gordura saturada provoca doenças cardíacas, sabia que isso era um absurdo. Ele admitiu que o problema se devia ao fato de grande parte da pesquisa básica sobre colesterol e aterosclerose ter sido conduzida em coelhos, que têm uma capacidade única de absorver o colesterol no sangue proveniente dos alimentos e a formar placas ateroscleróticas a partir dele; o erro foi presumir que os humanos também absorviam o colesterol da dieta com a mesma facilidade. "Não há nenhuma conexão entre o colesterol nos alimentos e o colesterol no sangue", disse Keys em uma entrevista de 1997.[9] "Nenhuma. E nós sabemos disso desde sempre. O colesterol presente na dieta não importa, a menos que você seja uma galinha ou um coelho."

Levou quase duas décadas até que o comitê consultivo responsável pelas diretrizes dietéticas do governo norte-americano finalmente admitisse (em 2015) que "o colesterol não é um nutriente cujo consumo excessivo exige preocupação".[10] Ainda bem que isso está resolvido.

O derradeiro mito que precisa ser questionado é a ideia de que as doenças cardiovasculares atingem principalmente as pessoas "mais velhas", e que, portanto, não precisamos nos preocupar tanto com a prevenção em pacientes na faixa dos vinte, trinta ou quarenta anos. Isso não é verdade. Nunca vou me esquecer da pergunta que Allan Sniderman me fez durante um jantar no aeroporto de Dulles, em 2014: "Qual a proporção de ataques cardíacos que acomete pessoas com menos de 65 anos?" Chutei alto, um em cada quatro, mas errei feio. Simplesmente *metade* de todos os eventos cardiovasculares adversos relevantes em homens (e um terço em mulheres) — como ataque cardíaco, AVC ou qualquer procedimento que envolva um stent ou enxerto — ocorre antes dos 65 anos.[11] Nos homens, um quarto de todos os eventos ocorre antes dos 54 anos.

Embora os eventos em si possam parecer repentinos, o problema provavelmente passou anos à espreita. A aterosclerose é uma doença lenta e sorrateira, e é por isso que sou tão duro em relação a ela. O risco de esses "eventos" ocorrerem aumenta acentuadamente na segunda metade da vida, mas alguns cientistas acreditam que os processos subjacentes têm início no final da adolescência, ou mesmo durante a adolescência. O risco aumenta conforme envelhecemos, e o fator crítico é o tempo. Portanto, é fundamental que entendamos como a aterosclerose se desenvolve e progride, para que possamos desenvolver uma estratégia para tentar retardá-la ou mesmo interrompê-la.

Quando eu tinha um consultório, antes da Covid-19, minha mesa ficava sempre em ordem, mas um livro em particular estava sempre ali: o *Atlas de aterosclerose (progressão e regressão)*, de Herbert C. Stary.[12] Ele jamais será um best-seller, mas, no campo da patologia cardiovascular, é um clássico. É também uma ferramenta muito eficaz para comunicar a gravidade dessa doença aos meus pacientes, graças às fotos exuberantes e terríveis de lesões arteriais que mostram como elas se formam, se desenvolvem e se rompem — todas tiradas de artérias de pessoas mortas, muitas na casa dos vinte e dos trinta anos. O que o livro apresenta, por meio de imagens explícitas, é ao mesmo tempo fascinante e aterrorizante. Quando eu chegava ao fim, meus pacientes costumavam estar um tanto angustiados, como se tivessem acabado de folhear um livro de mesa de centro que documentava a morte deles.

Não é uma analogia perfeita, mas penso na aterosclerose como uma espécie de cena do crime, como a de uma invasão de domicílio. Digamos que existe uma rua, representando o vaso sanguíneo, e que a rua é ladeada por casas, representando a parede arterial. A cerca na frente de cada casa é análoga a algo chamado endotélio, uma camada de tecido delicada mas fundamental que reveste todas as artérias e veias, além de alguns outros tecidos, como os rins. Composto por uma camada única de células, o endotélio atua como uma barreira semipermeável entre o lúmen do vaso (ou seja, a rua, onde o sangue flui) e a parede arterial propriamente dita, controlando a entrada e a saída de substâncias, nutrientes e glóbulos brancos na corrente sanguínea. Ele também ajuda a manter o equilíbrio entre eletrólitos e fluidos, tanto que problemas no endotélio podem provocar edemas e inchaços. Outra função muito importante é dilatar e contrair de modo a permitir o aumento ou a redução do fluxo sanguíneo, um processo modulado pelo óxido nítrico. Por último, o endotélio regula os mecanismos de coagulação do sangue, o que pode ser importante se você se cortar acidentalmente. É uma estruturazinha bem importante.

A rua é muito movimentada, com um fluxo constante de células sanguíneas, lipoproteínas, plasma e tudo mais que a nossa circulação transporta, sempre margeando o endotélio. Inevitavelmente, algumas dessas partículas de lipoproteína que contêm colesterol ultrapassam a barreira e chegam a uma área chamada espaço subendotelial — ou, na nossa analogia, a varanda da casa. Normalmente, isso é bom, como receber uma visita. Os convidados vêm e depois vão embora. Em geral, é o que as partículas de HDL fazem: as partículas marcadas com apoA (HDL) podem atravessar a barreira endotelial facilmente em ambas as direções, entrando e saindo. As partículas de LDL e outras com a proteína apoB são muito mais propensas a ficarem retidas no interior.

Isso é o que de fato torna as partículas de HDL potencialmente "boas" e as partículas de LDL potencialmente "ruins" — não o colesterol, mas as partículas que as carregam. O problema começa quando as partículas de LDL grudam na parede arterial e subsequentemente se oxidam, o que significa que as moléculas de colesterol (e os fosfolipídios) que elas contêm entram em contato com uma molécula altamente reativa conhecida como espécie reativa de oxigênio (ERO), que é a causa do estresse oxidativo. É a oxidação dos lipídios no LDL que dá início a toda a cascata de aterosclerose.

Agora que está alojada no espaço subendotelial e oxidada, tornando-se tóxica, a partícula de LDL deixa de se comportar como um convidado educado e se recusa a ir embora — e ainda convida os amigos, outras partículas de LDL, para a festa. Muitas delas também são retidas e oxidam. Não é por acaso que os dois maiores fatores de risco para doenças cardíacas, o tabagismo e a pressão alta, causam danos ao endotélio. Fumar provoca danos químicos, enquanto a hipertensão faz isso mecanicamente, mas o resultado é uma disfunção endotelial que, por sua vez, provoca maior retenção de LDLs. Conforme vai se acumulando, o LDL oxidado provoca ainda mais danos ao endotélio.

Estou falando em LDL, mas o fator-chave é, na verdade, a *exposição* a partículas marcadas com a apoB ao longo do tempo. Quanto mais dessas partículas houver na corrente sanguínea, não apenas LDLs, mas também VLDLs e algumas outras, maior o risco de algumas atravessarem o endotélio e ficarem presas. Voltando à analogia com a rua, imagine que temos, digamos, uma tonelada de colesterol circulando pela rua, dividida em quatro caminhonetes. A chance de um acidente é relativamente pequena. Mas se essa mesma quantidade total de colesterol estiver sendo transportada em quinhentas pequenas scooters que existem aos montes em cidades como Austin, onde eu moro, teremos um caos absoluto** diante de nós. Portanto, para avaliar a verdadeira extensão do risco, *precisamos* saber quantas dessas partículas de apoB existem na corrente sanguínea. Esse número é muito mais relevante do que o colesterol total que essas partículas carregam.

Se você pegar uma artéria coronária saudável e a expuser a concentrações altas o suficiente de partículas de apoB, por tempo suficiente, uma certa quantidade de LDLs (e VLDLs) vai ficar presa naquele espaço subendotelial e oxidar, formando aglomerados ou agregados. Em resposta a essa incursão, o endotélio liga para o 190 da bioquímica, convocando células imunológicas especializadas chamadas monócitos para confrontar os invasores. Os monócitos são grandes glóbulos brancos que entram no espaço subendotelial e se transformam em macrófagos, células imunológicas maiores e mais famintas que às vezes são comparadas ao Pac-Man. O macrófago, cujo nome significa "grande comedor", engole a LDL aglomerada ou oxidada, no intuito de removê-la da parede arterial. Mas, se ele explode ao consumir muito colesterol, ele vira — e talvez você já tenha escutado esse termo — uma célula espumosa, assim chamada porque, no microscópio, ela parece espumosa, ou ensaboada. Quando muitas células espumosas se juntam, elas formam uma "estria gordurosa": literalmente uma faixa de gordura que você pode ver a olho nu durante a autópsia de uma artéria coronária.

A estria gordurosa é o precursor de uma placa aterosclerótica, e, se você, que está lendo este livro tem mais de quinze anos, há uma boa chance de já ter algumas dessas em suas artérias. Sim, eu disse "quinze", e não "cinquenta", porque se trata de um processo que começa bem cedo e dura a vida inteira. Segundo os dados de autópsias de jovens que morreram de acidente, homicídio ou outras causas não cardiovasculares, no momento da morte, as artérias coronárias de até um terço das pessoas entre dezesseis e vinte anos *já apresentavam* lesões ou placas ateroscleróticas.[13] Ainda adolescentes.

---

* O termo científico para isso é *estocástico*, o que significa que é um processo totalmente aleatório.

Figura 5. **Doença aterosclerótica em um paciente de 23 anos**

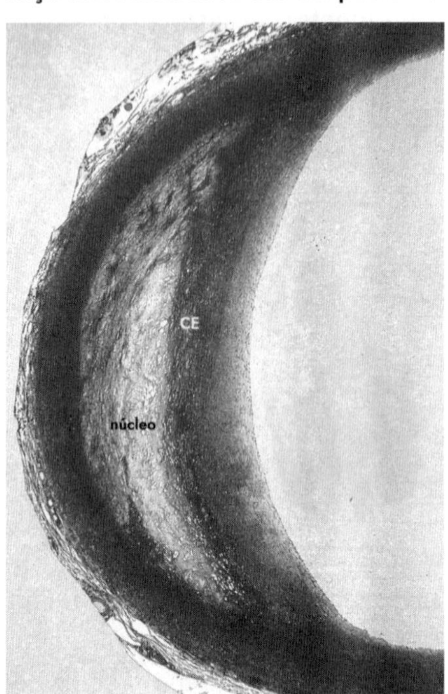

Esta é uma seção transversal da artéria descendente anterior esquerda proximal, um dos principais vasos que fornecem sangue ao coração, de uma vítima de homicídio do sexo masculino de 23 anos de idade. Observe que ele já apresentava um extenso dano aterosclerótico na parede dessa artéria: um núcleo significativo ("núcleo") de lipídios acumulados, macrófagos e células espumosas ("CE") no espaço subendotelial, começando a invadir o lúmen, o espaço por onde corre o sangue. O paciente provavelmente não estava para ter um ataque cardíaco, mas este já é um estágio muito avançado da doença.
Fonte: Stary (2003).

Não é como se eles estivessem prestes a ter um ataque cardíaco. O processo aterosclerótico avança muito lentamente. Isso pode se dever, em parte, à ação dos HDLs. Se uma partícula de HDL chega à cena do crime, com as células espumosas e as estrias gordurosas, ela pode *sugar* o colesterol dos macrófagos, em um processo chamado de lipidação. Em seguida, ela volta pela camada endotelial até a corrente sanguínea para devolver o excesso de colesterol ao fígado e a outros tecidos (incluindo células de gordura e glândulas produtoras de hormônios), a fim de ser reutilizado.

Seu papel nesse "efluxo de colesterol" é uma das razões pelas quais o HDL é considerado "bom", mas ele faz mais do que isso. De acordo com pesquisas recentes, o HDL tem várias outras funções ateroprotetoras, que incluem ajudar a manter a integridade do endotélio, reduzir a inflamação e neutralizar ou interromper a oxidação do LDL, como uma espécie de antioxidante arterial.

O papel do HDL é muito menos compreendido do que o do LDL. O colesterol que está nas partículas de LDL, isto é, a taxa de colesterol "ruim" (tecnicamente expressa como LDL-C),* é na verdade um indicador razoável, ainda que imperfeito, de seu impacto biológico; muitos estudos mostraram uma forte correlação entre o LDL-C e o risco de doenças. Mas esse marcador tão importante do "colesterol bom" no exame de sangue, o HDL-C, na verdade não diz muita coisa sobre o perfil de risco geral de uma pessoa. O risco parece diminuir à medida que o HDL-C sobe até aproximadamente o 80º percentil. Mas aumentar as concentrações de colesterol HDL à força, com medicamentos específicos, pelo que se observou, não reduz o risco cardiovascular. A chave parece ser aumentar a *funcionalidade* das partículas — mas ainda não temos como fazer (nem medir) isso.

O HDL pode ou não explicar por que os centenários desenvolvem doenças cardíacas duas décadas mais tarde que a média das pessoas, se é que chegam a desenvolver; lembre-se, três dos mais proeminentes "genes da longevidade" descobertos até hoje estão envolvidos no transporte e no processamento do colesterol (*APOE* e dois outros, *CETP* e *APOC3*). E não apenas os centenários: tenho pacientes cujos painéis de lipoproteína parecem uma sentença de morte, com LDL-C e apoB altíssimos, mas, a cada medição que fazemos — escore de cálcio, angiografia por tomografia computadorizada (TC), não faltam opções —, eles não apresentam nenhum sinal de doença. No entanto, até agora, não temos uma explicação satisfatória para isso. Acredito muito que, se quisermos avançar no tratamento das doenças cardiovasculares por meio de medicamentos, devemos começar entendendo melhor o HDL e, com sorte, descobrir como aprimorar seu funcionamento.

Mas estou fazendo uma digressão. Voltando à cena do crime, um número cada vez maior de células espumosas começa a se acumular, formando uma massa de lipídios, como o chorume que escorre de uma pilha de sacos de lixo jogados no jardim da casa. É isso que forma o núcleo da placa aterosclerótica. A essa altura, a invasão se transforma em saques em grande escala. Na

---

* Um breve comentário sobre a nomenclatura: quando dizemos LDL ou HDL, estamos nos referindo a um tipo de *partícula*; quando dizemos LDL-C ou HDL-C, trata-se da medição laboratorial da *concentração* de colesterol nessas partículas.

tentativa de conter os danos, as células do "músculo liso" na parede da artéria migram para esse depósito de lixo tóxico e secretam uma espécie de matriz, visando levantar uma barreira em torno do local, como uma cicatriz. Essa matriz acaba por se tornar a cápsula fibrosa da recém-formada placa arterial.

As más notícias não param: nada do que aconteceu até agora costuma ser detectado pelos inúmeros exames que normalmente usamos para avaliar o risco cardiovascular dos pacientes. Podemos ver evidências de inflamação, como níveis elevados de proteína C-reativa, um indicador popular (porém limitado) de inflamação arterial. Mas tudo ainda está fora do radar médico. Se nesse estágio inicial você olhar as artérias coronárias a partir de uma tomografia computadorizada, provavelmente vai deixar esse quadro passar se estiver procurando apenas pelo acúmulo de cálcio. (Existem maiores chances de identificar esse nível de dano se for usado um tipo mais avançado de tomografia computadorizada, a angiografia por TC, que eu prefiro à varredura de cálcio comum,* porque também consegue identificar as placas não calcificadas, ou "moles", que precedem a calcificação.)

À medida que essa reforma malfeita, esse processo de remodelação, continua, a placa não para de crescer. A princípio, essa expansão é direcionada para a parede arterial externa, mas, conforme o processo se estende, ela pode invadir o lúmen, a passagem pela qual o sangue flui — na nossa analogia, bloqueando o trânsito na própria rua. Esse estreitamento luminal, conhecido como *estenose*, também pode ser visto em uma angiografia.

A certa altura, a placa pode começar a se calcificar. Isso é o que (finalmente) aparece em uma varredura de cálcio normal. A calcificação é apenas outra forma pela qual o corpo tenta reparar o dano, estabilizando a placa para proteger as artérias, que são fundamentais. No entanto, é como despejar concreto no reator de Chernobyl: até que serve de alguma coisa, mas você sabe que precisa ter havido muitos danos na região para justificar tal intervenção. No fundo, um escore de cálcio acima de zero nos diz que a existência de outras placas que podem ou não estar estabilizadas (calcificadas) é quase certa.

* Embora a angiografia por TC custe um pouco mais, exija contraste intravenoso e exponha o paciente a um pouco mais de radiação, é difícil encontrar argumentos confiáveis que refutem seu uso. Cerca de 15% das pessoas que têm um escore de cálcio normal (0) mesmo assim apresentam placas moles, ou até pequenas calcificações, em angiografias por TC, e 2% a 3% das pessoas com um escore de cálcio zero apresentam placas de alto risco detectadas pela angiografia por TC.[14] Por essa razão, eu quase sempre prefiro que meus pacientes façam uma angiografia por TC a uma varredura de cálcio, se a intenção for buscar evidências de doenças por meio de exames de imagem.

Se a placa se tornar instável, corroída, ou mesmo se romper, isso vai levar problemas sérios. A placa danificada pode, em última instância, provocar a formação de um coágulo, que por sua vez pode estreitar e bloquear o lúmen do vaso sanguíneo. Ou pior: se soltar e causar um ataque cardíaco ou AVC. É por isso que nos preocupamos mais com as placas não calcificadas do que com as calcificadas.

Normalmente, no entanto, a maioria das placas ateroscleróticas não são tão delicadas. Elas crescem de forma silenciosa e invisível, entupindo gradativamente o vaso sanguíneo até que um dia a obstrução, devido à própria placa ou a um coágulo induzido pela placa, se torna um problema. Por exemplo, uma pessoa sedentária pode não perceber que tem uma artéria coronária parcialmente bloqueada até sair de casa para tirar a neve da calçada. As demandas repentinas impostas ao sistema circulatório podem desencadear uma isquemia (redução do fornecimento de oxigênio ao sangue) ou um infarto (morte do tecido por ausência de fluxo sanguíneo) — ou, em termos leigos, ataque cardíaco ou derrame.

Pode parecer ter sido do nada, mas o perigo estava à espreita o tempo todo.

Quando finalmente admiti meu próprio risco cardiovascular, na casa dos trinta, não fazia ideia de como funcionava esse processo complexo da doença. Olhando para trás, fica evidente que eu não apresentava nem os grandes nem os pequenos fatores de risco. Eu não fumava, que talvez seja o fator de risco ambiental mais potente, e minha pressão arterial estava normal, mas havia outros problemas. E, como meu escore de cálcio revelou, eu já tinha uma pequena placa calcificada na parte superior da artéria descendente anterior esquerda, uma das principais artérias que irriga o coração. Talvez houvesse outras coisas ruins acontecendo lá também, mas, como eu não fiz uma angiografia por TC na época, não tinha noção do tipo de dano que pudesse existir em outras partes das minhas artérias coronárias. Qualquer coisa anterior à calcificação *não é* detectada pelo escore de cálcio.

Visivelmente, o Peter-não-magro já estava desenvolvendo uma doença cardíaca. Quando fiz quarenta anos, minha cintura quase chegava a um metro de circunferência, um sinal evidente da minha disfunção metabólica. Por trás do meu cinto eu provavelmente acumulava gordura visceral. E também era resistente à insulina, um fator de risco enorme para doenças cardiovasculares. Embora minha pressão arterial estivesse boa, suspeito que teria piorado rapidamente com a idade, já que a hipertensão parece correr solta na minha família. Imagino que eu também tivesse um nível alto de ácido úrico, que, como vimos no capítulo anterior, costuma ser acompanhado de pressão alta e outros sinais de disfunção metabólica. Tudo isso contribui para outra condição necessária (mas não suficiente por si só) para o desenvolvimento da aterosclerose, que é a inflamação. A barreira endotelial, em particular, é excepcionalmente vulnerável a danos causados pela inflamação.

Mas é provável que nenhum médico tivesse tratado qualquer um desses problemas. Meu exame de sangue não apontava nenhum risco significativo. Meu LDL-C estava entre 110 e 120 mg/dL, apenas um pouco acima do normal, mas não era um motivo de preocupação, principalmente em um indivíduo jovem. Meus triglicerídeos estavam um pouquinho altos, ligeiramente acima de 150 mg/dL, mas isso também não disparava nenhum alarme. Hoje sei que esses números quase certamente indicavam uma alta concentração de partículas aterogênicas apoB — mas ninguém se preocupou em examinar meus níveis de apoB também.

Naquela época, quase quinze anos atrás, o exame de apoB (a simples medição da concentração de partículas marcadas com apoB) não era corriqueiro. Desde então, não pararam de surgir evidências apontando a apoB como muito mais preditiva de doenças cardiovasculares do que simplesmente o LDL-C, a medida-padrão do "colesterol ruim". De acordo com uma análise publicada no *Journal of the American Medical Association Cardiology* em 2021, cada aumento do desvio-padrão na apoB aumenta o risco de infarto do miocárdio em 38% em pacientes sem histórico de eventos cardíacos ou diagnóstico de doenças cardiovasculares (ou seja, prevenção primária).[15] Essa é uma correlação muito forte. No entanto, mesmo hoje, as diretrizes da Associação Americana do Coração ainda privilegiam o exame de LDL-C em vez do de apoB. Eu aconselho todos os meus pacientes a testarem a apoB regularmente, e você deveria pedir o mesmo na próxima consulta com seu médico (não se deixe abater por argumentos sem sentido sobre o "custo": é cerca de vinte a trinta dólares).

Eu ainda estava na casa dos trinta, mas provavelmente já tinha todos os três principais pré-requisitos das doenças cardíacas: um fardo significativo de lipoproteínas ou apoB, oxidação ou modificação do LDL (o que levou às placas reveladas pelo meu exame de cálcio) e um alto grau de inflamação oculta. Nada disso basta para *garantir* o desenvolvimento de uma doença cardíaca, mas todos os três são *necessários* para isso. Nossa sorte é que muitas dessas condições podem ser moduladas ou praticamente eliminadas — incluindo a apoB, aliás — por meio de mudanças no estilo de vida e medicamentos. Como vamos tratar na última seção, levo muito a sério a redução da apoB, a partícula que causa todo esse problema. (Resumindo: reduza-a o máximo possível, o mais cedo possível.)

Mas, antes de chegar lá, quero falar de outra lipoproteína fatal, mas pouco conhecida, que provavelmente é responsável por incontáveis vítimas de parada cardíaca súbita, pessoas cujos painéis convencionais de colesterol e perfis de fatores de risco pareciam bons. Felizmente, eu não tenho esse problema em particular, mas um grande amigo meu tem, e descobrir isso em tempo hábil provavelmente salvou sua vida.

Em 2012, conheci Anahad O'Connor em uma viagem para a França, graças à Fundação Franco-Americana e a um prêmio que ambos ganhamos, e imediatamente ficamos amigos. Acho que foi porque éramos os únicos dois caras na viagem que dispensaram o *pain au chocolat* e passaram todo o tempo livre na academia. Além disso, ele escrevia sobre saúde e ciência para o *New York Times*, então tínhamos muito sobre o que conversar.

Como sou um nerd do colesterol, insisti com Anahad para fazer um painel abrangente de lipoproteínas quando voltássemos para os Estados Unidos. Ele me olhou de um jeito engraçado — por que deveria fazer isso? Ele tinha apenas trinta e poucos anos, era vegetariano e estava extremamente em forma, com talvez 6% ou 7% de gordura corporal. Ele deveria estar em dia com os lipídios. Mas nunca se sabe; o pai dele morreu de aneurisma, o que poderia ser um sinal de problemas circulatórios.

Como esperado, os lipídios de Anahad estavam ótimos segundo o padrão. Apenas uma coisa parecia errada, então sugeri que ele fizesse também uma varredura de cálcio, como eu fiz, para termos uma noção melhor do estado de suas artérias. Foi aí que as coisas ficaram interessantes. Lembre-se, meu escore de cálcio era seis, o que significava que eu corria mais riscos do que 75% a 90% das pessoas da minha idade. O escore de cálcio de Anahad era 125, altíssimo para alguém tão jovem e saudável. "Será que é isso mesmo?", perguntou ele.

Era. Descobriu-se que o culpado era uma partícula pouco conhecida, mas muito perigosa, chamada lipoproteína (a), ou Lp(a). Essa lipoproteína bombástica se forma quando uma partícula de LDL comum se funde com outro tipo mais raro de proteína chamada apolipoproteína (a), ou apo(a) (não confundir com apolipoproteína A, ou apoA, a proteína que marca as partículas de HDL). A apo(a) reveste frouxamente a partícula de LDL, com vários segmentos de aminoácidos em *loop* chamados *kringles*, que têm esse nome porque sua estrutura se assemelha ao doce dinamarquês em formato de anel. Os *kringles* são o que torna a Lp(a) tão perigosa: conforme a partícula de LDL viaja pela corrente sanguínea, eles recolhem pedaços de moléculas lipídicas oxidadas e os carregam consigo.

Como aponta meu guru dos lipídios Tom Dayspring, isso não é de todo ruim. Existem evidências de que a Lp(a) pode atuar como uma espécie de agente de limpeza, como um caminhão que recolhe o lixo lipídico potencialmente nocivo e o entrega ao fígado. Mas como a Lp(a) é um membro da família das partículas apoB, ela também tem o potencial de penetrar no endotélio e se alojar na parede de uma artéria; por causa de sua estrutura, a Lp(a) pode ter mais propensão a ficar presa, por sua carga extra de lipídios danificados, do que uma partícula normal de LDL. Pior ainda, uma vez lá dentro, ela age em parte como um fator trombótico ou pró-coagulante, que acelera a formação de placas arteriais.

Com frequência, a Lp(a) costuma se apresentar por meio de um ataque cardíaco súbito e aparentemente prematuro. Foi o que aconteceu com o apresentador do programa *Biggest Loser*, Bob Harper, que sofreu uma parada cardíaca em uma academia em 2017, aos 52 anos. A vida de Harper foi salva por uma pessoa que realizou uma manobra de reanimação até a chegada dos paramédicos. Ele acordou no hospital dois dias depois, sem fazer ideia do que tinha acontecido: um golpe desferido pelo seu nível muito elevado dessa partícula. Ele não fazia ideia de que estava em risco.

Esse não é um caso raro. Quando um paciente vem até mim e diz que o pai, o avô ou a tia, ou todos os três, morreram "prematuramente" de uma condição cardíaca, a primeira coisa que procuro é a Lp(a) elevada. É o fator de risco hereditário mais prevalente nas doenças cardíacas, e seu risco é amplificado pelo fato de que ele ainda passa despercebido pelo radar da Medicina 2.0, embora isso esteja começando a mudar.

A maioria das pessoas tem concentrações relativamente pequenas dessa partícula, mas alguns indivíduos podem ter até cem vezes mais do que outros. A variação se deve em grande parte a fatores genéticos, e cerca de 20% a 30%

da população dos Estados Unidos tem níveis altos o suficiente para estarem na faixa de risco elevado.[16] Além disso, os afrodescendentes tendem a ter níveis mais altos de Lp(a), em média, do que os caucasianos. É por isso que, se sua família tem casos de ataques cardíacos prematuros, você deve pedir um exame de Lp(a). Testamos a presença dessa partícula em cada paciente na primeira coleta de sangue. Como a elevação na Lp(a) se deve, em grande parte, a uma questão genética, o exame só precisa ser feito uma vez (as diretrizes para as doenças cardiovasculares estão começando a recomendar um único exame na vida inteira, de qualquer modo).

Anahad teve a sorte de descobrir sua situação quando fez o exame. Seu escore de cálcio indicava que ele já havia sofrido danos ateroscleróticos significativos devido à Lp(a). Além do dano que ela provoca nas artérias coronárias, essa partícula é particularmente nociva para a válvula aórtica, uma das estruturas mais importantes do coração, pois promove a formação de minúsculas partículas ósseas nos folhetos valvares, o que leva à estenose ou ao estreitamento da saída aórtica.

Não existe solução rápida nem para Anahad nem para quem quer que tenha a Lp(a) elevada. A partícula não parece responder a intervenções comportamentais, como exercícios e mudanças na dieta, da mesma forma que o LDL-C, por exemplo. Uma classe de medicamentos chamados inibidores da PCSK9, cujo objetivo é reduzir as concentrações de apoB, parece reduzir os níveis de Lp(a) em aproximadamente 30%, mas ainda não há dados que sugiram que eles reduzem os eventos extremos (como ataques cardíacos) associados a essa partícula.[17] Assim, no momento o único tratamento real para a Lp(a) elevada é um controle vigoroso da apoB de maneira geral. Embora não possamos reduzir os níveis dessa partícula de maneira direta, mais do que o inibidor da PCSK9 é capaz de fazer, podemos diminuir a concentração restante de apoB, a ponto de reduzir o risco geral do paciente.* Como Anahad é relativamente jovem, ele também tem mais tempo para se focar em seus outros fatores de risco.

Por sorte, encontramos o problema antes que o problema o encontrasse.

---

* Existe uma nova categoria de medicamentos chamados oligonucleotídeos antissenso (ASO, na sigla em inglês), que atualmente estão passando por ensaios clínicos para avaliar sua capacidade de praticamente eliminar a Lp(a) da corrente sanguínea. Até agora, esses ensaios parecem promissores, pois reduzem drasticamente a concentração de Lp(a), mas é muito cedo para saber se eles são eficazes no que mais importa: reduzir eventos cardiovasculares.

Como reduzir o risco cardiovascular

De certa forma, o Peter-não-magro e Anahad O'Connor eram como dois lados da mesma moeda. Embora a minha história e a dele não pareçam ter muito em comum, ambas enfatizam a natureza insidiosa e quase sorrateira das doenças cardíacas: meu risco deveria ser óbvio, com base no meu histórico familiar, enquanto a doença de Anahad permaneceu quase invisível até ele fazer uma varredura de cálcio, que normalmente não é feita em pessoas que estão na casa dos trinta anos e parecem saudáveis. Só descobrimos nosso risco graças à sorte, porque poucos médicos cogitariam rastrear doenças cardíacas em nós na idade em que estávamos.

Juntas, nossas histórias ilustram três pontos cegos da Medicina 2.0 quando se trata de aterosclerose: primeiro, uma visão excessivamente simplista dos lipídios, que não consegue entender a importância da carga total de lipoproteínas (apoB) e o quanto é preciso reduzi-la a fim de efetivamente reduzir o risco; segundo, o desconhecimento generalizado de outros agentes mal-intencionados, como a Lp(a); e terceiro, uma incapacidade de compreender por inteiro o longo percurso da aterosclerose e as implicações disso na busca da prevenção verdadeira.

Quando vejo os exames de sangue de um paciente pela primeira vez, meus olhos imediatamente se voltam para dois números: apoB e Lp(a). Olho para os outros números também, mas esses dois são mais relevantes quando se trata de prever o risco de doença vascular aterosclerótica. A apoB não apenas me informa a concentração de partículas de LDL (que, você deve se lembrar, é mais preditiva de doença do que a concentração de colesterol encontrada *nas* partículas de LDL, o LDL-C), mas também capta a concentração de partículas de VLDL, que, como membros da família apoB, também podem contribuir para a aterosclerose. Além disso, alguém com apoB baixa ainda pode ter uma Lp(a) perigosamente elevada.*

Depois de estabelecer a importância central da apoB, a próxima pergunta é: quanto é preciso reduzir a apoB (ou seu indicador LDL-C) para ter uma queda significativa no risco? As várias diretrizes de tratamento especificam faixas-alvo para o LDL-C, normalmente em 100 mg/dL para pacientes com

* Isso ocorre porque o número total de partículas de LDL é muito maior do que o número de partículas de Lp(a), mas esta ainda tem uma capacidade descomunal de provocar danos, mesmo em um número relativamente pequeno.

risco normal ou 70 mg/dL para indivíduos de alto risco. Na minha opinião, isso ainda é muito alto. Para simplificar, acho que não existem limites para a redução da apoB e do LDL-C, desde que não haja efeitos colaterais. O objetivo é que sejam os mais baixos possível.

Como Peter Libby, uma das maiores autoridades do mundo em doenças cardiovasculares, e seus colegas escreveram na revista *Nature Reviews*, em 2019, "a aterosclerose *provavelmente não ocorreria* [grifos meus] na ausência de concentrações excessivas de LDL-C para além das necessidades fisiológicas (na ordem de 10 a 20 mg/dL)".[18] Os autores afirmam também: "Se toda a população mantivesse as concentrações de LDL semelhantes às de um recém-nascido (ou às dos adultos da maioria das outras espécies animais), a aterosclerose poderia muito bem ser uma doença órfã."

Traduzindo: se todos mantivéssemos os níveis de apoB de quando éramos bebês, os casos de doença cardíaca seriam irrisórios, a ponto de ninguém saber nem do que se trata. Mais ou menos como a acidúria 3-hidroxi-isobutírica. Nunca ouviu falar? Como assim?! Bem, isso é compreensível, porque foram relatados apenas treze casos dela.[19] Em todos os tempos. Isso é uma doença órfã. Estou brincando; o que eu quero dizer é que a aterosclerose não deveria estar nem mesmo entre as dez principais causas de morte se a tratássemos de forma mais agressiva. Mas o que temos são mais de dezoito milhões de casos fatais todo ano ao redor do mundo.[20]

Muitos médicos e até muitos de vocês, que estão lendo este livro, podem ficar chocados ao ver uma meta de LDL-C tão baixa: 10 a 20 mg/dL. A maioria das diretrizes considera "agressiva" uma redução para 70 mg/dL, mesmo na prevenção secundária em pacientes de alto risco, como os que já tiveram um ataque cardíaco. Também é natural perguntar se esses níveis extremamente baixos de LDL-C e apoB são seguros, dada a onipresença e a importância do colesterol no corpo humano. Mas pense no seguinte: os bebês, que supostamente precisam de mais colesterol para atender às enormes demandas do rápido crescimento de seu sistema nervoso central, têm níveis igualmente baixos de colesterol na corrente sanguínea, sem qualquer comprometimento no desenvolvimento. Por quê? Porque a quantidade total de colesterol contida em todas as lipoproteínas — não apenas LDL, mas também HDL e VLDL — representa apenas cerca de 10% a 15% do *pool* total de colesterol do corpo. Portanto, a preocupação não se justifica, conforme foi demonstrado por dezenas de estudos que não encontraram efeitos nocivos em concentrações extremamente baixas de LDL.[21]

Esse é meu ponto de partida com qualquer paciente, sejam eles como Anahad (com um fator de risco proeminente) ou como eu (diversos fatores de risco menores). Nossa primeira tarefa é reduzir a carga de partículas apoB, principalmente LDLs, mas também VLDLs, que podem ser perigosas por si só. E fazer isso de maneira drástica, não de modo tangencial ou sutil. Queremos que ela seja o mais baixa possível, e o mais rápido possível. Também devemos prestar atenção a outros indicadores de risco, principalmente aqueles associados à saúde metabólica, como a insulina, a gordura visceral e a homocisteína, um aminoácido que, em altas concentrações,* está fortemente associado ao aumento do risco de ataque cardíaco, AVC e demência.

Você notará que não dou muita atenção ao HDL-C, porque, embora um HDL-C muito baixo esteja *associado* a um risco maior, parece que não há uma relação *causal*. É por isso que os medicamentos que aumentam o HDL-C geralmente não reduzem o risco e os eventos nos ensaios clínicos. Dois elegantes estudos de randomização mendeliana que examinaram ambos os lados da questão do HDL-C sugerem as razões para isso: níveis baixos de HDL-C aumentam de maneira causal o risco de infarto do miocárdio?[22] Não. O aumento do HDL-C reduz de maneira causal o risco de infarto do miocárdio?[23] Não.

Por quê? Provavelmente porque, seja qual for o benefício dos HDLs na batalha pela supremacia arterial, ele (mais uma vez) parece ser guiado por sua *função* — que não parece estar relacionada ao seu conteúdo de colesterol. Mas não existe exame que meça a funcionalidade do HDL, e, até que tenhamos uma melhor compreensão de como ele funciona de fato, é provável que permaneça fora de alcance enquanto alvo de tratamentos.

As lipoproteínas não são os únicos fatores de risco significativos para doenças cardiovasculares; como observado anteriormente, o tabagismo e a pressão alta causam prejuízos diretamente ao endotélio. Parar de fumar e controlar a pressão arterial são, portanto, os primeiros passos inegociáveis na redução do risco cardiovascular.

Vamos falar sobre nutrição com muito mais detalhes, mas meu primeiro passo para controlar meu risco cardiovascular foi começar a mudar mi-

* A homocisteína é decomposta pelas vitaminas B, e é por isso que a deficiência de vitaminas do complexo B ou mutações genéticas em enzimas envolvidas em seu metabolismo (por exemplo, a MTHFR) podem fazer aumentar a homocisteína.

nha dieta, de modo a reduzir a taxa de triglicerídeos (que contribuem para o aumento da apoB quando estão altos, como os meus estavam), porém, mais importante, regular os níveis de insulina. Eu precisava colocar minha casa metabólica em ordem. Devo observar que a solução que adotei na época, a dieta cetogênica, pode não funcionar para todo mundo e tampouco é uma dieta que mantenho até hoje. Na minha experiência clínica, entre um terço e metade das pessoas que consomem grandes quantidades de gorduras saturadas (que às vezes andam de mãos dadas com a dieta cetogênica) experimentarão um aumento drástico nas partículas de apoB, o que obviamente não desejamos.* As gorduras monoinsaturadas, encontradas em grandes quantidades no azeite extravirgem, na macadâmia e no abacate (entre outros alimentos), não têm esse efeito; portanto, costumo estimular meus pacientes a consumir mais desse tipo, até cerca de 60% da ingestão total de gordura. O objetivo não é necessariamente limitar a gordura em geral, mas priorizar gorduras que promovam um melhor perfil lipídico.

Mas, para muitos pacientes, se não para a maioria, a redução da apoB para os níveis que almejamos — os níveis fisiológicos encontrados em crianças — não pode ser alcançada apenas por meio da dieta, por isso precisamos dispor de intervenções nutricionais em conjunto com medicamentos. Aqui temos sorte, porque nosso arsenal tem mais opções preventivas do que o arsenal contra o câncer ou as doenças neurodegenerativas. As estatinas são de longe a classe de medicamentos mais prescrita para o controle de lipídios, mas existem várias outras opções que podem ser adequadas para determinado indivíduo. Como muitas vezes precisamos combinar classes de medicamentos, não é incomum um paciente tomar dois medicamentos hipolipemiantes que operam através de mecanismos distintos. Normalmente, eles são considerados medicamentos para "reduzir o colesterol", mas acho que é melhor pensar neles em termos do aumento da *depuração* da apoB, por meio do aumento da capacidade do corpo de retirar essas partículas de circulação. Esse é nosso objetivo, de fato. Em grande parte, isso é feito pela amplificação da atividade dos receptores de LDL (LDL-R) no fígado, que absorvem o colesterol da corrente sanguínea.

---

* Há pelo menos duas explicações para isso. Primeiro, parece que a gordura saturada contribui diretamente para a síntese do excesso de colesterol. Segundo, e mais importante, o excesso de gordura saturada faz com que o fígado abrande a expressão dos receptores de LDL, diminuindo a quantidade de colesterol LDL que é removida da corrente sanguínea.

Diferentes medicamentos chegam a esse resultado por diferentes caminhos. As estatinas, que costumam ser nossa primeira linha de defesa (ou de ataque), inibem a síntese de colesterol, levando o fígado a aumentar a expressão de LDL-R, retirando mais LDL da corrente sanguínea. Elas também podem promover outros benefícios, incluindo um aparente efeito anti-inflamatório, então, embora eu não acredite que as estatinas devem ser misturadas à água potável, como alguns sugerem, acho que são um medicamento bastante útil para reduzir a concentração de apoB ou LDL em muitos pacientes. Nem todo mundo pode tomar estatinas confortavelmente; cerca de 5% dos pacientes sentem efeitos colaterais incômodos, principalmente dores musculares relacionadas às estatinas.[24] Além disso, em um subconjunto menor, mas diferente de zero, de pacientes que tomam estatinas ocorre uma interrupção na homeostase da glicose, o que pode explicar por que essa classe de medicamentos está associada a um pequeno aumento no risco de diabetes tipo 2.[25] Outra fração dos pacientes apresenta um aumento assintomático das enzimas hepáticas,[26] o que é ainda mais comum em quem também toma o medicamento ezetimiba. Todos esses efeitos colaterais são completa e rapidamente reversíveis quando a administração do medicamento é interrompida. Mas, para os pacientes que os toleram (ou seja, a maioria deles), eu receito as estatinas o quanto antes, e com frequência. (Para saber mais sobre estatinas específicas e outros medicamentos para redução da apoB, consulte as páginas 137-139.)

Isso nos leva ao último, e talvez maior, ponto cego da Medicina 2.0: o tempo.

O processo que descrevi neste capítulo se desenvolve muito lentamente: não em dois, três ou mesmo cinco anos, mas em muitas décadas. O fato de pessoas mais jovens apresentarem lesões e placas, sem serem acometidas por episódios cardíacos, nos diz que a doença não é nociva por um período considerável de tempo. Morrer de doença cardiovascular não é inevitável, sem dúvida: os centenários passam incólumes por décadas, e muitos nem chegam a desenvolvê-la, as artérias permanecendo tão limpas quanto as da geração subsequente. De alguma forma, eles conseguem retardar esse processo.

Quase todos os adultos têm algum grau de dano vascular, não importa quão jovens e cheios de vida aparentem ser, nem quão intactas suas artérias pareçam estar nos exames. Sempre há dano, principalmente em regiões de tensão tangencial e pressão sanguínea elevada, como curvas e divisões nos vasos. A aterosclerose está conosco, de alguma forma, ao longo de toda a nossa vida. No entanto, a maioria dos médicos considera um "exagero" intervir se o risco calculado de um evento cardíaco adverso relevante (por exemplo, ataque cardíaco ou AVC) em dez anos for inferior a 5%, argumentando que os benefícios não são maiores do que os riscos ou que os tratamentos são caros demais. Na minha opinião, isso revela uma ignorância sobre o desdobramento inexorável e de longo prazo das doenças cardíacas. Dez anos é um horizonte de tempo muito curto. Se quisermos reduzir as mortes por doenças cardiovasculares, precisamos começar a pensar na prevenção em pessoas na faixa dos quarenta, e até dos trinta anos.

Outro ponto de vista sobre tudo isso é: pode-se considerar que alguém apresenta "risco baixo" em determinado momento, mas em que horizonte de tempo? O padrão é de dez anos. Mas e se o horizonte de tempo for "o resto da vida"?

Nesse sentido, ninguém apresenta risco baixo.

Quando fiz minha primeira varredura de cálcio em 2009, aos 36 anos, meu risco em dez anos era incalculavelmente baixo — literalmente. Os modelos matemáticos dominantes para avaliação de risco têm um limite mínimo para os 40 ou 45 anos. Meus parâmetros não puderam nem mesmo ser inseridos nos modelos. Portanto, não é de se admirar que ninguém tenha ficado alarmado com meus achados. Apesar de meu escore de cálcio ser 6, meu risco de sofrer um ataque cardíaco em dez anos era bem menor que 5%.

Em 2016, sete anos após a primeira varredura de cálcio, fiz uma angiografia por TC (a melhor varredura, de alta resolução), que mostrou a mesma pequena partícula de cálcio, mas nenhuma evidência de placa mole adicional em outro lugar. Em 2022, repeti o exame e o resultado foi o mesmo. Também não houve qualquer indicação de placa mole, e apenas aquela pequena partícula de cálcio de 2009 perdurava.* Portanto, pelo menos na resolução do tomógrafo mais nítido disponível no mercado, não há razão para acreditar que minha aterosclerose tenha progredido nesses treze anos.

Não tenho ideia se isso significa que estou livre de riscos — francamente, eu duvido —, mas não tenho mais medo de morrer do coração como antes. Meu longo e abrangente programa de prevenção parece ter valido a pena. Eu

* A única diferença foi que, no exame de 2016, meu escore de cálcio era 0; em 2022, era 2, e a primeira tomografia computadorizada atribuiu a essa mesma pequena placa um escore de 6. Isso reforça minha crença de que, embora os escores de cálcio sejam úteis, eles não são suficientes de maneira isolada.

me sinto muito melhor agora, aos 50, do que aos 36, e meu risco é muito menor por qualquer métrica que não seja a idade. Isso porque, acima de tudo, comecei cedo, bem antes que a Medicina 2.0 sugerisse *qualquer* intervenção.

No entanto, a maioria dos médicos e especialistas em cardiologia ainda insiste que alguém que esteja na casa dos trinta é jovem demais para começar a pensar na prevenção primária de doenças cardíacas. Esse ponto de vista vai de encontro a um artigo publicado no *Journal of the American Medical Association Cardiology*, em 2018, escrito por Allan Sniderman em coautoria, comparando horizontes de risco de dez e de trinta anos em termos de prevenção.[27] Os autores descobriram que se focar em um período de trinta anos, em vez dos dez anos que são o padrão, e tomar medidas preventivas agressivas *precocemente* — como iniciar o tratamento com estatina mais cedo em determinados pacientes — poderia prevenir centenas de milhares de episódios de doença cardíaca e, consequentemente, salvar muitas vidas.

Para contextualizar, a maioria dos estudos sobre o uso de estatinas na prevenção primária (ou seja, a prevenção de um primeiro evento cardíaco) engloba cerca de cinco anos e normalmente estabelece que o número de pacientes que precisam tomar um medicamento para que uma vida seja salva ("número necessário para tratar", ou NNT, na sigla em inglês) está entre 33 a 130, dependendo do perfil de risco basal dos pacientes. (Surpreendentemente, os estudos de estatina *mais extensos* já realizados duraram apenas sete anos.) No entanto, olhar para o potencial de redução de risco ao longo de um período de trinta anos, como o estudo de Sniderman fez, reduz o NNT para menos de 7: para cada sete pessoas que recebem estatina nesse estágio inicial, poderíamos salvar uma vida. Trata-se de um cálculo matemático simples: o risco é proporcional à exposição à apoB ao longo do tempo. Quanto antes reduzirmos a exposição à apoB, baixando assim o risco, mais os benefícios se acumularão ao longo do tempo — e maior será a redução geral do risco.

Isso sintetiza a diferença fundamental entre a Medicina 2.0 e a Medicina 3.0 quando se trata de doenças cardiovasculares. A primeira vê a prevenção, em larga medida, como uma questão de gerenciamento de riscos relativamente de curto prazo. A Medicina 3.0 tem uma visão muito mais ampla e, mais importante, busca identificar e eliminar o *principal agente causador* da doença: a apoB. Isso muda completamente a abordagem de tratamento. Por exemplo, em dez anos uma pessoa de 45 anos com apoB elevada tem um risco menor do que uma pessoa de 75 anos com apoB baixa. A Medicina 2.0 recomendaria tratar a pessoa de 75 anos (por causa da idade), mas não a de 45 anos. A Medicina 3.0 recomenda ignorar o risco temporal e tratar o agente causal em *ambos* os casos, reduzindo o máximo possível a apoB do paciente de 45 anos.

Quando você entende que as partículas apoB — LDL, VLDL, Lp(a) — têm uma relação *causal* com as doenças vasculares ateroscleróticas, acontece uma virada de chave. A única forma de deter a doença é eliminando a causa, e o melhor momento para fazer isso é agora.

Ainda não está convencido? Imagine o seguinte exemplo. Sabemos que fumar tem uma relação causal com o câncer de pulmão. Devemos dizer a alguém que pare de fumar somente depois que seu risco de câncer de pulmão em dez anos atingir um certo limite? Ou seja, achamos que está tudo bem as pessoas continuarem fumando até os 65 anos e depois pararem? Ou devemos fazer tudo o que pudermos para ajudar os jovens a largar esse hábito quando recém-adquirido?

Nessa perspectiva, a resposta é inequívoca. Quanto antes você cortar a cabeça da cobra, menor o risco de ser picado.

Um breve panorama dos medicamentos hipolipemiantes

Embora existam sete estatinas no mercado, costumo começar com a **rosuvastatina (Crestor)**, e só mudo se houver algum efeito colateral negativo (por exemplo, um sintoma ou biomarcador). Minha meta é agressiva: seguindo o raciocínio de Peter Libby, quero diminuir a concentração de apoB do paciente para 20 ou 30 mg/dL, mais ou menos como seria em uma criança.

Para quem não tolera estatinas, gosto de usar um medicamento mais recente, chamado **ácido bempedoico (Nexletol)**, que age sobre uma via diferente para atingir praticamente o mesmo objetivo: inibir a síntese de colesterol como forma de forçar o fígado a aumentar o LDL-R e, portanto, a depuração de LDL. Mas enquanto as estatinas inibem a síntese de colesterol em todo o corpo, principalmente nos músculos, o ácido bempedoico o faz apenas no fígado. Portanto, não provoca os efeitos colaterais associados às estatinas, principalmente as dores musculares. A principal desvantagem desse medicamento é o preço.

Outro fármaco chamado **ezetimiba (Zetia)** bloqueia a absorção de colesterol no trato gastrointestinal.* Isso, por sua vez, esgota a reserva de colesterol no fígado, levando novamente ao aumento da expressão de LDL-R e à maior depuração de

* Não o colesterol que você ingere, que não vai ser absorvido de qualquer forma, mas o que você produz e recicla através do fígado e do sistema biliar.

partículas de apoB, que é o que queremos. A ezetimiba combina muito bem com as estatinas porque estas, ao bloquearem a síntese do colesterol, tendem a fazer com que o corpo aumente a reabsorção de colesterol no intestino, justamente o que a ezetimiba previne com tanta eficácia.

Os receptores de LDL podem ser regulados positivamente por uma classe de medicamentos que já mencionamos, chamados **inibidores da PCSK9**, que atacam a PCSK9, uma proteína que degrada os receptores de LDL. Isso aumenta a meia-vida dos receptores, melhorando a capacidade do fígado de eliminar a apoB. Como monoterapia, esse tipo de medicamento tem aproximadamente a mesma potência de redução da apoB ou do LDL-C que as estatinas em altas doses, mas seu uso mais comum é em associação com as estatinas; essa combinação é a ferramenta farmacológica mais poderosa que temos contra a apoB. Infelizmente, as estatinas não reduzem a Lp(a), mas os inibidores da PCSK9 o fazem, geralmente em torno de 30%, na maioria dos pacientes.

Os triglicerídeos também contribuem para o excesso de partículas de apoB, porque são amplamente transportados em VLDLs. Intervenções dietéticas visam a reduzir os triglicerídeos, mas, nos casos em que as mudanças nutricionais são insuficientes e a genética torna inúteis as intervenções dietéticas, os **fibratos** são o medicamento ideal.

O **ácido etil-eicosapentaenoico (Vascepa)**, um medicamento derivado do óleo de peixe e composto por quatro gramas de ácido eicosapentaenoico (EPA) de grau farmacêutico, também tem a aprovação da FDA como redutor do LDL em pacientes com triglicerídeos elevados.

CAPÍTULO 8

A célula fugitiva

Novas formas de abordar o assassino chamado câncer

Você provavelmente terá de entrar em uma batalha mais de uma vez para vencê-la.

— MARGARET THATCHER

Steve Rosenberg ainda era um jovem residente quando se deparou com o paciente que mudaria sua carreira — e, provavelmente, o tratamento do câncer em geral. Em 1968, ele estava cumprindo seu turno em um hospital militar em Massachusetts quando um homem na casa dos sessenta anos chegou precisando de uma operação de vesícula biliar relativamente simples. O homem, cujo nome era James DeAngelo, já tinha uma grande cicatriz no abdômen, que ele disse ter sido de uma operação feita muitos anos antes para remover um tumor no estômago. E acrescentou que também teve tumores metastáticos que se espalharam para o fígado, mas os cirurgiões não tocaram neles.

Rosenberg tinha certeza de que o paciente estava confuso. Teria sido um milagre sobreviver por seis meses com metástase no câncer de estômago. Mas, de acordo com o prontuário médico de DeAngelo, foi exatamente o que aconteceu. Doze anos antes, ele deu entrada no mesmo hospital reclamando de mal-estar e cansaço. O prontuário da época registrou que ele bebia de três a quatro garrafas de uísque por semana e fumava um ou dois maços de cigarro por dia. Os cirurgiões descobriram um tumor do tamanho de um punho no estômago e outros metastáticos menores no fígado. Eles removeram o tumor do estômago, junto com metade deste, mas deixaram os do fígado intocados, após concluírem que era arriscado demais tentar retirá-los também. E então o costuraram e lhe deram alta para morrer em casa, o que visivelmente não aconteceu.

Rosenberg foi adiante com a operação na vesícula biliar e, como já estava ali, decidiu dar uma olhada no abdômen de DeAngelo. Tateou por trás do fígado, abrindo caminho com cuidado sob os delicados lóbulos arroxeados, esperando apalpar pedaços remanescentes de tumores — uma textura inconfundível, dura e arredondada, quase de outro mundo —, mas não encontrou absolutamente nenhum traço de crescimento. "Aquele homem teve um câncer virulento e incurável que deveria tê-lo matado rapidamente", escreveu Rosenberg em seu livro *The Transformed Cell* ("A célula transformada", em tradução livre), de 1992. "A doença dele não recebeu nenhum tratamento, nem de nós nem de qualquer outro médico. E se curou."[1]

O que explicava aquilo? Em toda a literatura médica, Rosenberg encontrou apenas quatro casos de remissão completa e espontânea de metástase do câncer de estômago. Ele estava mais que intrigado. Mas, por fim, formulou com uma hipótese: o próprio sistema imunológico de DeAngelo havia combatido o câncer e matado os tumores que restavam no fígado, assim como você ou eu somos capazes de lidar com um resfriado. O próprio corpo havia curado o câncer. De alguma forma.

Na época, essa hipótese fugia completamente da corrente em vigor nas pesquisas sobre o câncer. Mas Rosenberg desconfiava de que estava diante de algo marcante. Seu livro é sobre a busca de Rosenberg por cooptar o sistema imunológico no combate ao câncer. Apesar de pequenos sucessos esparsos aqui e ali, qualquer que fosse o fenômeno que havia acabado com os tumores de James DeAngelo provou ser evasivo; nos primeiros dez anos, nenhum dos pacientes de Rosenberg sobreviveu. Nenhum. Mesmo assim, ele perseverou.

Quando o assunto era câncer, ele se saía melhor como cirurgião do que como pesquisador: em 1985, operou o presidente Ronald Reagan, removendo pólipos cancerígenos no cólon, e tudo transcorreu bem. Mas o objetivo de Rosenberg era acabar com a necessidade de cirurgias oncológicas, ponto-final.

Por fim, em meados da década de 1980, ele teve apenas um vislumbre de sucesso, mas foi suficiente para manter sua busca viva.

Assim que li *The Transformed Cell*, quando era estudante de medicina, soube que queria ser cirurgião oncológico e que tinha que trabalhar com Steve Rosenberg. O câncer estava na minha cabeça desde antes mesmo de eu entrar na faculdade. Depois da graduação, enquanto cumpria os pré-requisitos para entrar para a faculdade de medicina, fui voluntário no setor de oncologia pediátrica do Kingston General Hospital, em Ontário, no Canadá, convivendo com crianças que faziam tratamento contra o câncer. Felizmente, a leucemia infantil é uma área em que a Medicina 2.0 fez verdadeiros progressos. Mas nem todas as crianças sobreviviam, e sua coragem, a dor que elas e seus pais suportavam e a compaixão das equipes médicas mexeram comigo mais do que qualquer problema de engenharia ou matemática. Aquilo consolidou minha decisão de desistir da engenharia e abraçar a medicina.

No terceiro ano da faculdade de medicina, tive a oportunidade de passar quatro meses no laboratório de Rosenberg, o epicentro da pesquisa oncológica nos Estados Unidos. Quando cheguei, já haviam se passado quase três décadas desde quando Richard Nixon declarou a guerra contra o câncer, em 1971. De início, a esperança era que a "cura" do câncer fosse descoberta em cinco anos, a tempo do bicentenário da Independência do país. No entanto, em 1976, a doença permanecia obstinadamente invicta e ainda seguia assim quando terminei a faculdade de medicina, em 2001. E até hoje, para todos os efeitos.

Apesar de mais de cem bilhões de dólares gastos em pesquisas por meio do Instituto Nacional do Câncer, além de muitos bilhões a mais da indústria privada e de instituições de caridade públicas — e apesar de todas as fitas cor-de-rosa, pulseiras amarelas e literalmente milhões de artigos publicados no banco de dados do PubMed —, o câncer é a segunda maior causa de morte nos Estados Unidos, logo atrás das doenças cardíacas. Juntas, essas duas condições representam quase uma em cada duas mortes no país. A diferença é que entendemos razoavelmente bem a gênese e a progressão das doenças cardíacas, e temos algumas ferramentas eficazes para preveni-las e tratá-las. Assim, as taxas de mortalidade por doenças cardiovasculares e cerebrovasculares caíram dois terços desde meados do século XX. Mas o câncer ainda mata os norte-americanos quase na mesma proporção de cinquenta anos atrás.

Figura 6. **Incidência de câncer nos Estados Unidos por faixa etária**

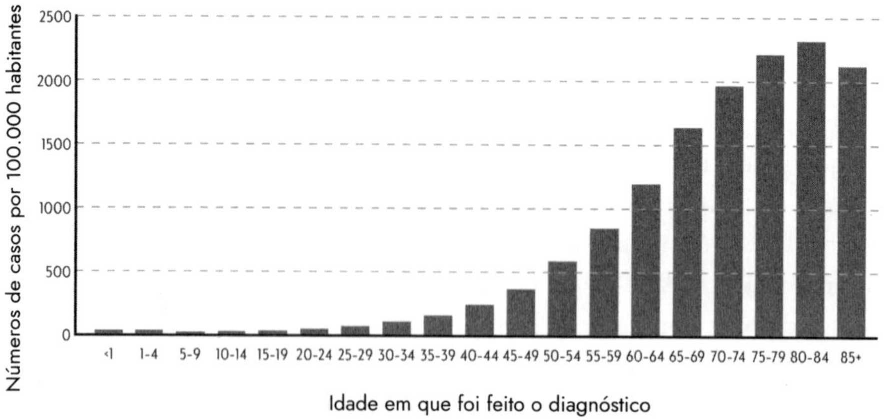

Números de casos por 100.000 habitantes

2500
2000
1500
1000
500
0

<1 1-4 5-9 10-14 15-19 20-24 25-29 30-34 35-39 40-44 45-49 50-54 55-59 60-64 65-69 70-74 75-79 80-84 85+

Idade em que foi feito o diagnóstico

Fonte: Instituto Nacional do Câncer (2021).

Fizemos algum progresso contra determinados tipos de câncer, principalmente a leucemia (especialmente a leucemia infantil, como mencionei). Para adultos com leucemia, as taxas de pacientes que sobreviveram mais de dez anos com a doença quase dobraram entre 1975 e 2000, saltando de 23% para 44%.[2] As taxas de sobrevivência para linfomas de Hodgkin e não Hodgkin também aumentaram, especialmente no caso dos primeiros. No entanto, trata-se de vitórias relativamente pequenas em uma "guerra" que não vai muito bem.

Assim como as doenças cardíacas, o câncer é uma doença do envelhecimento. Ou seja, ela se torna exponencialmente mais prevalente a cada década de vida (Figura 6). Mas pode ser fatal em quase qualquer idade, principalmente na meia-idade. A idade média dos pacientes quando recebem o diagnóstico é de 66 anos, mas em 2017 houve mais mortes por câncer entre pessoas entre 45 e 64 anos do que por doenças cardíacas, hepáticas e AVCs somados.[3] Este ano, se as tendências recentes continuarem, essa mesma faixa etária também será responsável por quase 40% da estimativa de 1,7 milhão de novos casos da doença que provavelmente serão diagnosticados nos Estados Unidos, de acordo com o Instituto Nacional do Câncer.[4] No momento em que é detectado, no entanto, o tumor provavelmente já está crescendo há anos, talvez há décadas. Enquanto escrevo estas palavras, reflito tristemente sobre três amigos dos tempos do ensino médio que morreram de câncer nos últimos dez anos, todos com menos de 45 anos. Entre os três, só pude me despedir de uma amiga. Provavelmente todos os leitores deste livro têm histórias parecidas.

O problema que enfrentamos é que, uma vez que o câncer se instala, carecemos de tratamentos verdadeiramente eficientes. Nossa caixa de ferramentas é limitada. Muitos (embora não todos os) tumores sólidos podem ser retirados por cirurgia, uma tática que remonta ao Egito Antigo. A combinação de cirurgia e radioterapia é bastante eficaz contra a maioria dos cânceres locais de tumor sólido. Mas, embora tenhamos aprimorado bastante essa abordagem, o que fizemos foi basicamente maximizar nossa capacidade de tratar o câncer assim. Desse mato não sai mais cachorro. E a cirurgia tem resultados limitados quando o câncer sofreu metástase ou se espalhou. As metástases podem ser retardadas pela quimioterapia, mas quase sempre voltam, muitas vezes mais resistentes do que nunca ao tratamento. Nossa referência para o sucesso em um paciente, a remissão, costuma ser uma sobrevida de cinco anos, nada mais. Não ousamos pronunciar a palavra *cura*.

O segundo problema é que a capacidade de detectar um câncer em estágio inicial permanece muito fraca. Com bastante frequência, descobrimos tumores apenas quando provocam outros sintomas, ponto em que estão avançados demais no local para serem removidos — ou pior, quando o câncer já se espalhou para outras partes do corpo. Vi isso acontecer muitas vezes durante a minha formação: retirávamos o tumor (ou tumores) de um paciente, apenas para vê-lo morrer um ano depois porque o mesmo câncer havia se instalado em outro lugar, como o fígado ou os pulmões.

Essa experiência embasa nossa estratégia de três etapas para lidar com o câncer. O primeiro e mais óbvio desejo é evitar a doença, como os centenários — em outras palavras, prevenir. Mas essa prevenção é complicada, porque ainda não entendemos inteiramente o que leva ao surgimento e à progressão do câncer, como compreendemos a aterosclerose. Além disso, o azar, puro e simples, parece desempenhar um papel importante nesse processo bastante aleatório. Mas temos algumas pistas, sobre as quais falaremos nas duas próximas seções.

Em seguida, está o uso de tratamentos mais novos e inteligentes voltados para os múltiplos pontos fracos do câncer, incluindo a insaciável fome metabólica das células cancerígenas por crescimento rápido, e sua vulnerabilidade a novas terapias imunológicas, resultado de décadas de trabalho de cientistas como Steve Rosenberg. Sinto que a imunoterapia, em particular, carrega um enorme potencial.

Terceiro, e talvez mais importante, precisamos detectar o câncer o mais cedo possível, para que os tratamentos sejam mais eficazes. Defendo o rastreamento precoce, agressivo e amplo para meus pacientes — como a colonoscopia (ou outro exame de câncer colorretal) aos 40 anos, em oposição à recomendação-padrão de 45 ou 50 anos —, porque há evidências esmagadoras de que é muito mais fácil tratar a maioria dos cânceres em estágio inicial. Também mantenho um otimismo cauteloso quanto à combinação desses recursos básicos, testados e comprovados, de rastreamento de câncer com métodos emergentes, como as "biópsias líquidas", que podem detectar vestígios de DNA de células cancerígenas por meio de um simples exame de sangue.

Após cinco décadas de guerra contra o câncer, parece evidente que nenhuma "cura" única deve surgir. Então, nossa maior esperança provavelmente é descobrir melhores formas de atacar o câncer nestas três frentes: prevenção, tratamentos mais direcionados e eficazes, bem como detecção precoce, abrangente e precisa.

O que é o câncer?

Uma das principais razões pelas quais o câncer é tão letal — e tão assustador — é que ainda sabemos relativamente pouco sobre como a doença começa e por que se espalha.

As células cancerígenas se diferem das células normais em dois aspectos principais. Ao contrário do senso comum, as células cancerígenas não crescem mais rápido do que suas contrapartes saudáveis; a questão é que não *param* de crescer quando deveriam. Por alguma razão, elas deixam de escutar os sinais do corpo que dizem quando crescer e quando parar de crescer. Acredita-se que esse processo tenha início quando as células normais sofrem certas mutações genéticas. Por exemplo, um gene chamado *PTEN*, que normalmente impede que as células cresçam ou se dividam (e acabem se transformando em tumores), com frequência apresenta mutação ou está "ausente" em pessoas com câncer, incluindo cerca de 31% dos homens com câncer de próstata e 70% dos homens com câncer de próstata avançado.[5] Esses genes "supressores de tumor" são extremamente importantes para nossa compreensão da doença.

A segunda propriedade que define as células cancerígenas é a capacidade de viajar de uma parte do corpo para outra, onde não deveriam estar. Isso é chamado de *metástase*, e é o que permite que uma célula cancerígena que está na mama vá para o pulmão. Essa disseminação é o que faz com que o câncer deixe de ser um problema local controlável e se torne uma doença sistêmica fatal.

Com exceção dessas duas propriedades comuns, no entanto, as semelhanças entre tipos diferentes de câncer são praticamente nulas. Um dos maiores obstáculos para uma "cura" é o fato de que o câncer não é uma doença única, simples e direta, mas uma condição de complexidade estarrecedora.

Cerca de duas décadas atrás, o Instituto Nacional do Câncer lançou um grande e ambicioso estudo chamado Atlas do genoma do câncer, cujo objetivo era sequenciar células tumorais cancerígenas na esperança de encontrar as mudanças genéticas exatas que provocam diferentes tipos de câncer, como de mama, renal e hepático. Armados com esse conhecimento, os cientistas seriam capazes de desenvolver terapias que visassem especificamente a essas mutações. Como disse um dos cientistas que idealizaram o projeto: "São os blocos de partida de que precisamos para desenvolver uma cura."[6]

Mas os primeiros resultados do Atlas do genoma do câncer, publicados em uma série de artigos a partir de 2008, trouxeram mais confusão do que clareza. Em vez de descobrir um padrão definido de mudanças genéticas que provocam cada tipo de câncer, o estudo encontrou uma enorme complexidade. Cada tumor tinha mais de cem mutações diferentes, em média, e essas mutações pareciam quase aleatórias. Alguns genes se destacaram como indutores, incluindo *TP53* (também conhecido como p53, encontrado na metade de todos os tipos de câncer), *KRAS* (comum no câncer de pâncreas), *PIC3A* (comum no câncer de mama) e *BRAF* (comum no melanoma), mas muito poucas dessas mutações conhecidas eram compartilhadas por todos os tumores. Inclusive, não parecia haver nenhum gene individual que "causasse" o câncer; o que parecia haver era uma *combinação* de mutações somáticas aleatórias responsáveis pelo tumor. Portanto, assim como o câncer de mama é geneticamente distinto do câncer de cólon (como os pesquisadores esperavam), da mesma forma não há dois tumores de câncer de mama que sejam muito parecidos. Se duas mulheres têm câncer de mama no mesmo estágio, é provável que os genomas de cada tumor sejam muito diferentes entre si. Em outras palavras, seria difícil, senão impossível, conceber um tratamento para ambas as mulheres com base no perfil genético de seus tumores. Em vez de revelar as dimensões da floresta, o atlas apenas nos fez adentrar ainda mais profundamente o labirinto das árvores.

Ou assim parecia, na época. Em última instância, o sequenciamento do genoma provou ser uma ferramenta muito poderosa contra o câncer — mas não como havia sido previsto, duas décadas antes.

Mesmo quando obtemos êxito no tratamento de um câncer localizado, nunca podemos ter certeza de que ele desapareceu por completo. Não temos como saber se as células cancerígenas já se espalharam e estão à espreita em outros órgãos, esperando para se estabelecer. É a metástase a responsável pela maioria das mortes por câncer. Se quisermos reduzir significativamente a mortalidade pela doença, precisamos ser melhores na prevenção, detecção e tratamento de metástases.

Com algumas exceções, como o glioblastoma ou outros tumores cerebrais agressivos, assim como certos tipos de câncer de pulmão e de fígado, os tumores de órgãos sólidos só costumam ser fatais quando se espalham para outros órgãos. O de mama só mata quando ocorre metástase. O de próstata só mata quando ocorre metástase. Você poderia viver sem esses órgãos. Então, quando você ouve a triste história de alguém que morreu de câncer de mama ou de próstata, ou mesmo de pâncreas ou do cólon, essa morte ocorreu porque o câncer se espalhou para outros órgãos mais críticos, como o cérebro, os pulmões, o fígado e os ossos. Quando o câncer atinge esses lugares, as taxas de sobrevivência caem vertiginosamente.

Mas o que faz com que o câncer se espalhe? Não sabemos ao certo, e é pouco provável que descubramos tão cedo, porque apenas cerca de 5% a 8% do financiamento de pesquisa sobre o câncer nos Estados Unidos vai para o estudo da metástase.[7] Nossa capacidade de detectar metástases também é muito baixa, embora eu acredite que estamos prestes a fazer avanços importantes no rastreamento do câncer, como falaremos mais adiante. A maior parte da nossa energia se foca no tratamento da metástase, que é extremamente difícil. Depois que o câncer se espalha, tudo muda: precisamos tratá-lo não localmente, mas *sistemicamente*.

No momento, isso geralmente significa quimioterapia. Ao contrário do senso comum, matar células cancerígenas é na verdade muito fácil. Tenho uma dúzia de potenciais agentes quimioterápicos na garagem e debaixo da pia da cozinha. O rótulo desses produtos os identifica como limpa-vidros ou desentupidor, mas eles também matariam facilmente as células cancerígenas.

O problema, claro, é que esses venenos destruiriam também todas as células normais no caminho e, provavelmente, matariam o paciente no processo. Só se pode ganhar o jogo quando eliminamos as cancerígenas ao mesmo tempo em que poupamos as células normais. O extermínio *seletivo* é a chave.

A quimioterapia tradicional está situada em uma região nebulosa entre o veneno e o remédio; o gás mostarda, usado como arma durante a Primeira Guerra Mundial, foi um precursor direto de alguns dos primeiros agentes quimioterápicos, dos quais ainda há exemplos em uso. Esses medicamentos atacam o ciclo de replicação das células e, como as células cancerígenas se dividem depressa, os agentes quimioterápicos provocam danos mais severos a elas do que às células normais. Mas muitas células não cancerígenas importantes também se replicam com frequência, como as das mucosas bucal e intestinal, dos folículos pilosos e das unhas, e é por isso que os agentes quimioterápicos típicos têm efeitos colaterais como perda de cabelo e problemas gastrointestinais. Por sua vez, como aponta o pesquisador Robert Gatenby, as células cancerígenas que sobrevivem à quimioterapia muitas vezes acabam passando por mutações que as tornam mais fortes, como baratas que desenvolvem resistência a inseticidas.

No início, os efeitos colaterais da quimioterapia podem parecer um preço justo a pagar em troca da "chance de viver mais alguns anos úteis", como observou o falecido autor Christopher Hitchens em seu livro de memórias sobre o câncer, *Últimas palavras*.[8] Mas, à medida que o tratamento contra o câncer de esôfago metastático se arrastava, ele mudou de ideia. "Fiquei dias a fio tentando, em vão, adiar o momento em que teria de engolir. Toda vez que eu engolia, uma onda infernal de dor subia pela minha garganta, culminando no que parecia ser um coice nas minhas costas. E então espontaneamente tive um pensamento rebelde: se eu tivesse sido informado sobre tudo isso com antecedência, teria optado pelo tratamento?"

Hitchens estava testemunhando o maior defeito da quimioterapia moderna: ela é sistêmica, não específica o suficiente para atingir apenas as células cancerígenas, deixando incólumes as células saudáveis normais. Daí os terríveis efeitos colaterais que ele sentia. Em última instância, os tratamentos bem-sucedidos precisarão ser *tanto* sistêmicos *quanto* específicos contra determinado tipo de câncer. Assim, serão capazes de explorar algum ponto fraco exclusivo das células cancerígenas, enquanto poupam em larga medida as células normais (e, obviamente, o paciente). Mas quais seriam esses pontos fracos?

Só porque o câncer é poderoso não significa que seja invencível. Em 2011, dois renomados pesquisadores, Douglas Hanahan e Robert Weinberg, identificaram duas características principais do câncer que podem levar, e de fato levaram, ao desenvolvimento de novos tratamentos e potenciais métodos para reduzir o risco da doença.[9] A primeira dessas características é o fato de que muitas células cancerígenas têm um metabolismo alterado, consumindo grandes quantidades de glicose. Em segundo lugar, as células cancerígenas parecem ter uma capacidade extraordinária de escapar do sistema imunológico, que normalmente visa a células danificadas e perigosas — como é o caso delas — e as destrói. Esse segundo problema é o que Steve Rosenberg e outros vêm tentando resolver há décadas.

O metabolismo e a vigilância imunológica me interessam porque ambos são sistêmicos, uma condição necessária para qualquer novo tratamento de combate ao câncer metastático. Ambos exploram características do câncer que são potencialmente mais específicas dos tumores do que apenas a replicação celular descontrolada. Mas nem as abordagens metabólicas nem as baseadas no sistema imunológico são propriamente uma novidade: há décadas pesquisadores obstinados vêm estabelecendo as bases para o progresso em ambas as áreas.

O metabolismo do câncer

Como você já deve ter percebido, tendemos a pensar no câncer principalmente como uma doença genética, resultado de mutações de causa desconhecida. Visivelmente, as células cancerígenas são geneticamente distintas das células normais. Mas, no último século, alguns pesquisadores investigaram outra propriedade singular das células cancerígenas: o metabolismo.

Na década de 1920, um fisiologista alemão chamado Otto Warburg descobriu que as células cancerígenas tinham um apetite estranhamente voraz por glicose, devorando até quarenta vezes mais esse carboidrato do que os tecidos saudáveis.[10] Mas essas células não "respiravam" como as células normais, que consomem oxigênio e produzem muita ATP, a moeda energética da célula, por meio das mitocôndrias. Elas pareciam usar um caminho diferente do que as células normalmente usam para produzir energia em condições anaeróbicas, ou seja, sem oxigênio suficiente, como quando estamos correndo. O estranho é que as células cancerígenas recorriam a essa via metabólica ineficiente, apesar de terem bastante oxigênio à disposição.

Para Warburg, aquilo parecia uma escolha muito estranha. Na respiração aeróbica normal, uma célula pode transformar uma molécula de glicose em até 36 unidades de ATP. Mas, sob condições anaeróbicas, essa mesma quantidade de glicose produz apenas duas unidades líquidas de ATP. Esse fenômeno foi apelidado de efeito de Warburg,[11] e, ainda hoje, uma forma de localizar potenciais tumores é injetar no paciente uma glicose marcada radioativamente e, em seguida, fazer uma tomografia por emissão de pósitrons (PET, na sigla em inglês) para ver para onde a maior parte da glicose está migrando. Regiões onde há uma concentração anormalmente alta de glicose indicam a possível presença de um tumor.

Warburg recebeu o Nobel de Fisiologia ou Medicina em 1931 pela descoberta de uma enzima crucial na cadeia de transporte de elétrons (um mecanismo-chave para a produção de energia na célula). Quando ele morreu, em 1970, a estranha peculiaridade do metabolismo do câncer por ele observada havia sido esquecida.[12] A descoberta da estrutura do DNA por James Watson, Francis Crick, Maurice Wilkins e Rosalind Franklin, em 1953, provocou uma gigantesca mudança de paradigma, não apenas nas pesquisas sobre o câncer, mas na biologia de modo geral.

Como Watson lembrou em um artigo de opinião publicado no *New York Times* em 2009: "No final dos anos 1940, enquanto eu fazia o doutorado, os expoentes da biologia eram os bioquímicos que estavam tentando descobrir como as moléculas intermediárias do metabolismo se formavam e se quebravam. Depois que meus colegas e eu descobrimos a dupla hélice do DNA, os expoentes da biologia passaram a ser os biólogos moleculares, cujo papel principal era descobrir como a informação codificada pelas sequências de DNA era usada para produzir o ácido nucleico e os componentes proteicos das células."[13]

Quase quarenta anos depois do início da guerra contra o câncer, no entanto, o próprio Watson estava convencido de que a genética não era a chave para o sucesso dos tratamentos contra a doença. "Talvez seja necessário mudar o foco da nossa pesquisa, da decodificação das instruções genéticas por trás do câncer para a compreensão das reações químicas que ocorrem nas células cancerígenas", escreveu. Era hora, defendia ele, de começar a procurar terapias que visassem ao metabolismo do câncer, assim como a sua genética.

Alguns cientistas sempre investigaram os aspectos metabólicos do câncer. Lew Cantley, hoje membro do Centro Oncológico Dana-Farber, de Harvard, investiga o metabolismo do câncer desde a década de 1980, quando o conceito ainda estava fora de moda. Uma das questões mais intrigantes de que ele trata é *por que* as células cancerígenas precisam produzir energia de forma tão ineficiente. Cantley, Matthew Vander Heiden e Craig Thompson defenderam, em um artigo de 2009, que a ineficiência do efeito de Warburg pode ser a chave.[14] Eles descobriram que, embora não produza muita energia, esse efeito origina muitos subprodutos, como o lactato, substância também produzida durante a prática intensa de exercícios. De fato, os autores argumentaram que a transformação da glicose em lactato gera tantas moléculas extras que a quantidade relativamente pequena de energia produzida por ela pode ser efetivamente o "subproduto".

Existe uma lógica nessa aparente loucura: quando uma célula se divide, não se trata só de duas células menores. O processo requer não apenas a divisão do núcleo e de todos aqueles elementos que aprendemos nas aulas de biologia do ensino médio, como também o material físico necessário para construir uma célula inteiramente nova. Isso não acontece do nada. A respiração celular aeróbica normal produz apenas energia, na forma de ATP, além de água e dióxido de carbono, que não são muito úteis como materiais de construção (além disso, os dois últimos são eliminados na respiração). O efeito de Warburg, também conhecido como glicólise anaeróbica, transforma a mesma quantidade de glicose em um pouco de energia e um monte de blocos de construção químicos, que são então usados para construir novas células com mais rapidez. Assim, esse efeito é o modo como as células cancerígenas fomentam a própria proliferação. Mas também representa uma potencial vulnerabilidade na armadura do câncer.*

Para as pesquisas convencionais sobre o câncer, essa visão continua sendo controversa, mas foi se tornando cada vez mais difícil ignorar a ligação entre o câncer e a disfunção metabólica. Na década de 1990 e no início dos anos 2000, à medida que as taxas de tabagismo e cânceres a ele relacionados diminuíam, uma nova ameaça tomou o lugar da fumaça do tabaco. A obesidade e a dia-

---

* Essa não é a única explicação de como o efeito de Warburg beneficia as células cancerígenas. Segundo outra teoria, ele ajuda a proteger o tumor das células do sistema imunológico, tornando o microambiente do tumor mais hostil devido ao pH mais baixo (ou seja, mais ácido), consequência da formação de ácido lático e de espécies reativas de oxigênio. Para uma excelente revisão desses temas, ver Liberti e Locasale (2016).

betes tipo 2 estavam se tornando uma epidemia nacional e global, e pareciam aumentar o risco de muitos tipos de câncer, incluindo os de esôfago, fígado e pâncreas. A Sociedade Americana do Câncer afirma que o excesso de peso é um dos principais fatores de risco tanto para o câncer quanto para a mortalidade, perdendo apenas para o tabagismo.

Em termos globais, acredita-se que de 12% a 13% de todos os casos de câncer possam ser atribuídos à obesidade.[15] A própria obesidade está fortemente associada a treze diferentes tipos de câncer, incluindo de pâncreas, esôfago, rins, ovário e mama, bem como mieloma múltiplo (ver Figura 7). A diabetes tipo 2 também aumenta o risco de desenvolver certos tipos de câncer, chegando ao dobro em alguns casos (como o câncer de pâncreas e de endométrio).[16] E a obesidade mórbida (IMC $\geq$ 40) está associada a um risco 52% maior de morte por todos os tipos de câncer em homens e 62% em mulheres.

Desconfio de que a correlação entre obesidade, diabetes e câncer seja estimulada, principalmente, pela inflamação e por fatores de crescimento, como a insulina. A obesidade, especialmente quando acompanhada de acúmulo de gordura visceral (e de outras gorduras fora dos depósitos de armazenamento subcutâneo), ajuda a promover a inflamação, pois as células adiposas moribundas secretam uma série de citocinas inflamatórias na corrente sanguínea (ver Figura 4, no capítulo 6). Essa inflamação crônica não só ajuda a criar um ambiente que pode induzir as células a se tornarem cancerígenas, mas também contribui para o desenvolvimento da resistência à insulina, aumentando os níveis de insulina. E, como veremos em breve, a própria insulina é um agente nocivo no metabolismo do câncer.

Essa noção é fruto de um trabalho posterior de Lew Cantley. Ele e seus colegas descobriram uma família de enzimas chamadas PI 3-quinases, ou PI3K, que desempenham um papel importante na alimentação do efeito de Warburg, acelerando a absorção de glicose pela célula.[17] De fato, a PI3K ajuda a abrir um portão na parede da célula, permitindo a entrada da glicose, que alimenta seu crescimento. As células cancerígenas possuem mutações específicas que aumentam a atividade da PI3K ao mesmo tempo que desligam a PTEN, a proteína supressora de tumores sobre a qual falamos anteriormente neste capítulo. Quando a PI3K é ativada pela insulina e pelo IGF-1, o fator de crescimento semelhante à insulina, a célula é capaz de devorar glicose em grande velocidade para crescer. Assim, a insulina atua como uma espécie de ativador do câncer, acelerando sua evolução.

Figura 7. **Cânceres associados ao excesso de peso e à obesidade**

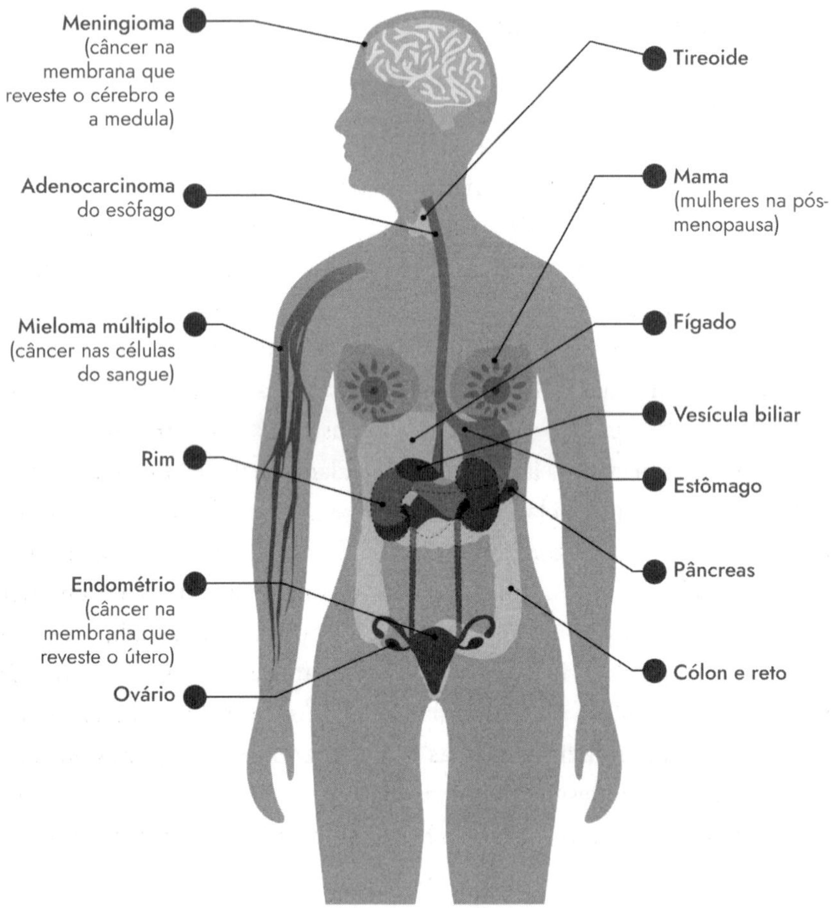

Meningioma (câncer na membrana que reveste o cérebro e a medula)
Adenocarcinoma do esôfago
Mieloma múltiplo (câncer nas células do sangue)
Rim
Endométrio (câncer na membrana que reveste o útero)
Ovário
Tireoide
Mama (mulheres na pós-menopausa)
Fígado
Vesícula biliar
Estômago
Pâncreas
Cólon e reto

Fonte: NCI (2022a).

Isso, por sua vez, sugere que as terapias metabólicas, incluindo as manipulações dietéticas que reduzem os níveis de insulina, podem ajudar a retardar o crescimento de determinados tumores e reduzir o risco de câncer. Já existem evidências de que atuar no metabolismo pode afetar a incidência de câncer. Como vimos, animais de laboratório submetidos a dietas com restrição calórica (RC) tendem a morrer de câncer em taxas muito menores do que animais de controle submetidos a uma dieta *ad libitum* (livre). Comer menos parece oferecer algum grau de proteção. O mesmo pode ser válido para nós: segundo um estudo de restrição calórica em seres humanos, limitar a ingestão calórica reduz diretamente a via associada à PI3K, ainda que no músculo (que não é suscetível ao câncer).[18] Isso pode ser uma consequência não de níveis mais baixos de glicose, mas da insulina reduzida.

Embora seja complicado, até mesmo impossível, evitar ou prevenir as mutações genéticas que ajudam a dar origem ao câncer, é relativamente fácil lidar com os fatores metabólicos que o alimentam. Não estou sugerindo que seja possível "matar de fome" o câncer, nem que alguma dieta específica faça o câncer desaparecer por um passe de mágica; as células cancerígenas parecem ser sempre capazes de obter o suprimento de energia de que precisam. O que estou dizendo é que não queremos estar em nenhum ponto desse espectro que vai da resistência à insulina até a diabetes tipo 2, em que o risco de câncer é claramente elevado. Para mim, essa é a forma mais fácil de prevenir o câncer, junto com parar de fumar. Colocar nossa saúde metabólica em ordem é essencial para nossa estratégia anticâncer. Na próxima seção, vamos discutir como as intervenções metabólicas também foram usadas para potencializar outros tipos de terapia contra o câncer.

Novos tratamentos

A descoberta de Lew Cantley da via PI3K levou ao desenvolvimento de toda uma classe de medicamentos com foco no metabolismo do câncer. Três desses medicamentos, conhecidos como inibidores de PI3K, foram aprovados pela FDA para certas leucemias e linfomas recidivantes, e, no final de 2019, um quarto foi aprovado para câncer de mama. Mas eles não pareciam funcionar tão bem quanto o previsto, dado o papel proeminente da PI3K nas vias de crescimento das células cancerígenas. Além disso, tinham o incômodo efeito colateral de aumentar o nível de glicose no sangue, o que, por sua vez, provocava um salto nos níveis de insulina e IGF-1 conforme a célula tenta contornar a inibição da PI3K — justamente o que queríamos evitar, segundo essa teoria.

Essa questão veio à tona durante um jantar em 2014, quando me encontrei com Cantley, que era então diretor do Centro Oncológico Meyer, da Escola de Medicina Weill Cornell, em Manhattan, e Siddhartha Mukherjee, que é oncologista, pesquisador e vencedor do Pulitzer pelo livro *O imperador de todos os males*, uma "biografia" do câncer.[19] Eu era um grande fã do trabalho de Sid, então estava animado para me sentar com aqueles dois gigantes da oncologia.

No jantar, contei sobre um caso em que um tratamento medicamentoso inibidor de PI3K foi aprimorado por um tipo de terapia metabólica. Eu só pensava nesse assunto, porque a paciente era esposa de um amigo muito próximo. Seis anos antes, Sandra (nome fictício) havia sido diagnosticada com câncer de mama, que se espalhara para os gânglios linfáticos e os ossos. Devido ao prognóstico desfavorável, ela cumpria os requisitos para o ensaio clínico de um medicamento experimental inibidor de PI3K, associado a terapias-padrão.

Sandra era uma paciente muito motivada. Desde o diagnóstico, ela ficou obcecada em fazer o possível para melhorar suas chances de cura. Devorou tudo o que pôde sobre o impacto da nutrição no câncer e chegou à conclusão de que uma dieta que reduzisse a insulina e o IGF-1 ajudaria em seu tratamento. Então, elaborou um regime que consistia principalmente em vegetais folhosos, azeite, abacate, oleaginosas e quantidades modestas de proteína, essencialmente peixe, ovos e aves. A dieta era igualmente notável pelo que não continha: açúcar adicionado e carboidratos refinados. Ao longo de todo esse tempo, ela fez exames de sangue com regularidade, para garantir que os níveis de insulina e IGF-1 permanecessem baixos, o que aconteceu.

Nos anos seguintes, todas as outras mulheres inscritas no ensaio na mesma clínica que ela foram morrendo. Todas. As pacientes fizeram quimioterapia de última geração somada ao inibidor de PI3K, mas o câncer de mama metastático ainda assim venceu. O ensaio teve de ser interrompido, porque ficou evidente que os medicamentos não estavam funcionando. Com exceção de Sandra. Por que ela ainda estava viva, enquanto centenas de outras mulheres com a mesma doença, no mesmo estágio, não? Seria ela meramente sortuda? Ou será que sua dieta, bastante rigorosa, que provavelmente inibia a insulina e o IGF-1, tinha desempenhado algum papel em seu destino?

Meu palpite era que sim. Acho que devemos prestar atenção a esses pontos fora da curva, esses sobreviventes "milagrosos". Ainda que sejam apenas anedotas, tais casos podem conter informações úteis sobre essa doença letal e misteriosa. Como dizia Steve Rosenberg: "Esses pacientes nos ajudam a fazer as perguntas certas."

No entanto, em sua *magnum opus* de 592 páginas sobre o câncer, publicada em 2010, Mukherjee mal escreveu uma palavra sobre metabolismo e terapias metabólicas. Posteriormente, ele me disse que parecia prematuro escrever sobre isso. Quando contei essa história durante o jantar, ele pareceu interessado, mas cético. Cantley pegou um guardanapo e começou a rabiscar um gráfico:

o problema dos inibidores de PI3K, explicou ele, era que, ao desativar a via PI3K relacionada à insulina, eles acabavam *aumentando* os níveis de insulina e glicose. Como a glicose é impedida de entrar na célula, uma quantidade maior permanece na corrente sanguínea. O corpo, então, acha que precisa produzir mais insulina para se livrar de toda aquela glicose, possivelmente anulando alguns dos efeitos do fármaco ao ativar a PI3K. E se combinássemos inibidores de PI3K com uma dieta cetogênica ou minimizadora de insulina?

Daquele desenho tosco num guardanapo, nasceu um estudo. Publicado na revista *Nature* em 2018, com Mukherjee e Cantley como autores seniores, o estudo constatou que uma combinação de dieta cetogênica *e* inibidores de PI3K melhorou as respostas ao tratamento de camundongos nos quais haviam sido implantados tumores de câncer humano.[20] Os resultados são relevantes porque mostram não apenas que o metabolismo de uma célula cancerígena é um alvo válido para terapias, mas também que o estado metabólico de um paciente pode afetar a eficácia de um medicamento. Nesse caso, a dieta cetogênica dos animais parecia entrar em sinergia com o que, do contrário, seria um tratamento um tanto decepcionante, e, juntos, a dieta e o tratamento provaram ser muito mais poderosos do que sozinhos. É como no boxe, em que uma sequência geralmente se mostra muito mais eficaz do que um único golpe. Se você errar o primeiro soco, o segundo já está a caminho, mirando no ponto para onde você supõe que o oponente vai se esquivar. (Desde então, Mukherjee e Cantley formaram uma parceria em uma *start-up* para explorar ainda mais essa ideia de combinar tratamento medicamentoso com intervenções nutricionais.)

Descobriu-se que outros tipos de intervenções dietéticas ajudam a melhorar a eficácia da quimioterapia, ao mesmo tempo que limitam os danos colaterais aos tecidos saudáveis. Segundo o trabalho de Valter Longo, da Universidade do Sul da Califórnia, e seus colegas, o jejum, ou uma dieta semelhante ao jejum, não só aumenta a capacidade das células normais de resistir à quimioterapia, mas também torna as células cancerígenas mais vulneráveis ao tratamento. Pode parecer contraintuitivo recomendar jejum a pacientes com câncer, mas os pesquisadores observaram que isso não provocou nenhum efeito colateral relevante em pacientes que faziam quimioterapia e que, em alguns casos, pode ter melhorado a qualidade de vida deles. De acordo com um estudo randomizado com base em 131 pacientes com câncer submetidos à quimioterapia, aqueles que adotaram uma "dieta que simula o jejum" (basicamente, uma dieta de baixíssima caloria planejada para fornecer nutrientes essenciais e reduzir a sensação de fome) eram mais propensos a responder à quimioterapia e se sentir melhor física e emocionalmente.[21]

Isso vai de encontro à prática tradicional, que é tentar fazer com que os pacientes que estão fazendo quimioterapia comam o máximo possível, geralmente na forma de dietas com alto teor calórico e até mesmo alto teor de açúcar. A Sociedade Americana do Câncer recomenda o consumo de bolo com sorvete.[22] Mas as conclusões desses estudos sugerem que talvez não seja uma boa ideia aumentar o nível de insulina em um paciente oncológico. Mais pesquisas precisam ser realizadas, mas a hipótese é que, como as células cancerígenas são sedentas em termos metabólicos, elas são mais vulneráveis a uma redução nos nutrientes do que as células normais — ou, mais provavelmente, a uma redução nos níveis de insulina, que ativa a via PI3K essencial ao efeito de Warburg.

Esse estudo e o de Mukherjee-Cantley, que mencionamos, também apontam para outra conclusão importante deste capítulo, a de que raramente existe apenas um tipo de tratamento bem-sucedido para um câncer. Como me explicou Keith Flaherty, oncologista e diretor de desenvolvimento de tratamentos do Hospital Geral de Massachusetts, a melhor estratégia contra o câncer é provavelmente mirar em vários pontos fracos da doença, de uma só vez ou em sequência. Ao sobrepor diferentes terapias, como um inibidor de PI3K e uma dieta cetogênica, podemos combater o câncer em várias frentes, ao mesmo tempo que minimizamos as probabilidades de o tumor desenvolver resistência (por meio de mutações) a um tratamento específico. Isso está se tornando uma prática mais comum na quimioterapia convencional, mas, para que seja verdadeiramente efetivo, antes precisamos de tratamentos mais eficazes, aqueles que são mais efetivos ao distinguir as células cancerígenas que precisam ser destruídas, deixando as células saudáveis intactas e o paciente ileso.

Na próxima seção, vamos ver como o conceito, outrora exótico, de imunoterapia deu origem a várias terapias potencialmente revolucionárias contra o câncer que poderiam se encaixar nessa estratégia.

A promessa da imunoterapia

Assim como o metabolismo, a imunoterapia não é citada em *O imperador de todos os males*. Ela mal estava em jogo quando o livro foi publicado, em 2010.

Mas quando Ken Burns fez seu documentário baseado no livro, apenas cinco anos depois, tanto a imunoterapia quanto Steve Rosenberg foram apresentados com bastante destaque, o que mostra até que ponto nossa perspectiva sobre o câncer e, principalmente, a imunoterapia havia começado a mudar, no curso de apenas uma década.

O sistema imunológico é programado para distinguir o "não eu" do "eu" — isto é, identificar patógenos invasores e corpos estranhos entre as células nativas saudáveis e, então, matar ou neutralizar os agentes nocivos. Imunoterapia é qualquer terapia que tenta intensificar ou orientar o sistema imunológico para combater uma infecção ou outra condição (por exemplo, as vacinas). O problema de tratar o câncer assim é que, embora as células cancerígenas sejam anormais e perigosas, ainda são tecnicamente células do corpo (do "eu"). Elas evoluíram de forma inteligente para se esconder do sistema imunológico e, mais especificamente, das células T, os assassinos do sistema imunológico, que, em situações normais, matam as células estranhas. Portanto, para que uma imunoterapia contra o câncer funcione, precisamos ensinar o sistema imunológico a identificar e matar as células que se tornaram cancerígenas. Ele precisa ser capaz de distinguir o "eu mau" (câncer) do "eu bom" (todo o resto).

Rosenberg não foi o primeiro pesquisador a tentar orientar o sistema imunológico a se voltar contra o câncer. No final do século XIX, um cirurgião formado em Harvard chamado William Coley notou que um paciente com um tumor grave havia sido milagrosamente curado, aparentemente como resultado de uma grande infecção pós-cirúrgica. Coley começou a fazer experimentos com inoculações bacterianas que ele esperava que desencadeassem uma resposta imunológica semelhante em outros pacientes. Mas seus colegas médicos ficaram horrorizados com a ideia de injetar germes em pacientes, e, como outros pesquisadores não conseguiram reproduzir os resultados, as ideias de Coley foram deixadas de lado e tachadas de charlatanismo. No entanto, casos de remissão espontânea do câncer, como o que Rosenberg observou quando era um jovem residente, continuaram a acontecer, e ninguém sabia explicá-los. Esses casos ofereciam um vislumbre fascinante do poder de cura do corpo humano.

Não foi um problema de fácil solução. Rosenberg testou várias abordagens, sem sucesso. Uma "vacina" contra o câncer não deu em nada. Ele passou muitos anos experimentando a interleucina-2 (IL-2), uma citocina que desempenha um papel importante na resposta imunológica (basicamente intensifica a atividade dos linfócitos, os glóbulos brancos que combatem as infecções). Funcionou em modelos animais de câncer metastático, mas os resultados em seres humanos foram mais irregulares: os pacientes tinham que passar dias, se não semanas, na UTI, e podiam facilmente morrer em decorrência dos fortes efeitos colaterais. Por fim, em 1984, uma paciente com melanoma avançado chamada Linda Taylor entrou em remissão apenas com altas doses de IL-2.

Esse foi um grande ponto de virada, porque mostrou que o sistema imunológico era, *sim*, capaz de combater o câncer. Mas os fracassos ainda eram mais numerosos do que os êxitos, já que as altas doses de IL-2 pareciam ser eficazes apenas contra o melanoma e o câncer de células renais, e em apenas de 10% a 20% dos pacientes com esses dois tipos de câncer.* Era uma abordagem muito vaga para um problema que exigia maior precisão. Então Rosenberg voltou sua atenção especificamente para as células T. Como elas poderiam ser treinadas para detectar e atacar células cancerígenas?

Levou muitos anos e muitas tentativas, mas Rosenberg e sua equipe adaptaram uma técnica desenvolvida em Israel que envolvia retirar células T do sangue de um paciente e, por meio de engenharia genética, adicionar receptores de antígenos específicos para os tumores do paciente. Assim, as células T eram programadas para combater o câncer do paciente. Conhecidas como células T com receptores de antígenos quiméricos (ou CAR-T, na sigla em inglês), elas podiam ser multiplicadas em laboratório e depois transfundidas de volta no paciente.

Em 2010, Rosenberg e sua equipe comunicaram seu primeiro caso bem-sucedido no tratamento CAR-T, em um paciente com linfoma folicular avançado que havia passado por várias rodadas de tratamentos convencionais, incluindo quimioterapia e um outro tipo de imunoterapia, sem sucesso.[23] Outros grupos também se debruçaram sobre a técnica, e, por fim, em 2017 os dois primeiros tratamentos baseados em CAR-T foram aprovados pela FDA (o que fez deles as primeiras terapias celulares e genéticas aprovadas pelo órgão), um para linfoma em adultos e outro para leucemia linfoblástica aguda, o tipo de câncer mais comum em crianças. Foram precisos quase cinquenta

* Na época, o motivo não ficou claro, mas hoje sabemos que a abordagem funcionou porque esses dois tipos de câncer tendem a ter um grande número de mutações genéticas, o que significa que existe maior probabilidade de o sistema imunológico identificar as células cancerígenas como nocivas e atacá-las.

anos, mas a outrora bizarra teoria de Steve Rosenberg finalmente deu origem a uma inovação.

Por mais elegantes que sejam, no entanto, os tratamentos CAR-T funcionaram apenas contra um tipo específico de câncer chamado linfoma de células B. Todas as células B, normais ou cancerígenas, expressam uma proteína chamada CD19, que é o alvo usado pela célula CAR-T para identificá-las e exterminá-las. Como podemos viver sem elas, o tratamento CAR-T funciona destruindo *todas* as células portadoras da CD19. Infelizmente, ainda não descobrimos um marcador semelhante para outros tipos de câncer.

Se quisermos reduzir as taxas gerais de mortalidade por câncer, precisamos de uma classe de tratamentos mais bem-sucedida em termos gerais. Felizmente, a abordagem da imunoterapia continuou a evoluir. Hoje, pouco mais de uma década depois, alguns medicamentos contra o câncer baseados em imunoterapia já foram aprovados. Além do CAR-T, existe uma classe de medicamentos chamados "inibidores de *checkpoint*", que adotam uma abordagem oposta à das terapias baseadas em células T. Em vez de ativar as células T para combater o câncer, os inibidores de *checkpoint* ajudam a tornar o câncer visível para o sistema imunológico.

Para resumir uma longa e fascinante história,* um pesquisador do Texas chamado James Allison, que trabalha com imunoterapia há quase tanto tempo quanto Steve Rosenberg, descobriu que as células cancerígenas se escondem do sistema imunológico explorando os chamados *checkpoints* que normalmente ficam a cargo de regular as células T e impedi-las de perder o controle e atacar as células normais, o que provocaria doenças autoimunes. Em suma, os *checkpoints* perguntam às células T, pela última vez: "Tem *certeza* de que você quer matar esta célula?"

Allison descobriu que, ao bloquear *checkpoints* específicos, particularmente um chamado CTLA-4, você efetivamente expõe ou desmascara as células cancerígenas e as células T as destroem. Ele testou a técnica em camundongos propensos a ter câncer e, em um dos primeiros experimentos, chegou ao laboratório certo dia e constatou que todos os camundongos submetidos à terapia

* Para saber mais sobre a história da imunoterapia, leia o livro, *The Breakthrough* ("O ponto de virada", em tradução livre), de Charles Graeberm, publicado em 2018, que detalha o trabalho de Jim Allison com os inibidores de *checkpoint*.

de inibição de *checkpoint* ainda estavam vivos, enquanto todos os que não receberam o tratamento estavam mortos. É bacana quando os resultados são tão claros que você nem precisa fazer uma análise estatística.

Em 2018, Allison dividiu o Prêmio Nobel com o cientista japonês Tasuku Honjo, que pesquisava um *checkpoint* ligeiramente diferente chamado PD-1. O trabalho dos cientistas levou à aprovação de dois medicamentos inibidores de *checkpoint*, o ipilimumab (Yervoy) e o pembrolizumab (Keytruda), visando ao CTLA-4 e ao PD-1, respectivamente.

Todos os trabalhos premiados pelo Nobel são impressionantes, mas sou bastante tendencioso em relação a esses dois. Os inibidores de *checkpoint* não apenas salvaram a vida de um terceiro ganhador do Nobel, o ex-presidente dos Estados Unidos Jimmy Carter, que foi tratado com Keytruda para um melanoma metastático em 2015, como também a de um grande amigo meu, um colega de profissão que chamarei de Michael. Com apenas quarenta e poucos anos, ele foi diagnosticado com um tumor muito grande no cólon que exigia cirurgia imediata. Ainda me lembro da capa da revista que folheei ansioso na sala de espera, durante o procedimento. Michael é a alma mais gentil que já conheci, e seu brilhantismo e sagacidade eram capazes de fazer o pior dos dias parecer agradável nos anos em que trabalhamos juntos. Eu me recusava a perdê-lo.

A família e os amigos ficaram eufóricos porque a cirurgia foi considerada bem-sucedida e o relatório de patologia não encontrou nenhum sinal de câncer nos gânglios linfáticos próximos, apesar do tamanho avançado do tumor primário. Alguns meses depois, nossa alegria se transformou em desespero quando soubemos que o câncer de Michael era resultado de uma condição genética chamada síndrome de Lynch. Pessoas com essa síndrome geralmente sabem que a têm, porque ela é herdada como dominante. Mas Michael era adotado, então não fazia ideia de que corria risco. As mutações que definem essa condição não só garantem que seus portadores desenvolvam câncer de cólon precocemente, como aconteceu com Michael, mas também indicam um risco muito elevado de ter outros tipos de câncer. Dito e feito: cinco anos depois de ter se livrado do câncer de cólon, Michael me ligou para dizer que estava com um adenocarcinoma pancreático. Essa notícia era ainda mais angustiante porque, como nós dois sabíamos, esse tipo de câncer é fatal na quase totalidade dos casos.

Michael marcou uma consulta com o melhor cirurgião de pâncreas da região onde morava, que confirmou o pior: não era possível operar. O câncer estava muito avançado. Meu amigo teria, no máximo, de nove a doze meses de vida.

Para piorar, Michael e a esposa haviam acabado de se tornar pais de gêmeas naquele mesmo ano. Mas o *New England Journal of Medicine* havia publicado fazia pouco tempo um estudo que mostrava que alguns pacientes com deficiência de pareamento incorreto (comum na síndrome de Lynch) foram tratados com sucesso com Keytruda, o medicamento anti-PD-1.[24] Era um tiro no escuro, mas pelo menos era plausível que Michael se beneficiasse dessa substância. Os médicos concordaram em submetê-lo aos exames, que confirmaram que meu amigo era realmente um candidato ao tratamento com Keytruda. Ele foi logo inscrito em um ensaio clínico. Embora não houvesse uma garantia da eficácia do fármaco em todos os pacientes, funcionou com Michael, direcionando seu sistema imunológico a agir contra o tumor e, por fim, erradicando todos os sinais de câncer pancreático em seu corpo.

Portanto, hoje pela segunda vez ele está livre do câncer e muito grato por ter sobrevivido a uma doença que poderia tê-lo matado quando suas filhas gêmeas ainda usavam fraldas. Agora ele pode vê-las crescer. O preço a pagar é que, enquanto atacava o câncer, seu sistema imunológico foi um pouco longe demais e destruiu também o pâncreas. Em consequência disso, Michael hoje tem diabetes tipo 1, já que não produz mais insulina. Ele perdeu o pâncreas, mas sua vida foi salva. Parece uma troca justa, no fim das contas.

Michael foi um dos sortudos. Até o momento, os vários tratamentos aprovados no campo da imunoterapia ainda beneficiam apenas uma porcentagem relativamente pequena dos pacientes. Cerca de um terço dos cânceres pode ser tratado com imunoterapia, e, entre esses pacientes, apenas um quarto efetivamente se beneficiará (ou seja, sobreviverá). Isso significa que apenas 8% das mortes por câncer em potencial podem ser evitadas pela imunoterapia, de acordo com uma análise dos oncologistas Nathan Gay e Vinay Prasad.[25] Quando esse tratamento funciona, funciona mesmo, mas só em um pequeno número de pacientes e a um grande custo. No entanto, apenas duas décadas atrás — quando me desapontei durante minha formação em cirurgia oncológica —, pacientes como o ex-presidente Carter ou meu amigo Michael, além de inúmeros outros, teriam morrido.

Mas eu (e outros pesquisadores que sabem muito mais do que eu) acredito que tivemos apenas uma pequena amostra do que pode ser conquistado por meio da imunoterapia.

Uma hipótese que está sendo explorada atualmente é a combinação de imunoterapia com outros tratamentos. Um artigo recente descreve um ensaio clínico em que uma quimioterapia baseada em platina foi usada em combinação com um inibidor de *checkpoint*, resultando em melhor sobrevida global em pacientes com câncer de pulmão.[26] Esses pacientes não eram sensíveis apenas ao inibidor do *checkpoint*, mas algo relacionado à quimioterapia tornou o câncer mais sensível, ou mais "visível", por assim dizer, à imunoterapia. É uma extensão da ideia de sobreposição de terapias que mencionamos anteriormente.

Para tornar a imunoterapia mais eficaz, precisamos desenvolver formas de ajudar as células imunológicas a detectar e matar uma gama mais ampla de cânceres, não apenas alguns tipos específicos. De acordo com análises genéticas, cerca de 80% dos cânceres epiteliais (isto é, tumores de órgãos sólidos) possuem mutações que o sistema imunológico é capaz de reconhecer,[27] tornando-os, assim, potencialmente vulneráveis a tratamentos imunoterápicos.

Uma técnica muito promissora é chamada de terapia celular adotiva (ou transferência de células adotivas, ACT na sigla em inglês). A ACT é uma classe de imunoterapia em que células T suplementares são transferidas para um paciente, como reforços a um exército, para aumentar a capacidade de combater o tumor. Essas células foram programadas geneticamente com antígenos que visam especificamente ao tipo de tumor do paciente. É semelhante à terapia com células CAR-T, de que falamos, mas com um escopo muito mais amplo. À medida que o câncer cresce, ele logo supera a capacidade do sistema imunológico de detectá-lo e matá-lo; simplesmente não há células T suficientes para isso, ainda mais quando o câncer atinge o ponto de detecção clínica. É por isso que a remissão espontânea, como aconteceu com James DeAngelo, é tão rara. A ideia por trás da ACT é basicamente sobrecarregar o câncer com um grande número de células T direcionadas a ele, como suplementar um exército com uma brigada de soldados bem-treinados.

Existem duas formas de realizar a ACT. Uma delas envolve pegar uma amostra do tumor de um paciente e isolar as células T que identificam o tumor como uma ameaça. São os chamados linfócitos infiltrantes tumorais (TILs, na sigla em inglês), mas pode haver apenas alguns milhões deles, insuficientes para responder plenamente ao tumor. Ao remover os TILs do corpo e multiplicá-los por um fator de mil ou mais, e reinfundi-los no paciente, podemos esperar uma resposta muito melhor. Na segunda forma, as células T podem ser colhidas do sangue do paciente e modificadas geneticamente para identificar o tumor específico. Cada abordagem tem vantagens e desvantagens,* mas a parte interessante é que na ACT um novo medicamento anticancerígeno é desenvolvido de maneira personalizada para cada paciente.

Trata-se, obviamente, de uma proposta cara e um processo bastante trabalhoso, mas muito promissor. A prova de conceito está dada, mas ainda são necessários mais esforços, não só para melhorar a eficácia da abordagem, mas também para permitir que esse tratamento seja oferecido de maneira mais ampla e facilitada. E embora o custo possa parecer exorbitante, gostaria de enfatizar que a quimioterapia convencional também é muito cara — e as remissões proporcionadas por esse tratamento quase nunca são permanentes.

Uma característica marcante do tratamento imunológico do câncer é que, quando funciona, funciona mesmo. Não é raro um paciente com câncer metastático entrar em remissão após a quimioterapia. O problema é que ela praticamente não dura. O câncer quase sempre volta, de alguma forma. No entanto, quando os pacientes respondem à imunoterapia e entram em remissão completa, geralmente *permanecem* em remissão. Entre 80% e 90% dos que respondem integralmente à imunoterapia continuam livres da doença quinze anos depois.[28] Isso é extraordinário — muito melhor do que o horizonte temporal de curto prazo, de cinco anos, quando normalmente declaramos a vitória no tratamento convencional. Há uma certa hesitação no uso da palavra *cura*, mas, em pacientes que respondem à imunoterapia, é seguro presumir que o câncer desapareceu por completo.

O que importa é que existe esperança. Pela primeira vez na vida estou testemunhando um avanço na guerra contra o câncer, se é que ainda podemos chamá-la assim. Hoje existem tratamentos capazes de salvar, e que salvam, a vida de milhares de pessoas que inevitavelmente teriam morrido apenas uma década antes. Há vinte anos, a expectativa de vida de alguém com melanoma metastático era de cerca de seis meses, em média. Hoje essa expectativa é de 24 meses, sendo que cerca de 20% dos pacientes são completamente curados.

---

* Por exemplo, os TILs, por definição, já demonstraram afinidade com o tumor, porém podem "envelhecer" ainda mais à medida que se multiplicam (as células "envelhecem" cada vez que se dividem), perdendo um pouco de sua potência. Por outro lado, as células T geneticamente modificadas tendem a ser mais jovens e mais fáceis de cultivar, mas não têm necessariamente a mesma capacidade de exterminar tumores que os TILs.

Isso representa um progresso mensurável, que se deve quase inteiramente à imunoterapia. A detecção precoce aprimorada do câncer, da qual vamos falar na seção final deste capítulo, provavelmente vai tornar nossos tratamentos de imunoterapia ainda mais eficazes.

A imunoterapia percorreu um caminho difícil e quase foi descartada em muitos momentos ao longo do trajeto. No fim, ela sobreviveu porque a utopia de seu sucesso acabou não sendo tão utópica assim, pela determinação e persistência de cientistas visionários como James Allison, Tasuku Honjo, Steve Rosenberg, entre outros, que persistiram mesmo quando seus trabalhos pareciam inúteis e, talvez, insanos.

Detecção precoce

A ferramenta final, e talvez a mais importante do nosso arsenal anticancerígeno, é o rastreamento precoce e agressivo. Este continua sendo um tema polêmico, mas são esmagadoras as evidências de que a detecção precoce do câncer é quase sempre benéfica.

Infelizmente, o mesmo problema com que me deparei na residência médica perdura ainda hoje: muitos cânceres são detectados tarde demais, depois de terem crescido e sofrido metástase. Pouquíssimos tratamentos funcionam contra tumores em estágio avançado; na maioria dos casos, com exceção dos poucos que respondem à imunoterapia, o melhor que se pode esperar é retardar um pouco a morte. A taxa de sobrevivência em dez anos para pacientes com câncer metastático é quase a mesma de cinquenta anos atrás: zero. Precisamos fazer mais do que torcer para que surjam novos tratamentos.

Quando o câncer é detectado precocemente, no estágio I, as taxas de sobrevivência são enormes. Isso se deve, em parte, à matemática simples: em estágio inicial, o câncer envolve menos células cancerígenas no total, com menos mutações, e, portanto, é mais vulnerável ao tratamento com os medicamentos que temos hoje, incluindo algumas imunoterapias. Eu me arriscaria a dizer que a detecção precoce é nossa *maior* esperança no que diz respeito à redução radical da mortalidade por câncer.

Essa afirmação faz sentido em termos intuitivos, mas é embasada também por uma análise superficial dos dados que comparam as taxas de sucesso no tratamento de cânceres específicos no cenário metastático *versus* adjuvante (ou seja, pós-cirúrgico). Vejamos primeiro o câncer de cólon. Um paciente com câncer de cólon metastático, o que significa que a doença se espalhou além do cólon e dos gânglios linfáticos adjacentes, indo para outra parte do corpo, como o fígado, normalmente será tratado com uma combinação de três medicamentos conhecida como regime FOLFOX. Esse tratamento proporciona um tempo médio de sobrevida de cerca de 31,5 meses,* o que significa que cerca de metade dos pacientes vive mais do que isso e metade, não. Independentemente disso, quase nenhum deles estará vivo em dez anos. Se um paciente for submetido a uma cirurgia bem-sucedida para câncer de cólon em estágio III, o que significa que todo o câncer foi removido e não houve disseminação visível para órgãos distantes, procede-se a seguir a exatamente o mesmo regime FOLFOX. Mas, nesse cenário, 78,5% desses pacientes sobreviverão por mais *seis* anos — mais que o dobro da média dos pacientes metastáticos —, e 67% deles ainda estarão vivos dez anos após a cirurgia.[29] É uma diferença impressionante.

Então, o que explica isso? A diferença tem a ver com o volume geral de células cancerígenas em cada paciente. No câncer metastático avançado, existem dezenas, senão centenas de bilhões de células cancerígenas que precisam de tratamento. Em um câncer menos avançado, embora ainda que sem dúvida existam milhões, senão bilhões, de células cancerígenas que escaparam do bisturi do cirurgião, a contagem muito menor significa que elas também sofrerão menos mutações e, portanto, apresentarão menos resistência ao tratamento.

Isso também se aplica a pacientes com câncer de mama. A expectativa média de sobrevida para pacientes com câncer de mama metastático HER2positivo** é de pouco menos de cinco anos, com um tratamento-padrão que consiste em três medicamentos quimioterápicos. Mas se a paciente tiver um tumor HER2+ menor (< 3cm), localizado e removido cirurgicamente, além de tratamento adjuvante com apenas dois desses quimioterápicos, ela terá 93% de chance de viver por pelo menos mais sete anos sem a doença.[30] Quanto menor a carga tumoral geral da paciente, mais eficazes tendem a ser os medicamentos — e maiores as chances de sobrevida. Novamente, assim como na imunotera-

---

* Para 95% dos pacientes com câncer de cólon metastático.

** Por HER2+, queremos dizer que há uma expressão do receptor 2 do fator de crescimento epidérmico humano, um receptor de proteína que fica na superfície das células do câncer de mama e promove o crescimento. Ele está superexpresso em aproximadamente 30% dos casos de câncer de mama.

pia, é uma questão matemática: quanto menos células cancerígenas, maiores as probabilidades de sucesso.

O problema é que não somos muito bons em detectar o câncer nesses estágios iniciais — por enquanto. Entre dezenas de tipos de câncer, temos métodos de rastreamento confiáveis para apenas *cinco*: de pulmão (para fumantes), de mama, de próstata, colorretal e cervical. Mesmo assim, as diretrizes convencionais não têm recomendado alguns tipos de rastreamento precoce, como a mamografia em mulheres e os exames de sangue para PSA, o antígeno específico da próstata, em homens. Isso tem a ver, em parte, com o custo e, em parte, com o risco de falsos positivos que podem levar a tratamentos desnecessários ou mesmo perigosos (implicando mais custos ainda). Ambas as questões são válidas, mas vamos deixar de lado a do custo e focar a dos falsos positivos.

Segundo a Medicina 2.0, como determinados exames apresentam falsos positivos de maneira significativa, não devemos fazer esses exames na maioria das pessoas, ponto final. Mas, se colocarmos as lentes da Medicina 3.0, veremos de outra forma: esses exames têm o potencial de serem úteis e são praticamente tudo o que temos. Então, como fazer com que sejam mais proveitosos e acurados?

Em todo exame de diagnóstico, existe um delicado equilíbrio entre a *sensibilidade*, isto é, a capacidade de detectar uma condição existente (ou seja, a taxa de verdadeiros positivos, expressa em porcentagem), e a *especificidade*, que é a capacidade de determinar que alguém *não* tem essa condição (ou seja, a taxa de verdadeiros negativos). Juntas, elas representam a precisão geral do exame. No entanto, também é preciso levar em conta a prevalência da doença na população-alvo. Qual é a probabilidade de a pessoa que está fazendo o exame ter aquela condição? A mamografia tem uma sensibilidade na casa dos 80% e uma especificidade na casa dos 90%. Mas se examinarmos uma população de risco relativamente baixo, em que talvez 1% dela tenha câncer de mama, mesmo um exame com sensibilidade aceitável gerará um número razoavelmente alto de falsos positivos. De fato, nesse grupo de baixo risco, o "valor preditivo positivo" da mamografia é de apenas 10% — o que significa que, se o exame der positivo, há apenas uma chance em dez de a pessoa realmente ter câncer de mama. Em outras populações, com maior prevalência geral (e risco), o exame é muito mais efetivo.

O exemplo da mamografia ilustra por que precisamos ser muito estratégicos em relação a *quem* deve fazer o exame e qual pode ser o perfil de risco, e entender o que o exame pode ou não dizer. Nenhum exame de diagnóstico isolado, para o que quer que seja, é 100% preciso. Portanto, é estupidez confiar em apenas um exame, não apenas no caso do câncer de mama, mas também em muitas outras áreas. Precisamos pensar em termos de sobreposição de modalidades de exames, incorporando ultrassom e ressonância magnética além da mamografia, por exemplo, ao investigar a presença de câncer de mama. Com múltiplos exames, nossa resolução melhora, e menos procedimentos desnecessários serão realizados.

Resumindo, o problema não são os exames em si, mas a forma como os usamos. O rastreamento do câncer de próstata fornece um exemplo ainda melhor. Não é mais tão simples como "Seu PSA é de pelo menos X, portanto, devemos fazer uma biópsia de sua próstata, um procedimento doloroso com muitos possíveis efeitos colaterais desagradáveis". Hoje sabemos observar outros parâmetros, como a velocidade do PSA (a rapidez com que ele muda ao longo do tempo), a densidade do PSA (o valor normalizado do antígeno para o volume da próstata) e o PSA livre (a comparação entre a quantidade do antígeno que está ligado *versus* a do que não está ligado a proteínas transportadoras no sangue). Quando esses fatores são levados em consideração, o PSA se torna um indicador muito melhor do risco de câncer de próstata.

Além disso, há outros exames, como o 4Kscore, que rastreia proteínas específicas que nos dão uma ideia melhor de quão agressivo e potencialmente perigoso é o câncer. A pergunta-chave é: o paciente morrerá *com* câncer de próstata, como acontece com muitos homens, ou morrerá *por causa* dele? Preferimos não atrapalhar a vida dele ou prejudicá-lo enquanto tentamos descobrir. Atualmente, quando esses exames são combinados com a ressonância magnética multiparamétrica, o resultado é uma baixa probabilidade de se realizar uma biópsia ou cirurgia desnecessária.

Existe uma controvérsia semelhante, porém mais silenciosa, em torno do rastreamento do câncer colorretal (CCR), que há muito é um rito de passagem da meia-idade.* O objetivo da colonoscopia é procurar não apenas tumores

* Existem vários métodos de rastreamento do câncer de cólon, divididos em duas categorias: exames baseados em fezes e exames de visualização direta. Os primeiros são essencialmente uma triagem para uma triagem. Um resultado positivo em um exame de fezes pede um exame de colón de visualização direta: ou uma retossigmoidoscopia flexível, que permite ao endoscopista visualizar a parte inferior do cólon (incluindo o sigmoide e o cólon descendente), ou uma colonoscopia tradicional, que examina todo o cólon. Na minha opinião, nenhum dos exames se compara a uma colonoscopia.

inteiros, mas também pólipos, isto é, agregados que se formam no revestimento do cólon. A maioria dos pólipos se mantém pequena e inofensiva e nunca se transforma em um câncer, mas alguns têm o potencial de se tornar malignos e invadir a parede do cólon. Nem todo pólipo se torna um câncer, mas todo câncer de cólon vem de um pólipo. É isso que faz da colonoscopia uma ferramenta tão poderosa. O endoscopista é capaz não só de detectar agregados potencialmente cancerígenos antes que se tornem perigosos, mas também de intervir no local, usando instrumentos no colonoscópio para remover pólipos para análise posterior. Rastreamento e cirurgia são combinados em um único procedimento. É uma ferramenta incrível.

As diretrizes tradicionais recomendam exames que detectam o câncer colorretal para pessoas com risco médio entre os 50 e os 75 anos. Nos Estados Unidos, esses exames preventivos são inteiramente cobertos pela Lei de Proteção e Cuidado Acessível ao Paciente, e, se nenhum pólipo for encontrado e o paciente for de risco médio, o procedimento só precisa ser repetido a cada dez anos, de acordo com as diretrizes em vigor. Mas existem amplas evidências de que pode ser tarde demais fazer um primeiro rastreamento aos cinquenta anos, mesmo em pacientes com fator de risco médio (ou seja, sem histórico familiar de câncer de cólon nem histórico pessoal de doença inflamatória intestinal). Cerca de 70% das pessoas diagnosticadas com CCR antes dos cinquenta anos não têm histórico familiar ou condições hereditárias ligadas à doença.[31] Em 2020, cerca de 3.640 americanos morreram de câncer colorretal antes de completar cinquenta anos[32] — e, dada a progressão lenta da doença, é provável que muitos dos que morreram depois disso já a tivessem em seu quinquagésimo aniversário. É por isso que, em 2018, as diretrizes da Sociedade Americana do Câncer foram atualizadas, reduzindo para 45 anos a idade para pessoas com risco médio.

Na minha prática médica, vamos além, incentivando indivíduos de risco médio a fazer uma colonoscopia aos quarenta anos — e mais cedo ainda, se algo em seu histórico sugerir que eles podem correr maior risco. Em seguida, repetimos o procedimento a cada dois ou três anos, a depender das descobertas da colonoscopia anterior. Se um pólipo séssil (plano) for encontrado, por exemplo, a tendência é repeti-lo mais cedo do que se o endoscopista não encontrar nada. Dois ou três anos podem parecer uma janela de tempo muito curta para repetir um procedimento tão complexo, mas já foi documentado o surgimento de câncer de cólon em um período de apenas seis meses a dois anos após uma colonoscopia normal. Melhor prevenir do que remediar.*

Por que geralmente recomendo uma colonoscopia mais cedo do que pedem as diretrizes? Em grande parte, porque, entre os principais tipos de tumor, o câncer colorretal é um dos mais fáceis de detectar, com o maior retorno em termos de redução de risco. Continua sendo um dos cinco tipos de câncer mais letais nos Estados Unidos, atrás do de pulmão (nº 1) e de mama/próstata (nº 2 para mulheres/homens), logo à frente do de pâncreas (nº 4) e de fígado (nº 5). Desses cinco, porém, o CCR é o que apresenta a melhor chance de detecção precoce. Como cresce em um local relativamente acessível, o cólon, podemos vê-lo sem a necessidade de técnicas de imagem ou biópsia cirúrgica. Por ser tão facilmente observado, entendemos sua progressão de tecido normal para pólipo e tumor. Encontrá-lo cedo faz uma grande diferença, pois podemos eliminar efetivamente os pólipos ou agregados. Quem dera pudéssemos fazer o mesmo com as placas arteriais.

Meu argumento é que é bem melhor fazer o rastreamento muito cedo do que correr o risco de fazê-lo tarde demais. Pense em como o risco é assimétrico: é possível que *não* fazer o rastreamento precoce e com frequência suficiente seja a opção mais perigosa.**

Entre os outros tipos de câncer que são relativamente fáceis de detectar no exame, estão o câncer de pele e melanomas. O Papanicolau, para câncer do colo do útero, é outro exame certificado e pouco invasivo que recomendo

---

* Segundo um estudo publicado em 2022, o risco de CCR foi reduzido em apenas 18% (relativo) e 0,22% (absoluto) em pessoas aconselhadas a fazer uma colonoscopia em um período de dez anos, em comparação com as não aconselhadas. No entanto, apenas 42% daquelas que foram aconselhadas a fazer uma colonoscopia realmente o fizeram, e só fizeram uma durante o período do estudo. Eu diria que isso não foi um teste da eficácia da colonoscopia frequente para a prevenção do CCR, mas, sim, um teste da eficácia de aconselhar as pessoas a fazer uma colonoscopia com regularidade.

** Para aqueles em busca de orientações mais detalhada, isto é o que escrevi (Attia 2020a) em uma postagem sobre o rastreamento do CCR há alguns anos: "Antes da sua primeira colonoscopia, existem algumas coisas que você pode fazer para melhorar sua relação risco-benefício. Você deve perguntar qual é a taxa de detecção de adenoma (TDA) do seu endoscopista. A TDA é a proporção de indivíduos submetidos a uma colonoscopia que têm um ou mais adenomas (ou pólipos do cólon) detectados. As referências para TDA são maiores que 30% nos homens e maiores que 20% nas mulheres. Você também deve perguntar ao seu endoscopista quantas perfurações ele ou ela causou, especificamente, bem como quaisquer outras complicações graves, como episódios de sangramento intestinal importante (em um exame de rotina). Outra pergunta que você deve fazer é qual é o tempo de retirada do seu endoscopista, definido como a quantidade de tempo gasto observando enquanto o colonoscópio é retirado durante uma colonoscopia. Um tempo de retirada mais longo indica uma inspeção mais completa. Uma retirada de 6 minutos é, atualmente, o tempo padrão."

às minhas pacientes fazer anualmente. Quando falamos de cânceres que se desenvolvem *dentro* do corpo, nos órgãos internos, as coisas ficam mais complicadas. Não podemos vê-los diretamente, então temos que confiar em tecnologias de imagem, como tomografias computadorizadas de baixa dose para câncer de pulmão. Atualmente, esses exames são recomendados para fumantes e ex-fumantes, mas (como sempre) acho que deveriam ser usados de maneira mais ampla, porque cerca de 15% dos casos de câncer de pulmão acometem pessoas que *nunca* fumaram. O câncer de pulmão é a primeira causa de mortes por câncer no geral, mas o de pulmão em pessoas que nunca fumaram ocupa o sétimo lugar.

A ressonância magnética tem uma vantagem clara sobre a tomografia computadorizada, pois não produz radiação ionizante, mas ainda oferece uma boa resolução. Uma técnica mais recente que pode aumentar a capacidade de uma ressonância magnética de identificar um câncer é a chamada imagem ponderada em difusão com subtração de fundo (DWI, na sigla em inglês). A ideia por trás da DWI é observar o movimento da água no tecido e ao redor dele, em diferentes momentos muito próximos uns dos outros (entre dez e cinquenta microssegundos, normalmente). Se a água estiver retida ou presa, isso pode indicar a presença de um aglomerado compactado de células, um possível tumor. Portanto, quanto maior a densidade das células, mais brilhante o sinal na fase DWI da ressonância magnética, tornando essa técnica na prática um "detector de protuberâncias" radiográfico. No momento, a DWI funciona melhor no cérebro, porque é a região menos afetada pelos movimentos do paciente.

Continuo acreditando que a DWI pode ser aprimorada com o tempo, com otimização de software e padronização da técnica. Apesar de tudo, mesmo uma ferramenta tão avançada quanto ela não deixa de ter problemas, se empregada isoladamente. Embora a sensibilidade desse exame seja bastante alta (o que significa que ele é muito bom para encontrar câncer se houver câncer, ou seja, produz poucos falsos negativos), a especificidade é relativamente baixa (o que significa que não é tão bom em dizer quando você não tem câncer, daí muitos falsos positivos). Essa é a inevitável barganha, o *yin-yang*, talvez, entre a sensibilidade e a especificidade. Quanto mais se aumenta uma, mais se diminui a outra.*

* A especificidade da ressonância magnética é nomeadamente reduzida pelo tecido glandular. A RM é tão boa na detecção de câncer nas glândulas que exagera significativamente. A tireoide talvez seja o foco mais recorrente.

Eu digo aos pacientes que, se forem fazer uma ressonância magnética de corpo inteiro, há uma boa chance de perseguirmos um nódulo da tireoide (ou outro) desnecessariamente, em detrimento de dar uma boa olhada nos demais órgãos. Em consequência disso, cerca de um quarto dos meus pacientes, de modo compreensível, optam por não se submeter a esse exame. O que me leva à próxima ferramenta no kit de rastreamento do câncer, que pode equilibrar o problema da alta sensibilidade/baixa especificidade dos exames de imagem.

Estou cautelosamente otimista sobre o surgimento das chamadas "biópsias líquidas", que buscam detectar a presença de câncer por meio de um exame de sangue.* Elas são usadas em duas situações: para detectar o reaparecimento de tumores em pacientes após o tratamento, e para o rastreamento de câncer em pacientes saudáveis, um campo excitante e dinâmico chamado detecção precoce de múltiplos cânceres.

Max Diehn, um dos meus colegas da faculdade de medicina e hoje professor de oncologia em Stanford, está na vanguarda dessa pesquisa desde 2012. Max e seus colegas começaram fazendo uma pergunta aparentemente simples. Depois que um paciente com câncer de pulmão tenha sido submetido a uma ressecção do tumor, existe alguma forma de um exame de sangue ser usado em busca de sinais de reaparecimento do tumor?

Historicamente, isso tem sido feito por meio de exames de imagem, como tomografias computadorizadas, que nos permitem "ver" o tumor. Apesar da exposição à radiação, o principal problema é que esses exames não têm uma resolução muito alta. É muito difícil identificar um câncer com menos de um centímetro de diâmetro nessas tecnologias de imagem. Mesmo que se presuma que esse nódulo de um centímetro é a única coleção de células cancerígenas no corpo do paciente (não é uma boa suposição; o camundongo na ratoeira raramente é o único na casa), ainda se trata de mais de um bilhão de células cancerígenas no momento em que se atinge o "piso" da detecção tradicional. Se pudéssemos detectar esses cânceres reincidentes mais cedo, poderíamos ter chances melhores de manter os pacientes em remissão — pelas mesmas razões que tornam mais fácil tratar o câncer adjuvante do que o metastático, como falamos algumas páginas atrás.

Max e seus colegas bolaram um método totalmente diferente. Como as células cancerígenas estão sempre crescendo, elas tendem a liberar matéria

* Essas biópsias são chamadas de "líquidas" para distingui-las das biópsias tradicionais de tecido sólido.

celular, incluindo pedaços de DNA tumoral, na corrente sanguínea. E se houvesse um exame de sangue capaz de detectar o chamado DNA livre de células? Já conheceríamos a assinatura genética do tumor desde a cirurgia — ou seja, a diferença entre as células pulmonares cancerígenas e as normais. Assim, seria possível rastrear esse DNA livre de células no plasma de um paciente e, então, determinar a presença de câncer.

Não se engane, isso ainda é como procurar uma agulha no palheiro. Em um câncer em estágio inicial, os que mais gostaríamos de encontrar por meio de biópsias líquidas, podemos estar falando de 0,01% a 0,001% de DNA livre de células proveniente do câncer (ou cerca de uma parte em dez mil a cem mil). Isso só é possível com tecnologia de triagem de DNA de última geração e alto rendimento. Esses exames estão se tornando cada vez mais comuns no pós-cirúrgico, mas a tecnologia ainda é relativamente nova. A questão é saber o que se está procurando: os padrões de mutação que distinguem o câncer das células normais.

Alguns pesquisadores estão começando a desenvolver formas de usar exames de sangue para rastrear o câncer de maneira geral e em pessoas saudáveis. Essa é uma ordem de grandeza mais difícil, como procurar uma agulha em dez palheiros; pior, nesse caso, nem sabemos que aspecto a agulha tem. Não sabemos nada sobre os padrões de mutação do tumor do paciente, porque ainda não sabemos ao certo se ele *tem* um câncer. Portanto, precisamos procurar por outros marcadores em potencial. Uma empresa líder nesse tipo de exame é a Grail, uma subsidiária da empresa de sequenciamento genético Illumina. O exame da Grail, conhecido como Galleri, analisa os padrões de metilação do DNA livre de células, isto é, basicamente alterações químicas nas moléculas de DNA que sugerem a presença de câncer. Usando uma triagem de alta performance e uma inteligência artificial poderosa, o Galleri coleta duas informações cruciais dessa amostra de sangue: existe a presença de câncer? Se sim, onde fica? Em que parte do corpo provavelmente se originou?

Com qualquer exame de diagnóstico, deve-se decidir como calibrá-lo ou ajustá-lo. A intenção é ter uma maior sensibilidade ou maior especificidade? O Galleri foi testado em um banco de dados chamado Atlas do genoma do câncer Circulante (CCGA, na sigla em inglês), que se baseia em amostras de sangue de mais de quinze mil pacientes com e sem câncer.[33] Nesse estudo, o Galleri provou ter uma especificidade muito alta, de cerca de 99,5%, o que significa que apenas 0,5% dos exames resultaram em falso positivo. Se o exame disser que você tem câncer em algum lugar do corpo, é provável que tenha mesmo. A desvantagem é que a sensibilidade resultante pode ser baixa, dependendo do estágio (ou seja, mesmo que o exame diga que você não tem câncer, não é garantido que não tenha).

O que é preciso ter em mente, no entanto, é que esse exame ainda tem uma resolução muito maior do que os exames radiográficos, como a ressonância magnética ou a mamografia. Nos exames baseados em imagem, precisamos "ver" o tumor, o que pode acontecer apenas quando ele atinge determinado tamanho. Já o Galleri analisa o DNA livre de células, que pode vir de um tumor de qualquer tamanho — mesmo daqueles que ainda são invisíveis aos exames de imagem.

Uma primeira observação do estudo do CCGA é que a detectabilidade estava associada não apenas ao estágio do tumor, o que seria esperado (quanto mais avançado o tumor, maior a probabilidade de encontrar DNA livre de células no sangue), mas também ao subtipo do tumor. Por exemplo, a taxa de detecção para câncer de mama receptor de hormônio *positivo* em estágio I/II é de cerca de 25%, enquanto a taxa de detecção para câncer de mama receptor de hormônio *negativo* em estágio I/II é de cerca de 75%. O que essa diferença significa? Sabemos que o câncer de mama não é uma doença uniforme e que os tumores negativos para receptores hormonais são mais letais do que os positivos. Logo, o exame se mostra mais preciso na detecção do subtipo mais letal.

As biópsias líquidas podem ser vistas como tendo duas funções: a primeira é determinar a presença ou ausência de câncer, uma pergunta binária; a segunda, e talvez mais importante, é obter informações sobre a especificidade biológica do câncer. Quão perigoso é esse câncer, em particular? Ao que parece, os tumores que liberam mais DNA livre de células também tendem a ser mais agressivos e letais — e são, portanto, os que queremos detectar e tratar o mais cedo possível. Essa tecnologia ainda está engatinhando, mas tenho esperança de que o emparelhamento de diferentes exames de diagnóstico, desde os radiográficos (por exemplo, ressonância magnética) até a visualização direta (por exemplo, colonoscopia) e os biológicos/genéticos (por exemplo, biópsia líquida), nos permitirá identificar corretamente os cânceres que precisam de tratamento o quanto antes, com o menor número possível de falsos positivos.

As implicações disso são, penso eu, avassaladoras: se as biópsias líquidas cumprirem as expectativas, poderíamos inverter a linha do tempo do câncer, de modo que se torne rotineira a intervenção precoce, quando temos a chance de controlar ou mesmo eliminar o câncer — em vez do que normalmente fazemos hoje, chegando em um estágio avançado, quando as probabilidades já estão contra o paciente, que precisa torcer por um milagre.

De todos os cavaleiros, o câncer é provavelmente o mais difícil de prevenir. É provavelmente, também, aquele em que o azar desempenha o papel principal em suas diversas formas, como em mutações somáticas acumuladas. Os únicos riscos passíveis de intervenção que efetivamente se destacam nos dados são o tabagismo, a resistência à insulina e a obesidade (todos a serem evitados), e talvez poluição (do ar, da água etc.), mas os dados são menos claros nesse sentido.

Temos algumas opções de tratamento contra o câncer, ao contrário da doença de Alzheimer (como veremos no capítulo seguinte), e a imunoterapia, em particular, é bastante promissora. No entanto, nossas estratégias de tratamento e prevenção continuam sendo muito menos eficazes do que as ferramentas que temos para lidar com as doenças cardiovasculares e o espectro da disfunção metabólica, desde a resistência à insulina até a diabetes tipo 2.

Até que aprendamos a prevenir ou "curar" o câncer, algo que não vejo acontecendo em um futuro próximo, a menos que ocorram revoluções milagrosas, precisamos dedicar muito mais energia na detecção precoce de tumores, para permitir um melhor direcionamento de tratamentos específicos a casos específicos enquanto estão em estágios mais vulneráveis. Se a primeira regra do câncer é "Não tenha câncer", a segunda é "Descubra-o o quanto antes".

É por isso que sou um defensor do rastreamento precoce. É uma verdade incontestável que tratar tumores menores, com menos mutações, é muito mais fácil do que esperar que o câncer progrida e possa adquirir mutações que o ajudem a passar incólume pelos tratamentos. A única maneira de detectá-lo precocemente é com um rastreamento agressivo.

Isso tem um custo significativo, e é por isso que a Medicina 2.0 tende a ser mais conservadora em relação ao rastreamento. Há o custo financeiro, claro, mas há também o emocional, principalmente em relação aos exames que podem gerar falsos positivos. E existem outros riscos incidentais, como o risco pequeno de uma colonoscopia, ou o risco mais significativo de uma biópsia desnecessária. Esses três custos devem ser comparados ao custo de deixar de diagnosticar um câncer ou não o detectar precocemente, quando ainda é possível tratá-lo.

Ninguém disse que ia ser fácil. Ainda temos um longo caminho a percorrer. Mas, pelo menos, há esperança, em várias frentes — muitas mais do que durante minha formação como cirurgião oncológico. Mais de cinquenta anos depois da guerra contra o câncer, podemos finalmente vislumbrar um mundo onde será normal que um diagnóstico de câncer signifique a detecção precoce de um problema tratável, em vez da descoberta tardia de um problema nefasto. Graças a um melhor rastreamento e a tratamentos mais eficazes, como a imunoterapia, o câncer pode um dia se tornar uma doença controlável, e quem sabe até deixar de se enquadrar como um cavaleiro.

CAPÍTULO 9

Correndo atrás da memória

Compreendendo o Alzheimer e outras doenças neurodegenerativas

O maior obstáculo às descobertas não é a ignorância;
é a ilusão do conhecimento.

— DANIEL J. BOORSTIN

A maioria das pessoas tende a ir ao médico quando está doente, ou acha que está. Quase todos os meus pacientes me procuram quando estão relativamente saudáveis, ou acham que estão. Foi esse o caso de Stephanie, uma mulher de quarenta anos que entrou no meu consultório pela primeira vez no início de 2018 sem nenhuma queixa objetiva. Ela só estava "interessada" na longevidade.

Seu histórico familiar não era preocupante. Três de seus quatro avós morreram de complicações da aterosclerose aos setenta e muitos ou oitenta e poucos, e o quarto, de câncer. Um roteiro bem típico da Geração Grandiosa.* O

* Geração Grandiosa é um corte demográfico cunhado pelo jornalista e escritor Tom Brokaw, em seu livro *The Greatest Generation*, para se referir à geração formada pelos indivíduos que cresceram durante a Grande Depressão (1929-39) nos Estados Unidos e depois participaram dos combates da Segunda Guerra Mundial. A geração é geralmente definida como pessoas nascidas de 1901 a 1927 cuja vida adulta e meia-idade foram moldadas durante a prosperidade dos Trinta Anos Gloriosos (1945-73). [N. do E.]

único sinal de alerta era o fato de que sua mãe, até então saudável aos setenta anos, estava começando a sofrer com a perda de memória, que Stephanie atribuía à "idade".

Marcamos outra consulta para dali a uma semana, para analisar seu exame de sangue preliminar. Eu recorro o máximo possível aos biomarcadores, por isso pedi uma ampla gama de exames, mas existem algumas coisas que gosto de olhar de imediato quando recebo os resultados de um novo paciente. Entre elas está o nível de Lp(a), a lipoproteína de alto risco da qual falamos no capítulo 7, juntamente com a concentração de apoB. Uma terceira coisa que sempre verifico é o genótipo *APOE*, o gene relacionado ao risco de desenvolver a doença de Alzheimer, que mencionamos no capítulo 4.

Os exames de Stephanie revelaram que ela tinha o alelo *APOE e4*, associado a um maior risco de ter a doença — e não apenas uma cópia, mas duas (*e4/e4*), o que significava que o risco era até doze vezes maior do que o de alguém com duas cópias do alelo *e3*, mais comum. Já a versão *e2* do *APOE* parece proteger os portadores contra a doença:[1] o risco é 10% menor para alguém com *e2/e3*, e cerca de 20% menor para *e2/e2*. Stephanie não teve sorte.

Ela foi apenas a quarta paciente que encontrei com esse genótipo bastante incomum, compartilhado por apenas de 2% a 3% da população, e não fazia ideia de que corria riscos — embora, em retrospecto, o esquecimento de sua mãe pudesse ser um sintoma precoce do Alzheimer. Eu estava diante de um duplo desafio: como dar a notícia, direta mas gentilmente; e, ainda mais complicado, como explicar o que aquilo significava e o que não significava.

Em circunstâncias como essa, geralmente acho que é melhor ir direto ao ponto, então, depois que nos sentamos, eu disse algo como: "Stephanie, seu exame de sangue indica uma coisa que pode ser motivo de preocupação para mim — não porque existe algo de errado agora, mas por causa do risco que isso pode representar daqui a vinte ou trinta anos. Você tem uma combinação de genes que aumenta o risco de desenvolver Alzheimer. Mas também é importante que entenda que se trata apenas de um marcador de risco, não um fato consumado, e estou convencido de que podemos mitigar esse risco daqui por diante."

Stephanie ficou arrasada. Para começar, ela estava passando por um período de muito estresse: um divórcio, uma situação difícil no trabalho e agora essa notícia. É difícil explicar as nuances dos genes e dos riscos para uma pessoa que está com os olhos arregalados de medo e só escuta o seguinte: *Estou condenada*. Precisamos conversar várias vezes ao longo de muitas semanas até que ela começasse a entender o restante da mensagem: na verdade, ela não estava condenada.

O Alzheimer é talvez a mais difícil e intratável dos quatro cavaleiros. Temos uma compreensão muito mais limitada de como e por que essa doença surge, além de como retardá-la ou preveni-la, em comparação à aterosclerose. Ao contrário do câncer, atualmente não temos um tratamento quando os sintomas aparecem. E, ao contrário da diabetes tipo 2 e da disfunção metabólica, não parece ser prontamente reversível (embora o júri ainda esteja deliberando). É por isso que, quase sem exceção, meus pacientes temem a demência mais do que qualquer outra consequência do envelhecimento, inclusive a morte. Eles preferem morrer de câncer ou do coração a perder as faculdades mentais, a própria noção de identidade.

A doença de Alzheimer é a mais comum entre as doenças neurodegenerativas, mas existem doenças que nos preocupam. As mais prevalentes são a demência de corpos de Lewy e a doença de Parkinson, que na verdade são formas diferentes de um distúrbio relacionado conhecido (confusamente) como "demência por corpos de Lewy". A principal diferença entre elas é que a demência de corpos de Lewy é principalmente um distúrbio de demência, o que significa que afeta a cognição, enquanto a doença de Parkinson é considerada principalmente (mas não inteiramente) um distúrbio do movimento, embora também resulte em declínio cognitivo. Nos Estados Unidos, existem cerca de 6 milhões de pessoas diagnosticadas com doença de Alzheimer, enquanto cerca de 1,4 milhão têm demência com corpos de Lewy e 1 milhão, Parkinson, a doença neurodegenerativa que mais cresce. Além disso, há uma variedade de condições neurodegenerativas menos comuns, mas também graves, como a esclerose lateral amiotrófica (ELA, ou doença de Lou Gehrig) e a doença de Huntington.

Todas são consequência de alguma forma de neurodegeneração e, até o momento, não há cura para nenhuma delas, apesar dos bilhões e bilhões de dólares gastos em pesquisas sobre essas condições complexas. Talvez haja algum avanço em um futuro próximo, mas, por enquanto, nossa melhor e única estratégia é a tentativa de prevenção. A única boa notícia aqui é que, embora esses distúrbios tenham sido tradicionalmente considerados doenças separadas e distintas, evidências recentes sugerem que entre elas existe um *continuum* maior do que se acreditava, o que significa que algumas de nossas estratégias de prevenção podem ser aplicadas a mais de uma delas.

* * *

Muitos médicos fogem do exame que detecta o gene *APOE*. A sabedoria convencional defende que é quase garantido que uma pessoa com o alelo *e4*, de alto risco, desenvolva a doença de Alzheimer, e não há nada que possamos fazer por elas. Então, por que sobrecarregar o paciente deixando-o ciente de algo tão terrível?

Porque existem dois tipos de más notícias: aquelas sobre coisas que podemos mudar e aquelas sobre coisas que não podemos mudar. Presumir que as circunstâncias de um paciente com o *e4* se enquadra na segunda categoria é, na minha opinião, um equívoco. Embora seja verdade que mais da metade das pessoas com doença de Alzheimer têm pelo menos uma cópia do *e4*, o simples fato de portar esse gene de risco não é sinônimo de ser diagnosticado com demência devido ao Alzheimer. Existem centenários portadores de *e4/e4* sem quaisquer sinais de demência, provavelmente porque têm outros genes que os protegem; por exemplo, uma certa variante do gene *Klotho (KL)*, chamada *kl-vs*, parece proteger os portadores do *e4* do desenvolvimento de demência.[2] E muitos portadores do *e3/e3* "normal" ainda assim desenvolvem a doença. Ter a variante *e4* do gene sinaliza apenas um risco maior. Não há nada garantido.

O outro argumento que apresentei a Stephanie foi que o tempo estava do lado dela. A doença raramente progride até chegar a um estágio clínico antes dos 65 anos, mesmo em pacientes com duas cópias do *e4*. Isso nos dá cerca de 25 anos para tentar impedir ou retardar o desenvolvimento dessa terrível doença com as ferramentas que temos à disposição. Nesse meio-tempo, quem sabe, os pesquisadores podem descobrir tratamentos mais eficazes. Era uma situação assimétrica clássica, em que não fazer nada era, na verdade, o curso de ação mais arriscado.

Entendendo o Alzheimer

Embora o Alzheimer tenha sido nomeado pela primeira vez no início do século XX, o fenômeno da "senilidade" é observado desde os tempos antigos. Platão acreditava que, como o avanço da idade aparentemente "dá origem a todas as formas de esquecimento e estupidez", os homens mais velhos não estavam aptos para posições de liderança que exigiam perspicácia ou capacidade de julgamento. Shakespeare nos deu, na peça *Rei Lear*, um retrato inesquecível de um velho lutando com sua mente decadente.

A ideia de que isso poderia ser uma doença foi sugerida pela primeira vez pelo dr. Alois Alzheimer, um psiquiatra que trabalhava como diretor médico no sanatório estadual de Frankfurt, na Alemanha. Em 1906, ao realizar a autópsia de uma paciente chamada Auguste Deter, uma mulher de cinquenta e poucos anos que sofreu de perda de memória, alucinações, agressividade e confusão mental em seus últimos anos, ele notou que havia algo claramente errado com o cérebro dela. Os neurônios estavam emaranhados e pareciam teias de aranha, revestidos por uma estranha substância branca e densa. Ele ficou tão impressionado com a estranha aparência deles que os desenhou.

Mais tarde, um colega batizou essa condição de "doença de Alzheimer", mas depois que o próprio Alzheimer morreu, em 1915 (devido a complicações de um resfriado, aos 51 anos), a doença que identificou ficou mais ou menos esquecida por cinquenta anos, relegada à obscuridade junto com outras condições neurológicas menos comuns, como as doenças de Huntington e Parkinson, bem como a demência de corpos com Lewy. Pacientes com os sintomas que hoje associamos a essas condições, incluindo alterações de humor, depressão, perda de memória, irritabilidade e irracionalidade, eram normalmente internados em instituições psiquiátricas, como acontecera com Auguste Deter. Enquanto isso, a boa e velha "senilidade" era considerada parte inevitável do envelhecimento, como acontecia desde os tempos de Platão.

Foi só no final dos anos 1960 que os cientistas começaram a aceitar que a "demência senil" era uma condição médica, e não apenas uma consequência normal do envelhecimento. Três psiquiatras britânicos, Garry Blessed, Bernard Tomlinson e Martin Roth, examinaram o cérebro de setenta pacientes que haviam morrido com demência e descobriram que muitos apresentavam as mesmas placas e emaranhados observados por Alois Alzheimer. Estudos posteriores revelaram que o grau de comprometimento cognitivo de um paciente parecia estar relacionado à extensão das placas encontradas em seu cérebro. Esses pacientes, concluíram os psiquiatras, também tinham doença de Alzheimer. Pouco mais de uma década depois, no início dos anos 1980, outros pesquisadores identificaram a substância nas placas como um peptídeo chamado beta-amiloide. Como costuma ser encontrado na cena do crime, o beta-amiloide logo se transformou no principal suspeito pelo surgimento do Alzheimer.

O beta-amiloide é um subproduto criado quando uma substância que ocorre normalmente chamada proteína precursora de amiloide (PPA), uma proteína de membrana encontrada nas sinapses neuronais, se divide em três partes. Em condições normais, a PPA se divide em duas partes. Mas quando são geradas três partes, um dos fragmentos resultantes fica "mal dobrado", o que significa que ele perde sua estrutura normal (e, portanto, sua função) e se torna quimicamente mais pegajoso, propenso a formar agregados. Esse é o beta-amiloide, visivelmente nocivo. Camundongos geneticamente modificados para desenvolver agregados de beta-amiloide (que não ocorrem naturalmente nesses animais) têm dificuldade em executar tarefas cognitivas normalmente fáceis, como encontrar comida em um labirinto simples. Ao mesmo tempo, o amiloide também provoca a agregação de outra proteína chamada tau, que por sua vez leva à inflamação neuronal e, por fim, ao encolhimento do cérebro. A tau provavelmente foi a responsável pelos "emaranhados" neuronais que Alois Alzheimer observou em Auguste Deter.

Os cientistas identificaram algumas mutações genéticas que promovem o acúmulo muito rápido de beta-amiloide, quase garantindo o desenvolvimento da doença, geralmente em uma idade bastante jovem. Essas mutações, sendo as mais comuns chamadas de *APP*, *PSEN1* e *PSEN2*, costumam afetar a clivagem de PPA. Nas famílias que carregam esses genes, as taxas de Alzheimer de início muito precoce são alarmantes, e os membros muitas vezes apresentam sintomas na faixa dos trinta e quarenta anos. Felizmente, essas mutações são muito raras,[3] mas ocorrem em 10% dos casos de Alzheimer de início precoce (ou cerca de 1% do total de casos). Pessoas com síndrome de Down também apresentam tendência a acumular grandes quantidades de placas amiloides com o passar do tempo, por causa de genes relacionados à clivagem de PPA que residem no cromossomo 21.

Não foi preciso um grande salto para concluir, com base nas evidências disponíveis, que a doença de Alzheimer é causada por esse acúmulo de beta-amiloide no cérebro. A "hipótese amiloide", como é chamada, tem sido a tese dominante sobre o Alzheimer desde a década de 1980, ditando as prioridades de pesquisa dos Institutos Nacionais de Saúde e da indústria farmacêutica. A ideia era a de que, se fosse possível eliminar o amiloide, seria possível interromper ou mesmo reverter o avanço da doença. Mas não foi o que se provou. Dezenas de medicamentos foram desenvolvidos visando ao beta-amiloide de uma forma ou de outra. Mas, mesmo quando conseguem eliminar o amiloide ou retardar sua produção, esses fármacos não melhoraram a função cognitiva dos pacientes nem retardaram a progressão da doença. Todos, sem exceção, fracassaram.[4]

Uma hipótese que surgiu à medida que cada um desses medicamentos falhava, foi a de que os pacientes estavam sendo tratados tarde demais, quando a doença já havia se instalado. Sabe-se que o Alzheimer se desenvolve lentamente, ao longo de décadas. E se administrássemos os remédios mais cedo? Essa hipótese promissora foi testada em ensaios clínicos extensos e bem divulgados envolvendo portadores de uma mutação hereditária que basicamente os predestina a ter Alzheimer de início precoce. Mas os resultados tampouco foram positivos. Em 2022, a farmacêutica Roche e a empresa de biotecnologia Genentech deram início a um ensaio clínico mais amplo, com a administração precoce de um composto antiamiloide em pessoas geneticamente normais com acúmulo de amiloide verificado no cérebro, mas sem sintomas claros de demência; espera-se que os resultados sejam divulgados em 2026. Alguns pesquisadores acham que o processo da doença pode ser reversível já com a presença do amiloide, mas não da tau, que aparece mais tarde. Essa hipótese está sendo testada em outro estudo.

Enquanto isso, em junho de 2021, a FDA aprovou um medicamento que visa ao amiloide chamado aducanumab (Aduhelm). O fabricante do medicamento, a Biogen, já havia submetido dados para aprovação duas vezes, ambas rejeitadas. Essa foi a terceira tentativa. O painel consultivo de especialistas da agência continuou votando contra a aprovação, dizendo que as evidências dos benefícios eram fracas ou conflitantes, mas a FDA aprovou mesmo assim. O medicamento teve uma recepção morna no mercado, sendo que o Medicare e algumas seguradoras de saúde se recusaram a arcar com o custo anual de 28 mil dólares, a menos que seja para uso em um ensaio clínico de uma universidade.

Essa sucessão de fracassos no desenvolvimento de medicamentos causou frustração e confusão no campo do Alzheimer, porque o amiloide é há muito tempo considerado uma assinatura da doença. Como disse o dr. Ronald Petersen, diretor do Centro de pesquisa sobre a doença de Alzheimer da Mayo Clinic, ao *New York Times* em 2020: "O amiloide e a tau definem a doença. (...) Não atacar o amiloide não faz nenhum sentido."[5]

Mas alguns cientistas começaram a questionar abertamente a noção de que o amiloide provoca *todos* os casos de Alzheimer, citando sobretudo o fracasso desses medicamentos. Essas dúvidas parecem ter sido validadas em julho de 2022, quando a revista *Science* publicou um artigo questionando um estudo amplamente citado de 2006 que deu novo impulso à hipótese amiloide, em um momento em que ela já parecia estar perdendo força. Esse estudo identificou um subtipo particular de amiloide que, alegava-se, era o responsável direto pela neurodegeneração. Tal suposição, por sua vez, inspirou inúmeras pesquisas sobre esse subtipo. Mas, de acordo com o artigo da *Science*, as principais imagens desse estudo foram adulteradas.

Já havia muitas outras evidências pondo em xeque a relação causal que há muito se supõe haver entre o amiloide e a neurodegeneração. De acordo com estudos de autópsia, mais de 25% das pessoas cognitivamente normais tinham grandes depósitos de amiloide no cérebro quando morreram — algumas delas com o mesmo grau de acúmulo observado em pacientes que morreram com demência grave. Mas, por alguma razão, essas pessoas não apresentavam sintomas cognitivos. Inclusive, essa não era uma observação inédita: Blessed, Tomlinson e Roth observaram, em 1968, que outros pesquisadores notaram a "formação de placas e outras alterações [que] às vezes eram tão intensas em indivíduos normais quanto em casos de demência senil".[6]

Alguns especialistas defendem que esses pacientes de fato tinham a doença, mas que os sintomas surgiram mais devagar, ou que de alguma forma mascararam ou compensaram os danos cerebrais. Contudo, segundo estudos mais recentes, o inverso também pode ser verdade: alguns pacientes com todos os sintomas de Alzheimer, incluindo declínio cognitivo acentuado, têm pouco ou nenhum amiloide no cérebro, de acordo com exames PET dos amiloides e/ou exames do biomarcador do líquido cefalorraquidiano (LCR), duas técnicas de diagnóstico comuns. Pesquisadores do Centro de Memória e Envelhecimento da Universidade da Califórnia, *campus* de São Francisco, descobriram, por meio de exames PET, que no cérebro de cerca de um em cada três pacientes com demência leve a moderada não havia evidências de amiloide.[7] Outros estudos observaram apenas uma fraca correlação entre o volume de amiloide e a gravidade da doença. Parece, então, que a presença de placas de beta-amiloide pode não ser um requisito para o desenvolvimento da doença de Alzheimer, nem suficiente para causá-la.

Isso sugere outra possibilidade: a condição observada por Alois Alzheimer em 1906 não era propriamente a doença que atinge milhões de pessoas em todo o mundo. Uma pista importante tem a ver com a idade em que ela tem início. Normalmente, o que chamamos de doença de Alzheimer (ou doença de Alzheimer de início tardio) não se manifesta em números significativos até os 65 anos de idade. Mas a paciente zero do dr. Alzheimer, Auguste Deter, apresentou sintomas graves aos cinquenta anos, uma trajetória mais alinhada com a doença de Alzheimer de início precoce do que com a demência que lentamente começa a afligir as pessoas já na casa dos sessenta, setenta e oitenta anos. Segundo uma análise do tecido preservado do cérebro de Deter realizada em 2013, ela de fato portava a mutação *PSEN1*, um dos genes da demência de início precoce (que afeta a clivagem da proteína precursora de amiloide, produzindo um elevado volume de amiloide).[8] A paciente tinha a doença de Alzheimer, mas de um tipo que se desenvolve apenas em decorrência de um desses genes altamente determinísticos. Nosso erro pode ter sido presumir que os outros 99% dos casos da doença progridem da mesma forma.

Isso não é nada incomum na medicina, em que o caso índice de determinada doença acaba por ser a exceção e não a regra; extrapolar a partir desse caso pode levar a problemas e mal-entendidos no futuro. Ao mesmo tempo, se a doença de Auguste Deter tivesse surgido aos 75 anos, em vez de aos 50, talvez não chamasse nenhuma atenção.

Assim como o Alzheimer é definido (de maneira equivocada ou não) pelo acúmulo de amiloide e tau, a demência de corpos de Lewy e a doença de Parkinson estão associadas ao acúmulo de uma proteína neurotóxica chamada alfa-sinucleína, que forma agregados conhecidos como corpos de Lewy (observados pela primeira vez por um colega de Alois Alzheimer chamado Friedrich Lewy). A variante *APOE e4* aumenta não apenas o risco de desenvolver Alzheimer, como também o de demência com corpos de Lewy e o da doença de Parkinson com demência,[9] reforçando ainda mais a hipótese de que essas condições estão relacionadas em algum grau.

Por tudo isso, pacientes de alto risco como Stephanie se veem em uma situação terrível: eles correm um elevado risco de desenvolver um ou mais distúrbios cujas causas ainda não entendemos bem e para os quais não temos tratamentos eficazes. Isso significa que precisamos nos concentrar no que até recentemente era considerado tabu nas doenças neurodegenerativas: a prevenção.

É possível prevenir doenças neurodegenerativas?

Stephanie estava apavorada. Tratei outros pacientes que tinham duas cópias do alelo *e4*, mas nenhum deles reagiu com tanto medo e ansiedade. Precisamos de quatro longas conversas ao longo de dois meses apenas para fazê-la superar o choque inicial da notícia. Então, chegou a hora de falar sobre o que fazer.

Ela não tinha sinais óbvios de comprometimento cognitivo nem de perda de memória. Ainda. Uma pequena observação: alguns dos meus pacientes surtam porque perdem a chave do carro ou o celular de vez em quando. Como sempre friso, isso não significa que eles tenham Alzheimer. Geralmente, significa apenas que estão atarefados e distraídos (por ironia, muitas vezes por causa do próprio celular que não sabem onde deixaram). Stephanie era diferente. O risco dela era real, e agora ela sabia disso.

No caso dos pacientes de maior risco, como Stephanie, naquela época eu normalmente trabalhava em colaboração com o dr. Richard Isaacson, que, em 2013, abriu a primeira clínica de prevenção da doença de Alzheimer nos Estados Unidos. Richard lembra que, quando foi entrevistado pela reitora da Faculdade de Medicina Weill Cornell para descrever o projeto do empreendimento, ela pareceu surpresa com aquela ideia então radical; a doença não era considerada evitável. Além disso, por ter apenas trinta anos, ele não parecia capacitado. "Ela estava esperando um Oliver Sacks. Mas estava à mesa com o moleque daquele seriado *Tal pai, tal filho*", contou ele.[10]

Isaacson entrou na faculdade aos dezessete anos, para um programa conjunto de bacharelado e escola de medicina na Universidade do Missouri em Kansas City, e obteve o diploma de médico aos 23 anos. A motivação para aprender o máximo possível sobre a doença de Alzheimer se devia ao medo de que ela fosse um mal de sua família.

Durante a infância em Commack, Long Island, ele viu seu parente preferido, o tio-avô Bob, sucumbir ao Alzheimer. Quando Richard tinha três anos, o tio Bob o salvou de um afogamento na piscina durante uma festa de família. Mas cerca de uma década depois, esse amado tio começou a mudar. Ele repetia as mesmas histórias. Abandonou o senso de humor. Passou a ter um olhar distante e parecia levar mais tempo para processar o que ouvia ao seu redor. Por fim, foi diagnosticado com doença de Alzheimer — mas já havia partido. Era como se Bob tivesse desaparecido.

Richard não suportava ver seu tio favorito sendo reduzido a nada. Também estava preocupado porque sabia que o risco de desenvolver a doença de Alzheimer tem um forte componente genético. Será que também ele corria esse risco? E seus pais? Era possível de algum modo prevenir a doença?

Ao ingressar na prática médica na Universidade de Miami, ele começou a reunir todos os estudos e recomendações que encontrava sobre possíveis maneiras de reduzir o risco da doença de Alzheimer, compilando-os em um calhamaço fotocopiado que distribuía aos pacientes. Em 2010, ele publicou esse calhamaço em forma de livro, intitulado *Alzheimer's Treatment, Alzheimer's Prevention: A Patient and Family Guide* ("A prevenção e o tratamento do Alzheimer: um guia para pacientes e familiares", em tradução livre).

Em pouco tempo ele descobriu que, no campo da doença de Alzheimer, a própria palavra *prevenção* parecia um tanto descabida. "A Associação do Alzheimer me disse que eu não podia falar aquilo", lembra ele. Naquele mesmo ano, um painel de especialistas reunido pelos Institutos Nacionais de Saúde declarou: "Atualmente, não é possível tirar conclusões definitivas sobre a associação de qualquer fator de risco modificável com o declínio cognitivo ou a doença de Alzheimer."[11]

Isso levou Isaacson a perceber que a única maneira de demonstrar que uma abordagem preventiva poderia funcionar, de modo que fosse aceita pela comunidade médica em geral, era por meio de um estudo acadêmico abrangente. A Cornell estava disposta a correr o risco, e sua clínica foi inaugurada em 2013. Foi a primeira do gênero no país, mas hoje existe meia dúzia de centros semelhantes, incluindo um em Porto Rico. (Atualmente Isaacson trabalha para uma empresa privada em Nova York; sua colega, a dra. Kellyann Niotis, juntou-se à minha clínica, para trabalhar com pacientes com risco de doenças neurodegenerativas.)

Enquanto isso, a ideia de prevenir o Alzheimer começou a ganhar apoio no meio científico. Segundo um estudo controlado randomizado de dois anos na Finlândia, publicado em 2015, intervenções na nutrição, na atividade física e no treinamento cognitivo ajudaram a manter a função cognitiva e prevenir o declínio cognitivo em um grupo de mais de 1.200 idosos em risco.[12] De acordo com dois outros grandes estudos feitos na Europa, intervenções multidomínio pautadas no estilo de vida melhoraram o desempenho cognitivo de adultos em risco.[13] Portanto, havia sinais de esperança.

Para um médico típico, o caso de Stephanie pareceria despropositado: ela não apresentava sintomas e ainda era relativamente jovem, com quarenta e poucos anos, umas boas duas décadas antes de chegar a desenvolver uma possível demência clínica. Para a Medicina 2.0, ainda não havia nada a ser tratado. Na Medicina 3.0, isso a tornava uma paciente ideal, e seu caso, urgente. Se há uma condição que exige uma abordagem da Medicina 3.0 — em que a prevenção não é apenas importante, mas a *única opção* —, é o Alzheimer e as doenças neurodegenerativas relacionadas.

Francamente, pode parecer estranho uma clínica tão pequena como a nossa ter em tempo integral uma neurologista de prevenção como Kellyann Niotis. Por que fazemos isso? Porque acreditamos que podemos fazer a balança pender a nosso favor se começarmos cedo e formos bastante rigorosos na forma como mensuramos e lidamos com o risco que cada paciente apresenta. Alguns, como Stephanie, correm riscos obviamente maiores; mas, em um sentido mais amplo, todos nós corremos algum risco de desenvolver o Alzheimer e outras doenças neurodegenerativas.

Pelas lentes da prevenção, o fato de Stephanie ter o genótipo *APOE e4/e4* era, na verdade, uma boa notícia, de certa maneira. Sim, ela corria um risco muito maior do que alguém com o *e3/e3*, mas pelo menos sabíamos quais eram os genes diante de nós e a provável trajetória da doença, caso a desenvolvesse. É muito mais preocupante quando um paciente tem um considerável histórico familiar de demência ou apresenta os primeiros sinais de declínio cognitivo, mas não porta nenhum dos genes de risco de Alzheimer conhecidos, como o *APOE e4* e alguns outros. Isso significa que pode haver outros genes de risco e não temos ideia de quais são. Stephanie, pelo menos, estava enfrentando um risco conhecido. Já era alguma coisa.

Ela tinha dois fatores de risco adicionais que estavam fora de seu controle: ser caucasiana e mulher. Embora afrodescendentes tenham um risco geral aumentado de desenvolver Alzheimer, por razões pouco claras, o *APOE e4* parece impor menos risco a eles do que a caucasianos, asiáticos e hispânicos. Independentemente do genótipo do *APOE*, no entanto, a doença é quase duas vezes mais comum em mulheres do que em homens. É tentador atribuir isso ao fato de que mais mulheres chegam aos 85 anos ou mais, idade em que a incidência dessa condição chega a 40%. Mas só isso não explica a discrepância. Alguns cientistas acreditam que pode haver algo relacionado à menopausa e ao declínio abrupto na sinalização hormonal que aumenta vertiginosamente o risco de neurodegeneração em mulheres mais velhas. Em particular, parece que uma queda acentuada nos níveis de estradiol em mulheres com um alelo *e4* é um fator de risco,[14] o que sugere que a terapia de reposição hormonal nessas mulheres durante a perimenopausa pode ajudar de alguma forma.

A menopausa não é a única questão. Outros fatores do histórico reprodutivo, como o número de filhos que a mulher teve, a idade da menarca e a exposição a contraceptivos orais, também podem ter um impacto significativo no risco de ter Alzheimer e na cognição na vida adulta. Além disso, uma pesquisa recente sugere que as mulheres são mais propensas a acumular tau, a proteína neurotóxica que mencionamos anteriormente.[15] O resultado é que as mulheres têm um risco maior de desenvolver Alzheimer ajustado à idade, bem como taxas mais rápidas de progressão geral da doença, a despeito da idade e do grau de escolaridade.

Enquanto as pacientes com Alzheimer superam os homens em uma proporção de dois para um, o inverso se aplica à demência com corpos de Lewy e ao Parkinson, ambos duas vezes mais prevalentes em homens. No entanto, o Parkinson também parece progredir mais rapidamente nas mulheres do que nos homens, por razões que não estão claras.[16]

A genética do Parkinson também engana: embora tenhamos identificado inúmeras variantes genéticas que aumentam o risco de desenvolvê-lo, como a *LRRK2* e a *SNCA*, cerca de 15% dos pacientes diagnosticados têm histórico familiar da doença, mesmo sem portar nenhum gene de risco conhecido nem ter polimorfismos de nucleotídeo único. Presume-se, portanto, que haja algum componente genético.

Como os outros cavaleiros, a demência tem um prólogo extremamente comprido.[17] Seu despertar é tão sutil que muitas vezes a doença não é percebida até que seu estágio inicial esteja bem estabelecido. É quando os sintomas passam dos lapsos ocasionais e do esquecimento para problemas de memória perceptíveis, como não lembrar palavras corriqueiras e perder objetos importantes com frequência (esquecer senhas também se torna um problema). Os amigos e entes queridos notam mudanças, e o desempenho em testes cognitivos começa a cair.

A Medicina 2.0 passou a reconhecer esse estágio clínico inicial da doença de Alzheimer como comprometimento cognitivo leve (CCL). Mas o CCL não é o primeiro estágio na longa estrada da demência: segundo uma abrangente análise de dados de 2011 do estudo de coorte britânico Whitehall II, sinais mais sutis de alterações cognitivas geralmente se tornam aparentes bem antes que os pacientes atendam aos critérios para CCL. É o chamado estágio I da doença de Alzheimer pré-clínica, e somente nos Estados Unidos estima-se que mais de 46 milhões de pessoas se encontrem nele,[18] quando a doença está lentamente construindo suas estruturas patológicas dentro e ao redor dos neurônios, mesmo que os principais sintomas ainda não estejam presentes. Embora não esteja claro quantos desses pacientes desenvolverão a doença, o que está claro é que, assim como a maior parte de um iceberg está debaixo d'água, a demência pode progredir em silêncio por anos até que qualquer sintoma apareça.

O mesmo se aplica a outras doenças neurodegenerativas, apesar de os sinais de alerta precoce serem diferentes para cada uma. O Parkinson pode aparecer como mudanças sutis nos padrões de movimento, uma expressão facial mais rígida, uma postura curvada ou um andar arrastado, um leve tremor ou até mesmo mudanças na caligrafia (que pode se tornar menor e mais comprimida). Os estágios iniciais da demência com corpos de Lewy podem se mostrar com sintomas físicos semelhantes, mas também com ligeiras alterações cognitivas; ambas as doenças podem se manifestar por meio de alterações de humor, como depressão ou ansiedade. Algo parece "estranho", mas, para um leigo, é difícil dizer o quê.

É por isso que um primeiro passo importante com qualquer paciente que possa ter problemas cognitivos é submetê-lo a uma exaustiva bateria de exames. Uma das razões pelas quais gosto de ter um neurologista de prevenção na equipe é que esses exames são tão complicados e difíceis de realizar que acho melhor deixá-los nas mãos de um especialista. Esse profissional também é extremamente importante para um diagnóstico correto — avaliando se o paciente já está desenvolvendo a doença de Alzheimer ou outra forma de demência neurodegenerativa, e, em caso positivo, em que estágio. Esses exames são validados do ponto de vista clínico e bastante complexos, cobrindo todos os domínios da cognição e da memória, incluindo função executiva, atenção, velocidade de processamento, fluência verbal e memória (lembrar uma lista de palavras), memória lógica (lembrar uma frase no meio de um parágrafo), memória associativa (associar um nome a um rosto), memória espacial (encontrar itens em um cômodo) e memória semântica (quantos nomes de animais você consegue dizer em um minuto, por exemplo). Meus pacientes quase sempre reclamam do quanto os exames são difíceis. Eu apenas sorrio e concordo.

As complexidades e sutilezas desses exames nos dão pistas importantes sobre o que pode estar acontecendo no cérebro de pacientes que ainda estão muito no início do processo de mudança cognitiva que acompanha a idade. Mais importante ainda, esses testes nos permitem distinguir entre o envelhecimento normal do cérebro e as alterações que podem levar à demência. Uma seção importante do exame cognitivo avalia o olfato do paciente. Ele identifica corretamente aromas como café? Os neurônios olfativos estão entre os primeiros a serem afetados pela doença de Alzheimer.

Especialistas como Richard e Kellyann também ficam atentos a outras mudanças menos quantificáveis em pessoas que estão na estrada que leva ao Alzheimer, incluindo mudanças no andar, expressões faciais durante as conversas e até rastreamento visual. Essas mudanças podem ser sutis e imperceptíveis para a maioria de nós, mas um profissional capacitado consegue identificá-las.

A parte mais complicada do exame é interpretar os resultados de modo a distinguir entre os tipos de doença neurodegenerativa e demência. Kellyann disseca os resultados para rastrear a provável localização da patologia no cérebro e os neurotransmissores específicos envolvidos nela; são eles que determinam as características patológicas da doença. A demência frontal e a vascular afetam principalmente o lobo frontal, a região do cérebro responsável pelas funções executivas, como atenção, organização, velocidade de processamento e resolução de problemas. Portanto, essas formas de demência comprometem características cognitivas de ordem superior. O Alzheimer, por sua vez, prejudica predominantemente os lobos temporais, de modo que os sintomas mais marcantes estão relacionados à memória, à linguagem e ao processamento auditivo (elaborar e compreender a fala) — embora os pesquisadores estejam começando a identificar diferentes possíveis subtipos da doença, com base nas regiões do cérebro mais afetadas. O Parkinson é um pouco diferente porque se manifesta principalmente como um distúrbio do movimento, resultante (em parte) de uma deficiência na produção de dopamina, um neurotransmissor-chave. Ao passo que o diagnóstico de Alzheimer pode ser confirmado por exames que buscam a presença de amiloide no líquido cefalorraquidiano, o diagnóstico de outras formas de neurodegeneração é em grande parte clínico, baseado em testes e interpretações. Assim, o diagnóstico pode ser mais subjetivo, mas é fundamental identificá-lo o quanto antes, de modo a proporcionar mais tempo para que as estratégias de prevenção funcionem.

Uma das razões pelas quais a doença de Alzheimer e demências relacionadas podem ser tão difíceis de diagnosticar é que o cérebro humano, por ser altamente complexo, é hábil em compensar danos, ocultando os estágios iniciais de neurodegeneração. Quando temos um pensamento ou chegamos a uma conclusão, não existe apenas uma rede neural responsável por essa ideia ou decisão, mas várias redes individuais trabalhando simultaneamente, segundo Francisco Gonzalez-Lima, neurocientista comportamental da Universidade do Texas, *campus* de Austin.[19] Essas redes paralelas podem chegar a conclusões distintas, de modo que a expressão "eu vejo isso de duas formas" não é cientificamente imprecisa. O cérebro, então, escolhe a resposta mais comum. Existe um grau de redundância embutido no sistema.

Quanto mais dessas redes e sub-redes construímos ao longo da vida, por meio da educação, da experiência ou do desenvolvimento de habilidades complexas, como falar um idioma estrangeiro ou tocar um instrumento musical, mais resistentes ao declínio cognitivo tenderemos a ser. O cérebro é capaz de continuar funcionando de maneira mais ou menos normal, mesmo quando algumas dessas redes começam a falhar. Trata-se da "reserva cognitiva", que, como demonstrado, ajudou alguns pacientes a resistir aos sintomas do Alzheimer. A doença parece demorar mais para afetar a capacidade deles de serem funcionais. "Quem tem Alzheimer mas é muito engajado cognitivamente e tem uma boa rede alternativa não vai sofrer declínio com tanta rapidez", diz Richard.

Um conceito análogo, conhecido como "reserva de movimento", é relevante para a doença de Parkinson. Pessoas que têm melhores padrões de movimento e um histórico mais longo de movimentação do corpo, como atletas profissionais ou amadores, tendem a resistir à doença ou retardar seu avanço em comparação com pessoas sedentárias. É também por isso que o movimento e os exercícios, tanto os aeróbicos quanto atividades mais complexas, como treinos de boxe, são uma estratégia primária de tratamento/prevenção do Parkinson. O exercício é a única intervenção que comprovadamente retarda a progressão da doença.

Mas é difícil separar a reserva cognitiva de outras questões, como o status socioeconômico e o grau de escolaridade, que por sua vez estão ligados a uma melhor saúde metabólica e a outras questões (também conhecidas como "viés do usuário saudável"[20]). Assim, as evidências sobre se a reserva cognitiva pode ser "exercitada" ou usada na forma de uma estratégia preventiva, como aprender a tocar um instrumento musical ou outras modalidades de "treinamento cerebral", são muito conflitantes e inconclusivas. Contudo, dado que nenhuma dessas atividades é um sacrifício, por que não tentar?

Pelo que as evidências sugerem, as tarefas ou atividades que apresentam desafios mais variados, exigindo agilidade no raciocínio e processamento, são mais úteis para a formação e manutenção da reserva cognitiva. No entanto, fazer palavras cruzadas todos os dias, por si só, parece apenas melhorar a habilidade de fazer palavras cruzadas. O mesmo vale para a reserva de movimento: a dança parece ser mais eficaz do que a caminhada para retardar os sintomas do Parkinson, provavelmente porque envolve movimentos mais complexos.

Isso era algo que Stephanie, uma profissional de boa formação e de alto desempenho, tinha a seu favor. Sua reserva cognitiva era muito robusta, e suas pontuações iniciais eram altas. Isso significava que provavelmente tínhamos muito tempo para elaborar uma estratégia de prevenção para ela, talvez décadas. Mas, devido ao risco genético elevado, não podíamos nos dar ao luxo de esperar. Precisávamos elaborar um plano. Quais seriam as feições desse plano? Como essa doença aparentemente irredutível poderia ser evitada?

Vamos começar examinando mais de perto as mudanças que podem estar acontecendo *dentro* do cérebro de alguém que se encontra na estrada que leva ao Alzheimer. Como elas contribuem para a progressão da doença? Será que podemos fazer algo para detê-la ou limitar seus danos?

Uma vez que começamos a pensar o Alzheimer além do prisma da hipótese amiloide, passamos a distinguir outras características definidoras da demência que podem oferecer oportunidades de prevenção — pontos fracos na armadura do nosso oponente.

Alternativas ao amiloide

Durante décadas, quase em paralelo com as observações de placas e emaranhados, os cientistas também notaram problemas com o fluxo sanguíneo cerebral, ou "perfusão", em pacientes com demência. As autópsias mostravam que no cérebro de pacientes com Alzheimer geralmente havia uma notável calcificação* dos vasos sanguíneos e capilares que os alimentavam. Essa não é

* Você deve se lembrar que, no capítulo 7, falamos que a calcificação é parte do processo de reparação dos vasos sanguíneos danificados pela aterosclerose.

uma observação nova; no artigo seminal que definiu o Alzheimer como uma doença comum relacionada à idade, publicado em 1968, Blessed, Tomlinson e Roth também notaram danos vasculares agudos no cérebro dos participantes do estudo que haviam falecido.[21] O fenômeno vinha sendo abordado tangencialmente fazia décadas, desde 1927. Mas em geral era entendido como uma consequência da neurodegeneração, e não como uma causa em potencial.

No início dos anos 1990, um neurologista da Universidade Case Western Reserve chamado Jack de la Torre refletiu sobre as origens da doença de Alzheimer durante um voo com destino a Paris, onde teria uma conferência. A hipótese amiloide ainda era relativamente nova, mas não lhe agradava devido ao que havia observado em seu laboratório. No avião, ele teve um momento de "eureca". "As evidências de dezenas de experimentos com ratos pareciam estar aos berros comigo", escreveu mais tarde. Nesses experimentos, ele restringiu a quantidade de sangue que fluía para o cérebro dos ratos, e, com o tempo, eles desenvolveram sintomas notavelmente semelhantes aos da doença de Alzheimer em seres humanos: perda de memória e atrofia grave do córtex e do hipocampo. A restauração do fluxo sanguíneo interrompia ou revertia os danos até certo ponto, mas estes pareciam ser mais graves e duradouros nos ratos mais velhos do que nos mais jovens. A grande sacada era a de que o fluxo sanguíneo robusto parecia ser fundamental para a manutenção da saúde do cérebro.

O cérebro é um órgão ganancioso.[22] Constitui apenas 2% do nosso peso corporal, mas é responsável por cerca de 20% do nosso gasto total de energia. *Cada um* de seus 86 bilhões de neurônios tem entre mil e dez mil sinapses que os conectam a outros neurônios ou células-alvo, dando origem aos pensamentos, à personalidade, às memórias e ao raciocínio por trás das decisões boas e ruins. Existem computadores maiores e mais rápidos, mas nenhuma máquina feita pelo homem se equipara à capacidade do cérebro de intuir e aprender, muito menos sentir ou criar. Nenhum computador tem algo que se aproxime da multidimensionalidade do ser humano. Ao passo que um computador é alimentado por eletricidade, a bela máquina que é o cérebro humano depende de um suprimento constante de glicose e oxigênio, fornecidos por uma enorme e delicada rede de vasos sanguíneos. Pequenas interrupções nessa rede vascular já podem resultar em um derrame, capaz de provocar sequelas ou até mesmo a morte.

Além disso, as células cerebrais metabolizam a glicose de maneira diferente em comparação ao resto do corpo; elas não dependem da insulina, pois absorvem a glicose circulante diretamente, por meio de transportadores que basicamente abrem um portão na membrana celular. Isso permite que o cérebro tenha prioridade máxima no abastecimento quando os níveis de glicose no sangue estão baixos. Se faltam novas fontes de glicose, o combustível preferido do cérebro, o fígado converte a gordura em corpos cetônicos, como uma fonte alternativa de energia que pode sustentar o corpo por muito tempo, dependendo da extensão das reservas de gordura. (Ao contrário dos músculos ou do fígado, o cérebro em si não armazena energia.) Quando a gordura acaba, o próprio tecido muscular começa a ser consumido, seguido por outros órgãos e até os ossos, tudo para manter o cérebro funcionando a qualquer custo. O cérebro é a última coisa que desliga.

Enquanto o avião cruzava o Atlântico, de la Torre rabiscou suas ideias na única superfície disponível onde era possível escrever, que por acaso era um saco de enjoo. Os comissários de bordo ficaram assustados quando ele pediu outro saco, depois mais outro. Sua "teoria do saco de vômito", como ele a chamava em tom jocoso, era que a doença de Alzheimer é principalmente um distúrbio vascular do cérebro.[23] Os sintomas de demência que vemos resultam de uma redução gradual no fluxo sanguíneo, que por fim provoca o que ele chama de "crise de energia neuronal", que por sua vez desencadeia uma sequência de eventos nocivos que prejudicam os neurônios e acabam por causar a neurodegeneração. As placas e os emaranhados de amiloide surgem depois, como consequência e não como causa. "Acreditávamos, e ainda acreditamos, que o beta-amiloide é um importante *produto* patológico da neurodegeneração, (...) [mas] não a causa da doença de Alzheimer", escreveu recentemente de la Torre.[24]

Já havia evidências que comprovavam a teoria dele. É maior a probabilidade de a doença de Alzheimer ser diagnosticada em pacientes que sofreram um acidente vascular cerebral, que normalmente decorre de um bloqueio súbito do fluxo sanguíneo em regiões específicas do cérebro. Nesses casos, os sintomas surgem abruptamente, como se acionados por um interruptor. Além disso, foi constatado que quem tem histórico de doença cardiovascular corre maior risco de desenvolver Alzheimer. As evidências também demonstram uma relação linear entre o declínio cognitivo e o aumento da espessura da camada íntima da artéria carótida, um importante vaso sanguíneo que alimenta o cérebro. O fluxo sanguíneo cerebral já diminui naturalmente durante o processo de envelhecimento, e esse espessamento arterial, uma medida do envelhecimento arterial, pode provocar uma redução ainda maior no suprimento sanguíneo cerebral. A doença vascular também não é a única culpada. Ao todo, cerca de duas dúzias de fatores de risco conhecidos para a doença de Alzheimer também reduzem o fluxo sanguíneo, incluindo pressão alta, tabagismo, traumatismo craniano e depressão, entre outros. As evidências circunstanciais são consistentes.

Técnicas de neuroimagem aprimoradas confirmaram não apenas que a perfusão cerebral é menor em cérebros afetados pelo Alzheimer, como também que uma queda no fluxo sanguíneo parece prever *quando* acontecerá a transição do quadro pré-clínico da doença para o CCL e depois para a demência propriamente dita. Embora a demência vascular seja atualmente considerada distinta da demência devido ao Alzheimer,[25] representando cerca de 15% a 20% dos diagnósticos de demência na América do Norte e na Europa, e de até 30% na Ásia e nos países em desenvolvimento, os sintomas e a patologia das duas doenças se sobrepõem de forma tão significativa que de la Torre as considera diferentes manifestações de uma mesma condição básica.

Outra teoria convincente e talvez paralela sugere que o Alzheimer tem origem no metabolismo anormal da glicose no cérebro. Cientistas e médicos há muito observam uma conexão entre a doença e a disfunção metabólica. Ter diabetes tipo 2 dobra ou triplica o risco de desenvolver Alzheimer,[26] quase a mesma proporção de quem tem uma cópia do gene *APOE e4*. Em um nível puramente mecanicista, a glicose cronicamente elevada no sangue, como observada na diabetes tipo 2 e no pré-diabetes/resistência à insulina, pode danificar a vasculatura do cérebro. Mas a resistência à insulina por si só já é suficiente para aumentar o risco.[27]

A insulina parece desempenhar um papel fundamental na função da memória. Os receptores de insulina estão muito concentrados no hipocampo, o centro de memória do cérebro. Segundo vários estudos, borrifar insulina no nariz dos indivíduos, para levá-la da forma mais direta possível ao cérebro, melhora rapidamente o desempenho cognitivo e a memória, mesmo em pessoas já diagnosticadas com Alzheimer.[28] Um estudo constatou que a insulina intranasal ajudou a preservar o volume cerebral em pacientes com a doença.[29] Está claro que é proveitoso levar glicose aos neurônios, e a resistência à insulina impede que isso ocorra. Como escreveram os autores desse estudo, "várias linhas de evidência convergem de modo a sugerir que a resistência central à insulina desempenha um papel causal no desenvolvimento e na progressão da doença de Alzheimer".

O evento que chama a atenção (mais uma vez) parece ser uma queda no fornecimento de energia ao cérebro, como o observado no início da demência vascular.[30] De acordo com estudos de imagem cerebral, uma queda no metabolismo cerebral da glicose já pode ser observada décadas antes de aparecerem outros sintomas de demência vascular.[31] Curiosamente, essa redução parece ser especialmente crítica em regiões do cérebro que também são afetadas na doença de Alzheimer, incluindo o lobo parietal, importante para o processamento e integração de informações sensoriais; e o hipocampo do lobo temporal, fundamental para a memória.[32] Assim como o fluxo sanguíneo reduzido, o metabolismo reduzido da glicose basicamente priva esses neurônios de energia, provocando um efeito cascata de respostas que incluem inflamação, aumento do estresse oxidativo, disfunção mitocondrial e, por fim, a própria neurodegeneração.

O papel do *APOE e4*

Ainda não está totalmente claro como nem por quê, mas o *e4* parece acelerar outros fatores de risco e mecanismos que impulsionam a doença de Alzheimer — particularmente fatores metabólicos, como a redução no metabolismo cerebral da glicose, sobre a qual acabamos de falar. Em termos simples, esse alelo parece piorar tudo, incluindo a diferença de gênero que se observa na doença: uma mulher com uma cópia do *e4* tem quatro vezes mais chances de desenvolvê-la do que um homem com o mesmo genótipo.[33]

A proteína que o *e4* codifica, a *APOE* (apolipoproteína E), desempenha um papel importante no transporte do colesterol e no metabolismo da glicose. Ela serve como o principal transportador de colesterol no cérebro, movendo-o através da barreira hematoencefálica para suprir os neurônios com as grandes quantidades de que necessitam. Hussain Yassine, um neurocientista da Universidade do Sul da Califórnia que estuda o papel da *APOE* no Alzheimer, compara o papel dela ao do maestro de uma orquestra. Por alguma razão, diz ele, as pessoas com o alelo *e4* parecem apresentar defeitos tanto no transporte do colesterol quanto no metabolismo da glicose, em um grau não observado naquelas com o *e2* ou *e3*. Mesmo que a proteína *APOE e4* de maior risco difira da inofensiva *e3* por conta de um aminoácido apenas, ela parece ser menos eficiente em transportar o colesterol para dentro e especialmente para fora do cérebro. Há também algumas evidências de que a proteína *APOE e4* também pode provocar uma quebra precoce da própria barreira hematoencefálica, tornando o cérebro mais suscetível a lesões e uma possível degeneração.[34]

Curiosamente, o *APOE e4* nem sempre foi um agente nocivo. Por milhões de anos, *todos* os nossos ancestrais pós-primatas eram *e4/e4*. Era o alelo humano original.[35] A mutação *e3* apareceu há cerca de 225 mil anos, enquanto a *e2* é relativamente tardia, tendo chegado apenas nos últimos cem mil anos. Os dados de populações atuais com alta prevalência de *e4* sugerem que ela pode ter sido útil para a sobrevivência em ambientes com altos níveis de doenças infecciosas: as crianças portadoras do *APOE e4* que moram em favelas brasileiras são mais resistentes à diarreia e têm um desenvolvimento cognitivo mais sólido, por exemplo.[36] Em ambientes onde as doenças infecciosas eram a principal causa de morte, os portadores de *APOE e4* podem ter sido os felizardos em termos de longevidade.

Esse benefício em termos de sobrevida pode derivar do papel da *APOE e4* na promoção da inflamação, que pode ser benéfica em algumas situações (por exemplo, no combate a infecções), mas prejudicial em outras (por exemplo, na vida moderna). Como vimos no capítulo 7, a inflamação promove danos ateroscleróticos nos vasos sanguíneos, preparando o terreno para o Alzheimer e a demência. Pessoas com doença de Alzheimer geralmente apresentam altos níveis de citocinas inflamatórias no cérebro, como TNF-alfa e IL-6; além disso, alguns estudos também encontraram níveis mais altos de neuroinflamação em portadores do *e4*.[37] Nada disso, obviamente, é bom para a saúde cerebral no longo prazo; como já observado, o *e4* parece piorar todos os fatores de risco para a doença de Alzheimer.

A variante *e4* também parece causar problemas em outras situações, como diante das dietas modernas. Não só os portadores do *e4* são mais propensos a desenvolver síndrome metabólica, como também a proteína *APOE e4* pode ser parcialmente responsável por isso, interrompendo a capacidade do cérebro de regular os níveis de insulina e manter a homeostase da glicose no corpo. Esse fenômeno se torna patente quando esses pacientes estão em monitoramento contínuo de glicose (MCG, do qual falaremos com mais detalhes no capítulo 15). Mesmo pacientes jovens com o *e4* apresentam picos críticos de glicose no sangue após a ingestão de alimentos ricos em carboidratos, embora não esteja claro o que isso significa em termos clínicos.

Assim, o próprio *e4* poderia ajudar a provocar a mesma disfunção metabólica que também aumenta o risco de demência. Ao mesmo tempo, parece intensificar os danos causados ao cérebro pela disfunção metabólica. Segundo alguns pesquisadores, em ambientes com alto teor de glicose, a forma aberrante da proteína *APOE* codificada pelo *APOE e4* age para bloquear os receptores de insulina no cérebro, formando aglomerados pegajosos ou agregados que impedem os neurônios de absorver energia.

Mas nem todas as pessoas com o genótipo *APOE e4* são afetadas da mesma forma. Os efeitos sobre o risco de desenvolver a doença e sobre seu curso variam muito. Fatores como sexo biológico, etnia e estilo de vida visivelmente contam, mas hoje acredita-se que o risco de ter Alzheimer e o efeito do *APOE* também dependem fortemente de outros genes relacionados a esse risco, como o *Klotho*, o gene protetor que mencionamos anteriormente. Isso poderia explicar, por exemplo, por que algumas pessoas podem ter o *e4* sem nunca desenvolver Alzheimer, enquanto em outras isso ocorre com rapidez.

Tudo isso sugere que as causas metabólicas e vasculares da demência podem de alguma forma se sobrepor, assim como os pacientes com resistência à insulina também são propensos a desenvolver doenças vasculares. Isso nos diz, ainda, que precisamos dedicar atenção especial à saúde metabólica de pacientes de alto risco, como Stephanie.

O plano de prevenção

Apesar de tudo, continuo cautelosamente otimista em relação a pacientes como Stephanie, mesmo com seu risco genético elevado ao extremo. O próprio conceito de prevenção do Alzheimer ainda é relativamente novo; ainda estamos tateando a superfície do que pode ser concretizado nesse aspecto. À medida que entendermos melhor a doença, os tratamentos e intervenções poderão se tornar mais sofisticados e eficazes.

Inclusive, acho que sabemos mais sobre a prevenção do Alzheimer do que sobre a prevenção do câncer. Nossa principal ferramenta para prevenir o câncer é não fumar e manter a saúde metabólica nos trilhos, mas essa abordagem é muito genérica e só vai até certo ponto. Ainda precisamos fazer um rastreamento agressivo e esperar, de alguma forma, encontrar um possível tumor antes que seja tarde demais. Com a doença de Alzheimer, temos à disposição um kit de ferramentas preventivas muito maior e métodos de diagnóstico muito melhores. É relativamente fácil identificar os estágios iniciais de declínio cognitivo, se prestarmos atenção. Também estamos aprendendo mais sobre os fatores genéticos, incluindo aqueles que compensam pelo menos parcialmente os genes de alto risco, como o *APOE e4*.

Como o metabolismo desempenha um papel muito importante em pacientes de risco portadores do *e4*, como Stephanie, nosso primeiro passo é abordar quaisquer problemas metabólicos que eles tenham. O objetivo é melhorar o metabolismo da glicose, a inflamação e o estresse oxidativo. Uma possível recomendação para alguém como ela seria adotar uma dieta mediterrânea, contando com mais gorduras monoinsaturadas e menos carboidratos refinados, além do consumo regular de peixes gordurosos. Existem evidências de que a suplementação com o ácido graxo ômega-3 DHA, encontrado no óleo de peixe, pode ajudar a manter a saúde do cérebro, especialmente em portadores de *e4/e4*.[38] Doses mais altas de DHA podem ser necessárias devido a alterações metabólicas induzidas pelo *e4* e à disfunção da barreira hematoencefálica.

Essa também é uma área em que a dieta cetogênica pode oferecer uma vantagem funcional concreta: quando alguém está em cetose, o cérebro recorre a uma mistura de cetonas e glicose como combustível. Segundo estudos realizados em pacientes com Alzheimer, embora o cérebro se torne menos capazes de utilizar a glicose, sua capacidade de metabolizar cetonas não diminui. Portanto, pode fazer sentido diversificar a fonte de combustível do cérebro, passando de apenas glicose para glicose e cetonas. De acordo com uma revisão sistemática de ensaios clínicos randomizados, as terapias cetogênicas melhoraram a cognição geral e a memória em indivíduos com comprometimento cognitivo leve e doença de Alzheimer em estágio inicial.[39] Pense nisso como uma estratégia "total flex".

No caso de Stephanie, ela eliminou não apenas a adição de açúcar e os carboidratos refinados, mas também o álcool. O papel exato do álcool no Alzheimer se mantém um tanto controverso: algumas evidências sugerem que a bebida pode ser ligeiramente protetora contra a doença, enquanto outras mostram que o consumo excessivo é em si um fator de risco,[40] e os portadores do *e4* podem ser ainda mais suscetíveis aos efeitos deletérios do álcool. Prefiro errar por excesso de cautela, e Stephanie também.

O item mais poderoso do nosso kit de ferramentas preventivas é o exercício, que tem um impacto duplo no risco de desenvolver Alzheimer: ajuda a manter a homeostase da glicose e melhora a saúde da vasculatura. Então, além da mudança na dieta, Stephanie voltou a adotar uma rotina regular de exercícios, focada em exercícios de resistência constante para melhorar a eficiência mitocondrial. Isso teve um efeito colateral positivo, pois ajudou a controlar seus níveis de cortisol, que estavam fora do normal, devido ao estresse; o risco relacionado ao estresse e à ansiedade parece ser mais significativo no sexo feminino.[41] Como veremos no capítulo 11, os exercícios de resistência produzem fatores que atingem diretamente as regiões do cérebro responsáveis pela cognição e pela memória, além de ajudarem a reduzir a inflamação e o estresse oxidativo.

O treinamento de força talvez seja igualmente importante. Conforme um estudo que analisou quase meio milhão de pacientes no Reino Unido, a força de preensão, um excelente indicador da força em geral, estava alta e inversamente associada à incidência de demência (ver Figura 8).[42] Nas pessoas do quartil mais baixo de força de preensão (ou seja, o mais fraco), observou-se uma incidência 72% maior de demência em comparação com aquelas do quartil superior. Os autores constataram que essa associação se manteve mesmo após o ajuste para os fatores de confusão habituais, como idade, sexo, status socioeconômico, doenças como diabetes e câncer, tabagismo e fatores de estilo de vida, como padrão de sono, ritmo de caminhada e tempo gasto assistindo à TV. E, ao que parece, não havia limite superior, ou "teto", nessa relação; quanto maior a força de preensão de um indivíduo, menor o risco de demência.

É tentador desprezar descobertas como essas pelas mesmas razões pelas quais devemos ser céticos em relação à epidemiologia. Mas, ao contrário da epidemiologia na nutrição (falaremos mais sobre isso no capítulo 14), a epidemiologia que liga a força e a aptidão cardiorrespiratória ao menor risco de neurodegeneração é tão uniforme em termos de direção e magnitude que meu próprio ceticismo quanto ao poder do exercício, que adotei por volta de 2012, lentamente se desfez. Hoje digo aos pacientes que o exercício é, sem sombra de dúvida, a melhor ferramenta que temos no kit de prevenção contra a neurodegeneração (vamos explorar os prós e contras em detalhes nos capítulos 11 e 12).

Figura 8. **Correlação entre a força de preensão e o risco de demência**

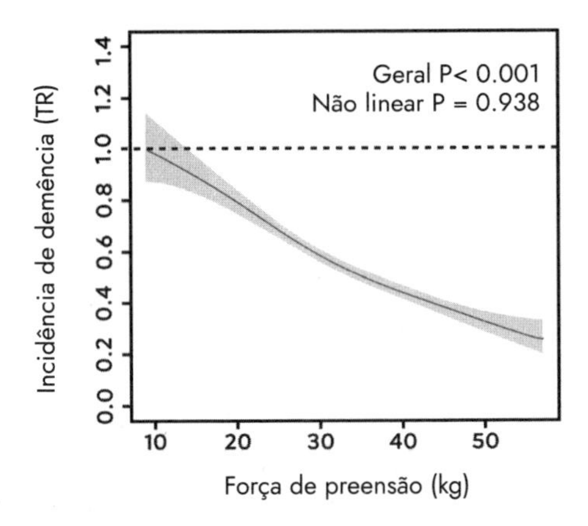

Este gráfico mostra como a incidência de demência diminui com o aumento da força de preensão manual. Observe que os dados são apresentados como taxas de risco (TR) em comparação com o grupo mais fraco; por exemplo, 0,4 = 40%. Assim, uma pessoa com força de preensão de 40 kg tem cerca de 40% do risco de demência que tem uma pessoa com 10 kg de força de preensão. Fonte: Esteban-Cornejo et al. (2022).

O sono também é uma ferramenta muito poderosa contra o Alzheimer, como veremos no capítulo 16. É durante o sono que o cérebro se cura; quando estamos em sono profundo, nosso cérebro está essencialmente "limpando a casa", varrendo o lixo intracelular que pode se acumular entre os neurônios. As interrupções e a má qualidade do sono podem aumentar o risco de demência.[43] Se esse sono prejudicado for acompanhado por um alto grau de estresse e níveis elevados de cortisol, como no caso de Stephanie, isso atua quase como um multiplicador de risco, pois contribui para a resistência à insulina e, ao mesmo tempo, danifica o hipocampo. Além disso, a hipercortisolemia (o excesso de cortisol devido ao estresse) prejudica a liberação de melatonina, o hormônio que normalmente sinaliza ao cérebro que é hora de dormir (e que também pode ajudar a prevenir a perda neuronal e o comprometimento cognitivo). Tratar dos contratempos no sono de Stephanie era, portanto, urgente. Seu divórcio e sua situação profissional quase impossibilitavam que ela dormisse por mais de quatro horas ininterruptas todas as noites.

Outro fator de risco um tanto surpreendente que despontou foi a perda auditiva. De acordo com alguns estudos, a perda auditiva está claramente associada à doença de Alzheimer, mas não é um sintoma direto.[44] Ao que parece, a perda auditiva pode estar causalmente ligada ao declínio cognitivo, porque as pessoas com perda auditiva tendem a se isolar e se afastar das interações sociais. Ao ser privado de estímulos — nesse caso, auditivos —, o cérebro definha. Os pacientes com perda auditiva são privados de socialização, estímulo intelectual e sentimento de conexão; a prescrição de aparelhos auditivos pode ajudar a aliviar alguns sintomas. No momento isso é apenas uma hipótese, mas que está sendo testada em um ensaio clínico chamado Avaliação de envelhecimento e saúde cognitiva em idosos (Achieve, na sigla em inglês), que está em andamento.

Embora a depressão também esteja associada ao Alzheimer, ela parece ser mais um sintoma do que um fator de risco ou uma espécie de gatilho da doença. No entanto, o tratamento da depressão em pacientes com CCL ou Alzheimer precoce parece ajudar a reduzir outros sintomas de declínio cognitivo.

Outra intervenção surpreendente que pode ajudar a reduzir a inflamação sistêmica e possivelmente o risco de desenvolver Alzheimer é escovar os dentes *e* usar fio dental (isso mesmo: *fio dental*). Existe um corpo de pesquisa cada vez maior que relaciona a saúde bucal, particularmente o estado do tecido gengival, com a saúde em geral. Os pesquisadores descobriram que um patógeno em particular, um micróbio chamado *P. gingivalis*, que provoca doenças na gengiva, é responsável por um grande aumento nos níveis de marcadores inflamatórios, como o IL-6. Ainda mais estranho, o *P. gingivalis* também apareceu no cérebro de pacientes com doença de Alzheimer,[45] embora os cientistas não estejam certos de que essa bactéria cause a demência, observa a dra. Patricia Corby, professora de saúde bucal da Universidade de Nova York. No entanto, a associação é forte demais para ser ignorada. (Além disso, uma melhor saúde bucal está fortemente relacionada a uma melhor saúde em geral, principalmente em termos de risco de doença cardiovascular, por isso hoje presto muito mais atenção ao uso do fio dental e à saúde das gengivas do que antigamente.)

Outra incorporação um tanto recente à minha abordagem sobre a prevenção da demência (e, aliás, das ASCVD também) é o uso de saunas secas. Até 2019, mais ou menos, os dados que associavam o uso da sauna à saúde do cérebro e do coração me suscitavam muito ceticismo. No entanto, quanto mais mergulho nessa literatura, mais me convenço da magnitude dos benefícios, da uniformidade dos estudos e dos mecanismos que dão plausibilidade. Não estou totalmente confiante de que o uso regular da sauna reduz o risco de desenvolver Alzheimer, tanto quanto acredito na eficácia do exercício, mas estou muito mais confiante do que estava no início da minha jornada. Segundo a melhor interpretação que posso extrair da literatura, pelo menos quatro sessões de no mínimo vinte minutos por semana, a 82°C ou mais, parece ser a medida ideal para reduzir em cerca de 65% o risco de ter Alzheimer[46] (e em 50% o de ter ASCVD).[47]

Entre outras intervenções potenciais que se mostraram promissoras nos estudos, está a redução da homocisteína com vitaminas do complexo B,[48] otimizando os ácidos graxos ômega-3.[49] Níveis mais altos de vitamina D foram relacionados a uma melhor memória em pacientes portadores de *e4/e4*,[50] mas é difícil saber, pela literatura atual, se isso significa que a suplementação com vitamina D reduzirá o risco de Alzheimer. Além disso, como dito anteriormente, a terapia de reposição hormonal para mulheres durante a transição da perimenopausa para a menopausa parece promissora, especialmente para aquelas com pelo menos uma cópia do *e4*.

O aspecto mais assustador da doença de Alzheimer pode ser resumido da seguinte forma: a Medicina 2.0 não tem como nos ajudar. De nenhuma forma. O momento em que ela entra em ação, o do diagnóstico, está provavelmente muito perto do ponto de não retorno para a maioria dos pacientes com Alzheimer, quando pouco ou nada pode ser feito. Uma vez diagnosticada a demência, é extremamente difícil freá-la e talvez impossível revertê-la (embora não estejamos certos disso). Portanto, somos forçados a abandonar o território familiar da medicina que conhecemos, com suas promessas de certeza, e abraçar os conceitos da Medicina 3.0 de prevenção e redução de riscos.

Dado o atual cenário, o Alzheimer é o último dos cavaleiros que devemos ignorar para nos tornarmos centenários; é o último obstáculo que vamos enfrentar. Normalmente, ela é diagnosticada em idade avançada — e os centenários a desenvolvem *ainda* mais tarde, isso quando a desenvolvem. Quanto mais tempo pudermos passar sem demência, melhores serão nossas chances de viver mais e com uma saúde melhor (lembre-se de que a cognição é um dos três principais vetores do healthspan). Mas, até que a ciência conceba tratamentos mais eficazes, a prevenção é nossa única opção. Portanto, precisamos adotar uma abordagem precoce e abrangente para prevenir o Alzheimer e outras doenças neurodegenerativas.

Em linhas gerais, nossa estratégia deve ser baseada nos seguintes princípios:

1. O QUE É BOM PARA O CORAÇÃO É BOM PARA O CÉREBRO. Ou seja, a saúde vascular (baixa apoB, baixo grau de inflamação e baixo estresse oxidativo) é crucial para a saúde do cérebro.
2. O QUE É BOM PARA O FÍGADO (E PARA O PÂNCREAS) É BOM PARA O CÉREBRO. A saúde metabólica é crucial para a saúde do cérebro.
3. O TEMPO É FUNDAMENTAL. Precisamos pensar na prevenção desde cedo, e quanto mais as probabilidades estiverem contra você em termos genéticos, mais você terá de se esforçar e mais cedo terá de começar. Tal como acontece com as doenças cardiovasculares, trata-se de uma corrida de resistência.
4. NOSSA FERRAMENTA MAIS PODEROSA PARA PREVENIR O DECLÍNIO COGNITIVO É O EXERCÍCIO. Já falamos muito sobre dieta e metabolismo, mas os exercícios parecem ter vários efeitos (vasculares, metabólicos) que preservam a saúde do cérebro; entraremos nesse assunto em mais detalhes na Parte III, mas o exercício — muito exercício — é a base do nosso programa de prevenção contra o Alzheimer.

Tenho muita esperança de que no futuro aprenderemos ainda mais a prevenir e tratar todas as formas de demência. Mas isso vai exigir muito trabalho e criatividade dos cientistas que pesquisam a doença, um investimento significativo em novas teorias e abordagens, muito mais atenção às estratégias de prevenção e coragem por parte de pacientes como Stephanie, que precisam enfrentar o mais temido e menos compreendido dos cavaleiros.

PARTE III

CAPÍTULO 10

Pensando na tática

Como montar um esquema que dê certo para você

Absorva o que for útil, descarte o que for inútil
e acrescente o que for especificamente seu.

— BRUCE LEE

Em meados do século XIX, um médico francês chamado Stanislas Tanchou observou que o câncer estava se tornando cada vez mais prevalente nas cidades europeias de rápido crescimento. A Revolução Industrial avançava a toda velocidade, mudando a sociedade de formas inimagináveis. Ele enxergou uma conexão entre as duas coisas: "O câncer, assim como a loucura, parece aumentar com o progresso da civilização."[1]

Ele foi presciente. De fato, o câncer, assim como as doenças cardíacas, a diabetes tipo 2 e a demência (juntamente com algumas outras enfermidades), passou a ser enquadrado no conjunto das chamadas "doenças da civilização", porque pareciam ter se alastrado em sintonia com a industrialização e a urbanização na Europa e nos Estados Unidos.

Isso não significa que a civilização seja "ruim" e que todos deveríamos voltar ao estilo de vida dos caçadores-coletores. Prefiro viver no mundo moderno, onde minhas preocupações são esquecer meu iPhone ou perder um voo, a ter que encarar doenças que se espalham descontroladamente, formas de violência aleatórias e a ausência de leis e princípios, desafios que nossos ancestrais tiveram de suportar por milênios (e que as pessoas de algumas partes do mundo ainda vivenciam). Mas mesmo que a modernidade tenha ajudado a aumentar a expectativa de vida e melhorar o padrão de vida, também deu origem a circunstâncias que parecem conspirar para limitar a longevidade de alguma maneira.

O dilema que temos diante de nós é que nosso ambiente mudou drasticamente ao longo dos últimos cem ou duzentos anos, de quase todas as maneiras imagináveis — a oferta de alimentos e os hábitos alimentares, os níveis de atividade, a estrutura das relações sociais —, ao passo que nossos genes praticamente não mudaram. Vimos um exemplo clássico disso no capítulo 6, com a mudança do papel desempenhado pela frutose em nossa dieta. Muito tempo atrás, quando consumíamos frutose principalmente nas frutas e no mel, ela nos permitia armazenar energia como gordura para sobreviver a invernos frios e períodos de escassez. A frutose era nossa amiga. Hoje, a frutose é hiperabundante na dieta, boa parte em forma líquida, o que interfere no metabolismo e no equilíbrio geral de energia. Não é difícil ingerir muito mais calorias vindas da frutose do que o volume que o corpo consegue processar com segurança.

Esse novo ambiente que criamos é potencialmente tóxico em relação ao que comemos (de modo crônico, não agudo),* a como nos movimentamos (ou não), a como dormimos (ou não) e ao efeito generalizado disso sobre nossa saúde emocional (basta passar algumas horas nas redes sociais). Isso é tão estranho ao genoma que a evolução nos legou quanto, por exemplo, um aeroporto seria para Hipócrates. O resultado, juntamente com nossa recém-descoberta capacidade de sobreviver a epidemias, ferimentos e doenças que antes nos matavam, é uma espécie de desafio à seleção natural. Nossos genes não mais estão em sintonia com o ambiente. Portanto, devemos estar atentos às nossas táticas se quisermos nos adaptar e prosperar neste mundo novo e perigoso.

É por isso que, ao longo de todas as páginas anteriores, discutimos nosso objetivo e nossa estratégia. Para saber o que fazer, precisamos conhecer o adversário por dentro e por fora, assim como Muhammad Ali conhecia Fo-

* De uma perspectiva aguda, o suprimento de alimentos é mais seguro do que nunca, graças à refrigeração, aos avanços no processamento e às regulamentações que impedem o uso de substâncias tóxicas. Do ponto de vista crônico, nem tanto (veja o capítulo 15).

reman. A esta altura, devemos ter uma boa noção da nossa estratégia. Espero ter proporcionado algum entendimento sobre os mecanismos biológicos que ajudam a nos predispor a certas doenças e sobre como elas progridem.

Agora é hora de explorar nossas táticas, os meios e os métodos pelos quais vamos tentar navegar por esse ambiente novo, estranho e, às vezes, perigoso. Como superar as velhas expectativas e viver nossas "décadas bônus" o melhor que pudermos? Que atitudes concretas podemos tomar para reduzir o risco de desenvolver doenças e morrer, aprimorando nossa qualidade de vida à medida que envelhecemos?

Na Medicina 3.0, existem cinco domínios táticos nos quais podemos atuar para intervir na saúde de alguém. O primeiro são os *exercícios*, que considero de longe o domínio mais potente em termos de impacto na expectativa de vida e no healthspan. Claro, os exercícios não envolvem uma única coisa; eu os divido em termos de eficiência aeróbica, rendimento aeróbico máximo (VO_2 máx.), força e estabilidade, e falaremos em mais detalhes de todos eles. A seguir vem a dieta, a nutrição; ou, como prefiro chamar, a *bioquímica nutricional*. O terceiro domínio é o *sono*, que era subestimado pela Medicina 2.0 há até relativamente pouco tempo. O quarto domínio engloba ferramentas e técnicas para gerir e melhorar a *saúde emocional*. O quinto e último domínio consiste nos inúmeros medicamentos, suplementos e hormônios sobre os quais os médicos aprendem desde a faculdade ; eu os agrupo em um conjunto chamado *moléculas exógenas*, ou seja, moléculas que ingerimos e que vêm de fora do corpo.

Nesta seção, não vou falar muito sobre as moléculas exógenas além daquelas que já mencionei especificamente (por exemplo, medicamentos hipolipemiantes, rapamicina e metformina, o remédio para diabetes cujos possíveis efeitos sobre a longevidade estão sendo testados). Quero me concentrar nos outros quatro domínios, porque nenhum deles é efetivamente abordado, ou nem sequer mencionado, na faculdade de medicina ou na residência. Não aprendemos quase nada sobre exercícios, nutrição, sono ou saúde emocional. Isso pode estar mudando lentamente, mas, se alguns médicos entendem desses aspectos hoje e são realmente capazes de ajudar você em relação a eles, é provável que tenham buscado essas informações por conta própria.

À primeira vista, algumas táticas podem parecer um pouco óbvias. Exercícios. Nutrição. Sono. Saúde emocional. Claro, queremos otimizar todos esses fatores. Mas o diabo (ou, para mim, o deleite) mora nos detalhes. Como devemos nos exercitar? Como vamos melhorar a alimentação? Como podemos dormir mais e melhor?

Em cada um desses casos, embora os objetivos gerais sejam evidentes, as especificidades e nuances não são. As opções são quase infinitas. Isso exige que nos aprofundemos de fato e descubramos como elaborar um plano tático eficaz — e que sejamos capazes de ajustar a rota conforme necessário. Temos que mergulhar mais fundo para ir além do óbvio.

O que constitui uma tática eficaz?

Gosto de explicar isso, entre outros exemplos, através dos acidentes de carro, que também são uma pequena obsessão minha. Eles matam muita gente de todas as faixas etárias — uma pessoa a cada doze minutos só nos Estados Unidos, de acordo com o órgão de fiscalização do país[2] —, mas acredito que uma boa quantidade dessas mortes poderia ser evitada com as táticas adequadas.

O que podemos fazer para reduzir o risco de morte ao volante? Será que é possível evitar os acidentes de carro, mesmo eles parecendo tão aleatórios?

As táticas óbvias que já conhecemos são: usar cinto de segurança, não mexer no celular ao volante (algo aparentemente difícil para muitas pessoas) e não beber e dirigir, já que o álcool está presente em até um terço das mortes. As estatísticas de fatalidades em acidentes automotivos também revelam que quase 30% das mortes envolvem excesso de velocidade. Esses lembretes são úteis, mas não exatamente surpreendentes ou inovadores.

Identificar os pontos de risco é o primeiro passo para desenvolver boas táticas. Quase sem refletir sobre a questão, presumi que as estradas seriam o lugar mais fatal para se dirigir, por causa das altas velocidades envolvidas. Mas, segundo os dados de décadas de acidentes automobilísticos, na prática, uma proporção muito alta de mortes ocorre em cruzamentos.[3] A morte mais comum de motoristas ocorre quando há uma colisão com outro carro pela esquerda, do lado do motorista, depois de se avançar um sinal vermelho ou estar em alta velocidade. Ou seja, normalmente é uma colisão lateral, e com frequência o motorista que morre não é o culpado.

A boa notícia é que, nos cruzamentos, temos escolhas. Temos autonomia. Podemos decidir se e quando avançar. Isso nos dá a oportunidade de desenvolver táticas específicas para tentar não ser atingidos nesse contexto. A maior preocupação deve ser com os carros que vêm da esquerda, em direção à porta do motorista, por isso devemos prestar atenção especial a esse lado. Em cruzamentos movimentados, faz sentido olhar para a esquerda, depois para a direita e para a esquerda novamente, para o caso de termos deixado algo passar na primeira vez. Um amigo do ensino médio, hoje um caminhoneiro que percorre longas distâncias, concorda: antes de avançar em qualquer cruzamento, mesmo que tenha a preferência (por exemplo, um sinal verde), ele sempre olha primeiro para a esquerda e depois para a direita, justamente para evitar esse tipo de acidente. E, lembre-se, ele dirige um caminhão gigantesco.

Temos, então, uma tática específica e aplicável que podemos pôr em prática sempre que estivermos dirigindo. Mesmo que não garanta que estejamos 100% seguros, isso reduz o risco de forma pequena, mas visível. Melhor ainda, os resultados são exponenciais: um esforço relativamente pequeno produz uma redução de risco potencialmente significativa.

Vemos nossas táticas sob o mesmo prisma, partindo do mais vago e geral e focando no específico e direcionado. Usamos dados e intuição para determinar onde concentrar os esforços, bem como feedback para avaliar o que está funcionando ou não. Quando se acumulam ao longo do tempo, ajustes aparentemente pequenos podem gerar uma vantagem significativa.

Minha analogia com os acidentes de carro pode parecer abstrata, mas não é muito diferente do que enfrentamos na busca pela longevidade. O automóvel é onipresente na sociedade, um risco ambiental com o qual precisamos aprender a conviver. Do mesmo modo, para nos mantermos saudáveis à medida que envelhecemos, temos que aprender a navegar em um mundo cada vez mais repleto de perigos e riscos à saúde. Nesta terceira e última seção do livro, vamos explorar vários métodos pelos quais podemos mitigar ou eliminar esses riscos, para aprimorar e aumentar nosso healthspan — e aprender a aplicar essas técnicas a cada paciente.

Os dois domínios táticos mais complexos são nutrição e exercício, e acredito que a maioria das pessoas precisa mudar ambos — raramente apenas um ou outro. Quando avalio pacientes novos, faço sempre três perguntas-chave:

a. Eles estão sobrenutridos ou subnutridos? Ou seja, estão ingerindo calorias de mais ou de menos?
b. Eles são pouco musculosos ou sua massa muscular é adequada?
c. Eles são saudáveis do ponto de vista metabólico ou não?

Não me surpreende que haja uma enorme intercessão entre o grupo sobrenutrido e o grupo com problemas metabólicos, apesar de que também tratei muitos pacientes magros com problemas metabólicos. Quase sempre, porém, uma saúde metabólica ruim vem acompanhada de músculos fracos, o que ilustra a interação entre alimentação e exercícios.

Vamos falar sobre as diferentes situações em muito mais detalhes adiante, mas, em suma, vem daí a importância de coordenar *todas* as intervenções táticas que empregamos. Por exemplo, no caso de um paciente sobrenutrido, queremos encontrar uma maneira de reduzir sua ingestão calórica (existem três formas de fazer isso, como veremos no capítulo 15). No entanto, se os músculos dele também estão fracos, o que é comum, é importante assegurar a ingestão de proteínas, já que o objetivo não é perder peso, mas perder gordura em associação ao ganho de massa muscular. Pode ser complicado.

Nenhum dos domínios táticos está isolado dos demais. No capítulo 16, por exemplo, vamos explicar o efeito gigantesco do sono na sensibilidade à insulina e no desempenho nos exercícios (e também no bem-estar emocional). Dito isso, na maioria dos casos eu dedico bastante atenção à forma física e à nutrição dos pacientes, dois fatores intimamente ligados. Para tomar decisões e desenvolver as táticas nos fiamos muito nos dados, incluindo biomarcadores estáticos, como triglicerídeos e testes de função hepática, além de biomarcadores dinâmicos, como testes orais de tolerância à glicose, juntamente com medidas antropométricas, como dados sobre composição corporal, tecido adiposo, densidade óssea e massa magra.

Muito do que você está prestes a ler é um reflexo das conversas que tenho com meus pacientes todos os dias. Falamos sobre os objetivos deles e as bases científicas que fundamentam nossa estratégia. Quando se trata de táticas específicas, eu forneço orientação para ajudá-los a criar seu próprio manual. Quase nunca prescrevo algo que deve ser seguido cegamente. Meu objetivo é prepará-los para tomar medidas que corrijam sua condição física, sua alimentação, seu sono e seu emocional (repare que, para quase tudo isso, no fundo nem preciso de receituário). Mas a ação é responsabilidade deles; muitas dessas coisas não são fáceis. Elas exigem esforço e mudança de hábitos.

O que apresento a seguir não é um passo a passo para ser seguido de olhos fechados. Não existe uma solução geral que sirva para todo mundo. Para oferecer orientações detalhadas sobre exercícios, alimentação ou estilo de vida, é preciso feedback individual e interação, algo que não tenho como colocar em prática com segurança nem precisão em um livro. Mas espero que você tenha parâmetros para estabelecer sua prática de exercícios físicos, sua alimentação, seu sono e sua saúde emocional, muito além de qualquer prescrição ampla da dosagem de determinado macronutriente que cada pessoa no planeta deve ingerir. Acredito que isso é o melhor que podemos fazer hoje, com base em nossa compreensão atual dos dados científicos relevantes e na minha experiência clínica (que é onde entra a "arte"). Estou sempre refinando, experimentando, mudando as coisas na minha rotina e na dos meus pacientes. E eles também estão sempre mudando.

Nenhuma ideologia específica, escola de pensamento ou qualquer tipo de rótulo nos limita. Não vestimos a camisa da "dieta cetogênica" nem do "baixo teor de gordura" e tampouco defendemos os exercícios aeróbicos em detrimento dos de força, ou vice-versa. A partir de um leque extenso, escolhemos e experimentamos táticas que esperamos que funcionem para nós. Estamos abertos a mudar de ideia. Por exemplo, eu costumava recomendar longos períodos de jejum, em que apenas a ingestão de água era permitida, para alguns pacientes — e eu mesmo jejuava. Mas não faço mais isso, porque me convenci de que as desvantagens (principalmente relacionadas à perda de massa muscular e à falta de nutrientes) superam os benefícios metabólicos, exceto no caso dos meus pacientes mais sobrenutridos. Adaptamos nossas táticas com base no que precisamos mudar e na nossa compreensão das melhores evidências científicas à disposição.

Nosso único objetivo é viver mais e melhor. Para isso, precisamos reescrever a narrativa de declínio que tantas pessoas antes de nós tiveram que enfrentar e descobrir um plano que torne cada década melhor do que a que passou.

CAPÍTULO 11

Exercícios

O mais poderoso medicamento para aumentar a longevidade

Jamais venci uma luta no ringue; sempre venci na preparação.

— MUHAMMAD ALI

Muitos anos atrás, meu amigo John Griffin me perguntou como deveria se exercitar. Deveria fazer mais exercícios aeróbicos ou levantar mais peso? O que eu achava?

"Estou bastante confuso com todas as informações contraditórias que tenho visto por aí", escreveu ele.

Por trás da pergunta aparentemente simples, eu ouvi um pedido de ajuda. John é um cara inteligente e que tem uma mente aguçada, mas até ele estava frustrado com os conselhos conflitantes de "especialistas" que alardeavam este ou aquele exercício como o caminho certo para ter uma saúde perfeita. Ele não conseguia definir o que precisava fazer na academia, nem por quê.

Isso foi antes de eu voltar à clínica médica em tempo integral. Na época, estava mergulhado no universo da pesquisa nutricional, que é ainda mais confuso do que a ciência do exercício, repleto de descobertas contraditórias e de dogmas defendidos com paixão e sustentados por dados inconsistentes. O ovo faz bem ou mal? E o café? Aquilo estava me enlouquecendo também.

Comecei a digitar uma resposta e fui escrevendo. Quando apertei ENVIAR, eu tinha escrito quase duas mil palavras, muito mais do que ele havia me pedido. O pobre rapaz só queria uma resposta rápida, não um memorando. Mas eu não parei por aí. Mais tarde, transformei aquele e-mail em um manifesto de dez mil palavras sobre a longevidade, que acabou se transformando no livro que você tem em mãos.*

Pelo visto, algo na pergunta de John disparou um gatilho em mim. Não que eu fosse um defensor fervoroso do treino de força em detrimento do de resistência, ou vice-versa; eu era um adepto de ambos. Minha reação era à natureza binária da pergunta. Caso você ainda não tenha percebido, não gosto quando reduzimos essas questões complexas, cheias de nuances e de importância vital, a um simples "ou isso ou aquilo". Aeróbico ou treino de força? Low-carb ou vegano? Azeite ou gordura bovina?

Não sei. Precisamos mesmo escolher um lado?

O problema, que vamos ver repetidas vezes nos capítulos sobre nutrição, é que temos uma necessidade de transformar tudo em uma guerra santa sobre qual é a igreja da verdade absoluta. Alguns especialistas insistem que o treino de força é superior ao aeróbico, enquanto outros afirmam o contrário. O debate é tão interminável quanto infrutífero, sacrificando a ciência no altar do dogma. O problema é olhar para essas áreas extremamente importantes da vida — tanto exercícios quanto nutrição — através de lentes muito rasas. Não tem a ver com que parte da academia você prefere. A questão é muito mais básica.

Mais do que qualquer outro domínio tático de que vamos tratar neste livro, o exercício é o que tem o maior poder de determinar como você vai viver o resto da sua vida. Existem pilhas de dados que confirmam a ideia de que mesmo uma prática mínima de exercícios pode prolongar sua vida em vários anos. Eles atrasam o surgimento de doenças crônicas, em quase todos os casos, e são incrivelmente eficazes em estender e melhorar o healthspan. Eles não apenas revertem o declínio físico, o que suponho ser um tanto óbvio, como também podem retardar ou reverter o declínio cognitivo. (Também trazem benefícios em termos de saúde emocional, embora isso seja mais difícil de quantificar.)

* Portanto, se você está gostando deste livro, por favor, agradeça a John Griffin. Se não está gostando, a responsabilidade é minha.

Portanto, se você for adotar apenas um novo hábito com base na leitura deste livro, é fundamental que seja no campo dos exercícios. Se você já se exercita, vai querer repensar e modificar sua prática. E se o exercício não faz parte de sua vida no momento, você não está sozinho: 77% da população norte-americana é como você.[1] Agora é a hora de mudar. Agora. Um pouco de atividade diária já é muito melhor do que nada. Passar de nenhum exercício semanal para apenas noventa minutos por semana pode reduzir em 14% o risco de morte por todas as causas.[2] É muito difícil encontrar um medicamento capaz de fazer isso.

Assim, minha resposta a perguntas como a que meu amigo John Griffin me fez é sim e sim. Sim, você deveria fazer mais exercícios aeróbicos. E sim, você deveria levantar mais peso.

No outro extremo do espectro, se você é como eu, que faz exercícios desde o jardim de infância, prometo que estes capítulos lhe darão insights sobre como estruturar melhor sua rotina — não para melhorar seu tempo em uma maratona nem para ficar se gabando na academia, mas para viver uma vida mais longa e melhor e, mais importante, uma vida em que você vai poder desfrutar da atividade física até uma idade avançada.

Obviamente, não é nenhuma novidade que exercício faz bem para o corpo; assim como canja de galinha para dor de garganta. Mas muita gente não percebe como são profundos os efeitos. Segundo um estudo após o outro, quem pratica exercícios regularmente vive até uma década a mais do que pessoas sedentárias.[3] Corredores e ciclistas não apenas tendem a viver mais, como também têm uma saúde melhor, com menos morbidades por causas relacionadas à disfunção metabólica.[4] Se você (ainda) não é um praticante habitual, está com sorte: os benefícios começam com qualquer exercício — até mesmo uma breve caminhada — e só aumentam.[5] Assim como quase qualquer dieta representa um grande incremento em relação a comer apenas fast-food, praticamente qualquer exercício é melhor do que permanecer sedentário.

Embora meus colegas da faculdade e eu não tenhamos aprendido quase nada sobre exercícios, muito menos como "prescrevê-los" aos pacientes, a Medicina 2.0 pelo menos reconhece o valor da prática. Infelizmente, é raro ir além das recomendações genéricas para se mexer mais e passar menos tempo sentado. As diretrizes do governo norte-americano para atividade física sugerem que os "adultos ativos" pratiquem pelo menos trinta minutos de "atividade aeróbica de intensidade moderada" cinco vezes por semana (ou 150 minutos ao todo).[6] Essa prática deve ser complementada por dois dias de treino de força, com foco em "todos os principais grupos musculares".

Imagine se os médicos fossem igualmente vagos em relação ao tratamento do câncer:

MÉDICO: Sra. Smith, lamento informar, mas você tem câncer de cólon.
SRA. SMITH: Que notícia terrível, doutor. O que devo fazer?
MÉDICO: Você precisa fazer quimioterapia.
SRA. SMITH: Que tipo de quimioterapia? Que dose? Com que frequência? Por quanto tempo? E os efeitos colaterais?
MÉDICO: ¯_(ツ)_/¯

Precisamos de orientações mais específicas para atingir nossos objetivos com eficiência e segurança. Mas, primeiro, quero explicar *por que* o exercício é tão importante, pois acho que as informações sobre o assunto costumam ser bastante convincentes. Quando as compartilho com meus pacientes, eles raramente ficam surpresos com o fato de que um bom condicionamento aeróbico e de força está associado a uma expectativa de vida e a um healthspan mais longos — mas sempre se surpreendem com a magnitude dos benefícios. Os dados sobre exercícios nos dizem, com enorme clareza, que, quanto mais os praticarmos, maiores as vantagens.

Vamos começar falando da aptidão cardiorrespiratória ou aeróbica. Ela se refere à eficiência com que o corpo é capaz de fornecer oxigênio aos músculos e à eficiência com que os músculos extraem esse oxigênio, permitindo correr (ou caminhar), pedalar ou nadar por longas distâncias. Esse aspecto também aparece no dia a dia, como maior resistência física. Quanto mais em forma você estiver em termos aeróbicos, mais energia terá para fazer o que gosta — mesmo que sua atividade preferida seja ir às compras.

Acontece que a aptidão cardiorrespiratória aeróbica de pico, medida em termos de VO_2 máx., é talvez o marcador individual mais poderoso da longevidade.[7] O VO_2 máx. representa a taxa máxima de utilização do oxigênio. Isso se mede, naturalmente, durante uma prática de exercícios no limite máximo de esforço. (Se você já fez esse teste, sabe como é desagradável.) Quanto mais oxigênio seu corpo for capaz de usar, maior será seu VO_2 máx.

O corpo humano tem uma capacidade incrível de responder às demandas que lhe são impostas. Digamos que estou apenas sentado no sofá, assistindo a um filme. Em repouso, alguém do meu tamanho pode precisar de cerca de 300 ml de oxigênio por minuto para produzir ATP (o "combustível" químico que alimenta as células) suficiente para executar todas as funções fisiológicas necessárias para se manter vivo e ver o filme. Trata-se de uma demanda de energia bastante baixa, mas se eu sair para correr pelo bairro, ela aumentará. Meu ritmo respiratório e meus batimentos cardíacos vão se acelerar para me ajudar a extrair e utilizar cada vez mais oxigênio do ar que respiro, a fim de manter meus músculos trabalhando. Nesse nível de intensidade, alguém do meu tamanho pode precisar de 2.500 a 3.000 ml de oxigênio por minuto, oito a dez vezes mais do que quando eu estava no sofá. Agora, se eu subir uma ladeira o mais rápido que puder, a demanda de oxigênio do corpo vai aumentar para 4.000 ml, 4.500 ml, até 5.000 ml ou mais, dependendo do ritmo e do meu condicionamento físico. Quanto mais em forma eu estiver, mais oxigênio sou capaz de consumir para produzir ATP e mais rápido consigo subir a ladeira.

Até que eu chego ao ponto em que simplesmente não tenho como produzir mais energia por meio de vias dependentes de oxigênio e serei forçado a adotar modos menos eficientes e sustentáveis de conseguir isso, como os usados nas corridas de velocidade. A quantidade de oxigênio que utilizo nesse nível de esforço representa meu VO_2 máx. (Não muito depois desse ponto, não serei mais capaz de continuar subindo a ladeira no mesmo ritmo.) O VO_2 máx. é normalmente expresso em termos do volume de oxigênio que se consegue usar, por quilograma de peso corporal, por minuto. Um homem médio de 45 anos terá um VO_2 máx. em torno de 40 ml/kg/min, enquanto um atleta de resistência de elite provavelmente pontuará na casa dos sessenta ou mais. Uma pessoa que está fora de forma e tem por volta de trinta ou quarenta anos, por outro lado, pode pontuar por volta de apenas vinte, de acordo com Mike Joyner, fisiologista do exercício e pesquisador da Mayo Clinic. Essa pessoa simplesmente não conseguirá subir a ladeira.* Quanto maior o VO_2 máx., mais oxigênio uma pessoa é capaz de consumir para produzir ATP, e mais rápido ela consegue pedalar ou correr — em suma, mais coisas ela pode fazer.

* A maioria dos ciclistas de ponta do Tour de France terá um VO_2 máx. entre setenta e oitenta. O maior VO_2 máx. já registrado foi de 97,5 ml/kg/min.

Esse número não é relevante apenas para atletas, mas também está muito associado à longevidade. Segundo um estudo de 2018 publicado no *Journal of the American Medical Association* que acompanhou mais de 120 mil pessoas, um VO_2 máx. mais alto (medido por meio de um teste ergométrico) estava relacionado a uma menor mortalidade em geral.[8] Quem estava mais em forma teve taxas de mortalidade mais baixas, e por uma margem surpreendente. Veja: um tabagista tem um risco 40% maior de mortalidade por qualquer causa (ou seja, o risco de morrer a qualquer momento) do que alguém que não fuma, uma razão de risco de 1,40. De acordo com esse estudo, uma pessoa com VO_2 máx. abaixo da média para sua idade e gênero (ou seja, entre os percentis 25 e 50) tem o dobro do risco de mortalidade por qualquer causa em comparação com alguém no quartil superior (percentis de 75 a 97,6). Portanto, uma aptidão cardiorrespiratória inadequada representa um risco relativo de morte maior do que o tabagismo.[9]

E isso é só o começo. Alguém no quartil inferior do VO_2 máx. para a faixa etária (ou seja, os 25% menos aptos) tem quase quatro vezes mais probabilidade de morrer do que alguém no quartil superior — e cinco vezes mais probabilidade de morrer do que uma pessoa com nível de VO_2 máx. de elite (os primeiros 2,3%).[10] Isso é impressionante. Esses benefícios também não se limitam às pessoas que estão em melhor forma; subir dos 25% inferiores para os percentis 25 a 50 (ou seja, dos menos em forma para abaixo da média) já significa reduzir o risco de morte quase pela metade, de acordo com o estudo.

Esses resultados foram confirmados por um estudo muito maior e mais recente, publicado em 2022 no *Journal of the American College of Cardiology*, analisando dados de 750 mil veteranos norte-americanos com idades entre 30 e 95 anos (ver Figura 9).[11] Essa era uma amostra completamente diferente, que abrangia ambos os gêneros e todas as etnias, mas os pesquisadores encontraram um resultado quase idêntico: uma pessoa que se enquadra entre os 20% menos aptos tem um risco 4,09 vezes maior de morrer do que quem está nos 2% superiores da mesma idade e gênero. Mesmo alguém com condicionamento físico moderado (percentis de 40 a 60) ainda tem mais que o dobro do risco de mortalidade por todas as causas em relação ao grupo mais apto, segundo este estudo. "Estar fora de forma trazia um risco maior do que qualquer fator de risco cardíaco examinado", concluíram os autores.

Figura 9. **Risco de mortalidade para indivíduos com condicionamento físico variado e comorbidades específicas**

Variável	Razão de risco (IC* de 95%)**
Risco de mortalidade em relação ao condicionamento extremo	
Mínimo	4.09 (3.94-4.24)
Baixo	2.88 (2.78-2.99)
Moderado	2.13 (2.05-2.21)
Adequado	1.66 (1.60-1.73)
Alto	1.39 (1.34-1.45)
Risco de mortalidade das comorbidades	
Doença renal crônica	1.49 (1.46-1.52)
Tabagismo	1.40 (1.39-1.42)
Diabetes	1.34 (1.33-1.35)
Câncer (todos)	1.33 (1.30-1.35)
Doenças cardiovasculares	1.28 (1.27-1.29)
Hipertensão	1.14 (1.33-1.16)

* Intervalo de confiança

** Todos os valores de $p < 0{,}001$

A tabela apresenta o risco de mortalidade por todas as causas para diferentes níveis de condicionamento físico em comparação com indivíduos que se enquadram entre os 2% que têm o maior VO_2 máx. para sua idade e gênero ("condicionamento extremo") [ACIMA] e para várias comorbidades — isto é, pessoas com *versus* pessoas sem cada uma das doenças [ABAIXO]. Os grupos de condicionamento físico são divididos por percentil: mínimo (< percentil 20); baixo (percentis de 21 a 40); moderado (percentis de 41 a 60); adequado (percentis de 61 a 80); e alto (percentis de 81 a 97). Fonte: Kokkinos et al. (2022).

Claro, quase com certeza há fatores de confusão, assim como em todos os estudos observacionais, incluindo aqueles focados na alimentação. Mas há pelo menos cinco fatores* que aumentam minimamente minha confiança na causalidade parcial dessa relação. Primeiro, a magnitude do efeito é muito grande. Segundo, os dados são consistentes e replicáveis em muitos estudos com populações diferentes. Terceiro, há uma resposta associada ao volume (quanto mais em forma você estiver, mais tempo viverá). Quarto, há uma grande plausibilidade biológica para esse efeito, graças aos mecanismos de

* Esses fatores representam cinco dos nove critérios definidos na década de 1930 por Austin Bradford Hill, um dos padrinhos da metodologia científica, como ferramenta de avaliação de achados epidemiológicos e laboratoriais. Vamos voltar a falar de Bradford Hill nos capítulos sobre nutrição.

ação conhecidos dos exercícios sobre a expectativa de vida e o healthspan. E quinto, praticamente todos os dados experimentais sobre exercícios em humanos sugerem que a prática ajuda a melhorar a saúde.

Como concluíram os autores do estudo publicado no *Journal of the American Medical Association*, "a aptidão cardiorrespiratória está inversamente associada à mortalidade no longo prazo, *sem limite superior de benefício observado* [grifo meu]. Um condicionamento aeróbico extremamente alto foi associado a uma maior sobrevivência".[12]

Não posso dizer, a partir desses dados, que ter um VO_2 máx. alto, por si só, vá compensar a pressão alta ou o hábito de fumar tanto quanto essas razões de risco sugerem. Sem um estudo randomizado controlado, não podemos ter certeza, mas eu duvido. O que posso dizer com um bastante certeza é que um VO_2 máx. mais alto é melhor para a saúde em geral e para a longevidade do que um VO_2 máx. mais baixo. Ponto final.

Uma notícia ainda melhor, para nossos fins, é que o VO_2 máx. pode ser aumentado por meio de treino. Temos um grande poder de ação quanto ao condicionamento físico, como vamos ver.

A forte correlação entre aptidão cardiorrespiratória e longevidade é conhecida há muito tempo. O que talvez lhe surpreenda, assim como me surpreendeu, é saber que os músculos podem estar quase igualmente relacionados a uma vida mais longa. Conforme um estudo observacional de dez anos com cerca de 4.500 indivíduos de cinquenta anos ou mais, pessoas com pouca massa muscular tinham um risco de mortalidade entre 40% e 50% maior do que aquele do grupo de controle durante o período do estudo.[13] Uma análise mais aprofundada revelou que não é meramente a massa muscular que importa, mas a força dos músculos, isto é, sua capacidade de realizar esforço. Não basta desenvolver peitorais ou bíceps enormes na academia; esses músculos também precisam ser fortes. Eles têm que ser capazes de realizar esforço. Indivíduos com pouca força muscular tiveram o dobro do risco de morte, enquanto aqueles com pouca massa e/ou pouca força muscular, mais síndrome metabólica, tiveram um risco de mortalidade, por todas as causas, de 3 a 3,33 vezes maior.

A força pode até mesmo superar a aptidão cardiorrespiratória, sugere pelo menos um estudo.[14] Pesquisadores que acompanharam um grupo de aproximadamente 1.500 homens hipertensos com mais de quarenta anos por uma média de dezoito anos descobriram que, mesmo que o indivíduo estivesse na metade inferior da aptidão cardiorrespiratória, seu risco de mortalidade por todas as causas ainda diminuía quase 48% se ele estivesse no terço superior do grupo em termos de força, em comparação ao terço inferior.*

É quase a mesma coisa que vimos com o VO_2 máx.: quanto mais em forma você estiver, menor será o risco de morte. Mais uma vez, não existe outra intervenção, medicamentosa ou não, capaz de rivalizar com a magnitude desse benefício. Os exercícios são tão eficazes contra as doenças do envelhecimento, os quatro cavaleiros, que muitas vezes são comparados a um remédio.

John Ioannidis, um cientista de Stanford que gosta de fazer perguntas provocadoras, decidiu testar essa metáfora literalmente, comparando estudos de exercícios e de medicamentos.[15] Ele observou que, em vários ensaios clínicos randomizados, as intervenções baseadas em exercícios tiveram um desempenho igual ou melhor do que o de várias classes de medicamentos na redução da mortalidade por doença cardíaca coronária,** pré-diabetes ou diabetes e AVC.

Melhor ainda: não é preciso um médico para prescrever exercícios para você.

Boa parte desse efeito, acredito eu, tem a ver com uma melhora na mecânica do corpo: os exercícios fortalecem o coração e ajudam na manutenção do sistema circulatório. Como veremos mais adiante, neste capítulo, eles também melhoram a saúde das mitocôndrias, as pequenas organelas cruciais que produzem energia nas células (entre outras coisas). Isso, por sua vez, melhora a capacidade de metabolizar glicose e gordura. Ter mais massa muscular e músculos mais fortes ajuda a sustentar e proteger o corpo, assim como mantém uma boa saúde metabólica, porque esses músculos consomem energia com eficiência. A lista continua, mas, em termos simples, os exercícios ajudam a "máquina" humana a ter um desempenho muito melhor por mais tempo.

Em um nível bioquímico mais profundo, os exercícios de fato agem como um medicamento. Para ser mais preciso, eles induzem o corpo a produzir substâncias químicas endógenas que se assemelham a remédios. Quando

---

* A aptidão cardiorrespiratória foi medida em uma esteira usando um protocolo de Balke modificado, e a força foi medida por uma série de repetição máxima no supino e no extensor de pernas.

** A exceção, na análise de Ioannidis, foi a insuficiência cardíaca, que respondeu mais favoravelmente ao tratamento com diuréticos do que às intervenções baseadas em exercícios.

nos exercitamos, os músculos geram moléculas conhecidas como citocinas, que enviam sinais para outras partes do corpo e ajudam a fortalecer o sistema imunológico, estimulando o crescimento de novos músculos e ossos mais fortes. Exercícios de resistência, como corrida ou ciclismo, ajudam a gerar outra molécula potente chamada fator neurotrófico derivado do cérebro (BDNF, na sigla em inglês),[16] que melhora a saúde e o funcionamento do hipocampo, uma parte do cérebro que desempenha um papel fundamental na memória. Os exercícios ajudam a manter saudável a vasculatura cerebral[17] e também a preservar o volume desse órgão. É por isso que vejo o exercício como um componente particularmente importante do kit de ferramentas para pacientes com risco de desenvolver Alzheimer — como Stephanie, a paciente com genes que indicam um alto risco de ter a doença, que conhecemos no capítulo 9.

Os dados que demonstram o impacto positivo dos exercícios na longevidade são os mais irrefutáveis que se podem encontrar em toda a biologia humana. No entanto, acho que essa prática é ainda mais eficaz na manutenção da saúde do que no aumento da expectativa de vida. Existem evidências menos concretas nesse campo, mas acredito que é aí que os exercícios realmente fazem sua mágica quando executados de maneira correta. Digo aos meus pacientes que, mesmo que os exercícios reduzissem sua expectativa de vida em um ano (o que claramente não acontece), ainda assim valeriam a pena devido aos benefícios para o healthspan, principalmente a partir da meia-idade.

Uma das principais marcas do envelhecimento é a deterioração da capacidade física. A aptidão cardiorrespiratória diminui por vários motivos, a começar pelo débito cardíaco mais baixo, principalmente devido à redução da frequência cardíaca máxima. A cada década, perdemos força e massa muscular, os ossos ficam frágeis, as articulações se enrijecem e o equilíbrio deixa a desejar, um fato que muitos descobrem do jeito mais difícil, ao cair de uma escada ou tropeçar no meio-fio.

Parafraseando Hemingway, esse processo se dá de dois modos: gradual e depois repentino. A verdade é que a velhice pode ser muito difícil para o corpo. Segundo estudos longitudinais e transversais, a massa livre de gordura (ou seja, essencialmente a massa muscular) e os níveis de atividade permanecem relativamente consistentes à medida que as pessoas envelhecem, dos vinte e trinta anos até a meia-idade.[18] Mas tanto os níveis de atividade física quanto a massa muscular despencam de maneira acentuada depois dos 65 anos e então vertiginosamente após os 75. É como se as pessoas caíssem de um penhasco em algum ponto na casa dos setenta anos.

Até os oitenta anos, o indivíduo médio perde oito quilos de músculos em comparação a quando esteve em melhor forma física. Mas quem mantém níveis mais altos de atividade perde muito menos musculatura, cerca de três a quatro quilos, em média. Embora não esteja claro em que direção aponta a causalidade, desconfio de que seja nos dois sentidos: as pessoas ficam menos ativas porque estão mais fracas, e ficam mais fracas porque estão menos ativas.

A perda muscular contínua e a inatividade literalmente colocam nossa vida em risco. Idosos com menos massa muscular (também conhecida como massa magra) correm maior risco de morrer por todas as causas. Cerca de mil homens e quatrocentas mulheres, com idade média de 74 anos no momento da inscrição, foram estudados por pesquisadores chilenos,[19] que os dividiram em quartis, com base nos índices de massa magra apendicular (a massa muscular das extremidades, braços e pernas, normalizada em relação à altura), e os acompanharam. Após doze anos, cerca de 50% das pessoas que estavam no quartil mais baixo de massa magra estavam mortas, em comparação com apenas 20% das pessoas que estavam no quartil mais alto. Embora não seja possível estabelecer uma relação de causalidade, a relevância e a replicabilidade de descobertas como essa sugerem que há mais do que uma mera correlação. Os músculos nos ajudam a sobreviver à velhice.

Esta é outra área em que a expectativa de vida e o healthspan se sobrepõem. Em outras palavras, desconfio de que ter mais massa muscular retarda a morte justamente porque também preserva o healthspan. É por isso que dou tanta ênfase à manutenção da estrutura musculoesquelética — que, na ausência de um termo melhor, chamo de "endoesqueleto", inspirado pelo filme *O exterminador do futuro*.

O endoesqueleto (musculatura) é o que mantém o esqueleto propriamente dito (ossatura) firme e intacto. Ter mais massa muscular no endoesqueleto parece oferecer proteção contra todo tipo de problema, até mesmo resultados adversos após uma cirurgia.[20] Porém, mais importante, isso está muito correlacionado a um menor risco de queda,[21] uma das principais, mas frequentemente ignorada, causas de morte e incapacidade em idosos. Como revela a Figura 10, as quedas são de longe a principal causa de morte acidental na faixa etária a partir dos 65 anos; isso sem contar as pessoas que morrem três, seis ou doze meses depois de definharem longa e dolorosamente após uma queda não fatal, mas ainda assim grave. Oitocentos mil idosos são hospitalizados devido a quedas todos os anos, de acordo com o CDC.[22]

Acredito que essa associação funcione nos dois sentidos: alguém com mais massa muscular tem menos probabilidade de cair e se machucar, enquanto aqueles que têm menos probabilidade de cair por outros motivos (melhor equilíbrio, mais consciência corporal) têm também mais facilidade em manter a massa muscular. Por outro lado, a atrofia muscular e a sarcopenia (perda muscular relacionada à idade) aumentam o risco de quedas e a possibilidade de precisar passar por cirurgias — ao mesmo tempo, pioram as chances de sobreviver a elas sem complicações.[23] Assim como no caso do VO_2 máx., é importante manter a massa muscular a todo custo.

O exercício, em todas as suas formas, é a ferramenta mais poderosa para combater esse suplício e reduzir o risco de morte de maneira geral. Essa prática retarda o declínio, não apenas físico, mas também de todos os três vetores do healthspan, incluindo a saúde cognitiva e emocional. Conforme um estudo recente focado em idosos britânicos, aqueles que apresentavam sarcopenia no início do estudo eram quase seis vezes mais propensos a relatar uma baixa qualidade de vida uma década mais tarde do que quem manteve a massa muscular.[24]

Figura 10. **Mortes acidentais nos Estados Unidos**

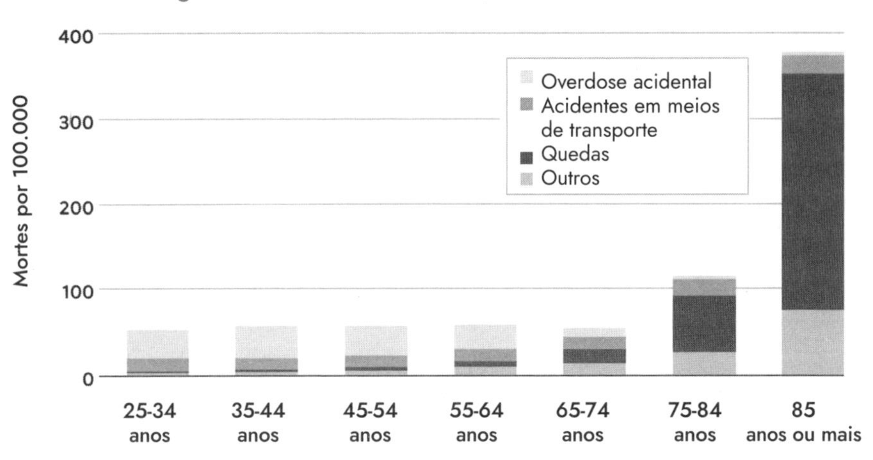

Fonte: CDC (2021).

É isso o que queremos evitar. Para tanto, podemos contar com a ajuda desse poderoso "remédio" chamado exercício, que milagrosamente aumenta a expectativa de vida e melhora o healthspan. A diferença é que ele exige muito mais esforço e conhecimento do que tomar um comprimido. Mas quanto mais você se dedicar a ele hoje, mais benefícios vai colher no futuro.

É por isso que dou tanta ênfase ao treino com pesos — e não importa a idade. Nunca é tarde para começar; minha mãe só começou a levantar pesos aos 67 anos, e isso mudou a vida dela. Dezenas de estudos mostram que o treino de força pode melhorar significativamente a mobilidade e a função física de indivíduos obesos[25] ou que fizeram um tratamento contra o câncer,[26] mesmo os já idosos e frágeis.[27] Portanto, eu dou um jeito de levantar pesos, de que tipo for, quatro vezes por semana, não importa o que mais eu esteja fazendo ou se eu estiver viajando.

Mas, na Medicina 2.0, os exercícios recebem muito mais atenção na teoria do que na prática. Qual foi a última vez que seu médico testou sua força de preensão ou perguntou em detalhes sobre seu treinamento funcional? Seu médico sabe qual é seu VO_2 máx.? Ou sugeriu algum treino para melhorá-lo? Arrisco dizer que isso nunca aconteceu, porque o que tratamos neste capítulo ou naquele sobre nutrição não é visto como digno de ser considerado como "cuidados de saúde", pelo menos em nosso sistema. Alguns planos de saúde oferecem descontos ou incentivos para os usuários frequentarem a academia, mas a atenção de que acredito que todos nós precisamos (inclusive eu) está muito além do que a maioria dos médicos oferece hoje.

Somente depois de sofrermos uma lesão ou ficarmos tão fracos que corremos o risco de perder a autonomia é que nos tornamos elegíveis para fisioterapia e reabilitação. Portanto, encare o trecho a seguir como o oposto da reabilitação, uma "preabilitação" — fazer fisioterapia antes de precisar dela.

Quando falo com meus pacientes sobre exercícios, costumo voltar à história de Sophie, a mãe da minha amiga Becky, que conhecemos no capítulo 3. Ela era relativamente ativa, mesmo depois de aposentada. Jogava golfe uma ou duas vezes por semana e cuidava do jardim quase todos os dias. Não era uma rotina estruturada de "exercícios"; ela apenas fazia do que gostava. Mas, então, machucou o ombro, depois o joelho, e precisou de cirurgia em ambos os casos. Mesmo após as cirurgias, ela nunca se recuperou totalmente. Seu nível de atividade caiu a quase zero. Como Becky me contou, a mãe ficava sentada em casa, deprimida. Seu declínio cognitivo não tardou a começar.

Isso me deixou incrivelmente triste quando fui ao velório dela. No entanto, sua história era bastante familiar. Todos nós já vimos amigos e parentes mais velhos passarem por um calvário semelhante, definhando lentamente (ou não tão lentamente assim), até não conseguirem mais encontrar prazer nas coisas que antes adoravam fazer. O que poderia ter sido feito, pensei, para mudar o destino de Sophie?

Será que o que ela precisava era só "praticar mais exercícios"? Usar mais o aparelho elíptico na academia? Será que isso a teria salvado de algum modo?

Não estava evidente que a resposta era tão simples. Eu mesmo sempre me exercitei, mas, na época da morte de Sophie, eu estava cuidando das minhas próprias lesões antigas, acumuladas ao longo dos anos. Mesmo em forma, não estava claro se eu encontraria um caminho melhor que o de Sophie.

Durante a maior parte da minha vida, fui obcecado por condicionamento físico, sempre me focando em um esporte em particular — e, inevitavelmente, indo às últimas consequências. Depois de me acabar no boxe, na corrida e, por fim, na natação de longa distância em águas abertas, comecei a andar de bicicleta. Mergulhei de cabeça: meu principal objetivo era vencer o campeonato local de contrarrelógio de ciclismo, uma prova individual de vinte quilômetros para a qual quase ninguém ligava. Passei horas analisando os dados do medidor de potência e calculando meu coeficiente de resistência aerodinâmica, buscando economizar preciosos segundos por meio de modelos estúpidos que fiz no Excel.

A verdade é que eu não era bom em nada, exceto em pedalar o mais rápido possível por vinte quilômetros. Meu VO_2 máx. era alto, e eu imprimia muita força nos pedais, mas não era efetivamente forte ou flexível e não tinha grande equilíbrio nem estabilidade. Eu era um atleta unidimensional e, se tivesse insistido, poderia ter ficado com a coluna arqueada para sempre na posição do contrarrelógio, ainda capaz de andar de bicicleta, mas incapaz de fazer qualquer outra coisa útil, principalmente com a parte superior do corpo. Acabei abandonando o ciclismo competitivo porque ficou claro, a certa altura, que aquela abordagem obsessiva se tornaria insustentável em qualquer atividade. Quantos ex-maratonistas você conhece que ainda correm? Provavelmente não muitos.

Em seguida, caí em uma espécie de limbo sem direção, pulando de uma atividade física para outra. Tentei voltar a correr. Frequentei aulas de pilates com minha esposa. Fiz o Barry's Bootcamp por um tempo. Tentei de quase tudo. Então, me matriculei em uma rede chique de academias especializada em treino intervalado de alta intensidade (HIIT, na sigla em inglês). Gostei dos treinos de ritmo acelerado, como *sprints* na esteira e sequências de *burpee* de trinta segundos, e só levava uma fração do tempo que gastava com ciclismo, então estava feliz. Mas eu não tinha nenhum objetivo além de "fazer exercícios".

Tudo isso mudou no velório de Sophie. Oficialmente, ela morreu de pneumonia, mas o que a matou de fato, me dei conta, foi a lenta atração gravitacional do envelhecimento sobre seu corpo. Isso não começou nem no último ano nem mesmo na última década de sua vida, mas vinha atuando contra ela, puxando-a para baixo, desde antes de eu conhecê-la, por décadas. E estava matando todos nós também: sua filha, Becky, assim como meus pacientes, eu e todos os que estão lendo este livro provavelmente estão a caminho do mesmo declínio acentuado.

Pensar nisso me deixou profundamente triste. Mas, então, tive um insight: a única maneira de combater esse destino seria adotar a filosofia de um decatleta — e aplicá-la ao envelhecimento.

De todos os atletas olímpicos, os decatletas são os mais reverenciados. Os medalhistas de ouro nas categorias masculina e feminina são declarados os "maiores atletas do mundo". No entanto, se for levada em conta, separadamente, cada uma das dez competições que disputam, eles não seriam os melhores em nenhuma delas; talvez nem conquistassem uma medalha. Mesmo assim são considerados os maiores, porque se destacam em várias competições distintas. São verdadeiros generalistas, mas treinam como especialistas.

Precisamos adotar uma abordagem semelhante face ao envelhecimento, foi minha conclusão: todos nós precisamos treinar para o decatlo centenário.

O decatlo centenário

Que história é essa de decatlo centenário?

Não estou me referindo a uma competição de verdade entre centenários, embora já existam eventos semelhantes: os Jogos nacionais da terceira idade, que acontecem a cada dois anos, reúnem atletas notáveis, alguns deles com mais de noventa anos. O recorde dos cem metros para mulheres com mais de cem anos é de cerca de 41 segundos.

O decatlo centenário é uma ferramenta que utilizo para organizar as aspirações físicas dos meus pacientes para suas últimas décadas de vida, principalmente a "década marginal". Eu sei, é um tanto mórbido pensar no nosso declínio físico. Mas não pensar nele não o tornará menos inevitável.

Pense no decatlo centenário como as dez tarefas físicas mais importantes que você quer continuar fazendo pelo resto da vida. Alguns itens da lista se assemelham a esportes de verdade, enquanto outros estão mais próximos das atividades do dia a dia, e alguns ainda podem refletir seus interesses pessoais. Acho essa lista útil porque nos ajuda a visualizar, com grande precisão, o tipo de condicionamento físico que precisamos desenvolver e manter à medida que envelhecemos. É um guia para nossos treinos.

Eu começo apresentando aos meus pacientes uma longa lista de tarefas físicas, que podem incluir algumas das seguintes:

1. Fazer uma trilha de 2,5 quilômetros nas montanhas.
2. Levantar-se do chão com a própria força, se apoiando no máximo em um dos braços.
3. Levantar uma criança pequena do chão.
4. Carregar duas sacolas de cinco quilos de compras por cinco quarteirões.
5. Colocar uma mala de dez quilos no compartimento superior do avião.
6. Equilibrar-se em uma perna só por trinta segundos, de olhos abertos. (Bônus: de olhos fechados, por quinze segundos.)
7. Fazer sexo.
8. Subir quatro lances de escada em três minutos.
9. Abrir um frasco.
10. Pular corda, dando trinta pulos em sequência.

A lista completa é bem maior, com mais de cinquenta itens, mas dá para ter uma ideia. Depois que eles leem, peço que me digam quais dessas tarefas desejam poder realizar em sua nona, ou melhor, décima década de vida. Quais são as escolhidas?

Todas, normalmente. Eles querem ser capazes de fazer uma trilha de dois quilômetros e meio, carregar as compras, pegar um bisneto no colo ou se levantar caso caiam. Ou jogar uma partida de golfe, abrir um frasco ou viajar de avião. Claro que querem.

Isso é ótimo, eu digo. Seu bisneto vai se encher de alegria quando você o carregar. Mas vamos aos cálculos. Digamos que ele pese de onze a catorze quilos. Isso é basicamente o mesmo que se agachar segurando um haltere de catorze quilos à frente do corpo (ou seja, um agachamento *goblet*). Você consegue fazer isso agora, aos quarenta anos? Provavelmente, sim. Mas vamos olhar para o futuro. Nos próximos trinta ou quarenta anos, sua força muscular vai diminuir cerca de 8% a 17% por década — ganhando velocidade com o passar do tempo.[28] Portanto, se você quiser pegar no colo aquele neto ou bisneto de catorze quilos quando tiver oitenta anos, terá que ser capaz de levantar cerca de 23 a 25 quilos hoje. Sem se machucar. Você consegue?

Eu insisto no assunto. Você também quer ser capaz de fazer uma trilha nas montanhas? Para fazer isso com conforto, é necessário um VO_2 máx. de cerca de 30 ml/kg/min. Vamos dar uma olhada nos resultados do seu último teste de VO_2 máx. — e, veja só, seu resultado foi justamente trinta. Você está na média para sua idade, mas receio que não seja bom o bastante, porque seu VO_2 máx. também vai cair. Portanto, precisamos riscar essa trilha da lista. Você pode fazê-la agora, mas provavelmente não quando estiver mais velho.

E assim por diante. Levantar aquela mala de dez quilos quando você for mais velho significa levantar 20 ou 25 quilos hoje. Ser capaz de subir quatro lanços de escada aos oitenta anos significa ser capaz de subir as mesmas escadas correndo hoje. Qualquer que seja o caso, você precisa fazer *muito mais agora* para se proteger do declínio natural e abrupto da força e da capacidade aeróbica que vai sofrer com a idade.

A certa altura, a ficha dos meus pacientes cai. Juntos, elaboramos uma lista de dez ou quinze atividades para seu decatlo centenário personalizado, que representam seus objetivos para as décadas finais de vida. Essa é, então, a base para os exercícios que eles devem adotar.

A beleza do decatlo centenário é que ele é, ao mesmo tempo, abrangente e único para cada indivíduo. E não se limita a dez eventos; para a maioria das pessoas acaba sendo mais, dependendo dos objetivos. Minha versão do decatlo é adaptada aos meus interesses, como natação e arco e flecha. Também é bastante agressiva, admito, refletindo a importância do condicionamento físico na minha vida. Então eu adicionaria algumas das seguintes atividades:

11. Nadar oitocentos metros em vinte minutos.
12. Caminhar com um haltere de treze quilos em cada mão por um minuto.
13. Tensionar e disparar um arco composto de (mais de) vinte quilos.
14. Fazer cinco flexões.

15. Subir noventa degraus em dois minutos (VO_2 máx. = 32).
16. Ficar um minuto pendurado na barra fixa.
17. Dirigir um carro de corrida em torno de 5% a 8% do ritmo que consigo fazer hoje.
18. Fazer uma trilha de uma hora com uma mochila de dez quilos.
19. Levar minha própria bagagem.
20. Subir uma ladeira íngreme.

No fim das contas, o decatlo centenário da maioria das pessoas tem muitas intercessões. Alguém que goste de stand-up paddle, por exemplo, talvez escolha "atividades" que dependem de treinos de *core* e *cross-body*. Mas provavelmente vai exercitar os mesmos grupos musculares que eu exercito no arco e flecha e manter mais ou menos a mesma resistência e equilíbrio.

O decatlo centenário é ambicioso, sem dúvida. Uma senhora de noventa anos que consegue embarcar em um avião sozinha, e ainda levantar sua bagagem de mão, já está muito acima da média. Mas existe método nessa loucura. Essas tarefas não estão fora de alcance. Existem octogenários, nonagenários e até mesmo centenários que correm maratonas, andam de bicicleta, levantam pesos, pilotam aviões, pulam de aviões, praticam esqui, competem em decatlos de verdade e fazem outras coisas incríveis. Portanto, todas essas atividades estão no campo das possibilidades.

Um dos propósitos do decatlo centenário, na verdade, é nos ajudar a redefinir o que é possível fazer em idade mais avançada e acabar com a suposição automática de que a maioria das pessoas estará fraca e incapacitada nessa altura da vida. Precisamos abolir esse estereótipo de decrepitude e criar uma nova narrativa, moldada talvez a partir do guru do fitness Jack LaLanne, que nunca deixou de fazer seu habitual treino diário rigoroso até sua morte, aos 96 anos. Ao contrário da maioria dos indivíduos longevos, ele não chegou lá por acidente ou sorte. Ele conquistou e manteve um condicionamento físico excelente ao longo de sua vida, começando na década de 1930, quando pouquíssimas pessoas se exercitavam com regularidade e ainda não existiam academias. Conforme ficava mais velho, ele passou a desafiar deliberadamente o estereótipo do envelhecimento como um período de sofrimento e declínio. Seu sucesso nos deu, assim, um vislumbre do que um idoso é realmente capaz de fazer.

Se quisermos seguir os passos de LaLanne, devemos parar de nos "exercitar" a esmo, só porque achamos que devemos, passando nossa hora de almoço subindo e descendo no elíptico. Você pode fazer melhor que isso, eu juro. Sugiro que se junte a mim e comece a treinar, com um propósito bem específico: chegar aos cem anos arrasando. Quando meus pacientes dizem que estão mais interessados em arrasar aos cinquenta anos do que em ser decatletas centenários, respondo que não existe melhor forma de fazer isso do que definir uma trajetória que leve à vitalidade aos cem anos (ou noventa, ou oitenta), assim como um arqueiro que treina a cem metros será mais preciso a cinquenta. Ao mirar no decatlo centenário, podemos aprimorar cada década que nos separa dele.

Tendo o decatlo centenário como meta, hoje eu treino com o foco que antes dedicava exclusivamente ao ciclismo, à natação ou ao boxe. Não tem a ver com ser excelente em uma única atividade, mas com ser muito bom em quase tudo. Como decatletas centenários, não estamos mais treinando para desempenhar uma atividade específica, mas para nos tornar outro tipo de atleta: um atleta da vida.

CAPÍTULO 12

Treino para principiantes

Como se preparar para o decatlo centenário

É impossível ter um desempenho acima da média
se você não fizer algo diferente da maioria.

— SIR JOHN TEMPLETON

A maioria das rotinas de exercícios são muito específicas (por exemplo, como treinar para sua primeira maratona) ou muito vagas (por exemplo, "Esteja sempre em movimento!"). Ou ainda enfatizam o "aeróbico" em detrimento da "musculação", ou vice-versa. Neste capítulo, vamos otimizar nossa rotina de exercícios em torno do princípio da longevidade. Que modalidades vão nos ajudar a retardar o surgimento de doenças crônicas e a morte, ao mesmo tempo que estendemos o healthspan o máximo possível?

Essa questão é mais complicada do que como reduzir o risco de desenvolver doenças cardiovasculares, porque cada variável tem mais variáveis. Não é um problema unidimensional, mas tridimensional. As três dimensões do condicionamento físico que queremos otimizar são resistência e eficiência aeróbica (também conhecida apenas como "aeróbico"), força e estabilidade. Todas as três são fundamentais para a manutenção da saúde e da força ao longo do envelhecimento. (E, como vimos, também aumentam a expectativa de vida.) Mas tanto o aeróbico quanto a força são fatores muito mais sutis do que a maioria das pessoas imagina — e a estabilidade pode ser o componente menos compreendido de todos.

Quando dizemos “aeróbico” não estamos falando de uma coisa só, mas de um *continuum* fisiológico, que vai desde uma caminhada fácil até um *sprint* a toda velocidade. Todos os níveis de intensidade contam como aeróbico, mas são movidos pela energia de sistemas diferentes. Para os fins tratados aqui, estamos interessados em duas regiões específicas desse *continuum*: o treino de resistência longo e constante, como na corrida, no ciclismo ou na natação, quando exercitamos o que os fisiologistas chamam de zona 2; e o esforço aeróbico máximo, onde o VO_2 máx. entra em ação.

A princípio, a parte que se refere à força parece mais simples: se você usar os músculos para se contrapor a alguma resistência, como pesos ou outro tipo de força (por exemplo, gravidade ou faixas elásticas), eles vão se adaptar e ficar mais fortes. É dessa forma espetacular que os músculos funcionam. Considero fundamentais alguns movimentos específicos, mas nosso objetivo mais importante não é apenas desenvolver força e massa muscular, mas também evitar lesões.

É aí que entra a estabilidade. Vamos falar sobre ela em muito mais detalhes no próximo capítulo, mas considero a estabilidade tão importante quanto o condicionamento aeróbico e a força. Não é muito fácil descrevê-la, mas penso na estabilidade como a base sólida que nos permite fazer tudo o que fazemos sem nos machucar. Com a estabilidade nos tornamos à prova de fogo. Sophie estava relativamente em forma para sua idade, mas é provável que não tivesse estabilidade, o que fazia com que ficasse vulnerável a lesões. Muitas pessoas estão nesse barco sem perceber — até eu, quando estava na casa dos vinte anos. Quase não importa o quanto você esteja em forma; o risco pode existir mesmo assim. É por isso que, na nossa abordagem dos exercícios, é preciso aumentar não apenas as métricas convencionais de condicionamento físico, como o VO_2 máx. e a força muscular, mas, sobretudo, a resistência a lesões.

Nas seções a seguir, vamos estruturar cada um desses fatores, para você elaborar sua rotina de treinos personalizado para o decatlo centenário.

Eficiência aeróbica: a zona 2

Repare que uma palavra ficou de fora do nosso debate sobre exercícios até agora: calorias. A maioria das pessoas acredita que um dos principais benefícios dos exercícios, se não o principal, é "queimar calorias". E queima mesmo, mas estamos mais interessados em uma distinção sutil — em vez de calorias, combustíveis. A maneira como são utilizados os diferentes combustíveis, glicose e ácidos graxos, é fundamental não apenas para a forma física, como também para a saúde metabólica e geral. O exercício aeróbico, quando executado de modo bastante específico, melhora a capacidade de utilizar a glicose e, principalmente, a gordura como combustível.

O segredo está nas mitocôndrias, aquelas minúsculas organelas intracelulares que produzem grande parte da energia do corpo. Esses "motores" celulares são capazes de queimar tanto glicose quanto gordura e, assim, são cruciais para a saúde metabólica. Mitocôndrias saudáveis também são importantes para manter a saúde do cérebro e controlar potenciais agentes nocivos, como o estresse oxidativo e a inflamação. Estou convencido de que é impossível ser saudável sem também ter mitocôndrias saudáveis, e é por isso que, na zona 2, dou tanta ênfase ao treino de resistência longo e constante.

A zona 2 é um dos cinco níveis de intensidade usados por treinadores de esportes de resistência para estruturar a rotina de treino de seus atletas.[1] Pode ser confuso, porque alguns treinadores definem as zonas em termos de frequência cardíaca, enquanto outros se concentram em diferentes níveis de potência; para confundir ainda mais, alguns modelos têm cinco zonas, mas outros têm seis ou sete. Normalmente, a zona 1 é uma caminhada no parque e a zona 5 (ou 6, ou 7) é uma corrida de velocidade. A zona 2 é mais ou menos a mesma em todos os modelos: manter a velocidade lenta a ponto de ainda poder conversar, mas rápida a ponto de atrapalhar um pouco a conversa. Isso se traduz em atividade aeróbica de ritmo entre fácil e moderado.

Na minha época de ciclista, treinei muito com foco na zona 2; esse tipo de treino é imprescindível para qualquer esporte de resistência. Mas nunca entendi de verdade a relevância dos treinos da zona 2 para a saúde geral até conhecer um brilhante cientista do exercício chamado Iñigo San Millán em 2018. Eu tinha viajado para os Emirados Árabes Unidos a trabalho e, logo após o pouso, às onze horas de uma noite fria de dezembro, fui apresentado a San Millán, um professor assistente da faculdade de medicina da Universidade do Colorado que havia sido recentemente contratado como diretor de desempenho da equipe profissional de ciclismo UAE Team Emirates. Ele estava lá para fazer testes de pré-temporada com alguns atletas da equipe e, quando descobriu que eu era um ex-ciclista, me colocou em uma bicicleta ergométrica ali mesmo, no meio da noite, para fazer um teste de VO_2 máx. O tipo de cara que eu gosto.

Nascido na Espanha e ex-ciclista profissional, San Millán trabalhou com todo tipo de atletas e treinadores de inúmeros esportes, incluindo centenas de ciclistas de ponta. Ele também é o instrutor particular de Tadej Pogačar, vencedor do Tour de France em 2020 e 2021 (e vice-campeão em 2022). Apesar do impressionante currículo esportivo, a verdadeira paixão de San Millán é estudar a relação entre exercícios, saúde mitocondrial e doenças como câncer e diabetes tipo 2. Como ele mesmo explica, sua expectativa é usar o que sabe sobre as pessoas que estão em melhor forma física, como ciclistas profissionais e outros atletas de resistência de elite, para ajudar quem está menos em forma: os portadores de doenças metabólicas ou outros distúrbios, cerca de um terço a metade da população.

Na visão de San Millán, as mitocôndrias saudáveis são fundamentais tanto para o desempenho atlético quanto para a saúde metabólica. Elas convertem glicose e ácidos graxos em energia — mas, enquanto a glicose pode ser metabolizada de diversas maneiras, os ácidos graxos são convertidos em energia apenas pelas mitocôndrias. Normalmente, em uma intensidade relativamente mais baixa, queima-se mais gordura, ao passo que, em uma intensidade mais alta, recorre-se mais à glicose. Quanto mais saudável e eficiente for a mitocôndria, maior será a capacidade de utilizar gordura, que é de longe a fonte de combustível mais eficiente e abundante do corpo. Essa capacidade de usar ambos os combustíveis, gordura e glicose, é chamada de "flexibilidade metabólica", e é isso o que queremos: nos capítulos 6 e 7, vimos que o acúmulo incessante e o transbordamento de gordura provocam distúrbios como diabetes e doenças cardiovasculares. As mitocôndrias saudáveis (estimuladas pelos treinos da zona 2) nos ajudam conter esse acúmulo de gordura.

Alguns anos atrás, San Millán e seu colega George Brooks publicaram um estudo fascinante que ajuda a explicar esse ponto de vista.[2] Eles compararam três grupos de indivíduos: ciclistas profissionais, homens saudáveis moderadamente ativos e homens sedentários que cumpriam os requisitos da síndrome metabólica, o que significa, essencialmente, que eram resistentes à insulina. Cada grupo pedalou na bicicleta ergométrica em um nível de intensidade compatível com sua condição física (cerca de 80% da frequência cardíaca máxima), enquanto os cientistas analisaram a quantidade de oxigênio consumido e a de CO_2 expirado para determinar a eficiência com que se produzia energia — e quais combustíveis primários estavam sendo usados. As diferenças encontradas foram impressionantes. Os ciclistas profissionais eram capazes de pedalar pesado, produzindo uma enorme quantidade de energia e queimando, em sua maioria, gordura. Mas os indivíduos com síndrome metabólica dependiam quase integralmente da glicose como fonte de combustível, mesmo desde a primeira pedalada. Eles não tinham quase nenhuma capacidade de acessar os estoques de gordura, o que significa que eram metabolicamente inflexíveis: capazes de usar apenas glicose, mas não gordura.

Obviamente, esses dois grupos — atletas profissionais e pessoas sedentárias e pouco saudáveis — não poderiam ser mais diferentes. A conclusão de San Millán foi que os indivíduos sedentários precisavam treinar como os ciclistas do Tour de France com os quais ele trabalhava. Um ciclista profissional pode passar de 30 a 35 horas por semana treinando, e 80% desse tempo na zona 2. Para um atleta, isso cria uma base para os treinos mais intensos. (O problema é que a zona 2 de um ciclista profissional pode parecer a zona 5 para a maioria das pessoas.)

No entanto, por mais que seja fundamental para ciclistas profissionais, San Millán acredita que o treino da zona 2 é ainda mais importante para os não atletas, por duas razões. Primeiro, por formar uma base de resistência para qualquer atividade que você faça na vida, seja pedalar 150 quilômetros em uma prova ou brincar com os filhos ou netos. Segundo, por desempenhar um papel crucial na prevenção de doenças crônicas, melhorando a saúde e a eficiência das mitocôndrias. É por isso que treinar resistência e eficiência aeróbica e (ou seja, treino da zona 2) é o primeiro elemento do meu programa de treinamento do decatlo centenário.

Quando nos exercitamos na zona 2, a maior parte do esforço é feito pelas fibras musculares tipo 1, ou de "contração lenta". Elas possuem uma alta densidade de mitocôndrias e, portanto, são ideais para um treino de resistência eficiente e em ritmo lento. Assim, podemos continuar por bastante tempo sem nos sentirmos cansados. Se aumentarmos o ritmo, começamos a recrutar mais fibras musculares do tipo 2 (de "contração rápida"), que são menos eficientes, porém mais fortes. Elas também geram mais lactato, devido à maneira como produzem ATP. O lactato, em si, não é ruim; atletas treinados são capazes de reciclá-lo como uma espécie de combustível. O problema é que o lactato se transforma em ácido lático quando combinado com íons de hidrogênio, que é o que causa aquela queimação aguda que você sente nos músculos* ao fazer exercícios intensos.

Em termos técnicos, San Millán descreve a zona 2 como o nível máximo de esforço que podemos manter sem o acúmulo de lactato. Não deixamos de produzi-lo, mas conciliamos a produção com a liberação. Quanto mais eficiente for o "motor" mitocondrial, mais rapidamente se elimina o lactato e maior o esforço que consegue sustentar sem sair da zona 2. Se "sentimos queimação" nesse tipo de treino, provavelmente estamos fazendo esforço demais, gerando mais lactato do que somos capazes de eliminar.

Como sou um cara que gosta de números e adoro biomarcadores e feedback, costumo testar meu nível de lactato quando me exercito, usando um pequeno analisador de lactato portátil, para garantir que meu ritmo esteja correto. O objetivo é manter esse nível constante, de preferência entre 1,7 e 2,0 milimoles. Esse é o limite da zona 2 para a maioria das pessoas. Se eu me esforçar em excesso, os níveis de lactato sobem, então desacelero. (Às vezes é tentador pegar pesado na zona 2, porque o treino parece relativamente "fácil" em dias bons.) Enfatizo isso porque o lactato é literalmente o que define a zona 2. É tudo uma questão de manter os níveis estáveis nessa faixa, e o esforço em um grau sustentável.

Se você não tiver um medidor de lactato à mão, como a maioria das pessoas, existem outras formas razoavelmente precisas de estimar sua zona 2. Se você sabe qual é sua frequência cardíaca máxima — não estimada, mas sua máxima real, o número mais alto que você já viu em um monitor de frequência cardíaca —, sua zona 2 está aproximadamente entre 70% e 85% desse número de pico, dependendo do seu condicionamento físico. Como essa faixa é muito ampla, quando estou trabalhando com iniciantes, prefiro que confiem em seu liminar de esforço percebido (LEP), também conhecido como "teste da fala". Você está se esforçando muito ou pouco? É fácil falar? Se você estiver no topo da zona 2, será capaz de conversar, mas não estará interessado em manter essa conversa. Se não consegue dizer frases completas, deve estar na zona 3, o que significa que está se esforçando demais, mas se consegue conversar sem dificuldades, deve estar na zona 1, que é fácil demais.

Os resultados da zona 2 são extremamente variáveis e dependem do condicionamento físico da pessoa. No estudo de San Millán e Brooks, os ciclistas

* Isso ocorre porque o íon de hidrogênio não permite que os filamentos de actina e miosina em seus músculos relaxem, provocando dor e rigidez na musculatura.

profissionais produziram cerca de trezentos watts de potência na zona 2, enquanto os sedentários, com uma saúde metabólica comprometida, geraram apenas cerca de cem watts no mesmo nível relativo de intensidade. É uma grande diferença. Se expressarmos esse resultado em termos de watts por quilo de peso corporal, a diferença se torna ainda mais gritante: os ciclistas de setenta quilos produzem mais de quatro watts por quilo de peso corporal, enquanto os indivíduos sedentários de mais de cem quilos produzem apenas cerca de um watt por quilo.

Essa diferença acentuada remonta ao fato de que as mitocôndrias — os motores — dos indivíduos não saudáveis eram muito menos eficientes do que as dos atletas, de modo que eles logo passavam da respiração aeróbica — que queima gordura e glicose nas mitocôndrias na presença de oxigênio — para a glicólise, uma via de produção de energia muito menos eficiente que consome apenas glicose e gera um grande volume de lactato (semelhante à forma como as células cancerígenas produzem energia, por meio do efeito de Warburg). Uma vez que começamos a produzir energia desse modo, o lactato se acumula e nosso esforço rapidamente se torna insustentável. Algumas doenças genéticas (felizmente raras) atingem as mitocôndrias e provocam sequelas muito mais graves, mas, em termos de condições crônicas adquiridas, a diabetes tipo 2 causa um grande impacto nas mitocôndrias, e os dados de San Millán demonstram com muita elegância a deficiência que isso gera.

Mesmo em repouso, os níveis de lactato dizem muito sobre a saúde metabólica. Pessoas com obesidade ou outros problemas metabólicos tendem a ter níveis de lactato em repouso muito mais altos, um sinal evidente de que as mitocôndrias não estão funcionando da maneira ideal, porque já estão trabalhando além da conta apenas para manter os níveis basais de energia. Isso significa que elas dependem quase totalmente da glicose (ou glicogênio) para todas as suas necessidades de energia — e que são incapazes de acessar os estoques de gordura. Parece injusto, mas as pessoas que mais precisam queimar gordura, as pessoas com maior estoque, não conseguem liberar praticamente nada para usar como energia, enquanto os atletas profissionais magros e bem-treinados fazem isso com muita facilidade, porque têm maior flexibilidade metabólica (e mitocôndrias mais saudáveis).*

* Muitas vezes, esse mesmo comprometimento em termos de eficiência mitocondrial é observado em pacientes submetidos a tratamento quimioterápico. Também existe a hipótese, sustentada por algumas evidências, de que isso também aflige pacientes com a chamada "Covid longa".

* * *

A saúde mitocondrial se torna ainda mais importante à medida que envelhecemos, porque uma das marcas mais significativas do envelhecimento é um declínio no número e na qualidade das mitocôndrias. Mas esse declínio não é necessariamente uma via de mão única. As mitocôndrias são bastante plásticas e, quando praticamos exercícios aeróbicos, estimulamos a criação de mitocôndrias novas e mais eficientes por meio de um processo chamado biogênese mitocondrial,[3] eliminando aquelas que se tornaram disfuncionais por meio de um processo de reciclagem chamado mitofagia (que é como a autofagia, mencionada no capítulo 5). Para quem faz treinos frequentes na zona 2, as mitocôndrias são aprimoradas a cada corrida, nado ou pedalada. Mas se elas não são usadas, se perdem.

Essa é outra razão pela qual a zona 2 é um mediador tão poderoso da saúde metabólica e da homeostase da glicose.[4] Os músculos são o maior reservatório de glicogênio do corpo, e, à medida que produzimos mais mitocôndrias, aumentamos muito nossa capacidade de recorrer a esse combustível armazenado, em vez de deixá-lo virar gordura ou permanecer no plasma. Elevações crônicas no nível de glicose no sangue danificam órgãos como coração, cérebro, rins e quase tudo que existe entre eles — contribuindo até para a disfunção erétil nos homens. Segundo alguns estudos, enquanto nos exercitamos, a captação geral de glicose aumenta até cem vezes em comparação com quando estamos em repouso.[5] O interessante é que ela ocorre por meio de diferentes vias. Existe a maneira usual, sinalizada pela insulina, com a qual estamos familiarizados; mas o exercício também ativa outras vias, incluindo uma chamada captação de glicose não mediada pela insulina (NIMGU, na sigla em inglês), em que a glicose é transportada diretamente através da membrana celular sem nenhuma participação da insulina.[6]

Isso, por sua vez, explica por que os exercícios, principalmente os da zona 2, podem ser tão eficazes no controle da diabetes tipo 1 e 2, por permitir que o corpo contorne a resistência à insulina nos músculos para reduzir os níveis de glicose no sangue. Tenho um paciente com diabetes tipo 1 (o que significa que ele não produz nenhuma insulina) que mantém os níveis de glicose sob controle quase exclusivamente por meio de caminhadas aceleradas de dez a dezesseis quilômetros todos os dias, às vezes mais. Enquanto ele caminha, as células musculares "aspiram" a glicose da corrente sanguínea via NIMGU. Ele ainda precisa de injeções de insulina, mas apenas uma fração do que seria necessário.

Outra vantagem da zona 2 é que ela é muito fácil, mesmo para sedentários. Para algumas pessoas, uma caminhada acelerada pode levá-las à zona 2; para quem está em melhores condições, a zona 2 significa subir uma ladeira. Existem diferentes jeitos de alcançá-la: você pode andar de bicicleta ergométrica na academia, caminhar, correr na rua ou nadar na piscina. O importante é encontrar uma atividade que se encaixe no seu estilo de vida, que você goste de fazer e que lhe permita manter um ritmo constante que passe no teste da zona 2: você consegue dizer frases completas, mas com esforço.

O quanto você deve treinar na zona 2 depende de quem você é. Quem ainda está começando com esse tipo de treino vai ter benefícios enormes com até mesmo duas sessões de trinta minutos por semana. Com base em várias discussões que tive com San Millán e outros fisiologistas do exercício, cerca de três horas semanais de exercícios na zona 2, ou quatro sessões de 45 minutos, é o mínimo necessário para que a maioria das pessoas obtenha benefícios e apresente melhoras, uma vez superado o obstáculo inicial que é dar o primeiro passo. (Quem está treinando para grandes provas de resistência, como uma maratona, obviamente precisa de mais do que isso.) Estou tão convencido dos benefícios da zona 2 que ela se tornou a pedra angular do meu plano de exercícios. Quatro vezes por semana, passo cerca de uma hora na bicicleta ergométrica no limite da zona 2.

Um modo de acompanhar seu progresso na zona 2 é medindo sua produção em termos de watts (muitas bicicletas ergométricas dispõem desse recurso). É só pegar sua potência média em watts de uma sessão da zona 2 e dividir pelo seu peso, e assim se obtém o número que interessa: watts por quilograma. Portanto, se você pesa sessenta quilos e gera 125 watts na zona 2, isso dá pouco mais de 2 W/kg, que é mais ou menos o que se esperaria de uma pessoa razoavelmente em forma. São referências aproximadas, mas alguém em boa forma física será capaz de produzir 3 W/kg, enquanto ciclistas profissionais produzem 4 W/kg ou mais. Não é o número que importa, mas o quanto você melhora com o tempo. (Se você corre ou caminha, o mesmo princípio se aplica: à medida que você melhora, seu ritmo na zona 2 fica mais rápido.)

A zona 2 pode ser um pouco entediante, então normalmente uso o tempo para ouvir podcasts ou audiolivros, ou apenas para pensar sobre as questões que encontro no trabalho — um benefício colateral da zona 2 é que ela também ajuda na cognição,[7] aumentando o fluxo sanguíneo cerebral e estimulando a produção de BDNF, o fator neurotrófico derivado do cérebro, que mencionamos anteriormente. Essa é outra razão pela qual a zona 2 é tão importante para nosso programa de prevenção da doença de Alzheimer.

Penso na zona 2 como as fundações de uma casa. Elas quase nunca são vistas, mas são uma obra fundamental, que nos ajuda a sustentar praticamente tudo o que fazemos, seja na nossa rotina de exercícios ou no dia a dia.

Capacidade aeróbica máxima: VO_2 máx.

Se a zona 2 representa um estado estável, em que você mantém um ritmo sustentável tranquilamente, os esforços que chegam ao VO_2 máx. são quase o oposto. A intensidade é muito maior — trata-se de sustentar um grande esforço por minutos, mas ainda bem aquém de um *sprint*. No VO_2 máx. as vias aeróbicas e anaeróbicas são combinadas para produzir energia, mas usando a taxa máxima de consumo de oxigênio. O consumo de oxigênio é a chave aqui.

Além de melhorar a saúde mitocondrial, a absorção de glicose e a flexibilidade metabólica, além de diversos outros fatores positivos, o treino da zona 2 também aumenta um pouco o VO_2 máx. Mas se você realmente deseja aumentá-lo, precisa treinar com mais orientação. Normalmente, para pacientes que estão começando a se exercitar, introduzimos o treino de VO_2 máx. após cerca de cinco ou seis meses de trabalho constante na zona 2.

Uma das razões pelas quais insisto tanto nisso é que a medida do pico da capacidade aeróbica está fortemente relacionada à longevidade,[8] como vimos no capítulo 11. Submeto todos os meus pacientes a testes de VO_2 máx., e então eles treinam para melhorar essa taxa. Mesmo que você não esteja competindo em esportes de resistência de alto nível, o VO_2 máx. é um número importante que você pode e deve conhecer. Os testes podem ser feitos em diversos lugares, até mesmo em algumas academias.

A má notícia é que o teste de VO_2 máx. é algo desagradável, que envolve pedalar na bicicleta ergométrica ou correr na esteira com uma intensidade cada vez maior, usando uma máscara que mede o consumo de oxigênio e a produção de CO_2. A quantidade máxima de oxigênio que você consome, geralmente perto do ponto em que você não consegue mais continuar, corresponde ao seu VO_2 máx. Nossos pacientes fazem esse teste pelo menos uma vez por ano, e quase todos odeiam. Em seguida, comparamos os resultados, normalizados pelo peso, com a população do mesmo gênero e idade.

Por que isso importa? Porque o VO_2 máx. é uma boa medida terceirizada da capacidade física. Ele diz o que podemos ou não fazer. Dê uma olhada na Figura 11, que mostra os níveis de VO_2 máx. baixo, médio e alto por idade. Duas coisas chamam a atenção. Em primeiro lugar, há uma grande discrepância no condicionamento físico entre os 5% superiores e inferiores de cada faixa etária (as linhas superior e inferior). Em segundo lugar, é impressionante como o VO_2 máx. decai abruptamente com a idade e como esse declínio corresponde à diminuição da capacidade funcional. Quanto mais baixo for, menos coisas você é capaz de fazer.

Por exemplo, um homem de 35 anos com condicionamento físico médio para sua idade — um VO_2 máx. em torno dos trinta — deve ser capaz de correr a quase 10 km/h. Mas, aos setenta anos, apenas os 5% que estão em melhor forma física ainda serão capazes de fazê-lo. Da mesma maneira, uma pessoa média de 45 a 50 anos é capaz de subir escadas rapidamente (VO_2 máx. = 32), mas, aos 75 anos, a pessoa precisará estar no nível superior de sua faixa etária. As atividades que são fáceis quando somos jovens ou estamos na meia-idade se tornam difíceis, se não impossíveis, conforme envelhecemos. Isso explica por que tantas pessoas sofrem tanto durante a "década marginal". Elas simplesmente não conseguem fazer muitas coisas.

Eu insisto com meus pacientes para que treinem usando a maior taxa de VO_2 máx. possível, de modo a manterem um alto nível de função física à medida que envelhecem. Em termos ideais, quero que eles atinjam a faixa de "elite" para sua idade e gênero (aproximadamente os 2% melhores). Se chegarem a esse nível, dou os parabéns — e agora vamos correr atrás do nível de elite para o gênero, mas considerando duas décadas a menos. Pode parecer uma meta extrema, mas gosto de mirar alto, caso você ainda não tenha reparado.

Existe uma lógica nisso. Digamos que você seja uma mulher de cinquenta anos e goste de fazer trilhas nas montanhas; é assim que você quer passar sua aposentadoria. Esse tipo de atividade exigiria um VO_2 máx. de trinta, mais ou menos. Vamos supor, também, que você esteja no percentil 50 para sua idade; isso dá 32 ml/kg/min. Você é capaz de fazer essa trilha hoje!

Figura 11. **Declínio do VO_2 máx. com a idade**

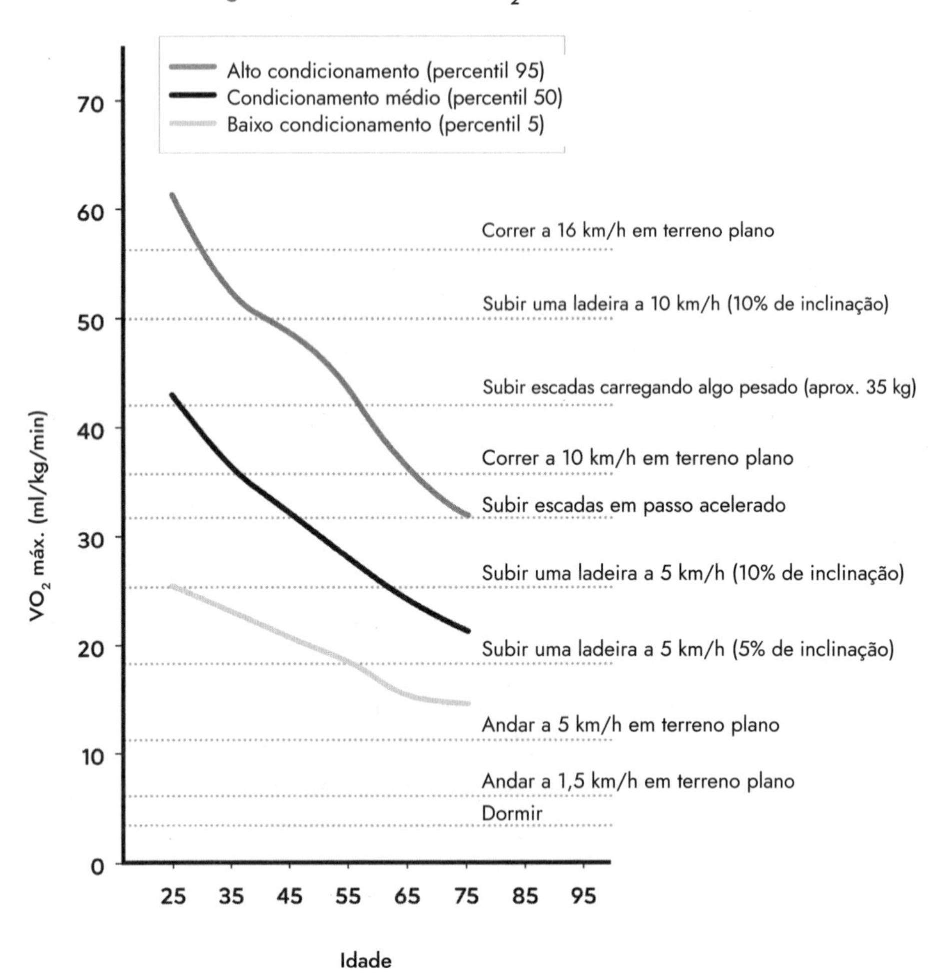

Fonte: Gráfico de Jayson Gifford, da Universidade Brigham Young, baseado em dados de Ligouri (2020).

Parece uma boa notícia, mas na verdade é o oposto. De acordo com alguns estudos, o VO_2 máx. diminui cerca de 10% por década — e até 15% por década depois dos cinquenta anos.[9] Portanto, não basta ter um VO_2 máx. médio ou mesmo acima da média hoje. Estamos nos preparando para que você viva mais trinta ou quarenta anos. Se você partir de 32 ml/kg/min hoje, aos cinquenta anos, pode esperar estar mais próximo de 21 ml/kg/min aos oitenta anos. Não são números abstratos; eles representam um declínio profundo na função. É a diferença entre subir facilmente um lance de escadas e ter dificuldade até mesmo ao caminhar por uma superfície inclinada. Fazer uma trilha nas montanhas, então! Para chegar à nona década de vida com um condicionamento físico suficiente para atingir seu objetivo, nossa cinquentona precisaria ter um VO_2 máx. de cerca de 45 a 49 hoje. Esse é o nível superior para seu gênero, mas considerando duas décadas a menos.

É importante que suas metas reflitam suas prioridades — as atividades que lhe dão prazer e que você deseja realizar nas suas últimas décadas de vida. Quanto mais ativo você quer ou planeja ser conforme envelhece, mais precisa treinar para isso hoje.

Tenha em mente que qualquer aumento no seu VO_2 máx. vai melhorar sua vida em termos não apenas de longevidade, mas também de qualidade, hoje e no futuro. Aumentar o VO_2 máx. do quartil mais baixo para o quartil imediatamente acima (ou seja, logo abaixo da média) está associado a uma redução de quase 50% na mortalidade por todas as causas, como já vimos. Acredito que quase todo mundo é capaz de conseguir isso — e deveria, porque a outra opção é inaceitável. Uma vez que o consumo máximo de oxigênio ou VO_2 máx. cai abaixo de determinado nível (normalmente cerca de 18 ml/kg/min em homens, e 15 em mulheres), ele começa a ameaçar sua capacidade de viver com autonomia.[10] Seu motor começa a falhar.

É por isso que é tão essencial treinar o VO_2 máx., não apenas na zona 2. É o segredo para manter uma vida plena e independente à medida que você envelhece. Mas é preciso bastante esforço durante um longo período para desenvolvê-lo e mantê-lo.

Até que ponto é possível treinar o VO_2 máx.? A sabedoria convencional, refletindo a maior parte da literatura, sugere que é possível melhorar a capacidade aeróbica de idosos em cerca de 13% em oito a dez semanas de treino, e em 17% após 24 a 52 semanas, de acordo com uma revisão. É um bom começo, mas acho que representa apenas uma fração do que é possível; como de costume na Medicina 2.0, esses estudos são quase sempre muito curtos. Estamos falando de uma rotina de treinos vitalícia, não de apenas oito semanas. Cada indivíduo é único em termos de potencial de condicionamento físico e resposta ao treino, mas Mike Joyner acredita que um treino mais longo e focado pode render ganhos muito maiores em períodos mais extensos — medidos em anos, não em semanas. Digo aos meus pacientes que isso não é um projeto de dois meses, mas de dois anos.

Não está evidente quantas vantagens é possível obter, mas a literatura sugere que um treino contínuo e consistente sempre compensa. Segundo um pequeno estudo, o VO_2 máx. médio dos nove atletas de resistência octogenários bem-treinados (praticantes de esqui cross-country) que foram analisados era 38, contra 21 do grupo de controle, composto por homens octogenários não treinados, uma diferença de mais de 80%.[11] É impressionante! Os atletas tinham a capacidade aeróbica de pessoas muitas décadas mais novas que eles,* enquanto os homens do grupo de controle sofreram um declínio tão grande que estavam prestes a perder a capacidade de viver com autonomia. É verdade que os participantes do estudo foram atletas ao longo de toda a vida — mas isso também reitera meu argumento. Nosso objetivo é nos tornarmos atletas de elite do envelhecimento.

A recompensa é que aumentar o VO_2 máx. rejuvenesce em termos funcionais.[12] De acordo com um estudo, aumentar o VO_2 máx. de idosos em 6 ml/kg/min, ou cerca de 25%, equivalia a subtrair doze anos da idade deles.[13] Se você é um homem na casa dos sessenta anos e parte de um VO_2 máx. de trinta, está mais ou menos na média para sua faixa etária (ver Figura 12). (As mulheres normalmente têm um VO_2 máx. médio um pouco mais baixo por idade, devido a diversos fatores, portanto, uma mulher "média" na casa dos sessenta anos estaria com uma taxa de cerca de 25 ml/kg/min.) Se essa taxa aumentar para 35 por meio dos treinos, você vai entrar no grupo dos 25% melhores de sua faixa etária. Excelente! Agora, veja de outra forma: aos sessenta anos, você terá a capacidade aeróbica de um homem médio na casa dos cinquenta, ou seja, uma década mais jovem. Se você conseguir aumentar ainda mais essa taxa, para 38 ou 39, terá o equivalente aeróbico de quem tem uma média de trinta e poucos anos. Isso significa que você conquistou uma diferença de fase, como quando falamos sobre os centenários: você agora tem a forma física de alguém décadas mais novo que você.[14] Portanto, comemore; você merece.

A parte fascinante é que o VO_2 máx. sempre pode ser aprimorado por treinamentos, independentemente da idade. Duvida? Então, conheça um francês incrível chamado Robert Marchand, que, em 2012, estabeleceu um recorde mundial de faixa etária ao pedalar 24,25 quilômetros em uma hora, aos 101 anos.[15]

* Dois dos atletas idosos apresentaram uma taxa de VO_2 máx. acima de quarenta, e o mais velho dos participantes, um ex-atleta olímpico de 91 anos, chegou bem próximo disso, aos 36, o que os colocaria no quartil superior dos homens na casa dos sessenta anos.

Aparentemente, ele não ficou satisfeito com esse resultado, então decidiu treinar mais. Seguindo uma rigorosa rotina elaborada pelos melhores instrutores e fisiologistas, aumentou seu VO_2 máx. dos já impressionantes 31 para 35 ml/kg/min, o que o colocaria entre os 2,5% dos indivíduos que estão com melhor forma física na casa dos oitenta anos. Dois anos depois, já aos 103 anos, ele quebrou o próprio recorde, pedalando quase 27 quilômetros em uma hora. Isso é impressionante e mostra que nunca é tarde para melhorar seu VO_2 máx.

Mesmo que não tenhamos a pretensão de bater um recorde mundial, a maneira como aprimoramos o VO_2 máx. é bastante semelhante a como os atletas de elite o fazem: intercalando os treinos da zona 2 com um ou dois treinos de VO_2 máx. por semana.

Enquanto os tempos dos treinos de alta intensidade (HIIT) são muito curtos, normalmente medidos em segundos, os dos treinos de VO_2 máx. são um pouco mais longos, variando de três a oito minutos — e com um pouco menos de intensidade. Faço esses exercícios em uma bicicleta afixada a um rolo de treino ou em um aparelho de remo, mas correr na esteira (ou pista) também funciona. A fórmula testada e comprovada para esses tempos é manter o ritmo mais intenso possível por quatro minutos — não ir com tudo de uma vez, mas fazer um esforço considerável. Em seguida, pedale normalmente ou corra mais devagar por quatro minutos, o que deve ser tempo suficiente para que sua frequência cardíaca retorne a menos de cem batimentos por minuto. Repita isso de quatro a seis vezes, depois descanse.*

Assegure-se de que está o mais próximo possível da recuperação total antes de começar a série seguinte. Se você não se recuperar entre as séries, não vai atingir seu pico de esforço e, consequentemente, não vai conquistar a adaptação desejada. Além disso, certifique-se de dedicar tempo suficiente ao aquecimento e descansar depois desse esforço intenso.

---

* Na prática, descobri que meu ritmo de VO_2 máx. ideal funciona com cerca de 33% mais potência do que meu ritmo de zona 2, se eu estiver cumprindo tempos de quatro minutos de alta intensidade e quatro minutos de baixa intensidade. Portanto, se seu ritmo de zona 2 representa uma potência de 150 watts, seu ritmo de treino de VO_2 máx. deve ser de cerca de 200 watts por quatro minutos, seguidos de quatro minutos de descanso. Melhor ainda, se você conhece seu limiar funcional de potência (FTP, na sigla em inglês), que é a potência mais elevada que você consegue manter por sessenta minutos, deve atingir 120% dela em tempos de três minutos e 106% dela em tempos de oito minutos, e trabalhar a partir desses valores no resto do treino.

Figura 12. VO_2 máx. por idade, gênero e condicionamento físico

Idade	Grupo de desempenho por VO_2 máx. (ml/kg/min)				
	Baixo	Abaixo da média	Acima da média	Alto	Elite
Mulheres					
18-19	< 35	35-39	40-45	40-52	≥ 53
20-29	< 28	28-35	36-40	41-50	≥ 51
30-39	< 27	27-33	34-38	39-48	≥ 49
40-49	< 26	26-31	32-36	37-46	≥ 47
50-59	< 25	25-28	29-35	36-45	≥ 46
60-69	< 21	21-24	25-29	30-38	≥ 40
70-79	< 18	18-21	22-24	25-35	≥ 36
≥ 80	< 15	15-19	20-22	23-29	≥ 30
Homens					
18-19	< 38	38-45	46-49	50-57	≥ 58
20-29	< 36	36-42	43-48	49-55	≥ 56
30-39	< 35	35-39	40-45	46-52	≥ 53
40-49	< 34	34-38	39-43	44-51	≥ 52
50-59	< 29	29-35	36-40	41-49	≥ 50
60-69	< 25	25-29	30-35	36-45	≥ 46
70-79	< 21	21-24	25-29	30-40	≥ 41
≥ 80	< 18	18-22	23-25	26-35	≥ 36

Para fins de comparação de VO_2 máx., os grupos são: "baixo" (25% inferiores), "abaixo da média" (percentis 26 a 50), "acima da média" (percentis 51 a 75), "alto" (percentis 75 a 97,6) e "elite" (2,3% superiores).
Fonte: Mandsager et al. (2018).

A boa notícia, presumo, é que você não precisa passar por esse suplício por muito tempo. A menos que esteja treinando para ser competitivo em esportes de resistência, como ciclismo, natação, corrida, triatlo ou esqui cross-country, um único treino por semana nessa zona geralmente será suficiente. Logo você vai descobrir que esse treino também melhora seu desempenho no restante da rotina de exercícios — e, mais importante, no resto da vida.

Aprendi essa lição com bastante clareza não muito tempo atrás, quando minha esposa e eu tivemos pouco tempo para fazer uma conexão no aeroporto de Heathrow, em Londres. Quem já fez conexão lá sabe que ir do terminal 5 para o 3 já é praticamente uma viagem. O único jeito de chegar a tempo para o segundo voo era correr o equivalente a um quilômetro e meio em menos de oito minutos, cada um carregando uma mala de dez quilos. Isso não seria como treinar na zona 2; teríamos que nos esforçar muito mais, por oito minutos seguidos. Precisávamos atingir uma potência muito mais próxima do nosso VO_2 máx. do que da zona 2.

Naquele momento, enfrentamos uma situação não muito diferente da que costumavam viver nossos ancestrais caçadores-coletores (tirando o cenário, obviamente). Além de ser muito mais divertido do que correr em um aeroporto, caçar exige 95% de esforço lento e constante e 5% de intensidade total. Para matar um antílope, um mamute ou qualquer outra coisa cujas pegadas estivesse seguindo, você precisava de fato dessa potência extra.

A questão é que, se você parar para pensar no condicionamento aeróbico de que a maioria das pessoas precisa de verdade ao longo da vida, trata-se basicamente de ser muito bom em ir devagar por um tempo considerável, mas também dar tudo de si e com rapidez quando necessário. Treinar e manter um excelente condicionamento aeróbico, desde já, é essencial para preservar essa variedade de funções nos seus últimos anos de vida.

De certa forma, a potência aeróbica máxima é como o amplificador especial do guitarrista Nigel Tufnel, no clássico filme *Isto é Spinal Tap*: enquanto a maioria dos amplificadores só permite aumentar o volume até dez, o dele chegava a onze. Como ele explicou de modo memorável: "É um nível mais alto."

De vez em quando, é bom ter esse alcance. Embarcamos no voo com alguns segundos de sobra.

Força

Para mim, o treino com pesos é um marco desde que eu tinha quatorze anos e meu melhor amigo John e eu, ambos aspirantes a boxeadores, entramos pela primeira vez na academia do *campus* de Scarborough da Universidade de Toronto. Era uma masmorra fétida que ficava no segundo subsolo, frequentada por sujeitos muito suados que viviam para levantar peso. Não tinha aquecimento, nem janelas ou ar-condicionado, então os invernos eram gelados e os verões, tão quentes que não era raro alguém desmaiar após uma série de intensidade máxima. Nós adorávamos. Era um mito para nós tanto quanto a Gold's Gym é para quem mora em Venice Beach, em Los Angeles.

Naquela época, comecei a malhar para me tornar o boxeador que eu ambicionava ser. Eu literalmente nunca tinha pensado em como seria minha vida depois dos 23 anos. Agora que sou um cara de meia-idade, finalmente entendo a seriedade com que aqueles caras mais velhos se dedicavam aos treinos. Estou em busca de um sonho diferente — o decatlo centenário, caso você tenha esquecido —, mas desconfio de que sou como eles hoje.

O triste é que nossa massa muscular começa a diminuir por volta dos trinta anos. Um homem de oitenta anos terá cerca de 40% menos tecido muscular (medido pela secção transversal do vasto lateral, parte do músculo conhecido como quadríceps femoral) do que tinha aos 25.[16] Mas, para nossos fins, a massa muscular pode ser a métrica menos importante. De acordo com Andy Galpin, professor de cinesiologia na Universidade Estadual da Califórnia, *campus* de Fullerton, e uma das maiores autoridades em força e desempenho, perdemos força muscular cerca de duas a três vezes mais rápido do que perdemos massa muscular. E perdemos potência (força × velocidade) duas a três vezes mais rápido do que perdemos força. Isso se dá porque a maior mudança isolada que ocorre na musculatura envelhecida é a atrofia das fibras musculares de contração rápida, ou tipo 2. Portanto, nossa rotina de exercícios deve se focar também em treinos de resistência pesada. A vida diária e o trabalho de resistência da zona 2 podem ser suficientes para prevenir a atrofia das fibras do tipo 1 — mas, a menos que você trabalhe uma resistência significativa, suas fibras musculares do tipo 2 vão acabar murchando.

Leva muito menos tempo para perder massa e força muscular do que para ganhá-las, principalmente se formos sedentários. Mesmo com uma prática de exercícios consistente, um curto período de inatividade pode eliminar muitos desses ganhos. Se essa inatividade decorre de uma queda ou fratura e se estende por mais do que alguns dias, muitas vezes pode dar início a um declínio acentuado do qual talvez nunca será possível se recuperar, mais ou menos o que aconteceu com Sophie. Segundo um estudo realizado com doze voluntários saudáveis com idade média de 67 anos, após apenas dez dias de repouso na cama, que é como uma pessoa ficaria em caso de doença grave ou lesão ortopédica, os participantes do estudo perderam uma média de 1,5 quilo de massa magra (músculo).[17] Isso é substancial e mostra o quanto a inatividade pode ser perigosa. Para quem é sedentário e consome calorias em excesso, a perda muscular se acelera, porque um dos principais destinos do transbordamento de gordura é o músculo.

Em sua forma mais extrema, essa perda muscular é chamada de sarcopenia,[18] conforme comentamos no capítulo 11. O indivíduo acometido por essa condição tem pouca energia, sensação de fraqueza e problemas de equilíbrio. A sarcopenia é um marcador primário de uma condição clínica mais ampla chamada síndrome da fragilidade,[19] quando uma pessoa apresenta pelo menos três destes cinco fatores: perda de peso não intencional; exaustão ou baixa energia; pouca atividade física; lentidão ao caminhar; e força de preensão fraca (sobre a qual falaremos mais em breve). Pode começar a ser difícil ficar de pé ou andar, e existe um risco elevado de sofrer queda e fraturas.

Recuperar essa musculatura não é fácil. Conforme um estudo realizado com 62 idosos (idade média de 78 anos) portadores de síndrome da fragilidade que participaram de um programa de treino de força, mesmo após seis meses de treino, metade dos indivíduos não ganhou nenhuma massa muscular.[20] Eles tampouco perderam, provavelmente graças ao treino, mas a conclusão é que é muito difícil ganhar massa muscular em idade avançada.

Outra métrica de nossos pacientes que acompanhamos de perto é a densidade óssea (tecnicamente, densidade mineral óssea, ou DMO). Medimos a DMO em todos os pacientes, todos os anos, observando os quadris e a coluna lombar por meio de densitometria óssea. O exame também mede a gordura corporal e a massa magra, por isso é uma ferramenta útil em todos os parâmetros de composição corporal que importam para nós.

Essas três regiões são normalmente usadas no diagnóstico de osteopenia ou osteoporose. As diretrizes-padrão recomendam esse exame apenas para mulheres a partir dos 65 anos ou homens a partir dos setenta anos — o que é típico da Medicina 2.0, esperar até os 45 do segundo tempo para fazer qualquer coisa. Achamos importante tratar dessa questão muito antes, antes que os problemas apareçam.

O fato é que a densidade óssea diminui paralelamente à massa muscular, atingindo o pico já na casa dos vinte e muitos anos, para então começar um declínio lento e constante. Nas mulheres, essa queda se acentua muito quando elas chegam à menopausa, se não estiverem em terapia de reposição hormonal (mais uma razão pela qual somos bastante favoráveis à TRH), porque o estrogênio é essencial para a resistência óssea, tanto em homens quanto em mulheres. Entre outros fatores de risco associados à baixa densidade óssea, estão:

genética (histórico familiar), histórico de tabagismo, uso prolongado de corticosteroides (por exemplo, para asma ou doenças autoimunes), medicamentos que bloqueiam o estrogênio (por exemplo, aqueles usados no tratamento do câncer de mama), pouca massa muscular (novamente) e subnutrição.

Por que nos importamos tanto com isso? Assim como em relação à musculatura, trata-se de proteção. Queremos retardar esse declínio para nos proteger contra lesões e fragilidade física. As taxas de mortalidade por fratura no quadril ou no fêmur se tornam impressionante a partir dos 65 anos. Elas variam de acordo com o estudo, mas ficam entre 15% e 36% em um ano, o que significa que até um terço das pessoas com mais de 65 anos que sofrem uma fratura no quadril morrem dentro de doze meses. Mesmo que a lesão não leve à morte, o revés pode ser o equivalente funcional à morte em termos de massa muscular — portanto, de capacidade física — perdida no período em que o paciente fica acamado, em recuperação (lembre-se da rapidez com que pessoas com mais de 65 anos perdem massa muscular nessas circunstâncias).

Nosso objetivo é tentar identificar esse problema, caso ele venha a surgir, décadas antes que uma possível fratura ocorra. Quando detectamos uma DMO baixa ou em declínio rápido em uma pessoa de meia-idade, usamos as quatro estratégias a seguir:

1. Otimizar a nutrição, com foco nas necessidades de proteína e energia total (ver os capítulos sobre nutrição).
2. Levantamento de peso. Os exercícios de força, especialmente os com pesos pesados, estimulam o crescimento dos ossos — mais do que os esportes de impacto, como corrida (embora a corrida seja melhor do que a natação ou o ciclismo). Os ossos respondem à tensão mecânica, e o estrogênio é o principal hormônio na mediação do sinal mecânico (levantamento de peso) para um sinal químico que orienta o corpo a reforçar os ossos.
3. Terapia de reposição hormonal, se necessário.
4. Medicamentos para aumentar a DMO, se necessário.
5. Em termos ideais, podemos resolver a questão com os dois primeiros métodos, mas não temos medo de usar o 3 e o 4 quando apropriado. A lição para os leitores é: sua DMO é importante e exige tanta atenção quanto a massa muscular, portanto você deve verificá-la em intervalos

de poucos anos (principalmente se seus esportes preferidos não envolvem levantamento de peso, como andar de bicicleta ou nadar).

Penso que os treinos de força são como juntar dinheiro para a aposentadoria. Assim como queremos nos aposentar com bastante dinheiro para nos sustentarmos pelo resto da vida, queremos chegar à velhice com uma "reserva" suficiente de músculos (e densidade óssea) para nos proteger de lesões e nos permitir continuar praticando as atividades de que gostamos. É muito melhor poupar, investir e planejar com antecedência, construindo sua riqueza gradualmente ao longo de décadas, do que planejar sua aposentadoria de qualquer jeito e por conta própria aos cinquenta e tantos anos, e rezar para que os deuses da bolsa de valores o ajudem. Assim como os investimentos, o treino de força é cumulativo, e seus benefícios são como os juros compostos. Quanto mais reserva você faz o quanto antes, melhor será o resultado no longo prazo.

No entanto, ao contrário de alguns dos caras da academia, estou menos preocupado com o tamanho do meu bíceps ou com quantos quilos levanto no supino. Isso pode ser relevante no fisiculturismo ou halterofilismo, mas nem tanto no decatlo centenário (ou na vida real). Cheguei à conclusão de que uma medida de força muito mais importante é quantas coisas pesadas você consegue carregar. Digo isso com base na minha intuição, mas também em pesquisas sobre caçadores-coletores e evolução humana. Carregar é o superpoder da nossa espécie. É uma das razões pelas quais temos polegares, bem como pernas e braços longos. Nenhum outro animal é capaz de transportar objetos grandes de um lugar para outro com tanta eficiência (e os que são capazes, como cavalos e afins, só o fazem porque os criamos, treinamos e colocamos arreios neles). Isso marca minha visão sobre os treinos de força, de maneira geral. Fundamentalmente, a questão é melhorar sua capacidade de carregar coisas.

Sempre adorei carregar objetos pesados. Quando era adolescente e trabalhava em um canteiro de obras durante o verão, sempre me oferecia para transportar ferramentas e materiais, e hoje ainda incluo alguma atividade desse tipo, normalmente com halteres, *kettlebells* ou sacos de areia, na maioria dos meus treinos. Também fiquei um tanto obcecado por uma atividade chamada *rucking*, que basicamente significa fazer trilha ou caminhada em ritmo acelerado com uma mochila pesada nas costas. Três ou quatro dias por semana, passo uma hora percorrendo meu bairro, subindo e descendo ladeiras, normalmente cobrindo uma altimetria de dezenas de metros ao longo de cinco ou seis quilômetros. Com uma mochila de vinte a trinta quilos nas costas, isso se torna bastante desafiador, portanto fortaleço as pernas e o tronco enquanto faço um treino aeróbico consistente. A melhor parte é que nunca levo o celular nessas caminhadas; sou só eu, na natureza, às vezes com um amigo, um parente ou um convidado (que não dispense o *rucking*; tenho sempre duas mochilas extras guardadas na garagem).

Quem me apresentou a esse passatempo foi Michael Easter, em seu revolucionário livro *A crise do conforto* (em tradução livre). Sua intrigante tese é a de que, como abolimos todo tipo de desconforto na vida moderna, perdemos o contato com habilidades fundamentais (para não falar do constante sofrimento) que outrora definiam o ser humano. Carregar coisas por longas distâncias é uma dessas habilidades; nossos ancestrais tinham que perambular bastante para caçar e depois carregar o butim de volta ao acampamento para alimentar todo mundo. Mas essa prática é tão eficaz foi incorporada aos treinamentos militares.

"Carregar coisas moldou nossa espécie", diz o autor. "Nossos ancestrais carregavam coisas com frequência. Isso deu a eles força e resistência funcionais e robustas, que provavelmente tinham um forte efeito protetor. No entanto, desenvolvemos formas de remover essa atividade de nossa vida, assim como fizemos com muitas outras modalidades de desconforto. O *rucking* é um método prático de voltar a carregar coisas."[21]

A principal diferença é que, em vez de colocar trinta quilos de carne de antílope na mochila, eu normalmente carrego pesos de metal, que admito serem bem menos apetitosos. Quando faço *rucking*, uma das coisas nas quais gosto de me concentrar são as ladeiras. Ao subir uma colina, tenho a oportunidade de forçar meu sistema de energia de VO_2 máx.; os *ruckers* de primeira viagem ficam surpresos com o quanto é cansativo subir uma inclinação de 15% mesmo com apenas dez quilos nas costas — e depois descer. (Uma boa meta é carregar de um quarto a um terço do seu peso corporal após desenvolver força e resistência suficientes. Minha filha e minha esposa costumam carregar essa quantidade de peso quando se juntam a mim.)

Por melhor que seja, o *rucking* não é meu único recurso para aumentar minha força. Eu fundamentalmente estruturo meus treinos com base em exercícios que melhoram os seguintes aspectos:

1. *Força de preensão*, com quanta força você consegue apertar as mãos, o que envolve tudo, desde as mãos até os dorsais (os grandes músculos das costas). Quase toda atividade começa pela preensão.
2. *Atenção à carga concêntrica e excêntrica de todos os movimentos*, ou seja, quando os músculos estão encurtando (concêntrica) *e* quando estão alongando (excêntrica). Em outras palavras, precisamos ser capazes de levantar o peso e colocá-lo de volta, devagar e com controle. Descer ladeiras no *rucking* é uma ótima forma de trabalhar a força excêntrica, porque obriga você a pisar no "freio".
3. *Movimentos de puxar*, em todos os ângulos, desde acima da cabeça até à frente do corpo, o que também requer força de preensão (por exemplo, flexões e remadas).
4. *Movimentos de articulação do quadril*, como levantamento terra e agachamento, mas também *step-ups*, elevação pélvica e inúmeras variantes de exercícios unilaterais que fortalecem as pernas, os glúteos e a região lombar.

Eu me concentro nesses quatro elementos fundamentais de força porque eles são os mais relevantes para o decatlo centenário, assim como para uma velhice plena e ativa. Se você tiver boa força de preensão, será capaz de abrir um pote com facilidade. Se conseguir puxar, será capaz de carregar suas compras e levantar objetos pesados. Se conseguir articular o quadril corretamente, será capaz de se levantar de uma cadeira sem problemas. Você está se preparando para envelhecer bem. Não se trata de quanto peso consegue levantar hoje, mas de como será seu desempenho daqui a vinte, trinta ou quarenta anos.

Priorizo a força de preensão porque é algo que passa batido para a maioria das pessoas. Até eu fiquei surpreso ao descobrir que há muita literatura associando uma melhor força de preensão a partir da meia-idade a uma diminuição do risco de mortalidade geral.* Na verdade, os dados são robustos tanto para o VO_2 máx. quanto para a massa muscular. Segundo inúmeros estudos, a força de preensão — literalmente, a força com que você consegue apertar algo com a mão — prediz quanto tempo você provavelmente vai viver,[22] ao passo que a força de preensão reduzida em idosos é considerada um sintoma

* A definição consensual mínima de sarcopenia inclui a presença de pouca massa muscular esquelética e pouca força muscular (por exemplo, força de preensão manual) ou baixo desempenho físico (por exemplo, velocidade de caminhada).[23]

de sarcopenia, a atrofia muscular relacionada à idade sobre a qual falamos há pouco. Nesses estudos, a força de preensão não só atua como um indicador da força muscular geral, mas é também um indicador mais amplo da compleição física geral e da capacidade de se proteger em caso de escorregão ou perda de equilíbrio. Se você tiver força para se agarrar a um corrimão ou galho, poderá evitar uma queda.

Surpreendentemente, apesar do lugar que o condicionamento físico e as academias de ginástica passaram a ocupar em nossa cultura nas últimas décadas, os adultos norte-americanos parecem ter uma força de preensão muito menor — e, portanto, menos massa muscular — do que a geração anterior. Em 1985, os homens de 20 a 24 anos tinham uma força de preensão média de 54,9 kg na mão direita,[24] enquanto, em 2015, os homens da mesma idade alcançavam apenas 45,8 kg em média. Isso sugere que as pessoas que estão agora na casa dos trinta vão entrar na meia-idade com muito menos força do que seus pais, o que pode trazer problemas conforme forem envelhecendo.

A força de preensão é importante em todas as idades. Toda interação que temos começa pelas mãos (ou pelos pés, como vamos falar mais adiante). A preensão é o principal ponto de contato em quase todas as tarefas físicas, desde usar um taco de golfe até cortar madeira; é nossa interface com o mundo. Se a preensão for fraca, todo o resto estará comprometido.

Treinar a força de preensão não é muito complicado. Uma das minhas formas preferidas é o clássico *farmer's carry*, em que você caminha por pelo menos um minuto ou mais com uma barra hexagonal, um haltere ou um *kettlebell* em cada mão. (Bônus: segure o *kettlebell* na vertical, mantendo o pulso reto e o cotovelo dobrado a noventa graus, como se fosse carregá-lo no meio de uma multidão.) Um dos parâmetros que exigimos de nossos pacientes do sexo masculino é carregar metade de seu peso corporal em cada mão (portanto, o peso total do corpo, somando tudo) por pelo menos um minuto, e para a pacientes do sexo feminino insistimos em 75% desse valor. Obviamente, é uma meta ousada — por favor, não tente fazer isso quando for à academia. Alguns pacientes precisam de até um ano de treino antes de tentar esse exercício.

Em geral, orientamos os pacientes novos a começar com muito menos peso do que levantavam antes, às vezes reduzindo até mesmo para exercícios com o peso corporal no princípio. Como veremos no capítulo a seguir, sobre estabilidade, é muito mais importante aprender e praticar os movimentos ideais do que ficar levantando peso o tempo todo. Dito isso, o *farmer's carry* é bastante simples (um peso em cada mão, braços paralelos ao corpo, caminhada). A dica mais importante é manter as omoplatas viradas para baixo e para trás, não puxadas para cima nem curvadas para a frente. Se você estiver estreando no treino de força, comece com pesos leves, entre quatro a sete quilos, e vá aumentando a carga aos poucos.

Outra maneira de testar sua preensão é se pendurar em uma barra fixa com os braços estendidos pelo máximo de tempo que conseguir. (Esse não deve ser um exercício diário; pelo contrário, deve fazer parte de uma série esporádica.) Você segura a barra e apenas fica pendurado, sustentando o peso do corpo. É um exercício simples, mas sorrateiramente difícil, que também ajuda a fortalecer os músculos estabilizadores escapulares (ombros), que são extremamente importantes, sobre os quais falaremos no próximo capítulo. Para a faixa dos quarenta anos, os homens devem se pendurar por pelo menos dois minutos, e as mulheres, por pelo menos noventa segundos (reduzimos ligeiramente a meta a cada década acima dos quarenta anos).

Nenhuma discussão sobre resistência está completa sem mencionar a carga concêntrica e, principalmente, a excêntrica. Novamente, carga excêntrica significa submeter o músculo a um esforço enquanto ele se alonga, como quando você faz uma rosca bíceps. Ao levantarmos um objeto é mais intuitivo nos concentrarmos na fase concêntrica, como usar o bíceps para fazer a rosca. Essa é a força de um músculo se encurtando. Um dos testes a que nossos pacientes são submetidos é subir e descer de um bloco de quarenta centímetros, levando três segundos para chegar ao chão (um passo para a frente e para baixo, como descer de um degrau muito alto). A subida é comparativamente fácil, mas a maioria das pessoas tem dificuldade, a princípio, com uma descida controlada de três segundos. Isso requer força excêntrica e controle (vou falar em mais detalhes sobre subidas e descidas no final do capítulo 13).

Na vida, principalmente à medida que envelhecemos, a força excêntrica é o ponto em que muitas pessoas pecam. A força excêntrica nos quadríceps é o que nos dá o controle de que precisamos ao descer uma ladeira ou um lance de escadas. É muito importante nos protegermos de quedas e lesões ortopédicas. Quando somos capazes de carregar nossos músculos de forma excêntrica, também evitamos um desgaste excessivo nas articulações, especialmente nos joelhos. Imagine como é descer uma ladeira muito íngreme lentamente em vez de sem controle. A diferença na transmissão de força para os joelhos é drástica (assim como a diferença nos desfechos mais prováveis — uma descida segura *versus* dar de cara no chão e machucar o joelho).

Treinar a força excêntrica é relativamente simples. De modo geral, significa se focar na fase "baixa" dos levantamentos de peso, sejam eles puxada alta, puxada baixa, pendurar-se ou remar; descer uma ladeira durante o *rucking*, levando uma mochila com peso, é um ótimo jeito de desenvolver tanto a força excêntrica quanto a consciência e o controle espacial, que são partes importantes do treino de estabilidade (capítulo seguinte). Também ajuda a proteger contra dores no joelho. Você não precisa fazer isso em todas as repetições de todas as séries. Às vezes, você só quer se concentrar em levantar o peso mais depressa ou aumentar a carga, mas se certifique de, em algum momento do treino, reservar um tempo para se focar na fase excêntrica do movimento.

Em seguida vem o movimento de puxar, que está intimamente relacionado à força de preensão. Esse tipo de movimento é como exercemos nossa vontade no mundo, seja ao pegar uma sacola de compras no porta-malas do carro ou praticar escalada. É um movimento de âncora. Na academia, ele normalmente assume a forma de remada, quando você puxa o peso em direção ao corpo. Um aparelho de remo, algo que adoro usar nos treinos de VO_2 máx., é outra maneira simples e eficaz de trabalhar a força de tração.

O último elemento fundamental da força é a articulação dos quadris, que é justamente o que parece: você flexiona os quadris — não a coluna — para engajar os maiores músculos do corpo, o glúteo máximo e os isquiotibiais. (Repito: não dobre a coluna.) É um movimento muito poderoso e essencial à vida. Esteja você praticando salto de esqui nas Olimpíadas, pegando uma moeda na calçada ou simplesmente se levantando de uma cadeira, é a articulação dos quadris que entra em ação.

A articulação do quadril sob uma carga axial elevada, como no levantamento terra pesado ou no agachamento, deve ser trabalhada com cuidado, devido ao risco de lesões na coluna. É por isso que nossos pacientes vão avançando com bastante lentidão ao trabalhar a articulação do quadril com pesos, geralmente começando com *step-ups* de uma perna só (ver descrição a seguir) e levantamento terra romeno com *split stance*, sem pesos ou com pesos muito leves nas mãos.

Normalmente, eu escreveria um longo tratado sobre os pontos mais delicados das flexões e articulações de quadril. Cheguei à conclusão de que esses movimentos não podem ser feitos de modo apropriado sem dezenas de imagens e milhares de palavras, em um livro que já é bastante volumoso. Decidi não fornecer os detalhes por duas razões. Primeiro, acredito que é melhor aprender esse tipo de conteúdo pessoalmente, partindo de alguém que sabe como indicar os movimentos. Por exemplo, a parte "difícil" sobre ensinar como dobrar uma articulação do quadril de forma adequada não é ilustrar em um diagrama a posição correta da coluna em relação ao fêmur e à perna, nem o ângulo dos quadris. A parte difícil é saber como carregar excentricamente os glúteos e os isquiotibiais *antes* de dobrar a articulação e como sentir os pés fazendo força contra o chão uniformemente usando toda a superfície plantar.

Se parece difícil de entender, então você compreende por que cheguei à conclusão de que a melhor forma de transmitir essas informações é mostrando, em vez de falando ou escrevendo. E a melhor maneira de fazer isso (além de me exercitar do seu lado) é disponibilizar esses exercícios em vídeo, com minha colega Beth Lewis me orientando, para que você assista (o link desses vídeos, assim como uma breve descrição, está disponível ao final do capítulo seguinte).

A segunda razão pela qual optei por não descrever esses exercícios em detalhes é que, quando pacientes novos nos procuram, normalmente pedimos que interrompam os treinos de força, pelo menos com pesos pesados. O primeiro passo é submetê-los a uma série de testes de força e movimento para avaliar não apenas sua condição física, como também seu grau de estabilidade. Portanto, antes de fazer qualquer coisa na academia, recomendo que você leia o próximo capítulo, para começar a entender o conceito fundamental e complexo da estabilidade.

CAPÍTULO 13

O evangelho da estabilidade

Reaprendendo a se mexer para evitar lesões

Quanto mais alto o edifício, mais profundos devem ser os alicerces.

— TOMÁS DE KEMPIS

A esta altura do livro, deve estar evidente que é importante manter uma boa condição física ao longo do envelhecimento. No entanto, vejamos outra questão relacionada: por que não há mais pessoas capazes de fazer isso?

Um indivíduo típico de setenta anos fará menos da metade da atividade física "moderada a intensa" que fazia aos quarenta — e, depois dos setenta, o declínio se acentua. Quem se mantém em forma na casa dos setenta e oitenta anos é a exceção, não a regra.

É tentador atribuir isso ao próprio envelhecimento, às dores que vão se acumulando a partir da meia-idade, sem falar na perda constante de capacidade aeróbica e força. Outros fatores, como ganho de peso e má qualidade do sono, também podem provocar uma sensação de exaustão. Mas acho que o X da questão que explica por que tantas pessoas param de se movimentar é outro: as lesões. Ou seja, as pessoas mais velhas tendem a se exercitar menos, ou a não se exercitar, porque simplesmente não conseguem. Elas se machucaram de algum jeito, em algum momento, e nunca mais voltaram para os trilhos. E, assim, vão só ladeira abaixo.[1]

Esse com certeza foi o caso de Sophie, a mãe da minha amiga Becky, mas eu mesmo poderia ter seguido esse caminho. Aos vinte anos, quando estava na faculdade de medicina e ainda praticava exercícios pesados, levantando peso quase diariamente, sofri uma misteriosa lesão nas costas que exigiu duas cirurgias (uma delas malsucedida), seguidas por uma longa e difícil recuperação. Passei meses quase disfuncional, sobrevivendo à base de altas doses de analgésicos. Eu não conseguia nem escovar os dentes sem sentir uma dor terrível nas costas e passava a maior parte do dia deitado no chão. A coisa ficou tão feia que minha mãe teve que ir para Palo Alto cuidar de mim. O problema é que as pessoas acham terrível (e de fato é) quando isso acontece com alguém que está na casa dos vinte anos, mas praticamente esperam que alguém da idade de Sophie passe por essa situação.

Sophie e eu não somos exceção: esse tipo de lesão e de dor crônica é surpreendentemente comum. De acordo com o CDC, mais de 27% dos norte-americanos com mais de 45 anos relatam sofrer de dor crônica, e cerca de 10% a 12% dizem que a dor limitou suas atividades "na maioria dos dias ou todos os dias" nos seis meses anteriores à pesquisa.[2] Na maioria dos dias ou todos os dias! A dor nas costas, em particular, é um grande motivo que leva à prescrição de opioides e a procedimentos cirúrgicos muitas vezes de importância duvidosa.[3] É uma das principais causas de incapacidade em todo o mundo,[4] e, somente nos Estados Unidos, drena cerca de 635 bilhões (bilhões, mesmo!) de dólares por ano em despesas médicas e perda de produtividade.

Como aprendi, nem todo o condicionamento aeróbico ou de força do mundo o ajudará se você se machucar e tiver que parar de se exercitar por vários meses — ou para sempre. Segundo alguns estudos, atletas em idade universitária que sofreram lesões relatam uma menor qualidade de vida na meia-idade e na velhice.[5] As lesões continuam a afetá-los não apenas física, mas também psicologicamente, por décadas no decorrer da vida. Durante meu longo calvário, percebi como nossa capacidade de ser fisicamente funcional é importante para o bem-estar de modo geral.

Tudo isso que foi dito, as pesquisas e minha própria experiência embasam meu primeiro mandamento do condicionamento físico: *Primeiro, não prejudicar a si mesmo.*

Como fazer isso? Acho que a estabilidade é o ingrediente-chave. Mas é preciso também mudar a mentalidade. Temos que abandonar a ideia de que devemos arrasar em todos os treinos sempre que vamos à academia — fazendo o máximo de repetições, com os pesos mais pesados, dia após dia. Como aprendi, exigir tanto de si o tempo todo, sem a estabilidade adequada, de maneira quase inevitável leva a lesões. Se você estiver tendo dificuldades em concluir os treinos, provavelmente vai recorrer a "trapaças" do seu corpo, padrões de movimento que estão arraigados, mas que têm o potencial de serem nocivos.

Precisamos, então, mudar a abordagem, direcionando o foco em fazer as coisas de modo correto, cultivando padrões de movimento seguros e ideais que permitam que o corpo opere conforme projetado e reduzam o risco de lesões. É melhor trabalhar com inteligência do que em excesso. Mas, como descobri na pele, reaprender esses padrões de movimento não é uma tarefa simples.

A estabilidade é muitas vezes confundida com o que chamamos de *core*, mas envolve muito mais coisas do que apenas músculos abdominais fortes (que também não é o que *core* significa, de qualquer modo). A meu ver, a estabilidade é fundamental para qualquer tipo de movimento, principalmente se nosso objetivo é continuar sendo capazes de fazer esse movimento por anos ou décadas. É a base sobre a qual os pilares gêmeos, condicionamento cardiovascular e força, devem estar apoiados. Sem ela, estamos perdidos. Talvez não de imediato, mas mais cedo ou mais tarde você provavelmente vai sofrer uma lesão que irá limitar seus movimentos, interromper suas atividades diárias à medida que envelhece e, por fim, cortar você da lista de praticantes do decatlo centenário.

Uma coisa que o treino de estabilidade me ensinou é que a maioria das lesões "agudas", como uma ruptura do ligamento cruzado ou do tendão, raramente acontecem por acaso. Embora sua manifestação possa ser rápida — uma dor instantânea nas costas, no pescoço ou no joelho —, é provável que uma fraqueza crônica ou uma falta de estabilidade na base da articulação seja a culpada. Essa é a verdadeira ponta do iceberg. A lesão "aguda" é apenas a parte que você vê, a manifestação da fraqueza subjacente. Portanto, se quisermos cumprir as metas que estabelecemos no nosso decatlo centenário, precisamos prever e evitar possíveis lesões que estejam no caminho, como um iceberg no oceano. Isso significa entender a estabilidade e incorporá-la à nossa rotina.

É difícil definir a estabilidade de maneira precisa, mas intuitivamente sabemos o que é. Uma definição técnica pode ser: estabilidade é a capacidade subconsciente de engajar, desacelerar ou interromper a força. Uma pessoa estável pode reagir a estímulos internos ou externos para ajustar a posição e a tensão muscular de maneira apropriada sem pensar racionalmente.

Gosto de explicar a estabilidade usando uma analogia do meu esporte favorito, o automobilismo. Há alguns anos, fui passar uns dias no sul da Califórnia praticando em uma pista de corrida com meu instrutor. Para aquecer, dei algumas voltas no meu carro da época, um BMW M3 Coupé modificado com um potente motor de 460 cavalos. Depois de ficar meses rastejando pelas vias congestionadas do sul da Califórnia, foi muito divertido mergulhar nas curvas e voar nas retas.

Então comecei a usar o carro de corrida que havíamos alugado, basicamente uma versão simplificada e voltada para a corrida do popular BMW 325i. Embora o motor desse veículo produzisse apenas cerca de um terço da potência (165 cavalos) do meu carro do dia a dia, levei alguns segundos a menos para completar as voltas com ele, o que é uma eternidade no automobilismo. O que provocou essa diferença? O carro de corrida era 20% mais leve do que o meu, e isso teve um papel importante, mas muito mais importantes eram o chassi mais compacto e os pneus mais aderentes. Juntos, eles transmitiam mais da força do motor para a pista, permitindo que o veículo fizesse as curvas com muito mais rapidez. Embora meu carro fosse mais rápido nas extensas retas, era muito mais lento no geral porque não fazia as curvas com tanta eficiência. O carro de corrida era mais rápido porque tinha mais estabilidade.

Sem estabilidade, o motor do meu carro, mais potente, não servia de muita coisa. Se eu tentasse fazer as curvas na mesma velocidade que imprimia no carro de corrida, acabava saindo da pista. No contexto da academia, meu carro é o sujeito musculoso que enche a barra com anilhas mas parece sempre se machucar (e não faz nada além de levantar peso na academia). O carro de corrida é o sujeito de aparência despretensiosa que consegue levantar duas vezes o próprio peso, sacar com velocidade no tênis e subir uma montanha correndo no dia seguinte. Ele não parece necessariamente forte. Mas, como treinou para ter tanto estabilidade quanto força, seus músculos são capazes de transmitir muito mais potência para todo o corpo, dos ombros aos pés, ao mesmo tempo que protegem as costas, mais vulneráveis, e as articulações dos joelhos. Ele é como um carro de corrida feito para as pistas: forte, rápido, estável — e saudável, porque sua estabilidade superior lhe permite fazer todas essas coisas sem se machucar.

Obviamente, meu carro seria muito mais confortável para uma viagem longa; nenhuma analogia é perfeita. Mas essa comparação entre carro de passeio e de corrida funciona porque nos obriga a pensar na estabilidade no cenário dinâmico. Infelizmente, as palavras estável e estabilidade são muitas vezes confundidas com termos estáticos como forte e equilibrado. Uma árvore é mais estável do que uma muda. Uma torre do jogo Jenga não fica de pé sem estabilidade. Mas, no contexto dos exercícios, não estamos tão interessados na rigidez. O que queremos é saber com que eficiência e segurança a força pode ser transmitida através de determinada coisa.

A palavra-chave aqui é segurança. Quando falta estabilidade, toda aquela força extra precisa ir para algum lugar. Se o poderoso motor do meu carro transmite apenas parte de sua potência para a estrada através dos pneus, o restante dessa energia está sendo desperdiçada majoritariamente na forma de atrito e de movimento improdutivo. As partes do carro que não deveriam estar se movendo umas em relação às outras estão fazendo justamente isso. Por mais divertido que seja perder um pouco o controle do carro ao fazer uma curva, essa energia desperdiçada destrói os pneus e compromete a suspensão. Nenhum dos dois vai durar muito. Quando isso acontece no corpo, essas forças dissipativas (como são chamadas) vão pelo caminho de menor resistência — normalmente por meio de articulações como joelhos, cotovelos, ombros e/ou coluna vertebral, e alguma delas (ou todas) vão acabar cedendo em determinado ponto. Lesões nas articulações são quase sempre o resultado desse tipo de vazamento de energia.

Em suma, a estabilidade nos permite gerar o máximo de força com o máximo de segurança possível, conectando os diferentes grupos musculares do corpo com muito menos risco de lesão nas articulações, nos tecidos moles e, principalmente, na coluna vertebral, tão vulnerável. O objetivo é ser forte, fluido, flexível e ágil conforme você se movimenta.

É sensacional ver a estabilidade em ação. Ela permite que um lançador magro arremesse uma bola a uma velocidade absurda, quase pegando fogo. Permite que o surfista Kai Lenny pegue ondas gigantes no Havaí. Mas a estabilidade também é o que permite que uma mulher de 75 anos continue jogando tênis sem lesões. É o que impede que uma avó de 80 anos caia ao descer de um degrau inesperadamente alto. A estabilidade dá a um homem de 95 anos a confiança necessária para passear com seu querido cachorro no parque. Permite que continuemos fazendo o que amamos fazer. E quando você não tem estabilidade, coisas ruins inevitavelmente acontecem — como aconteceram comigo, com Sophie e com milhões de outras pessoas que já estiveram em boa forma física.

Meu doloroso episódio na região lombar foi apenas o começo do meu histórico de lesões. Concluí uma das minhas provas na Catalina com uma ruptura no lábio glenoidal, na articulação do ombro, que quase certamente piorou pelo fato de eu passar quatro horas por dia treinando na piscina e no mar, sem parar mesmo depois de começar a sentir dor.* Mais de quinze anos depois, eu ainda precisava fazer uma cirurgia para resolver o problema. Esse foi o preço que paguei por exagerar em um esporte específico. Mas levei mais algumas décadas para realmente entender por que havia lesionado as costas.

Esse entendimento me veio graças a Beth Lewis, ex-dançarina profissional e ex-levantadora de peso que se tornou instrutora e gênia dos movimentos, e que na época morava em Nova York (posteriormente, eu a convenci a se mudar para Austin). Tínhamos acabado de nos conhecer quando ela ordenou que eu me agachasse. Eu obedeci, e ela não ficou nada impressionada. Que decepção. Sempre achei que soubesse o que estava fazendo quando ia à academia. Mas ali estava eu diante de uma pessoa que me dizia que eu não conseguia fazer direito nem mesmo um agachamento simples.

O vídeo que ela gravou no iPhone mostrava movimentos lamentáveis, como você pode observar na foto do "antes", à esquerda (ver Figura 13): conforme eu contraía os quadris e me abaixava, automaticamente inclinava o corpo inteiro para a direita. Parece que estou prestes a tombar. O problema, como essas fotos deixam dolorosamente explícito, era que eu não tinha estabilidade. Até hoje é angustiante ver essas imagens, porque me lembram dos milhares de agachamentos bizarros e causadores de tensão que fiz.

---

* A ruptura do lábio glenoidal é uma lesão bastante comum, mas nem sempre exige cirurgia. Embora o nado contínuo tenha agravado a lesão, ela foi provocada pelas frequentes subluxações ou luxações leves que tive durante a infância e adolescência. A cada vez que a articulação do ombro sofre uma subluxação, ela vai corroendo o lábio glenoidal e aumentam as chances de maior instabilidade e dor no ombro.

Figura 13.

Antes
(29/1/2019)

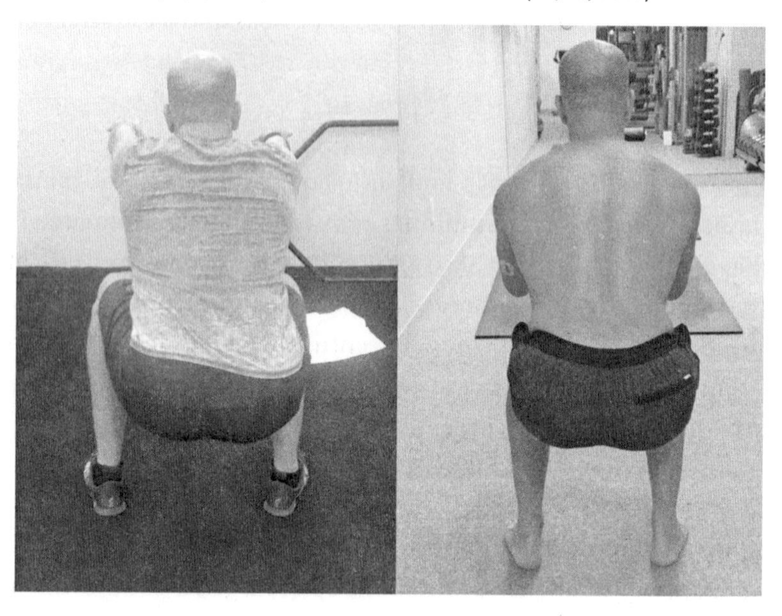

Eu não fazia ideia na época, mas provavelmente estava compensando várias lesões e fraquezas acumuladas ao longo dos anos. É assim que funciona, como eu viria a descobrir: tentamos trapacear ou contornar as lesões e limitações existentes e acabamos por criar novos problemas. Essa inclinação para a direita pode até explicar a lesão nas costas que tive aos vinte anos; mesmo naquela época, já havia anos que eu fazia musculação. Levei nove meses para corrigir essa postura, mas acabei me endireitando, como você pode ver na foto do "depois", à direita. Foi necessário treinar novamente não apenas meu corpo, mas também meu cérebro.

Tanto Beth quanto Michael Stromsness, um instrutor com quem trabalhei na Califórnia e que me apresentou a Beth, estavam familiarizados com algo que eu nunca tinha ouvido falar, chamado estabilização neuromuscular dinâmica (DNS, na sigla em inglês). A DNS parece complicada, mas é baseada nos movimentos mais simples e naturais que fazemos: aqueles dos bebês.

A teoria por trás da DNS é que a sequência de movimentos que as crianças pequenas executam ao aprender a andar não é aleatória nem acidental, mas parte de uma etapa do desenvolvimento neuromuscular essencial à capacidade de se mover de modo correto.[6] À medida que se executa essa sequência de movimentos, o cérebro aprende a controlar o corpo e a formular padrões ideais de mobilidade.

A DNS teve origem com um grupo de neurologistas tchecos que trabalhavam com crianças pequenas com paralisia cerebral em um hospital em Praga na década de 1960. Eles perceberam que, devido à doença, elas não passavam pelos estágios infantis normais de rolar, engatinhar etc., ficando com problemas de mobilidade pelo resto da vida. No entanto, quando as crianças com paralisia cerebral foram submetidas a uma rotina de "treino" que consistia em uma certa sequência de movimentos, replicando os estágios usuais do processo de aprender a engatinhar, sentar e, por fim, ficar em pé, os sintomas melhoraram e elas se tornaram mais capazes de controlar os movimentos à medida que amadureciam. Os pesquisadores perceberam que, conforme cresce, a maioria das pessoas saudáveis passa por um processo oposto — perdemos esses padrões de movimento naturais, saudáveis, que pareciam engessados.

Meu filho mais novo, Ayrton, é capaz de executar um agachamento perfeito, deixando o bumbum quase tocar o chão, dobrando bem os joelhos, mantendo-se inteiramente equilibrado e potente. Sempre me espanto com esse movimento perfeito da articulação do quadril. Ele é um grande mestre nessa manobra. No entanto, quando tentei fazer o mesmo, acabei na ridícula posição meio inclinada da foto do "antes", com um lado dos quadris apontando para o chão, os ombros tortos, os pés virando para fora. Meu filho pequeno consegue fazer um agachamento, mas, aparentemente, eu não.

Nem minha filha de quatorze anos, Olivia (antes de Beth começar a orientá-la também). Flexível como massa de modelar, magra mas forte como um chicote, ela deveria ser capaz de se agachar tão bem quanto, se não melhor que, o irmão mais novo. Mas isso não aconteceu, porque mesmo ainda muito nova ela já havia passado dois terços de sua vida na escola, boa parte do tempo sentada. Os padrões de movimento ideais aprendidos quando bebê e criança foram apagados antes que ela desenvolvesse a estabilidade necessária no quadril para agachar de maneira correta. Se ela passar os próximos trinta, quarenta ou cinquenta anos principalmente sentada, como é provável, então estará no mesmo barco onde estão muitos dos meus pacientes e eu também: basicamente esquecemos como movimentar as articulações do corpo.

A maioria dos adultos não consegue agachar corretamente, mesmo sem nenhum peso adicional. A única forma de a maioria de nós chegar perto de se igualar a uma criança é deitar de costas, como Michael Stromsness demonstrou em uma de nossas primeiras sessões. Assim, fica muito mais fácil levantar os joelhos em uma posição de agachamento perfeita, com a curvatura certa em toda a coluna, desde a base do crânio até o cóccix. Isso mostra que a amplitude de movimento não é o que impede a maioria dos adultos de agachar bem; é o fato de que, quando o adulto médio está sob uma carga, mesmo que pequena, como o próprio peso corporal, o trabalho de estabilizar o torso se torna impraticável.

O objetivo da DNS é treinar novamente o corpo — e o cérebro — para realizar aqueles padrões de movimento perfeito aprendidos quando se é criança. Como disse Michael Rintala, um renomado profissional norte-americano da DNS, "a DNS se integra graciosamente com todo o bom trabalho que você já vinha executando. É como atualizar o software de qualquer coisa que você esteja fazendo".[7]

Meu software precisava seriamente de uma atualização.

Os detalhes da minha jornada pessoal são complexos demais para serem expostos aqui, mas, ao longo deste capítulo, vou tentar explicar pelo menos alguns dos princípios básicos que fundamentam os treinos de estabilidade. Eles podem parecer um pouco estranhos no começo, e se você chegou a este capítulo esperando uma rotina de exercícios de alta potência, talvez fique decepcionado. Isso é parte do argumento: na minha clínica, não gosto de insistir muito no treino de força, incluindo muitos dos exercícios que mencionei, como se pendurar na barra fixa ou fazer *step-up* com pesos, sem antes estabelecer um mínimo de estabilidade. Acreditamos que o risco não compensa. Assim como na engenharia, vale a pena dedicar um tempo a mais construindo uma fundação sólida, ainda que isso atrase o projeto por alguns meses.

Uma advertência rápida: embora os treinos de força e o condicionamento aeróbico sejam relativamente simples, cada pessoa tem questões individuais em relação à estabilidade. Assim, é impossível prescrever uma fórmula para todo mundo. Meu objetivo, ao longo do restante deste capítulo, é apresentar alguns conceitos básicos para você refletir e experimentar, aprendendo e entendendo como seu corpo interage com o mundo — o que, no fim das contas, é o verdadeiro significado de estabilidade. Depois de ler este capítulo, se quiser saber mais, sugiro visitar os sites da DNS (www.rehabps.com) e do Instituto de

Restauração Postural (PRI, na sigla em inglês) (www.posturalrestoration.com), os dois principais expoentes dessa área. A estabilidade é parte integrante da minha rotina de treinos. Duas vezes por semana, faço uma hora de treino de estabilidade, baseado nos princípios da DNS, do PRI e de outras práticas; e nos demais dias, dedico de dez a quinze minutos por dia a esse tema.

O treino de estabilidade começa no nível mais básico: a respiração.

A respiração é muito mais do que uma simples troca de gases ou mesmo a aptidão cardiorrespiratória. Expiramos e inspiramos mais de vinte mil vezes por dia, e a forma como o fazemos tem uma influência gigantesca sobre como movimentamos o corpo e também sobre nosso estado mental. A maneira como respiramos, diz Beth, define quem somos.

A ligação entre corpo, mente e respiração não é novidade para quem já fez mais do que algumas aulas de pilates ou ioga ou praticou meditação. Nessas práticas, a respiração é nossa âncora, nossa pedra de toque, nosso cronômetro. Ela tanto reflete quanto afeta nosso estado mental. Se estiver irregular, pode perturbar o equilíbrio mental, gerando ansiedade e apreensão; mas a ansiedade também pode agravar qualquer problema de respiração que possamos ter. Isso porque a respiração profunda e constante ativa o sistema nervoso parassimpático, induzindo ao relaxamento, enquanto a respiração rápida ou irregular ativa o oposto, o sistema nervoso simpático, que participa da reação de luta ou fuga.

No entanto, a respiração também é importante para a estabilidade e o movimento, e até mesmo para a força. Conforme alguns estudos, uma respiração deficiente ou descoordenada pode afetar nosso controle motor e nos tornar suscetíveis a lesões. Em um experimento, os pesquisadores constataram que combinar um desafio respiratório (reduzir a quantidade de oxigênio disponível) com um desafio de peso reduzia a capacidade dos participantes de estabilizar a coluna. Transpondo para o mundo real, isso significa que uma pessoa que respira com dificuldade (e mal) enquanto, por exemplo, retira a neve da calçada com uma pá se submete a um maior risco de sofrer uma lesão nas costas.

É extremamente sutil, mas a maneira como se respira proporciona uma enorme compreensão de como se articula o corpo e, mais importante, como se estabilizam os movimentos. Fazemos com nossos pacientes uma série de testes de respiração e movimento para obter uma imagem completa de sua estratégia respiratória e de como ela se relaciona com seus problemas de força e estabilidade.

Um teste simples que pedimos a todos, logo no começo, é o seguinte: deite-se de costas, com uma das mãos sobre a barriga e a outra no peito, e apenas respire normalmente, sem fazer nenhum esforço nem prestar muita atenção. Observe qual mão está subindo e descendo: a do peito, a da barriga ou ambas (ou nenhuma)? Algumas pessoas tendem a estufar as costelas e expandir o peito na inspiração, enquanto a barriga fica plana ou até mesmo desce. Isso cria tensão na parte superior do corpo e na linha média, e, se as costelas permanecerem ressaltadas, será difícil conseguir uma expiração completa. Outras pessoas respiram principalmente pela barriga, o que faz a pelve se curvar para a frente. Outras, ainda, são comprimidas, o que significa que têm dificuldade em transportar o ar para dentro e para fora, porque não conseguem expandir a caixa torácica a cada inspiração.

Beth identifica três tipos de estilos de respiração e fenótipos associados, que ela chama de "homem de marshmallow", o "cara triste" e o "iogue", cada um correspondendo a estratégias de estabilidade diferentes.

Homem de marshmallow

HIPERINFLADO. É a pessoa que respira na parte superior do tórax e tende a estender a coluna para cima tanto para respirar quanto para ter estabilidade. A coluna lombar fica em hiperextensão, enquanto a pélvis fica em permanente inclinação anterior (para a frente), o que significa que as nádegas se projetam. Essas pessoas estão sempre com o peito estufado, tentando dar a impressão de que estão no comando. Têm um sentido limitado de aterramento nos pés e pouca capacidade de pronação para absorver o impacto (os pés giram para fora, ou supinam). Todos esses fatores as tornam bastante suscetíveis a dores na região lombar, bem como a sentir rigidez nas panturrilhas e nos quadris.

Cara triste

COMPRIMIDO. Tudo nessas pessoas dá a sensação de algo amassado e apertado. A cabeça se inclina para a frente, assim como os ombros, que se curvam em uma tentativa de inspirar melhor. O meio das costas se curva em uma postura excessivamente flexionada ou hipercifótica, e os movimentos do pescoço e dos membros superiores são limitados. Às vezes, a parte inferior das pernas gira para fora e os pés apresentam pronação excessiva. A gravidade parece agir com mais força que o normal sobre esse perfil.

Iogue

DESCONTROLADO. Essas pessoas têm uma amplitude de movimento passiva extrema (ou seja, flexibilidade) e uma capacidade limitada de controlá-la. Muitas vezes, conseguem tocar o dedo do pé e apoiar a palma das mãos no chão, mas, devido à falta de controle, são bastante propensas a sofrer lesões nas articulações. Estão sempre tentando se encontrar no espaço, inquietas, se contorcendo; compensam a flexibilidade excessiva tentando se estabilizar majoritariamente com o pescoço e a mandíbula. Para essas pessoas é muito difícil ganhar massa magra (músculos). Às vezes, elas são bastante ansiosas e, provavelmente, também têm um distúrbio no padrão respiratório.

Nem todo mundo se encaixa perfeitamente em um desses três tipos, mas muitos de nós vamos nos identificar com pelo menos algumas dessas características. Sobreposições também são possíveis; pode-se ser um cara triste ou homem de marshmallow e um iogue ao mesmo tempo, por exemplo, porque o tipo Iogue, no fundo, tem mais a ver com uma falta de controle muscular.

Eu era um homem de marshmallow hiperinflado, de acordo com Beth: quando inspirava, minhas costelas se expandiam e subiam, como um galo estufando o peito. Isso levava ar aos pulmões, mas também puxava meu centro de massa para a frente. A fim de compensar, a coluna se curvava em cifose, e as nádegas se projetavam para trás (Beth chamava de "bumbum de pato"). Isso hiperestendia os isquiotibiais, desconectando-os do resto do corpo, de modo que eu não acessava esses músculos. Por anos e anos, antes de me dar conta disso, eu fazia levantamento terra usando apenas as costas e os glúteos, praticamente sem ajuda dos poderosos isquiotibiais. Em termos de treino de respiração, eu precisava pensar na saída do ar, na expiração, ao passo que alguém que tende a se encaixar no tipo cara triste precisa trabalhar a entrada, inspirando pelo nariz, em vez da boca.

A ideia por trás do treino de respiração é que a respiração adequada afeta muitos outros parâmetros físicos: a posição das costelas, a extensão do pescoço, o formato da coluna e até a posição dos pés no chão. A maneira como respiramos reflete o modo como interagimos com o mundo. "Garantir que sua respiração seja ampla, tridimensional e fácil é vital para criar uma movimentação boa, eficiente e coordenada", diz Beth.

Beth gosta de começar com um exercício que estimula a respiração consciente e fortalece o diafragma, que não só é relevante para a respiração, como também é um importante estabilizador do corpo. Ela faz o paciente se deitar com as costas no chão e as pernas para cima, sobre um banco ou uma cadeira, e pede para que inspire o mais silenciosamente possível, com o mínimo de movimento possível. Uma inspiração ideal expande toda a caixa torácica — frontal, lateral e posterior —, enquanto a barriga também se expande, permitindo que o diafragma respiratório e pélvico desça. O objetivo é que seja um movimento silencioso. Uma inspiração barulhenta é muito mais dramática, porque o pescoço, o peito ou a barriga se movem primeiro e o diafragma não consegue descer livremente, dificultando a entrada de ar.

Agora, expire completamente pela boca, fazendo bico, para a máxima compressão e resistência do ar, de modo a fortalecer o diafragma. Solte todo o ar, esvaziando-se por inteiro antes que os ombros se curvem ou que o rosto ou a mandíbula fiquem tensos. Em pouco tempo você vai perceber que uma expiração completa o prepara para uma boa inspiração, e vice-versa. Repita o processo por cinco respirações e faça de duas a três séries. Certifique-se de fazer uma pausa após cada expiração, contando pelo menos até dois, para manter a contração isométrica — isso é fundamental na DNS.

Na DNS, você aprende a pensar no abdômen como um cilindro, cercado por uma parede de músculos, com o diafragma na parte superior e o assoalho pélvico na inferior. Quando o cilindro é inflado, o que você sente é chamado de pressão intra-abdominal (PIA). Ela é essencial para a verdadeira ativação do *core* e fundamental para a DNS. Aprender a pressurizar integralmente o cilindro, criando PIA, é importante para um movimento seguro, porque o cilindro estabiliza de forma efetiva a coluna.

Eis também outro exercício rápido para ajudar você a entender como criar PIA: respire fundo, até sentir como se estivesse inflando o cilindro por todos os lados e puxando o ar até o assoalho pélvico, a parte inferior do cilindro. Você não está de fato "respirando" lá, ou seja, o ar não está de fato entrando na pélvis; o que você está buscando é a expansão pulmonar máxima, que, por sua vez, empurra o diafragma para baixo. A cada inspiração, concentre-se em expandir o cilindro em todo o seu diâmetro, não apenas em levantar a barriga. Se fizer isso corretamente, vai sentir que toda a circunferência da calça ou bermuda se expande uniformemente ao redor da cintura, inclusive nas costas, não apenas na frente. Na expiração, o diafragma volta para cima, e as costelas devem ir girando novamente para dentro à medida que a cintura se contrai.

Essa inspiração provoca tensão e, ao expirar, expelindo o ar, você mantém a tensão muscular ao redor da parede do cilindro. Essa pressão intra-abdominal é a base de tudo o que fazemos no treino de estabilidade: levantamento terra, agachamento, qualquer coisa. É como se você estivesse segurando uma garrafa de plástico: sem a tampa, você pode esmagar a garrafa com uma das mãos; com a tampa, há pressão demais (ou seja, estabilidade) e a garrafa não tem como ser esmagada. Pratico essa respiração abdominal de 360 graus todos os dias, não apenas na academia, mas também quando estou sentado trabalhando.*

Seu "tipo" também indica, até certo ponto, como você deve se exercitar. Pessoas do tipo homem de marshmallow tendem a precisar de mais apoio nos pés e mais trabalho com o peso na frente delas, de modo a colocar os ombros e os quadris em uma posição mais neutra. Com pessoas do mesmo tipo que eu, Beth normalmente pede que segurem um peso diante do corpo, alguns centímetros à frente do esterno. Isso força o centro de massa a se deslocar para trás, mais sobre os quadris. Experimente fazer isso com um haltere leve ou mesmo com uma caixa de leite e você vai entender o que estou dizendo. É uma mudança de posição sutil, mas perceptível.

Para pessoas do tipo cara triste, Beth tende a trabalhar mais a rotação cruzada do corpo, fazendo-as balançar os braços junto ao corpo para abrir o peito e os ombros. Ela é cautelosa ao sobrecarregar as costas e os ombros, dando preferência a exercícios usando o peso corporal e com as pernas afastadas, como o *walking lunge* com extensão de braços a cada passada.

---

* Na época em que eu viajava de avião toda semana, testei uma dica inteligente que Michael Rintala me mostrou: colocar duas bolas de tênis em uma meia esportiva, a cerca de dez a quinze centímetros de distância uma da outra, e posicioná-las quase na altura dos rins, ou onde a coluna torácica encontra a coluna lombar. Então, a cada respiração, tento expandir o tronco até sentir as bolas de tênis dos dois lados. A ideia é que isso oriente sua respiração. Quando fazia esse truque, eu saía de um voo de cinco horas me sentindo como se não tivesse ficado sentado por mais de cinco minutos. (Também evitava que quem estivesse ao meu lado falasse comigo enquanto eu tentava trabalhar.) Vale a pena tentar durante um voo ou viagem de carro demorados.

Para os iogues, Beth recomenda exercícios de "cadeia fechada", como flexões, usando o chão ou a parede como apoio, além de máquinas de exercícios com amplitude de movimento bem definida e limitada, devido à carência de controle articular. Os aparelhos são importantes para essas pessoas, assim como para quem levanta pouco ou nenhum peso, porque mantêm os movimentos dentro de limites seguros. Para os iogues e os novatos em geral, é importante se tornar mais consciente de onde estão no espaço e em relação à própria amplitude de movimento.

A questão mais importante é que o estilo de respiração de uma pessoa nos dá uma visão de sua estratégia de estabilidade de maneira geral, os padrões que ela desenvolveu ao longo dos anos para sobreviver no mundo físico. Todos nós temos essas estratégias e, 95% das vezes, no decorrer da vida, elas funcionam bem. Mas, se você adicionar diferentes fatores de dificuldade, como velocidade, peso e novidade ou estranheza (por exemplo, descer uma escada no escuro), essas estratégias, reações físicas instintivas, podem se tornar a fonte de problemas. E, se nossa respiração também estiver sobrecarregada, esses novos problemas serão amplificados.

Se o caminho que leva à estabilidade começa na respiração, ele viaja até os pés — o ponto de contato mais fundamental entre o corpo e o mundo. Os pés são literalmente a base de qualquer movimento que queiramos fazer. Quer estejamos levantando algo pesado, caminhando, correndo, praticando *rucking*, subindo escadas ou esperando um ônibus, sempre canalizamos a força através dos pés. Infelizmente, muitos de nós perdemos a força básica e a consciência sobre os pés devido à quantidade de tempo que passamos calçados, principalmente com sapatos grandes de solado grosso.

Voltando à analogia com o carro de corrida, os pés são como os pneus, o único ponto de contato entre o carro e a estrada. A força do motor, a estabilidade e rigidez do chassi, a habilidade do piloto — tudo isso é inútil se os pneus não tiverem boa adesão à pista. Eu diria que os pés são ainda mais importantes para nós do que os pneus para um carro, pois também desempenham um papel crucial no amortecimento da força antes que ela atinja os joelhos, os quadris e as costas (um carro pelo menos tem as suspensões para cumprir esse papel). Deixar de prestar atenção aos pés, como a maioria de nós faz, é como comprar um McLaren Senna (meu carro dos sonhos) e depois colocar nele os pneus mais baratos que encontrar. É isso que o tempo que passamos com calçados de solado macio faz conosco.

Dê uma olhada outra vez na versão "antes" do meu agachamento. Sim, meus quadris estão obviamente tortos, mas veja meus pés com mais atenção. Eles estão plantados no chão? Não. Como você pode ver, eles estão inclinados para fora — "supinados", na linguagem médica. Eles precisam estar planos, aterrados, estáveis e fortes para suportar meu peso. Mas estão tortos e vacilantes. Não é de se admirar que meu agachamento seja horrível.

Para que nos reacostumemos com nossos pés, Beth Lewis gosta de ensinar uma prática que ela chama de "ioga para os dedos dos pés". Trata-se de uma série de exercícios (que, por acaso, eu detesto) destinados a melhorar a destreza e a força intrínseca dos dedos dos pés, bem como nossa capacidade de controlá-los com a mente. Provavelmente você não pensa na força desses dedos quando vai à academia, mas deveria: eles são essenciais para caminhar, correr, levantar peso e, mais importante, desacelerar ou agachar. O dedão é particularmente fundamental para o impulso em cada passada. A falta de extensão nesse dedo pode causar disfunção da marcha e até mesmo ser um fator limitante para nos levantarmos do chão sem ajuda à medida que envelhecemos. Se a força dos dedos dos pés estiver comprometida, tudo o que vem a seguir fica mais vulnerável — tornozelos, joelhos, quadril, coluna.

O ioga para os dedos dos pés é muito mais difícil do que parece, e é por isso que postei uma demonstração em vídeo desse e de outros exercícios em www.peterattiamd.com/outlive/videos. Primeiro, Beth diz aos alunos para pensar em seus pés como tendo quatro cantos, e todos eles precisam estar firmemente plantados no chão o tempo todo, como as pernas de uma cadeira. Enquanto está parado, procure sentir cada "canto" de cada pé tocando o chão: a base do dedão, a base do mindinho, a parte interna e parte externa do calcanhar. Isso é fácil e surpreendente; qual foi a última vez que você sentiu isso com os pés no chão?

Tente tirar todos os dez dedos do chão e afaste-os o máximo que puder. Agora, tente colocar apenas o dedão do pé no chão, enquanto mantém os outros dedos levantados. Mais difícil do que você esperava, certo? Depois, faça o contrário: mantenha os quatro dedos no chão e levante apenas o dedão. Em seguida, levante os cinco dedos e tente abaixar um por um, começando pelo dedão (já deu para pegar o espírito da coisa).*

* Se você quiser praticar a fundo o ioga para os dedos dos pés, compre "separadores de dedos", que ajudam a colocar os dedos dos pés em uma posição mais natural e aberta, principalmente em

Para fazer isso de maneira correta, será preciso um esforço mental concentrado, seu cérebro dizendo ao dedão para subir ou descer — que é justamente o objetivo. Um dos propósitos do treino de estabilidade é recuperar o controle mental, consciente ou não, sobre os principais músculos e partes do corpo. Como os pés passam muito tempo enfiados em sapatos que nem sempre nos calçam muito bem e que muitas vezes têm enchimento demais nas solas, a maioria de nós perdeu o contato com os pés ou os submeteu a contorções inúteis ao longo do tempo.

Na foto "antes" do agachamento, conforme comentei, meus pés estão tortos para fora, ou supinados, um fenótipo comum. Outra estratégia comum para os pés é "pronar", ou dobrá-los para dentro — um termo com o qual você deve estar familiarizado se já comprou um tênis de corrida. Beth compara a pronação a dirigir um carro com muito pouco ar nos pneus, o que significa que você chapinha nos movimentos, incapaz de transferir força para o solo com eficiência. A supinação, por outro lado, é como ter os pneus cheios demais, então você derrapa e quica. Os pés são incapazes de absorver o impacto, e todas as trepidações são transmitidas para os tornozelos, quadris, joelhos e a região lombar. Ambas as síndromes, pronação e supinação, também nos expõem ao risco de ter fascite plantar e sofrer lesões no joelho, entre outros problemas. Devemos ser capazes de entrar e sair da supinação e da pronação para nos locomover com eficiência. Quando me agacho ou levanto qualquer coisa em pé, minha primeira providência é firmar os pés, estar ciente de todos os quatro "cantos" e distribuir bem o peso. (Outra coisa importante: prefiro fazer levantamentos descalço ou com calçados bem finos, com pouco ou nenhum amortecimento nas solas, porque isso me permite sentir toda a superfície dos pés o tempo todo.)

Os pés também são cruciais para o equilíbrio, outro elemento importante da estabilidade. Um teste fundamental, na nossa avaliação de movimento, é fazer com que os pacientes tentem se equilibrar com um pé na frente do outro. Depois, pedimos que fechem os olhos e vejam por quanto tempo conseguem manter a posição. Dez segundos é um tempo respeitável; na prática, a capacidade de se equilibrar em uma perna só aos cinquenta anos ou mais se correlaciona com a perspectiva de longevidade, do mesmo modo que a força de

---

pessoas com joanetes ou outros problemas relacionados ao uso de calçados. Eu uso sempre esses separadores em casa. Estou usando um agora enquanto escrevo. Meus filhos não se cansam de debochar de mim.

preensão.[8] (Dica avançada: equilibrar-se fica muito mais fácil se você primeiro distribuir o peso por toda a sola dos pés, conforme descrito.)

A estrutura que mais queremos proteger — e um dos principais focos do treino de estabilidade de modo geral — é a coluna vertebral. Passamos tanto tempo sentados no banco do carro, à mesa, diante do computador e examinando os inúmeros dispositivos, que a vida moderna às vezes parece um ataque contra a integridade da nossa coluna.

A coluna é dividida em três partes: lombar (parte inferior das costas), torácica (meio das costas) e cervical (pescoço). Os radiologistas têm observado tanta degeneração na coluna cervical, provocada por anos e anos encurvado olhando o celular, que têm até um nome para isso: *tech neck*, ou "pescoço tecnológico".[9]

Por isso que é importante: (a) desligar o celular e (b) tentar desenvolver uma consciência proprioceptiva de sua coluna, para que você entenda de fato como é a extensão (inclinação para trás) e a flexão (inclinação para a frente) de cada vértebra. A maneira mais fácil de começar esse processo é ficar de joelhos e executar uma sequência extremamente lenta e controlada das posturas do gato e da vaca, como no ioga.*

A diferença é que você precisa ir bem devagar mesmo, movendo-se tão lenta e conscientemente de uma ponta a outra da coluna que é capaz de sentir vértebra por vértebra mudando de posição, desde o cóccix até o pescoço, até que sua coluna esteja curvada como na postura da vaca. Em seguida, desfaça o movimento, inclinando a pelve para a frente e dobrando uma vértebra de cada vez, até que as costas fiquem arqueadas novamente, como um gato assustado. (Nota: inspire na postura da vaca, expire na do gato.)

O objetivo deste exercício não é ver o limite da extensão ou flexão no extremo de cada postura, mas, sim, atentar-se ao controle segmentar que se pode ter ao passar de um extremo para o outro. Você precisa aprender a sentir a posição de cada vértebra, o que, por sua vez, ajuda a distribuir melhor a carga e a força por toda a coluna. Quando pratico levantamento terra, esse controle

* Alguns movimentos básicos da DNS que descrevo são análogos a posturas clássicas do ioga, e um instrutor de alto nível pode ajudá-lo a desenvolver o controle neuromuscular e a consciência essenciais para a estabilidade adequada, mas a maioria das aulas de ioga é vaga demais para o meu gosto.

segmentar me permite manter um arco mais neutro desde a coluna torácica até a coluna lombar, distribuindo a carga uniformemente; antes, minha coluna fazia uma curvatura acentuada em lordose, o que significa que eu estava imprimindo força demais nos pontos de articulação. Estabilidade é isto: a transmissão segura e potente de força por meio dos músculos e dos ossos, e não das articulações (sejam dos membros ou da coluna).

A seguir vamos para os ombros, que são complexos e evolutivamente interessantes. As escápulas (omoplatas) se situam no topo das costelas e têm uma grande capacidade de rotação. A articulação do ombro é controlada por um conjunto complexo de músculos que se ligam à escápula e à porção superior do úmero, o osso longo do braço, por diversos pontos (é por isso que nós, médicos, a chamamos de articulação glenoumeral). Se você comparar essa articulação esférica com a articulação do quadril, que é muito mais estável e sólida, fica claro que a evolução fez uma barganha relevante quando nossos ancestrais ficaram de pé: abrimos mão de uma boa dose de estabilidade na articulação do ombro em troca de uma amplitude de movimento muito maior, o que, em termos práticos, nos deu a importantíssima habilidade de arremessar uma lança. Entretanto, por ter muitos anexos musculares (não menos que dezessete), o ombro é muito mais vulnerável do que o quadril, como aprendi nos meus tempos de boxe e natação.

Beth me ensinou um exercício simples que ajuda a entender a importância do posicionamento e controle escapular, um movimento conhecido como rotações articulares controladas (CARs, na sigla em inglês): levante-se, mantendo os pés afastados na largura dos ombros e coloque uma faixa de resistência de média a leve sob os pés, segurando uma ponta em cada mão (um haltere bem leve também funciona). Mantendo os braços paralelos ao corpo, levante as omoplatas e, em seguida, projete-as para trás e aproxime-as; essa é a retração, que é quando queremos que elas estejam sob carga. Em seguida, deixe-as cair. Por fim, leve-as de volta ao ponto de partida. Começamos com movimentos quadrangulares como esse, mas o objetivo é ter o controle para mover as escápulas em círculos. Grande parte do que trabalhamos no treino de estabilidade é esse controle neuromuscular, restabelecendo a conexão entre o cérebro e os principais grupos musculares e articulações.

Quase tudo o que fazemos na academia e no dia a dia passa pelas mãos. Se os pés são o contato com o chão, absorvendo a força, é pelas mãos que a transmitimos. Elas são nossa interface com o resto do mundo. A força de preensão — aquela com que você consegue apertar algo — é apenas parte da equação. As mãos são bastante surpreendentes, pois são potentes o suficiente para apertar um limão até extrair o suco, mas hábeis o suficiente para tocar uma sonata de Beethoven no piano. Nosso aperto pode ser ao mesmo tempo firme e suave, transmitindo força com delicadeza.

Tudo se resume a como se distribui a força. Se você for capaz de imprimir e modular a força por meio das mãos, poderá empurrar e puxar com eficiência. Essa força tem origem nos poderosos músculos do tronco e é transmitida ao longo da cadeia, do manguito rotador ao cotovelo, passando pelo antebraço e chegando ao punho. Existe uma forte correlação entre ter um manguito rotador fraco (ombro) e pouca força de preensão.

Mas isso começa pela força dos dedos — que, infelizmente, é outra coisa que sacrificamos em nome do conforto e da conveniência. Quando carregávamos coisas, tínhamos que ter mãos fortes para sobreviver. Não mais. Muitos de nós nem mesmo usam as mãos para fazer outras coisas além de digitar e zapear no celular. Essa fraqueza significa que os movimentos de empurrar e puxar trazem um risco maior de lesões nos cotovelos e nos ombros.

Como não estamos "treinando" a preensão na vida diária, devemos fazê-lo deliberadamente durante os treinos, focando em começar o movimento nas mãos e utilizar todos os dedos nos movimentos da parte superior do corpo. Adicionar cargas ao treino é uma ótima maneira de aprimorar a preensão, mas é importante estar sempre atento ao que os dedos estão fazendo e a como estão imprimindo força.

Beth gosta de ilustrar a importância disso, entre outros modos, por meio de uma rosca básica de bíceps com um haltere (leve). Primeiro, tente fazer a rosca com o pulso levemente dobrado para trás, um pouco deslocado em relação à linha do antebraço. Agora tente fazer a mesma rosca bíceps com o pulso reto. Qual tentativa pareceu mais forte e potente? Em qual delas parecia que os dedos estavam mais envolvidos? O objetivo é criar consciência da importância dos dedos como último elo da corrente.

A preensão é importante, por último, em situações que exigem reatividade: ser capaz de agarrar (ou soltar) a coleira de um cachorro quando necessário, ou se segurar a um corrimão para evitar uma queda. A preensão e os pés são o que nos conecta ao mundo, para que os músculos façam o que precisam. O mesmo vale para o levantamento terra: uma das principais coisas que Beth me ensinou é que um levantamento terra envolve tanto os pés e as mãos quanto os isquiotibiais e os glúteos. Empurramos o chão enquanto fazemos o levantamento com os dedos.

Esses movimentos e exercícios que descrevi representam apenas os elementos básicos do trabalho de estabilidade. Podem parecer simples, mas exigem muita concentração; na minha clínica, não permitimos que os pacientes se exercitem com pesos pesados até terem exercitado esses princípios básicos por pelo menos seis meses.

Mais uma observação: os instrutores podem ser úteis para alguns propósitos, como treino básico, responsabilidade e motivação, mas instamos os pacientes a criarem autonomia, para não dependerem que os instrutores lhes digam exatamente o que fazer toda vez que se exercitam. Para mim, é como aprender a nadar usando roupa de mergulho. A princípio uma roupa de mergulho pode ajudar a dar confiança graças à flutuação adicional que proporciona. Mas, no longo prazo, ela impede que o nadador descubra seu equilíbrio na água. O equilíbrio é o verdadeiro desafio na natação, porque nosso centro de massa está muito distante do nosso centro de volume, fazendo com que os quadris afundem. Os bons nadadores aprendem a superar esse desequilíbrio com o treino. No entanto, quem nunca tira a roupa de mergulho jamais vai aprender a resolver esse problema.

De maneira análoga, os instrutores podem ser importantes para ensinar os fundamentos dos exercícios e motivar o praticante a adquirir o hábito de praticá-los. Porém, se você nunca aprender a fazer os exercícios sozinho, ou não experimentar diferentes maneiras de fazê-los, jamais vai desenvolver a propriocepção necessária para dominar seus padrões de movimento ideais. Você vai se privar do progresso do aprendizado, que é uma parte importantíssima do treino de estabilidade — o processo de reduzir a distância entre o que você acha que está fazendo e o que está fazendo de fato.

Tudo o que abordamos nesta última seção serve a dois propósitos: como exercício e como avaliação. Aconselho você a se filmar treinando de vez em quando, para comparar o que acha que está fazendo com o que está mesmo fazendo. Faço isso diariamente — o celular no tripé é um dos meus equipamentos mais valiosos na academia. Filmo minhas dez séries mais importantes todos os dias e assisto aos vídeos entre uma série e outra, para comparar o que vejo com o que achava que estava fazendo. Com o tempo, essa distância foi diminuindo.

* * *

Foi muito difícil, no começo, aceitar que eu não mais ia levantar pesos pesados, mas Beth e Michael Stromsness foram convincentes. Eu não conseguia fazer nem mesmo um agachamento ou uma simples flexão corretamente, então qualquer coisa além disso me colocaria em risco (ainda maior) de lesão.

Fiquei irritado com isso por um tempo. Como eu ia viver sem musculação? Foram muitos meses de esforço, mas acabei aprendendo o suficiente para voltar a fazer levantamento terra. Enquanto antes eu trabalhava com pelo menos 180 quilos, Beth me fez começar com apenas 45, o que parecia quase nada.

Isso me fez lembrar de uma coisa que meu instrutor de direção, Thomas Merrill, costuma dizer. Um piloto incrível, em 2022 ele ficou em segundo lugar em uma das mais prestigiadas competições automobilísticas do mundo, as 24 Horas de Le Mans, então sabe do que está falando. Um de seus mantras é que, para ir mais rápido, você precisa desacelerar.

O que ele quer dizer é o seguinte: se você leva um carro além dos limites, como ao fazer o máximo de esforço para dirigir o mais rápido possível, você comete erros. Na direção, os erros vão se acumulando. Quando você derrapa na curva 5, é porque provavelmente errou o ápice na curva 2 e não corrigiu na curva 3. Você precisa desacelerar e colocar o carro no lugar certo, e o resto vai se ajustar.

Desacelerar para ir mais rápido. O mesmo vale, na minha opinião, para o aprendizado da estabilidade.

Flexão de quadril para iniciantes: Como fazer um *step-up*

Em vez de tentar descrever vários exercícios, acho mais instrutivo explicar um exercício a fundo. Escolhi um *step-up*, que é simplesmente subir em uma caixa ou cadeira, por três razões. Primeiro, porque é um movimento de articulação do quadril, um dos elementos centrais do treino de força. Segundo, porque é um exercício unipodal, que não requer muita carga axial (coluna) mesmo com pesos nas mãos, o que significa que é bastante seguro mesmo para iniciantes (você vai começar apenas com o peso do corpo). Terceiro, porque é um dos melhores exercícios para trabalhar tanto a fase excêntrica quanto a fase concêntrica do movimento. Também gosto dele porque ilustra alguns dos principais conceitos sobre a estabilidade que aprendemos neste capítulo.

Primeiro, encontre uma caixa ou uma cadeira resistente, de modo que, quando seu pé estiver sobre elas, sua coxa fique paralela ao chão. Para a maioria das pessoas, isso significa cerca de quarenta a cinquenta centímetros de altura, mas, se for muito difícil, comece com trinta. Coloque um pé sobre a caixa, certificando-se de que o dedão, o mindinho e o calcanhar inteiro estejam firmemente plantados na superfície (gosto de fazer esse exercício descalço). O pé de trás permanece apoiado no chão, a mais ou menos trinta centímetros da caixa, com cerca de 40% do peso do corpo na perna de trás e 60% na perna da frente. Mantenha a parte anterior do quadril flexionada, a coluna reta, o peito projetado (costelas para baixo), os braços relaxados paralelos ao corpo e os olhos para a frente.

Agora, incline ligeiramente a cabeça, as costelas e a pelve para a frente ao mesmo tempo que inspira fundo (mas sem ruído) pelo nariz, permitindo que o diafragma desça e gere pressão intra-abdominal. Você vai sentir uma pressão no centro do pé da frente, em direção ao calcanhar, mas mantenha os dedos firmes na caixa. Deslize levemente o fêmur para trás, de modo a sentir um alongamento tanto no tendão quanto no glúteo máximo; deve haver uma ligeira carga sobre eles. Essa sensação é a essência da flexão de quadril. Os glúteos e isquiotibiais é que devem estar no comando, não a pelve nem as costelas. Toda a força vem desses músculos trabalhando juntos, não das costas. Mantenha o joelho atrás dos dedos dos pés e a pelve e as costelas alinhadas, e distribua o peso uniformemente pelo pé da frente, sem forçar os dedos, a porção anterior ou o calcanhar.

Com o pé da frente, exerça pressão sobre a caixa de modo deliberado e com o mínimo de impulso do pé de trás. Levante-se (tire o pé de trás do chão), expirando ao iniciar o movimento, estenda o quadril e fique em pé em cima da caixa. A cabeça e as costelas devem ficar perfeitamente paralelas à pelve. Traga a perna de trás até colocá-la praticamente ao lado, apenas um pouco à frente, da perna que está sendo trabalhada. Tudo deve acontecer ao mesmo tempo, conforme você completa a expiração (sentindo a compressão nas costelas). Mantenha essa posição por um ou dois segundos.

No movimento de volta, retorne com o pé que não era o de trabalho (agora na frente) para a parte de trás da caixa, enquanto a cabeça, as costelas e os ombros se movem ligeiramente para a frente e o quadril flexiona, a fim de (mais uma vez) preparar o tendão e o glúteo para reduzir a carga. Concentre o peso na parte anterior do pé que está na caixa, com os dedos ativamente flexionados sobre ela. À medida que você abaixar o corpo e recuar, sinta o peso se deslocar da parte anterior para o meio do pé e, por fim, para o calcanhar, de forma suave e coordenada, controlada pelo tendão (pense: balançando lentamente para trás).

Faça isso do modo mais lento e uniforme possível; tente demorar três segundos entre tirar o pé da caixa e tocá-lo no chão (isso é difícil; se conseguir em dois segundos já está bom). Conforme o pé de trás desce, o peso do corpo continua a se deslocar para trás até você "aterrissar". Evite concentrar mais do que 40% do peso corporal no pé de trás, para reduzir a tentação de usar o impulso para a frente a fim de dar início ao movimento seguinte. Repita.

Faça cinco a seis repetições de cada lado. Comece apenas com o peso do corpo, mas, assim que tiver dominado o movimento e a sensação, pode adicionar pesos, de preferência um haltere ou *kettlebell* em cada mão (bônus: assim, além da flexão de quadril, você treina também a força de preensão).

O exercício com pesos é essencialmente o mesmo em termos de sequência e posição, com algumas ressalvas:

1. A carga agora é uma função de duas coisas: peso e altura da caixa. A altura da caixa pode ser um problema se a mobilidade (flexibilidade e tolerância de carga) for um fator.
2. Os pesos devem pender em paralelo com os ombros. O cérebro procura sempre um jeito de poupar energia e "trapacear", então evite o desejo subconsciente de balançar os pesos para a frente ou levantar os ombros para iniciar a subida (o que é altamente provável se a carga for muito pesada). O glúteo e o tendão é que devem fazer *todo* o trabalho.
3. Se a fase excêntrica (descida) não puder ser controlada, o peso está pesado demais. Evite a todo custo a sensação de que está caindo para trás. Procure usar menos peso ou fazer uma descida mais curta (dois segundos) no começo.
4. É crucial manter as costelas e a cabeça acima ou ligeiramente à frente da pelve ao iniciar a subida. Se a pelve assumir o comando, as costas vão ficar arqueadas e o joelho vai sofrer pressão demais.

O poder do exercício: Barry

Como ex-atleta e praticante de exercícios desde sempre, eu já tinha uma base substancial de condicionamento físico, mesmo que não estivesse propriamente me movimentando nem levantando pesos da maneira correta. Muitos dos meus problemas foram consequência do excesso: levantar peso demais, pedalar demais ou nadar demais. A grande maioria das pessoas passa pelo oposto: elas não se mexem o suficiente. Ou não se mexiam. Ou nem mesmo podem se mexer. Para a maioria, esse é o verdadeiro desafio. Eles precisam de um estímulo inicial. A boa notícia é que essas são as pessoas que mais podem tirar proveito. São as que mais têm a ganhar.

É aí também que vemos o verdadeiro poder dos exercícios: a capacidade de transformar as pessoas, de torná-las funcionalmente mais jovens. É incrível. Já comentei que começar a fazer musculação aos sessenta anos mudou a vida da minha mãe. Mas acho que não há exemplo melhor do que o incrível e inspirador Barry. Ele também era aluno de Beth (mas não paciente meu), um empreendedor e executivo que passou a carreira tocando um negócio de sucesso, dedicando extensas horas ao trabalho e deixando quase todo o resto de fora, incluindo sua forma física. Ele andava de bicicleta de vez em quando, mas só isso.

Vejo muito isso entre meus pacientes: eles trocam a saúde pelo dinheiro. Então chegam a uma certa idade e percebem que estão em uma rota perigosa. Com Barry foi assim: depois de passar basicamente cinquenta anos apenas sentado em uma cadeira, ele se aposentou e percebeu que estava em péssimo estado. Não só sua capacidade física era muito limitada, como ele sentia dores quase constantes. Estava se aproximando dos oitenta anos e contemplando alguns anos de sofrimento adiante — uma péssima "década marginal".

Ele começou a se perguntar por que havia trabalhado tanto. No estado em que estava, a aposentadoria já não parecia tão atraente assim.

Em determinada altura, ele teve uma revelação: em vez de se aposentar, arrumaria um novo emprego. Esse "trabalho", como enxergava, era reformar seu corpo negligenciado para que pudesse aproveitar mais a vida. Ele começou a trabalhar com Beth e continuou mesmo quando os treinos presenciais foram impossibilitados pela pandemia. Era extremamente motivado. Beth precisa lembrar muitos de seus clientes a seguir os horários de treino, mas com Barry o problema era o oposto: ele queria passar tempo demais na academia. Ela precisava obrigá-lo a parar e descansar.

Os objetivos de Barry são diferentes dos meus, obviamente, mas vão muito além do desejo vago de "ser mais saudável". Ele queria ser capaz de fazer flexões na barra fixa — essa era sua meta declarada. O que ele queria de verdade era se sentir forte e viver com confiança novamente, sem medo de quedas, como quando era mais novo. Mas não estava nem perto disso; àquela altura, se Beth o colocasse em uma barra fixa, ele provavelmente se machucaria. Ele mal conseguia andar sem sentir dor. Portanto, foi preciso começar em um nível muito mais básico, aprendendo a fazer movimentos simples com segurança.

Beth começou com alguns dos exercícios introdutórios que eu havia feito: respiração abdominal, progredindo para as posturas do gato e da vaca executadas de maneira mais lenta e segmentada. Para reduzir o risco de queda, ela fez com que ele se concentrasse nos movimentos relacionados ao equilíbrio, começando pelos pés: reaprendendo a andar e sentir os dedos depois de terem passado décadas enfiados em sapatos. Ele então passou para os exercícios de pé parados ou usando uma perna só. Beth o colocou até para dançar, de modo a ajudá-lo a reaprender a mexer os pés e reagir a pistas visuais para manter o equilíbrio.

Eles então avançaram para o desenvolvimento de força básica, começando com caminhadas para fortalecer a parte inferior do corpo. Os músculos abdominais de Barry ainda estavam fracos por conta de uma cirurgia realizada vinte anos antes — já notei que não é raro essas coisas continuarem afetando as pessoas por décadas. Então eles trabalharam a força abdominal, começando (como eu) pelo aumento da pressão intra-abdominal. E, gradualmente, atuaram para aumentar a força da parte superior e do meio do corpo, bem como a estabilidade escapular. Em pouco tempo, ele passou a fazer flexões melhor do que a maioria dos caras de vinte e poucos anos na academia.

Beth prescreveu exercícios voltados para melhorar a capacidade de Barry de reagir e de manter o equilíbrio. Ela o fez usar uma escada de agilidade, semelhante à que os atletas da Liga de Futebol Americano dos Estados Unidos (NFL, na sigla em inglês) e de outros de esportes de campo usam para desenvolver equilíbrio, rapidez e trabalho de pés. Se você está treinando para ser um atleta da vida, então está treinando para ser um atleta, ponto final.

Por fim, ela passou exercícios de salto, o que definitivamente está fora da zona de conforto da maioria dos octogenários. Barry estava tenso, mas por fim chegou ao ponto em que conseguia pular de um par de blocos de ioga e aterrissar agachado — e manter-se assim. A ideia era prepará-lo para o inesperado, de modo que, se ele se escorregasse na escada ou tropeçasse no meio-fio, conseguisse se equilibrar e não cair. A maioria das pessoas se prepara instintivamente, por medo; elas não confiam nos próprios "freios", sua força excêntrica, e isso quase sempre torna a aterrissagem menos segura. Com estabilidade, você tem que ser fluido e estar preparado para reagir, quase como um dançarino.

Outro movimento importante no qual trabalharam foi simplesmente fazer Barry se levantar do chão usando apenas um dos braços (ou, idealmente, sem os braços). Essa é uma daquelas coisas que nós, quando somos mais jovens, menosprezamos. Claro, conseguimos nos levantar do chão — até que, de repente, não conseguimos mais. As crianças aprendem a fazê-lo sem pensar duas vezes. Mas, em algum ponto do caminho, os adultos perdem a capacidade de executar esse movimento básico. Mesmo que tenhamos a força física necessária, podemos não ter controle neuromuscular; a mensagem do cérebro simplesmente não chega aos músculos. Para alguém como Barry, que tem 81 anos (no momento em que escrevo), isso é um grande problema; pode fazer a diferença entre continuar a viver com autonomia e cogitar se mudar para um asilo. Então, Beth ensinou a ele uma sequência coreografada de movimentos que lhe permitia se levantar da posição sentada, e ele os executou até dominá-los.

O *Barry Get-Up*, ou "Levantamento Barry" se tornou uma parte fundamental da avaliação física que fazemos com todos os nossos pacientes, bem como uma das principais atividades do decatlo centenário (e deve fazer parte do seu também). É um movimento importante, seja para se levantar após uma queda, seja para brincar com os netos no chão. Todo mundo deveria ser capaz de fazê-lo.

Mas acho que essa história é também uma metáfora sobre o que é possível conquistar graças ao treino físico (e, claro, à estabilidade). Pessoas como Barry nos ajudam a reescrever aquela narrativa de declínio que comprometeu Sophie, a mãe da minha amiga, e tantas outras pessoas. Os exercícios têm o poder de proporcionar mudanças profundas, mesmo que comecemos do zero, como foi o caso de Barry. Eles nos dão a capacidade de nos levantarmos do chão — literal e metaforicamente — e nos tornarmos mais fortes e mais capazes. Não se trata apenas de retardar o declínio, mas também de ficar cada vez mais saudável.

Como diz Barry: "Se você não está progredindo, está indo para trás."

CAPÍTULO 14

Nutrição 3.0

Alimentação? Que nada! Bioquímica nutricional

A religião é a cultura da fé; a ciência é a cultura da dúvida.

— RICHARD FEYNMAN

Detesto festas porque, quando as pessoas descobrem o que eu faço da vida (sem acreditar nas mentiras que conto sobre ser pastor de ovelhas ou piloto de corrida), elas sempre querem falar dos assuntos que mais odeio: "dieta" e "nutrição".

Faço o que for preciso para fugir dessas conversas: vou pegar uma bebida, mesmo que já esteja com uma na mão, finjo que estou atendendo o celular, ou, se nada mais der certo, simulo uma convulsão grave. Assim como política ou religião, é um assunto que não se discute, na minha opinião. (E, caso você tenha achado que fui um pouco grosseiro com você em alguma festa, peço desculpas.)

A dieta e a nutrição são tão mal compreendidas pela ciência, tratadas de forma tão emotiva e tão atrapalhada por informações ruins e preguiça de pensar, que é impossível falar delas com a devida profundidade em uma festa ou, digamos, nas redes sociais. No entanto, hoje em dia a maioria das pessoas parece que só quer "listas" de tópicos, frases feitas e outras análises superficiais. Isso me lembra uma história sobre o grande físico (e um dos meus ídolos) Richard Feynman, quando, durante uma festa, lhe pediram para explicar, com brevidade e simplicidade, por que tinha ganhado o Nobel.[1] Ele respondeu que, se fosse possível explicar seu trabalho assim, provavelmente não teria merecido o prêmio.

A perspectiva de Feynman também se aplica à nutrição, com uma ressalva: na verdade, sabemos muito menos sobre esse assunto do que sobre partículas subatômicas. Por um lado, temos "estudos" epidemiológicos caça-cliques que fazem afirmações absurdas, como a de que comer 30 gramas de nozes por dia reduz o risco de desenvolver um câncer em exatamente 18% (esse exemplo não é inventado).[2] Por outro, temos ensaios clínicos que quase sem exceção costumam ser falhos. Devido à baixa qualidade dos dados científicos, na prática não sabemos muito sobre o efeito da alimentação na saúde. Isso abre uma brecha gigantesca para que uma multidão de supostos gurus da nutrição e especialistas autodeclarados insista, em alto e bom som, que somente eles sabem qual é a dieta correta. Existem quarenta mil livros sobre o tema na Amazon; é impossível que todos estejam certos.

O que nos leva à minha última cisma em relação a esse universo, que é o tribalismo extremo que parece prevalecer. Com baixo teor de gordura, vegana, carnívora, paleolítica, low-carb, Atkins: toda dieta tem defensores zelosos que proclamarão sua superioridade em detrimento de todas as outras até o último suspiro, apesar da total falta de evidências conclusivas.

Algum tempo atrás, eu também era um desses defensores apaixonados. Passei três anos mantendo uma dieta cetogênica e escrevi, mantive um blog e dei palestras sobre essa jornada. Bem ou mal, sou inevitavelmente associado a dietas cetogênicas e low-carb. Abandonar o açúcar adicionado — literalmente, largar a Coca-Cola que eu tinha nas mãos, no dia 8 de setembro de 2009, instantes depois que minha adorável esposa sugeriu que eu fizesse alguma coisa "para ser um pouco menos não-magro" — foi o primeiro passo de uma jornada longa, transformadora e também frustrante pelo universo da nutrição. A boa notícia é que isso reverteu a síndrome metabólica que eu estava começando a desenvolver e pode ter salvado minha vida. Também me levou a escrever este livro. A má notícia é que esgotou minha paciência para o "debate sobre dietas".

Encare este capítulo como uma forma de penitência.

No geral, acho que a maioria das pessoas gasta tempo de menos ou de mais pensando sobre esse assunto. Provavelmente há mais gente do lado "de menos", como mostra a epidemia de obesidade e síndrome metabólica. Mas aqueles que estão no lado "de mais" são barulhentos e insistentes (pesquise sobre nutrição no Twitter). Eu mesmo admito minha culpa nisso. Olhando para trás, hoje, percebo que estava muito à esquerda na curva Dunning--Kruger, caricaturada a seguir, na Figura 14: a confiança máxima e o conhecimento relativamente mínimo quase me fizeram chegar ao pico do "monte da estupidez".

Figura 14. **Efeito Dunning-Kruger**

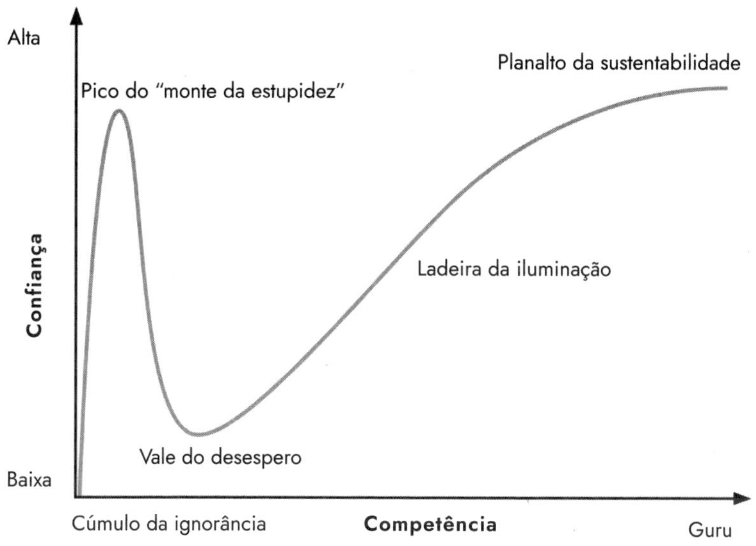

Fonte: Wikimedia Commons (2020).

Hoje, em um dia bom, me vejo na metade da ladeira da iluminação, mas o que mais mudou é que deixei de ser um defensor dogmático de qualquer tipo específico de alimentação, como dietas cetogênicas ou alguma modalidade de jejum. Levei muito tempo para me dar conta disso, mas o pressuposto fundamental da guerra das dietas e da maioria das pesquisas sobre nutrição — o de que existe uma dieta perfeita que funciona bem para todo mundo — é um grande equívoco. Devo essa lição sobretudo aos meus pacientes, cujas batalhas me ensinaram a ser humilde quando o assunto é nutrição, como eu jamais teria aprendido apenas lendo artigos científicos.

Incentivo meus pacientes a evitar o uso do termo "dieta" e até poderia bani--lo se eu fosse um ditador. Seja uma fatia de presunto cru ou uma barra de cereal, toda vez que você come alguma coisa está ingerindo uma infinidade de compostos químicos. Assim como a composição química diferencia os alimentos em termos de sabor, as moléculas que consumimos afetam várias enzimas, vias e mecanismos do corpo, muitos dos quais abordamos nos capítulos anteriores. Essas moléculas dos alimentos — que basicamente nada mais são do que diferentes arranjos de átomos de carbono, nitrogênio, oxigênio, fósforo e hidrogênio — também interagem com os genes, o metabolismo, o microbioma e o estado fisiológico de quem está se nutrindo. Além disso, cada um de nós reage a essas moléculas à sua maneira.

Em vez de dieta, deveríamos falar de bioquímica nutricional. Isso a leva do domínio da ideologia e da religião — e, sobretudo, da emoção — para o da ciência. Podemos chamar essa nova abordagem de Nutrição 3.0: rigorosa em termos científicos, altamente personalizada, e (como veremos) orientada por dados e feedback, em vez de ideologia e rótulos. Não se trata de dizer o que se deve comer, mas de descobrir o que funciona para o seu corpo, para seus objetivos — e, tão importante quanto, para os hábitos que você é capaz de manter.

Qual é o problema a ser resolvido? Qual é nosso objetivo com a Nutrição 3.0?

Acredito que tudo se resume às perguntas simples que fizemos no capítulo 10:

1. Você está subnutrido ou sobrenutrido?
2. Você é pouco musculoso ou sua massa muscular é adequada?
3. Você é saudável do ponto de vista metabólico ou não?

A correlação entre saúde metabólica precária, sobrenutrição e ausência de musculatura é enorme. Portanto, para a maioria dos pacientes, o objetivo é reduzir a ingestão de energia e ganhar massa magra. Isso significa que precisamos encontrar formas de fazê-los consumir menos calorias e, ao mesmo tempo, aumentar a ingestão de proteínas, além de combinar essa alimentação com a prática adequada de exercícios. Esse é o problema mais comum que tentamos resolver no campo da nutrição.

Quando meus pacientes estão subnutridos, geralmente é porque não ingerem proteína suficiente para manter a massa muscular, o que, como vimos nos capítulos anteriores, é um fator crucial tanto para a expectativa de vida quanto para o healthspan. Portanto, qualquer intervenção dietética que comprometa os músculos ou a massa magra é um fracasso — não só para os subnutridos, mas também para os sobrenutridos.

Eu achava que a alimentação era o único caminho para uma saúde perfeita. Anos de experiência pessoal e com meus pacientes me levaram a afinar um pouco minhas expectativas. As intervenções nutricionais podem ser ferramentas poderosas para restaurar o equilíbrio metabólico e reduzir o risco de ter doenças crônicas. Mas será que elas podem aumentar e melhorar a expectativa de vida e o healthspan, de maneira quase mágica, como os exercícios? Não estou mais convencido de que a resposta seja sim.

Ainda acredito que a maioria das pessoas precisa observar seu padrão alimentar para controlar sua saúde metabólica ou, pelo menos, para não piorar as coisas. Mas também acredito que precisamos distinguir entre o que mantém a boa saúde e o que corrige os problemas de saúde e as doenças. Engessar um osso quebrado permite que ele cicatrize. Engessar um braço saudável fará com que ele atrofie. Embora esse exemplo seja óbvio, é impressionante a quantidade de pessoas que não consegue transpô-lo para a nutrição. Parece bastante evidente que uma intervenção nutricional destinada a corrigir um problema grave (por exemplo, dietas muito restritas, até mesmo jejum, para tratar obesidade, DHGNA e diabetes tipo 2) pode ser diferente de um plano nutricional calibrado para manter uma boa saúde (por exemplo, dietas equilibradas para pessoas saudáveis em termos metabólicos).

Na verdade, a nutrição é algo relativamente simples. Ela se resume a algumas regras básicas: não ingerir calorias nem de mais nem de menos; consumir proteínas e gorduras essenciais em quantidade suficiente; obter as vitaminas e os minerais necessários; e evitar patógenos como *E. coli* e toxinas como mercúrio ou chumbo. Para além disso, sabemos relativamente poucas coisas com certeza absoluta. Leia novamente a frase anterior, por favor.

Em termos gerais, a maioria dos clichês provavelmente estão certos: se sua bisavó não saberia dizer o que é, é melhor não comer. Se você pegou o alimento nos corredores laterais do mercado, é melhor do que se pegou nos do meio. Vegetais fazem muito bem. Proteína animal é "segura". Evolutivamente somos onívoros; portanto, a maioria de nós tem grande probabilidade de manter uma saúde excelente sendo onívoro.

Não me leve a mal, ainda tenho muita coisa para dizer — é por isso que estes capítulos sobre nutrição não são curtos. Há tantas disputas ideológicas e tantas besteiras por aí que espero instilar pelo menos um pouco de lucidez no debate. Mas a maior parte deste capítulo e do seguinte tem como objetivo mudar como você vê a alimentação, em vez de dizer coma isso e não aquilo. Meu foco é dar as ferramentas para ajudar você a encontrar seu padrão alimentar adequado, um padrão que melhore sua vida, protegendo e preservando sua saúde.

O que sabemos em termos gerais sobre bioquímica nutricional (e como sabemos)

Uma das minhas maiores frustrações na área da nutrição — perdão, da bioquímica nutricional — tem a ver com o pouco que sabemos com certeza. A raiz do problema está na baixa qualidade de muitas pesquisas sobre esse campo, o que leva a péssimas reportagens na imprensa, muitas brigas nas redes sociais e uma confusão desenfreada entre o público geral. O que devemos (ou não) comer? Qual é a dieta certa para você?

Se só o que tivéssemos fossem as repercussões da imprensa sobre o mais recente estudo de Harvard, ou a sabedoria de algum autodeclarado guru das dietas, jamais sairíamos desse estado de confusão e desespero. Portanto, antes de nos aprofundarmos no tema, vale a pena dar um passo para trás para entender o que sabemos e o que não sabemos sobre nutrição: que tipo de estudo vale a pena ler e quais podem ser ignorados sem prejuízos. Aprender a diferenciar sinal de ruído é um primeiro passo importante para elaborar nosso planejamento.

Nosso conhecimento sobre nutrição vem principalmente de dois tipos de estudo: epidemiológicos e ensaios clínicos. Na epidemiologia, os pesquisadores coletam dados sobre os hábitos de grandes grupos de pessoas, em busca de associações ou correlações significativas com câncer, doenças cardiovasculares ou mortalidade, entre outras consequências. Esses estudos geram grande parte das "notícias" sobre nutrição que aparecem na internet e são aqueles que dizem que o café faz bem, o bacon faz mal, ou vice-versa.

A epidemiologia é uma ferramenta útil para investigar as causas das epidemias, incluindo a (notória) contenção de um surto de cólera em Londres no século XIX e a (menos famosa) salvação de meninos que limpavam chaminés de uma epidemia de câncer escrotal que acabou sendo relacionada ao trabalho deles.* Isso alavancou verdadeiros triunfos em termos de saúde pública, como a proibição do fumo e o tratamento generalizado da água potável. Mas, na nutrição, provou ser menos frutífero. As "associações" feitas pelos epidemiologistas nutricionais são na maioria das vezes absurdas: será que comer doze avelãs todos os dias acrescenta mesmo dois anos à minha expectativa de vida, como sugeriu um estudo?**[3] Quem dera.

O problema é que a epidemiologia é incapaz de distinguir correlação de causalidade. Com a ajuda e o incentivo do mau jornalismo, isso gera a confusão. Por exemplo, segundo vários estudos, há uma forte associação entre consumo de refrigerante diet e gordura abdominal,[4] hiperinsulinemia e risco cardiovascular. Fica parecendo que esse tipo de refrigerante é algo ruim que provoca obesidade, certo? Mas não é isso o que os estudos demonstram de fato, porque eles se esquecem de fazer uma pergunta fundamental: quem bebe refrigerante diet?

São as pessoas que estão preocupadas com o peso ou que têm o risco de desenvolver diabetes. Elas consomem refrigerante diet porque estão acima do peso ou preocupadas com esse sobrepeso. O problema é que a epidemiologia não pode afirmar a relação de causalidade entre determinado comportamento (por exemplo, o consumo de refrigerante diet) e determinada consequência (por exemplo, obesidade), assim como uma galinha não é capaz de pegar um ovo que acabou de botar e preparar uma omelete.

Para entender o porquê, precisamos recorrer (mais uma vez) a *sir* Austin Bradford Hill,[5] o cientista britânico que conhecemos no capítulo 11. Hill ajudou a descobrir o vínculo entre tabagismo e câncer de pulmão no início da década de 1950, então apresentou nove critérios para avaliar a força dos achados epidemiológicos e determinar a provável direção da causalidade, que também mencionamos no que tange aos exercícios.*** Entre esses critérios, o mais

---

* Em 1775, Percival Pott, um cirurgião inglês, tornou-se a primeira pessoa a demonstrar que o câncer pode ser provocado por um fator ambiental (hoje chamado de "cancerígeno"). Pott notou um aumento no número de casos de verrugas escrotais em meninos limpadores de chaminé, que tinham a tarefa de subir por dentro delas para remover as cinzas e a fuligem. As investigações do cirurgião o levaram à conclusão de que a causa desse câncer — um carcinoma de células escamosas da pele — eram partículas de fuligem que se alojavam nas saliências do escroto.

** De acordo com um estudo de 2013 de Bao et al., para pessoas que comiam uma dúzia de avelãs por dia, as chances de morrer nos trinta anos seguintes foram reduzidas em 20%. (Nenhuma palavra sobre o mecanismo exato por trás desse resultado milagroso.)

*** Os critérios de Bradford Hill são: (1) força da associação (ou seja, tamanho do efeito), (2) consistência (ou seja, reprodutibilidade), (3) especificidade (ou seja, é uma observação da doença em uma população muito específica em um local específico, sem outra explicação provável?), (4)

importante e o que melhor pode distinguir entre correlação e causalidade é o mais complicado de implementar na nutrição: a experimentação. Imagine propor um estudo para analisar os efeitos de passar a vida inteira consumindo fast-food, randomizando meninos e meninas para Big Macs ou uma alimentação sem fast-food. Mesmo que de algum modo o Comitê de Ética em Pesquisa tenha aprovado essa ideia terrível, um experimento, embora simples, pode dar errado por vários motivos. Alguns dos meninos do grupo Big Mac podem se tornar vegetarianos em segredo, enquanto outros do grupo de controle podem decidir frequentar a famosa rede de lanchonetes. A questão é que os seres humanos são péssimos objetos de estudo nutricional (ou de qualquer outra área), porque somos criaturas indisciplinadas, desobedientes, bagunceiras, esquecidas, confusas, famintas e complexas.

É por isso que contamos com a epidemiologia, que extrai dados da observação e muitas vezes dos próprios participantes. Como vimos anteriormente, a aplicação da epidemiologia aos exercícios está em perfeita conformidade com os critérios de Bradford Hill. Mas o uso da epidemiologia na nutrição raramente passa nesse teste, a começar pelo tamanho do efeito, a força da associação, muitas vezes expressos como uma porcentagem. Embora a epidemiologia do tabagismo (assim como a dos exercícios) passe facilmente nos testes de Bradford Hill porque seu efeito é imenso, na nutrição esse efeito costuma ser tão pequeno que pode facilmente ser produto de outros fatores.

Exemplo: a alegação de que o consumo de carne vermelha e carnes processadas "provoca" câncer colorretal. De acordo com um alardeado estudo de 2017 da Escola de Saúde Pública de Harvard e da Organização Mundial da Saúde,[6] o consumo desses tipos de carne aumenta o risco de câncer de cólon em 17% (RR = 1,17). Isso parece assustador; mas será que passa no teste de Bradford Hill? Acho que não, porque a associação é muito fraca. Para efeito de comparação, um fumante tem entre 1.000% a 2.500% (10 a 25 vezes) mais risco de desenvolver câncer de pulmão, dependendo da população estudada.[7] Isso sugere que pode realmente haver alguma causalidade em ação. No entanto, pouquíssimos estudos epidemiológicos publicados mostraram sequer um aumento de risco de 50% (RR = 1,50) para qualquer alimento.

temporalidade (ou seja, a causa precede o efeito?), (5) reação à dosagem (ou seja, o efeito é mais intenso com uma dosagem mais alta?), (6) plausibilidade (ou seja, faz sentido?), (7) coerência (ou seja, está de acordo com os dados de experimentos controlados em animais?), (8) experimento (ou seja, há evidências experimentais que corroboram os resultados?), e (9) analogia (ou seja, o efeito de fatores semelhantes pode ser levado em conta).

Em segundo lugar, e uma questão muito mais comprometedora, é que os dados brutos nos quais essas conclusões normalmente se baseiam são, na melhor das hipóteses, incertos. Muitos estudos epidemiológicos nutricionais coletam informações por meio do chamado "questionário de frequência alimentar", uma longa lista que pede aos participantes que registrem tudo o que comeram no mês anterior, ou mesmo no ano anterior, em detalhes minuciosos. Tentei preencher uma dessas listas e é quase impossível lembrar exatamente o que comi há dois dias, quanto mais três semanas.* Será então que estudos baseados nesses dados são mesmo confiáveis? Até que ponto se pode confiar, digamos, no estudo sobre a carne vermelha?

Afinal, carnes vermelhas e processadas provocam mesmo câncer ou não? Não sabemos e provavelmente jamais teremos uma resposta definitiva, porque a realização de um ensaio clínico que teste essa hipótese é improvável. A confusão impera. No entanto, arrisco afirmar que uma razão de risco de 1,17 é tão ínfima que pode não fazer muita diferença se você consome carne vermelha/processada ou qualquer outra fonte de proteína, como frango. Evidentemente, esse estudo em particular está muito longe de oferecer uma resposta definitiva à questão de saber se a carne vermelha é "segura" para consumo. No entanto, as pessoas têm discutido por causa desse assunto há anos.

Este é outro problema da nutrição: muitas pessoas se especializam em coisas pequenas e dão pouca atenção às grandes, se concentrando demais em questões mínimas enquanto ignoram outras muito mais relevantes. Variações pequenas no que comemos importam muito menos do que a maioria das pessoas imagina. Mas a epidemiologia de má qualidade, auxiliada e incentivada pelo mau jornalismo, adora explorar essas coisas além das devidas proporções.

A epidemiologia de má qualidade domina tanto o debate público sobre nutrição que inspirou uma reação por parte de céticos como John Ioannidis, do Centro de Pesquisa Preventiva de Stanford, um sujeito que combate a ciência malfeita em todas as suas formas. Seu argumento básico é que os alimentos são tão complexos, compostos por milhares de compostos químicos em milhões de combinações possíveis, e que interagem com a fisiologia humana de tantas maneiras — o que chamo de bioquímica nutricional —, que a epide-

* Se quiser tentar, jogue "questionário de frequência alimentar" no Google, e boa sorte.

miologia simplesmente não tem condições de desvendar o efeito de qualquer nutriente ou alimento em separado.[8] Em entrevista à emissora de televisão CBC, Ioannidis, um sujeito que costuma ser tranquilo, foi brutalmente direto: "A epidemiologia nutricional é um disparate. O lugar dela é na lata de lixo."[9]

A verdadeira fraqueza da epidemiologia, pelo menos enquanto meio de extrair informações confiáveis e relações causais sobre a nutrição humana, é que tais estudos são quase sempre irremediavelmente confusos. Os fatores que determinam nossas escolhas e hábitos alimentares são insondavelmente complexos. Eles incluem genética, influências sociais, fatores econômicos, educação, saúde metabólica, marketing, religião e muito mais — e é quase impossível dissociá-los dos efeitos bioquímicos dos alimentos em si.

Alguns anos atrás, um cientista e estatístico chamado David Allison realizou um elegante experimento[10] que ilustra como os métodos epidemiológicos podem nos desviar do caminho certo, mesmo usando o modelo de pesquisa mais controlado possível: os camundongos de laboratório, que são geneticamente idênticos e acomodados em condições idênticas. Allison criou um experimento aleatório usando esses camundongos, semelhante aos experimentos de restrição calórica de que falamos no capítulo 5. Ele dividiu as cobaias em três grupos, que diferiam apenas na quantidade de alimento recebida: um grupo de baixa caloria, um grupo de média caloria e um grupo *ad libitum* de alto teor calórico, com animais que podiam comer o quanto quisessem. Foi constatado, em média, que os camundongos submetidos à dieta de baixo teor calórico viveram mais tempo, seguidos por aqueles que seguiram uma dieta de médio teor calórico, ao passo que os submetidos à dieta de alto teor calórico foram os que viveram menos. Era o resultado esperado e que já havia sido bem estabelecido em muitos estudos anteriores.

A seguir, no entanto, Allison teve uma grande sacada. Ele examinou isoladamente o grupo de alto teor calórico, os camundongos que comeram à vontade, como sua própria coorte epidemiológica não randomizada. Nesse grupo, Allison observou que alguns camundongos escolhiam comer mais do que os outros — e que esses camundongos mais famintos, na verdade, viviam mais do que os que escolhiam comer menos. Era justamente o oposto da conclusão encontrada no estudo randomizado maior, mais confiável e mais amplamente repetido.

A explicação era simples: os camundongos mais fortes e saudáveis tinham mais apetite e, portanto, comiam mais. Por serem, desde o princípio, os mais saudáveis, também viveram mais tempo. Porém, se tudo o que tivéssemos ao dispor fosse a análise epidemiológica de Allison desse subgrupo específico, e não o ensaio clínico maior e mais bem pensado, poderíamos ter concluído que comer mais calorias faz com que *todos* os camundongos vivam mais, o que, sabemos bem, não é o caso.

Esse experimento demonstra como é fácil ser enganado pela epidemiologia. Isso porque, entre outros fatores, a saúde geral é um grande fator de confusão nesse tipo de estudo. Essa questão também é conhecida como viés do usuário saudável, o que significa que os resultados do estudo às vezes refletem mais a saúde básica dos participantes do que a influência de algum aspecto que esteja sendo estudado — como foi o caso dos camundongos "famintos" desse estudo.*

Um exemplo clássico disso, acredito, é a vasta e bem divulgada literatura que correlaciona o consumo "moderado" de bebida alcoólica a melhores resultados em termos de saúde. Essa ideia se tornou quase uma regra de fé na imprensa, mas esses estudos também estão quase totalmente contaminados pelo viés do usuário saudável[11] — isto é, as pessoas que continuam a beber na velhice costumam fazê-lo porque estão saudáveis, e não o contrário. Da mesma forma, pessoas que não consomem álcool geralmente são motivadas por algo relacionado à saúde ou ao vício. E esses estudos, obviamente, também excluem aqueles que já morreram em consequência do alcoolismo.

A epidemiologia vê apenas um grupo de idosos aparentemente saudáveis que bebem e conclui que o álcool é a razão da boa saúde deles. Mas um estudo publicado recentemente no *Journal of the American Medical Association*,[12] usando a ferramenta de randomização mendeliana de que falamos no capítulo 3, sugere que isso pode não ser verdade. Segundo esse estudo, ao eliminar os efeitos de outros fatores que podem acompanhar o consumo moderado — como IMC mais baixo, poder aquisitivo e não ser fumante —, qualquer benefício observado no consumo de álcool desaparece por completo. Os autores concluíram que não existe nenhuma quantidade de álcool que seja "saudável".

* * *

* Acho que o viés do usuário saudável também é o maior fator de confusão que encontramos na epidemiologia do exercício. Pessoas saudáveis tendem a praticar mais exercícios, em parte, porque são saudáveis.

Os ensaios clínicos parecem ser uma forma muito melhor de comparar dietas: um grupo de indivíduos está seguindo a dieta X, o outro grupo, a dieta Y, e então os resultados são confrontados. (Ou, para continuar com o exemplo do álcool, um grupo bebe moderadamente, um grupo bebe muito, e o grupo de controle se abstém.)

Esses ensaios, embora sejam mais rigorosos do que os estudos epidemiológicos e ofereçam alguma capacidade de inferir relações de causalidade graças ao processo de randomização, também costumam ter defeitos. O tamanho da amostra, a duração do estudo e o controle — tudo isso influencia. Para fazer um estudo longo com um grande grupo de indivíduos, você essencialmente precisa confiar que eles estão seguindo a dieta prescrita, seja a dieta Big Mac do nosso exemplo hipotético, seja uma dieta simples com baixo teor de gordura. Se você quiser se assegurar de que os participantes estão firmes na dieta, precisa alimentar cada um deles, observá-los comendo e mantê-los confinados na ala metabólica de um hospital (para ter certeza de que não vão comer mais nada). Tudo isso é factível, mas apenas para um punhado de indivíduos por algumas semanas de cada vez, o que não é uma amostra grande o suficiente nem de duração longa o suficiente para que seja possível inferir algo além de percepções mecanicistas sobre nutrientes e saúde.

Estudos desse tipo fazem com que os ensaios farmacêuticos pareçam simples. Para determinar se a pílula X reduz a pressão arterial a ponto de prevenir um ataque cardíaco, é preciso apenas que os participantes se lembrem de tomar a pílula todos os dias por meses ou anos, e até mesmo manter essa simples disciplina representa um desafio. Agora, imagine garantir que os participantes do estudo reduzam o teor de gordura de sua alimentação a não mais do que 20% do total de calorias e consumam pelo menos cinco porções de frutas e vegetais diariamente por um ano.[13] Na verdade, estou convencido de que a conformidade é a questão-chave na pesquisa nutricional e nas dietas em geral: você consegue se ater a esses hábitos? A resposta é diferente para cada pessoa. Por isso é tão difícil que os experimentos respondam às questões centrais sobre a relação entre dieta e doença, não importa o quão grandes e ambiciosos sejam.

Um exemplo clássico de um estudo nutricional bem-intencionado que gerou mais confusão do que clareza é a Iniciativa de Saúde da Mulher (WHI, na sigla em inglês), um enorme estudo randomizado controlado que teve o objetivo de testar uma dieta pobre em gordura e rica em fibras em quase cinquenta mil mulheres. Iniciado em 1993, teve a duração de oito anos e custou quase 750 milhões de dólares (e, se o nome soa familiar, é por causa do outro braço muito divulgado do estudo, citado anteriormente, que analisou os efeitos da terapia de reposição hormonal em mulheres mais velhas). No fim das contas, apesar de todo o esforço, o WHI não encontrou nenhuma diferença estatisticamente significativa entre o grupo que seguiu uma dieta com baixo teor de gordura e o que seguiu uma dieta controlada em termos de incidência de câncer de mama, câncer colorretal, doenças cardiovasculares ou mortalidade geral.*[14]

Muitas pessoas, inclusive eu, argumentaram que os resultados desse estudo demonstraram a ineficácia das dietas com baixo teor de gordura. Mas, na verdade, provavelmente não é possível tirar conclusões sobre uma dieta com baixo teor de gordura porque para o grupo de intervenção com "baixo teor de gordura" as calorias oriundas de gorduras corresponderam a cerca de 28% do total, enquanto para o grupo de controle esse valor ficou em cerca de 37%. (E isso mesmo presumindo que os pesquisadores foram minimamente precisos em sua avaliação do que as participantes consumiram ao longo de todos aqueles anos, uma suposição corajosa.) Portanto, esse estudo comparou duas dietas bastante semelhantes e constatou que os resultados eram bastante semelhantes. Que surpreendente. No entanto, por mais defeituoso que fosse, o estudo da WHI foi defendido por anos por partidários de diferentes abordagens alimentares.

Uma breve observação: o estudo da WHI oferece um grande exemplo de por que é tão importante avaliar qualquer intervenção, nutricional ou não, através das lentes da eficácia *versus* efetividade. A eficácia analisa se a intervenção funciona bem em condições e adesão perfeitas (ou seja, se a pessoa faz tudo exatamente como prescrito). A efetividade avalia se a intervenção funciona bem em condições reais, com indivíduos reais. A maioria das pessoas confunde as duas coisas e, portanto, não consegue levar em conta essa nuance em ensaios clínicos. A WHI não foi um estudo da eficácia de uma dieta com baixo teor de gordura pelas simples razões de que (a) falhou em testar uma dieta verdadeiramente de baixo teor de gordura e (b) as participantes não cumpriram o regime à risca. Portanto, não se pode argumentar, a partir desse

* Embora esse estudo não tenha encontrado uma diferença estatisticamente significativa na morte por câncer de mama no acompanhamento 8,5 ou 16,1 anos depois, encontrou uma redução estatisticamente significativa nas mortes por qualquer causa nas mulheres diagnosticadas com câncer de mama, mas a diferença em termos de risco absoluto foi insignificante. Oito anos e meio depois, a redução das mortes foi de 0,013%, e 16,5 anos, foi de apenas 0,025%.

estudo, que dietas com baixo teor de gordura não melhoram a saúde, mas apenas que a prescrição de uma dieta com baixo teor de gordura, nessa amostra, não proporciona melhorias na saúde. Percebeu a diferença?

Dito isso, alguns ensaios clínicos apresentam algumas informações úteis. Ao que parece, um dos melhores, ou menos piores, ensaios clínicos já realizados demonstrava que a dieta mediterrânea estava em vantagem — ou, pelo menos, as castanhas e o azeite de oliva. Esse estudo também se debruçou sobre o papel das gorduras alimentares.

O abrangente estudo espanhol conhecido como Prevenção com Dieta Mediterrânea (Predimed, na sigla em espanhol) foi planejado com elegância: em vez de dizer exatamente aos quase 7.500 indivíduos o que comer, os pesquisadores apenas deram de "presente" a um dos grupos um litro de azeite por semana, o que visava incentivá-los a adotar outras mudanças dietéticas desejadas (ou seja, consumir o tipo de comida que normalmente se prepara com azeite). Um segundo grupo recebeu uma quantidade de castanhas por semana e foi orientado a consumir 30 gramas delas por dia, enquanto o grupo de controle foi instruído a adotar uma dieta com baixo teor de gordura, sem nozes, sem excesso de gordura nas carnes, sem *sofrito* (um refogado espanhol com tomate, alho, cebola e pimentão que parece delicioso) e, curiosamente, sem peixe.

O estudo tinha duração prevista de seis anos, mas, em 2013, os pesquisadores anunciaram sua interrupção, depois de apenas quatro anos e meio, porque os resultados eram impressionantes. O grupo que recebeu o azeite teve uma incidência cerca de um terço (31%) menor de acidente vascular cerebral, ataque cardíaco e morte do que o grupo com baixo teor de gordura, e o grupo das castanhas apresentou uma redução semelhante no risco (28%). Portanto, foi considerado antiético dar continuidade ao grupo com baixo teor de gordura. De acordo com os números, a dieta "mediterrânea", que consistia em castanhas ou azeite, parecia ser tão poderosa quanto as estatinas, em termos de número necessário para tratar (NNT), como prevenção primária de doenças cardíacas[15] — ou seja, em uma população que ainda não havia passado por um "evento" nem por um diagnóstico clínico.*

---

* Na prevenção secundária, as estatinas tendem a apresentar um NNT um pouco mais baixo. O estudo Predimed foi posteriormente retirado e reanalisado para corrigir os erros na randomiza-

Parecia uma goleada; é raro os pesquisadores falarem de condições mais graves, como morte ou ataque cardíaco, em comparação à simples perda de peso, em um mero estudo dietético. Algo que ajudou foi o fato de os participantes já terem pelo menos três fatores de risco graves, como diabetes tipo 2, tabagismo, hipertensão, LDL-C elevado, HDL-C baixo, sobrepeso ou obesidade, ou histórico familiar de doença cardíaca coronária prematura. No entanto, apesar do risco elevado, a dieta do azeite (ou das castanhas) claramente os ajudou a retardar doenças e a morte. De acordo com uma análise *post hoc* dos dados do Predimed,[16] houve uma melhora cognitiva naqueles que receberam a(s) dieta(s) de estilo mediterrâneo em comparação ao declínio cognitivo que acometeu quem seguiu a dieta com baixo teor de gordura.

Mas isso significa, então, que a dieta mediterrânea é adequada para todo mundo, ou que o azeite extravirgem é o tipo de gordura mais saudável que existe? Talvez sim, mas não necessariamente.

Para mim, a questão mais irritante dos estudos de nutrição talvez seja o grau de variação que existe, embora muitas vezes esteja obscurecido, entre os indivíduos. Isso é especialmente válido em estudos que analisam majoritária ou integralmente a perda de peso como objetivo final. Os resultados dos estudos publicados são quase sempre abaixo do esperado, com os indivíduos perdendo, em média, apenas alguns quilos. Na prática, alguns podem ter perdido bastante peso com a dieta, enquanto outros não perderam nada ou até mesmo ganharam peso.

Existem duas questões em jogo. A primeira é a conformidade: você consegue seguir a dieta? Isso varia de pessoa para pessoa; todos nós temos diferentes comportamentos e padrões de pensamento em relação à comida. A segunda é como determinada dieta afeta você, com seu metabolismo e outros fatores de risco próprios. No entanto, essas questões são frequentemente ignoradas, e acabamos com conclusões generalizadas que afirmam que determinada dieta "não funciona". O que existe de fato é que as dietas X ou Y não funcionam para todo mundo.

Nosso objetivo no capítulo seguinte é ajudá-lo a descobrir o melhor plano alimentar para você, como indivíduo. Para isso, precisamos ir além dos rótulos e mergulhar na bioquímica nutricional.

ção (ou seja, as intervenções específicas não foram atribuídas aos participantes de forma verdadeiramente aleatória); a nova análise não mudou as conclusões do estudo em termos materiais, no entanto. Na minha opinião, o maior problema com o *Predimed* é algo chamado viés de desempenho, o que significa que os participantes nos dois grupos de tratamento podem ter mudado de atitude devido ao fato de terem maior interação com os pesquisadores do que o grupo de controle.

CAPÍTULO 15

Bioquímica nutricional aplicada

Como encontrar o padrão alimentar certo para você

Meu médico me orientou a parar de fazer jantares íntimos
para quatro pessoas. A não ser que haja outras três.

— ORSON WELLES

A maioria dos meus pacientes já está seguindo alguma "dieta" quando me procura. Algo que quase todos eles têm em comum é a insatisfação com os resultados.

Eu me identifico. Durante a residência, quando estava ainda mais gordo que o Peter-não-magro, tentei uma dieta vegana por um tempo. Teoricamente, adotar o veganismo deveria ter facilitado a perda de peso, pelo simples fato de que é preciso mastigar uma quantidade enorme de salada para ingerir o equivalente ao conteúdo calórico de um bife. Mas, na realidade, eu fazia a maior parte das refeições no hospital, ou seja, comia muita batata frita e outros lanches, além de um sanduíche vegetariano todos os dias no almoço. Não perdi um único maldito quilo em seis meses. Olhando para trás, o problema era óbvio. Embora tecnicamente seguisse uma virtuosa dieta "vegana", eu na verdade estava comendo uma montanha de fast-food sem ingredientes de origem animal. Em outras palavras, eu estava em uma versão vegana da Dieta Americana Padrão (SAD, na sigla em inglês).

Nem mesmo uma dieta vegana é suficiente para libertar alguém das garras da SAD. É nosso ambiente alimentar padrão, que ocupa a área central dos mercados: os despojos encaixotados, congelados e empacotados de um sistema agrícola que produz milho, farinha, açúcar e soja subsidiados na ordem de milhões de toneladas. Em determinado aspecto, isso é brilhante, uma solução para quatro problemas que atormentam a humanidade desde os primórdios: (1) como produzir comida suficiente para alimentar quase todo mundo; (2) como fazer isso de forma barata; (3) como conservar esses alimentos para serem armazenados e transportados com segurança; e (4) como torná-los palatáveis. Se você otimizar todos esses quatro aspectos, é quase certo que o resultado será a SAD, que não é bem uma dieta mas um modelo de negócios elaborado para alimentar o mundo com eficiência. Um brinde aos sistemas alimentares industriais modernos.

Mas observe que falta um quinto critério: como torná-los inofensivos. A SAD não foi especificamente planejada para prejudicar alguém, é óbvio. O fato de que ela prejudica a maioria de nós, se consumida em excesso, se deve ao choque dos quatro pontos levantados acima com milhões de anos de evolução que nos otimizaram para sermos veículos de armazenamento de gordura. É um triste efeito colateral desse modelo de negócios, como acontece com os cigarros. A indústria tabagista pretendia ganhar muito dinheiro com uma commodity agrícola abundante, mas a solução concebida, o cigarro, tinha um efeito colateral infeliz: matava o cliente aos poucos.

Os elementos que compõem a SAD são quase tão devastadores quanto o tabaco se consumido em grandes quantidades, como é o objetivo: açúcar adicionado, carboidratos refinados com baixo teor de fibras, óleos processados e outros alimentos extremamente calóricos. Isso não significa que todos os alimentos "processados" sejam ruins. Quase tudo o que comemos, com exceção dos vegetais frescos, sofre algum tipo de processamento. Por exemplo, o queijo é um alimento processado, inventado como forma de conservar o leite, que estraga depressa sem refrigeração. Quando falamos da SAD, nos referimos especificamente a fast-food.

O problema básico que enfrentamos é que, talvez pela primeira vez na história da humanidade, há muitas calorias à disposição de muitas pessoas, senão para a maioria delas. Mas a evolução não nos preparou para esse cenário. A natureza gosta se engordamos e, francamente, não está nem aí se desenvolvemos diabetes. Desse modo, a SAD frustra nossos principais objetivos nutricionais: ela nos induz a comer mais do que precisamos, e acabamos ficando sobrenutridos, enquanto a predominância de ingredientes ultraprocessados de baixa qualidade na composição desses alimentos tende a ocupar o espaço de outros nutrientes de que precisamos, como proteínas, para a manutenção da saúde.

A SAD afeta o equilíbrio metabólico do corpo. Isso exerce enorme pressão sobre a capacidade de controlar os níveis de glicose no sangue e leva ao armazenamento de gordura que deveria estar sendo utilizada. A principal fonte das calorias ingeridas pelos norte-americanos é uma categoria chamada "sobremesas à base de grãos", como tortas, bolos e biscoitos, de acordo com o Departamento de Agricultura dos EUA. Esse é nosso "grupo alimentar" número um. Se consumirmos um monte de sobremesas à base de grãos em um banquete na Cheesecake Factory, nosso nível de glicose no sangue vai subir. E, se isso se repetir diversas vezes, como vimos nos capítulos anteriores, vamos acabar sobrecarregando nossa capacidade de lidar com todas essas calorias de maneira segura. A SAD basicamente declara guerra à nossa saúde metabólica e, no longo prazo, a maioria de nós será derrotado.

Quanto mais longe da SAD ficarmos, melhor. Este é o objetivo compartilhado da maioria das "dietas": ajudar a nos libertar da poderosa atração gravitacional da SAD para comermos menos e, com sorte, melhor. Mas comer menos é o objetivo principal. Depois de eliminados os rótulos e a ideologia, quase todas as dietas contam com pelo menos uma das três estratégias a seguir:

1. RESTRIÇÃO CALÓRICA, ou RC: comer menos no total, mas sem atenção especial ao que está sendo consumido ou quando
2. RESTRIÇÃO ALIMENTAR, ou RA: comer menor quantidade de um ou mais elementos específicos (por exemplo, carne, açúcar, gorduras)
3. RESTRIÇÃO DE TEMPO, ou RT: restringir a ingestão de alimentos a determinados horários, incluindo até mesmo jejum por vários dias

Em outras palavras, se você está sobrenutrido, e estatisticamente falando cerca de dois terços de nós estão, será preciso adotar pelo menos um dos seguintes métodos de redução calórica: monitorar (e reduzir) deliberadamente o que você come; cortar certos alimentos; e/ou se dar menos tempo para comer. É isso. Decupar nossa abordagem à nutrição nessas três estratégias nos permite falar sobre as intervenções dietéticas de forma mais objetiva, em vez de confiar em rótulos como "baixo teor de gordura" ou "mediterrânea", que não nos dizem muito. Se não mudarmos nenhuma dessas variáveis — comer o que quisermos, quando quisermos, na quantidade que quisermos —, vamos acabar voltando à SAD.

Cada uma dessas abordagens tem prós e contras, como percebi ao longo de uma década trabalhando em questões de nutrição com inúmeros pacientes. Todas essas vantagens e desvantagens serão abordadas com mais detalhes a seguir, mas eis uma síntese:

1. Do ponto de vista da eficácia pura, a RC ou restrição calórica é a campeã, sem sombra de dúvida. Ela não apenas permite que os fisiculturistas percam peso enquanto mantêm a massa muscular, mas oferece também maior flexibilidade nas escolhas alimentares. O problema é que você tem que adotá-la de maneira perfeita — monitorando tudo que come, sem sucumbir ao desejo de abrir uma exceção —, caso contrário ela não funciona. Muitas pessoas têm dificuldade em mantê-la.
2. A RA, ou restrição alimentar, é provavelmente a estratégia mais empregada para reduzir a ingestão calórica. Em termos conceituais, é simples: escolha um tipo de alimento e pare de ingeri-lo. Só funciona, obviamente, se esse alimento for abundante e significativo o suficiente para que sua eliminação provoque um déficit calórico. Uma dieta "sem alface" está fadada ao fracasso. E nada impede que você acabe comendo em excesso mesmo seguindo à risca uma RA específica, como descobri quando tentei me tornar vegano.
3. A RT, ou restrição de tempo — também conhecida como jejum intermitente —, é a última tendência em termos de corte de calorias. De certa forma, acho que é a mais fácil. Quando eu era ciclista e estava tentando perder os últimos seis quilos que planejei para meu corpo já muito esguio (para mim), foi a ela que recorri. Eu me permitia fazer apenas uma refeição por dia, apesar das cerca de três horas diárias de treino. Mas ainda assim esse tiro pode sair pela culatra, caso você coma demais. Ironicamente, vi pacientes ganharem peso ao fazer só uma refeição por dia, transformando essa refeição em uma competição para ver quem conseguia comer mais pizza e sorvete. Mas a desvantagem mais significativa dessa abordagem é que a maioria das pessoas acaba com muita deficiência de proteína (vamos abordar as necessidades de

proteína mais adiante neste capítulo). Um cenário nada incomum que vemos com a RT é que uma pessoa perde peso na balança, mas sua composição corporal piora: ela perde massa magra (musculatura), enquanto a gordura corporal permanece a mesma ou até aumenta.

Vamos explorar essas três abordagens no resto do capítulo, começando pela mais importante: o quanto comemos.

RC: As calorias importam

Posso estar começando a soar como um disco arranhado, mas a esta altura já deve ser óbvio que muitos dos problemas que queremos resolver ou evitar decorrem do consumo excessivo de calorias em relação ao que somos capazes de utilizar ou armazenar com segurança. Se ingerimos mais energia do que precisamos, o excedente acaba no tecido adiposo, de um jeito ou de outro. Se esse desequilíbrio se prolonga, estouramos a capacidade do tecido adiposo subcutâneo "seguro", e o excesso de gordura se espalha para o fígado, as vísceras e os músculos, conforme discutimos no capítulo 6.

O volume de calorias que você consome tem um grande impacto em absolutamente tudo de que estamos falando neste livro. Se você ingere mil calorias extras por dia, seja qual for a fonte, vai ter problemas, mais cedo ou mais tarde. Nos capítulos anteriores, vimos que o excesso de calorias contribui para o desenvolvimento de muitas doenças crônicas, não apenas distúrbios metabólicos, mas também doenças cardíacas, câncer e Alzheimer. Também sabemos, graças a décadas de dados experimentais (capítulo 5), que o consumo reduzido de calorias tende a aumentar a expectativa de vida, pelo menos em animais de laboratório, como ratos e camundongos — embora seja discutível se isso representa de fato uma extensão da expectativa de vida ou a eliminação dos riscos conhecidos da superalimentação, o estado-padrão dos animais do grupo de controle na maioria desses experimentos (e, também, de muitos seres humanos modernos).

Nos seres humanos, ao contrário dos animais de laboratório, a restrição calórica costuma ter um nome diferente: contagem de calorias. Muitas pesquisas mostram que quem conta calorias e as limita pode perder peso, e de fato perde — o objetivo principal de tais estudos. É assim que funciona o Vigilantes do

Peso. Os maiores obstáculos são, em primeiro lugar, a fome e, em segundo, a necessidade de monitorar meticulosamente o que se come. Há aplicativos que ajudam você a fazer isso hoje, e são melhores do que eram dez anos atrás, mas ainda assim não é fácil. Para a pessoa certa, essa abordagem funciona incrivelmente bem — é a preferida dos fisiculturistas e atletas — mas, para muitos, a necessidade de monitoramento constante a torna inviável.

Uma pequena vantagem é que a contagem de calorias independe das escolhas alimentares; você pode comer o que quiser, desde que fique dentro da quantidade diária. Mas se você tomar decisões erradas, vai sentir muita fome; portanto, cuidado, a responsabilidade é sua. Você pode perder peso com uma dieta de restrição calórica que consiste apenas em barras de Snickers, mas vai se sentir muito melhor se optar por brócolis no vapor e peito de frango.

Há uma longa controvérsia sobre se a restrição calórica pode ou deve ser aplicada aos seres humanos como uma ferramenta para aumentar a longevidade. Pareceu funcionar para Alvise "Luigi" Cornaro, o cavalheiro italiano que adotou essa dieta no século XVI. Ele afirmava ter vivido até os cem anos, embora provavelmente estivesse na casa dos oitenta quando morreu. É, obviamente, difícil estudar esse suposto benefício da longevidade em seres humanos no longo prazo, por algumas das razões que acabei de apontar. Por isso, a hipótese foi testada em macacos, em dois estudos de longa duração. Os resultados foram tão surpreendentes que ainda estão sendo debatidos.

Em julho de 2009, foi publicado um estudo na revista *Science*[1] que dizia que macacos-rhesus alimentados com uma dieta de baixa caloria por mais de duas décadas tinham vivido significativamente mais do que aqueles autorizados a comer à vontade. "Macacos que fizeram dieta oferecem esperança para uma vida mais longa", dizia a manchete na primeira página do jornal *New York Times*.[2] As fotos que acompanhavam a matéria contavam a história: à esquerda estava um macaco chamado Canto, que parecia esguio e ativo aos 27 anos, uma idade relativamente avançada, enquanto à direita estava Owen, que parecia o tio flácido e cansado de Canto embora fosse apenas dois anos mais velho. Canto fez uma dieta de restrição calórica durante a maior parte de sua vida, enquanto Owen comia praticamente o quanto queria.

Owen e Canto eram dois dos 76 macacos analisados nesse estudo, iniciado duas décadas antes na Universidade de Wisconsin em Madison. Metade dos macacos (o grupo de controle) foi alimentada *ad libitum*, o que significa que podiam comer o quanto quisessem, enquanto a outra metade foi submetida a uma "dieta" que lhes provia cerca de 25% menos calorias do que o oferecido ao grupo de controle. Eles então foram envelhecendo aos olhares dos pesquisadores.

Estudos sobre envelhecimento tendem a ser tão empolgantes quanto esperar a tinta secar, mas as conclusões desse experimento em particular foram bombásticas. No final, os macacos sob restrição calórica viveram bem mais tempo e se mostraram muito menos propensos a morrer de doenças relacionadas à idade do que os macacos do grupo de controle que se alimentavam *ad libitum*. Eles eram mais saudáveis por diversos parâmetros, como a sensibilidade à insulina. Até mesmo o cérebro desses macacos estava em melhor estado do que o dos macacos do grupo de controle, retendo mais massa cinzenta à medida que envelheciam. "Esses dados demonstram que a restrição calórica retarda o envelhecimento em uma espécie de primata", concluíram os autores do estudo.

Caso encerrado, ou assim parecia.

Três anos depois, em agosto de 2012, outro estudo com macacos[3] apareceu na primeira página do *New York Times*, mas com uma manchete bem diferente: "Dieta restrita não prolonga a vida", declarou o jornal em tom sombrio, acrescentando: "Pelo menos em macacos."[4] Esse estudo, também iniciado na década de 1980, foi conduzido sob os auspícios do Instituto Nacional do Envelhecimento, um dos NIHs, na sigla em inglês, com uma proposta quase idêntica à da Universidade de Wisconsin: um grupo de macacos foi alimentado com cerca de 25% a 30% menos calorias do que o outro. No entanto, os pesquisadores do NIH constataram que os macacos com restrição calórica não viveram mais do que os do grupo de controle. Não houve diferença significativa, em termos estatísticos, no tempo de vida dos dois grupos. Do ponto de vista do autor da manchete, a restrição calórica não tinha "funcionado".

Os jornalistas adoram quando um estudo contradiz outro estudo amplamente divulgado. No restrito universo dos estudiosos do envelhecimento, os resultados do NIH provocaram consternação. Todos esperavam que esse estudo confirmasse os resultados observados na Universidade de Wisconsin. Mas a impressão era de que as duas equipes de pesquisa haviam gasto dezenas de milhões de dólares em verbas federais para demonstrar que a restrição calórica aumenta a expectativa de vida dos macacos em Wisconsin, mas não em Maryland, onde foi conduzido o estudo do NIH.

Mas, às vezes, a ciência é mais eloquente quando um experimento "dá errado" do que quando produz os resultados esperados, e foi assim com os macacos. Quando comparados, os dois estudos apresentavam diferenças aparentemente pequenas que se revelaram extremamente significativas — e também muito pertinentes para nossa estratégia. Tomados em conjunto, esses conflitantes estudos constituem um dos experimentos mais rigorosos já feitos sobre a complexa relação entre nutrição e saúde no longo prazo. E, como muitos dos melhores experimentos científicos, aconteceu, pelo menos em parte, por acaso.

A diferença mais profunda entre os dois estudos também foi a mais fundamental: os alimentos consumidos. Os animais de Wisconsin comeram uma ração de macaco comercial pronta para uso que foi "semipurificada", o que significa que os ingredientes foram muito processados e titulados quimicamente com rigor. Os macacos do NIH foram submetidos a uma dieta semelhante em termos do perfil básico de macronutrientes, mas sua comida era "natural" e menos processada, feita de maneira personalizada por nutricionista de primatas do NIH a partir de ingredientes integrais. O contraste mais flagrante: enquanto a ração do NIH continha cerca de 4% de açúcar, a dieta de Wisconsin continha surpreendentes 28,5% de sacarose, em relação ao peso. Essa proporção de açúcar é maior do que a que encontramos em um sorvete de baunilha da Häagen-Dazs.

Isso, por si só, poderia explicar a diferença nos resultados em termos de sobrevivência? É provável: mais de 40% dos macacos do grupo de controle de Wisconsin, aqueles não sujeitos a restrições calóricas, desenvolveram resistência à insulina e pré-diabetes, enquanto apenas um em cada sete macacos do grupo de controle do NIH se tornou diabético.* Além disso, os macacos do grupo de controle do estudo de Wisconsin mostraram-se muito mais propensos a morrer de problemas cardiovasculares e câncer do que os macacos de qualquer outro grupo. Isso poderia sugerir que a restrição calórica evitou as mortes precoces por causa da má dieta adotada em Wisconsin, e não por retardar o envelhecimento — o que ainda é uma informação útil, pois evitar o desenvolvimento de diabetes e distúrbios metabólicos relacionados é importante para nossa estratégia.

Os pesquisadores da Universidade de Wisconsin defenderam que a dieta que adotaram era mais semelhante à dos norte-americanos, o que é justo. A comparação não é precisa de forma nenhuma, mas, em termos humanos, os

---

* Os pesquisadores da Universidade de Wisconsin registraram a presença de marcadores de diabetes, como a resistência à insulina, enquanto os pesquisadores do NIH observaram apenas o diagnóstico de diabetes tipo 2.

macacos de Wisconsin estavam vivendo de fast-food, enquanto os do NIH se serviam no bufê de saladas. Os macacos do grupo de controle de Wisconsin ingeriram mais calorias do pior tipo de comida possível, e sua saúde se deteriorou. Faz sentido; se a dieta deles consiste principalmente em cheeseburgers e milkshakes, comê-los em menor quantidade trará benefícios.

A dieta do NIH era muito melhor em temos de qualidade. Em vez de ingredientes ultraprocessados, como óleo e amido de milho (que representam outros 30% da dieta de Wisconsin), a ração adotada continha trigo integral e milho moídos e, portanto, mais fitoquímicos e outros micronutrientes possivelmente benéficos, como os que encontramos em alimentos frescos. Embora não fosse exatamente natural, era pelo menos mais próxima do que os macacos-rhesus comeriam na natureza. Portanto, dar aos macacos do NIH quantidades maiores ou menores dessa ração pode ter tido menos impacto, porque a dieta em si não era tão prejudicial. Resultado: a qualidade da dieta pode ser tão importante quanto a quantidade.

Tomados em conjunto, então, o que esses dois estudos com macacos têm a nos dizer sobre bioquímica nutricional?

1. Evitar o desenvolvimento de diabetes e da disfunção metabólica relacionada — especialmente ao eliminar ou reduzir o consumo de fast-food — é muito importante para a longevidade.
2. Parece haver uma forte ligação entre ingestão de calorias e câncer, a principal causa de morte nos macacos do grupo de controle em ambos os estudos. Nos macacos em RC, a incidência de câncer foi 50% menor.
3. A qualidade dos alimentos que você consome pode ser tão importante quanto a quantidade. Se você é um adepto da SAD, deveria comer muito menos.
4. Por outro lado, se sua dieta for de alta qualidade e seu metabolismo for saudável, então apenas uma ligeira restrição calórica — ou, simplesmente, não comer em excesso — já pode ser benéfica.

Acredito que esse último ponto é a chave. Esses dois estudos sugerem que, se sua dieta for de alta qualidade — e seu metabolismo for saudável, para começo de conversa —, a restrição calórica severa pode nem mesmo ser necessária. Os macacos do grupo de controle do NIH comeram o quanto quiseram de uma dieta de melhor qualidade e mesmo assim viveram quase tanto quanto os macacos em restrição calórica de ambos os estudos. Curiosamente, as análises *post facto* também revelaram que os macacos do grupo de controle do NIH consumiram naturalmente cerca de 10% menos calorias por dia do que os do grupo de controle de Wisconsin, provavelmente porque sentiam menos fome com a dieta de alta qualidade. Os pesquisadores sugeriram que mesmo essa pequena redução calórica pode ter sido significativa. Sem dúvida, isso corrobora nossa teoria de que é melhor evitar a sobrenutrição.

Repare que os resultados desses estudos não sugerem que todo mundo precisa fazer uma redução drástica e severa na ingestão calórica. Limitar as calorias pode ser útil para pessoas sobrenutridas e/ou não saudáveis do ponto de vista metabólico. Entretanto, não estou convencido de que, qualquer que seja o aumento em termos de longevidade, a restrição calórica profunda de longo prazo valha a pena se pensarmos no preço que se paga — uma potencial redução da imunidade e uma maior suscetibilidade à caquexia (definhamento) e à sarcopenia (perda muscular), sem falar na fome constante, entre outros malefícios. Esses efeitos colaterais indesejados acelerariam alguns dos processos negativos que já acompanham o envelhecimento, o que sugere que, especialmente em pessoas mais velhas, a restrição calórica pode fazer mais mal do que bem.

Os macacos nos ensinam que, se seu metabolismo é saudável e você não está sobrenutrido, como os animais do NIH, evitar uma dieta ruim pode ser o suficiente. Alguns dos macacos submetidos à restrição calórica no NIH acabaram vivendo pelos períodos mais longos já registrados em macacos-rhesus. Parece bastante evidente então que, mesmo para os macacos, limitar a ingestão calórica e melhorar a qualidade da dieta "funciona" — como fazer isso é que é complicado. Conforme veremos na próxima seção, podemos adotar muitas outras estratégias para limitar o consumo de calorias e ajustar nossa alimentação ao nosso metabolismo e ao nosso estilo de vida.

RA: A "dieta" da bioquímica nutricional

A restrição alimentar (RA) é o território das "dietas" convencionais, onde estão concentradas 90% das atenções — e do investimento em pesquisa, da energia, da raiva e, óbvio, das divergências — dedicada à bioquímica nutricional. Mas a RA é bem simples quando nos detemos sobre ela: detecte um ou mais bichos-papões do seu universo nutricional, como o glúten (por exemplo), e o exclua. Quanto mais onipresente o bicho-papão, mais restritiva a "dieta" e maior a probabilidade de reduzir a ingestão calórica total. Mesmo se você decidisse não comer nada além de batatas, ainda assim perderia peso, porque um ser humano só consegue comer determinada quantidade de batatas em um dia. Já vi isso acontecer na prática, e funciona. A parte difícil é descobrir quais alimentos eliminar ou restringir.

Isso não era um problema para nossos ancestrais. Existem amplas evidências que sugerem que eles eram onívoros oportunistas, por uma questão de necessidade. Comiam tudo e qualquer coisa que estivesse à mão: muitos vegetais, muito amido, proteína animal sempre que conseguiam, mel e frutas vermelhas sempre que possível.[5] Também pareciam ser, pelo menos com base no estudo das poucas sociedades de caçadores-coletores remanescentes, bastante saudáveis em termos metabólicos.[6]

Será que devemos fazer o mesmo? Será que devemos ser onívoros oportunistas, comendo tudo e qualquer coisa que estiver ao alcance? Foi assim que a evolução nos moldou, mas, no nosso ambiente alimentar moderno, é fácil demais encontrar comida. Assim, hoje é comum ser sobrenutrido e ter a saúde metabólica comprometida. Temos um excesso de opções e maneiras deliciosas de ingerir calorias. Daí a necessidade de restrição alimentar. Precisamos separar o que podemos e o que não podemos (ou não devemos) comer.

A vantagem da RA é que ela é bastante individualizada: você pode impor vários graus de restrição, dependendo de suas necessidades. Por exemplo, pode eliminar todas as bebidas com açúcar adicionado, e isso seria um ótimo (e relativamente fácil) primeiro passo. Você pode ir além e também parar de consumir sucos de frutas doces. Pode parar de comer outros alimentos com adição de açúcar. Ou pode reduzir ou eliminar os carboidratos de maneira geral.

Uma das razões pelas quais a restrição de carboidratos é tão eficaz para tantas pessoas é que ela tende a reduzir o apetite, assim como as escolhas alimentares.[7] Algumas pessoas, no entanto, têm mais dificuldade em segui-la do que outras. (Eu mesmo tenho certeza de que jamais seria capaz de voltar a seguir uma dieta cetogênica por mais do que alguns dias.) Embora também limite as escolhas alimentares, a restrição de gordura pode ser menos eficaz na redução do apetite se você optar por consumir os alimentos errados entre aqueles com baixo teor de gordura (por exemplo, fast-food com alto teor de carboidratos). Se você consumir a maior parte dos carboidratos na forma de cereal matinal, por exemplo, vai continuar sentindo muita fome o tempo todo.

Um grande risco imposto pela RA é que você pode facilmente acabar sobrenutrido se não estiver atento. As pessoas tendem a presumir (erroneamente) que é impossível comer demais se estiver restringindo determinado tipo de alimento (por exemplo, carboidratos). Isso não é verdade. Mesmo se feita de modo correto e atento, ainda assim a RA pode resultar em sobrenutrição. Se você cortar os carboidratos, mas exagerar na carne Wagyu e no bacon, em pouquíssimo tempo vai ficar com excesso de calorias. O segredo é escolher uma estratégia factível, mas que também o ajude a atingir seus objetivos. Isso requer paciência, força de vontade e a disposição de experimentar.

Também queremos ter certeza de não comprometer nossos outros objetivos ao longo do caminho. Qualquer forma de RA que restrinja proteínas, por exemplo, provavelmente é uma má ideia para a maioria das pessoas, porque são grandes as chances de que a manutenção ou o ganho de massa muscular sejam prejudicados. Da mesma forma, substituir os carboidratos pelas gorduras saturadas pode ser um tiro pela culatra se elevar às alturas a concentração de apoB (e, portanto, o risco de ter doenças cardiovasculares).

Um dos problemas mais significativos da RA é que o metabolismo de cada indivíduo é diferente. Algumas pessoas vão perder uma quantidade enorme de peso e ver uma melhora em seus marcadores metabólicos com uma dieta cetogênica ou pobre em carboidratos, enquanto outras vão ganhar peso e ver seus marcadores lipídicos saírem de controle — ainda que a dieta seja exatamente a mesma. Por outro lado, algumas pessoas podem perder peso com uma dieta com baixo teor de gordura, enquanto outras vão ganhar. Já vi isso acontecer repetidas vezes na minha experiência, quando dietas semelhantes produzem resultados distintos, dependendo do indivíduo.

Por exemplo, quando meu paciente Eduardo veio se consultar alguns anos atrás, apresentando o que viríamos a descobrir que era um caso de diabetes tipo 2, cortar a ingestão de carboidratos era evidentemente o caminho a seguir. Afinal, essa condição é marcada pela deficiência no metabolismo de carboidratos. Por fora, Eduardo parecia um cara saudável, com corpo de jogador de futebol e um bom condicionamento físico. Ele obviamente não se encaixava no (falso) estereótipo do diabético preguiçoso e glutão. Mas os exames mostraram que ele quase não tinha capacidade de armazenar o excesso de açúcar que consumia. Sua hemoglobina glicada era de 9,7%, bem na zona de risco de diabetes. A princípio, pela genética latina, Eduardo corria um risco maior de ter DHGNA e diabetes.[8] Ele não tinha nem quarenta anos, mas, a menos que tomássemos providências drásticas, provavelmente teria uma morte dolorosa e precoce.

O primeiro passo óbvio era eliminar os carboidratos quase em sua totalidade. Nada de tortilhas, arroz nem feijão, todos ricos em amido — e nada de Gatorade, também. Como trabalhava ao ar livre, no calor, ele consumia cerca de três ou quatro litros de "bebidas esportivas" por dia. Essa dieta estava bem longe de ser "cetogênica", e Eduardo certamente não estava contando aos colegas de trabalho sobre ela. Ele simplesmente não podia mais tomar Gatorade. (Também receitei a metformina para o tratamento de diabetes, por ser um medicamento barato e eficaz.) Em cerca de cinco meses, todos os marcadores de Eduardo haviam se normalizado e o diabetes parecia ter sido revertido; a hemoglobina glicada passou a ser de 5,3%, uma taxa completamente normal, graças apenas a mudanças na alimentação e à metformina. E, ao longo da trajetória, ele perdeu mais de dez quilos. Não estou dizendo que essa dieta era o único caminho possível para atingir tal resultado, mas essa RA relativamente simples e sustentável criou um desequilíbrio de energia suficiente para que ele perdesse peso e todo o resto melhorasse a reboque.

Já fui um grande defensor das dietas cetogênicas, por achá-las particularmente úteis no controle ou prevenção de diabetes em pacientes como Eduardo. Também gosto do fato de elas terem uma definição mais precisa, ao contrário de "baixo teor de carboidratos" ou "baixo teor de gordura". Na dieta cetogênica, os carboidratos são restringidos a tal ponto que o corpo começa a metabolizar a gordura na forma de "corpos cetônicos", que os músculos e o cérebro podem utilizar como combustível. Essa dieta ajudou a reequilibrar o Peter-não-magro e provavelmente salvou a vida de Eduardo. Eu achava que ela era o remédio de que toda pessoa que estivesse com o metabolismo comprometido precisava.

Mas meus pacientes me trouxeram de volta à Terra, como é de costume. Como médico, muitas vezes recebo feedbacks muito diretos e pessoais. Se prescrevo um medicamento ou faço uma recomendação, logo vou descobrir se está funcionando ou não. Não são dados científicos, propriamente falando, mas podem ser tão poderosos quanto. Em mais de um paciente meu, a dieta cetogênica não funcionou. Nesses casos, não houve perda de peso e as enzimas hepáticas e outros biomarcadores não melhoraram. Ou consideraram impossível seguir a dieta. Já outros pacientes conseguiram mantê-la, mas seus níveis de lipídios (em especial, a apoB) dispararam, provavelmente por causa de toda a gordura saturada que ingeriam.

Na época, isso me deixou confuso. O que havia de errado com eles? Por que não conseguiam seguir a dieta da maneira correta? Precisei me lembrar do que Steve Rosenberg dizia quando o câncer de um paciente progredia, apesar do tratamento: "o paciente não falhou no tratamento; o tratamento falhou com o paciente."

Esses pacientes precisavam de outro tratamento.

A verdadeira arte da restrição alimentar, ao estilo da Nutrição 3.0, não é escolher quais alimentos nocivos eliminar, mas encontrar a melhor combinação de macronutrientes para determinado paciente, criando um padrão alimentar que o ajude a atingir seus objetivos e que seja possível manter. Por ser uma questão delicada de equilíbrio, é necessário (mais uma vez) que deixemos rótulos e opiniões de lado e nos aprofundemos na bioquímica nutricional. Para fazer isso, devemos manipular os quatro macronutrientes: álcool, carboidratos, proteínas e gorduras. Você tolera bem os carboidratos? De quanta proteína você precisa? Que tipos de gordura são mais adequados para você? De quantas calorias você precisa por dia? Qual é a combinação ideal para você?

Vamos agora examinar cada um desses quatro macronutrientes com mais detalhes.

Álcool

É fácil esquecer, mas o álcool deveria ser encarado como uma categoria à parte de macronutriente por ser amplamente consumido, ter efeitos muito potentes no metabolismo e alta densidade calórica, com 7 kcal/g (mais próximo das 9 kcal/g da gordura do que das 4 kcal/g da proteína e do carboidrato).

O álcool não serve a nenhum propósito nutricional ou de saúde, mas é um prazer que precisa ser administrado. A bebida é especialmente nociva para pessoas sobrenutridas, por três razões: é uma fonte de calorias "vazia", sem nenhum valor nutricional; a oxidação do etanol retarda a oxidação da gordura, justamente o oposto do que queremos se o objetivo é perder massa gorda; e o consumo de álcool muitas vezes leva a uma alimentação desleixada.

Embora eu não negue que de vez em quando aprecio um copo da minha cerveja belga favorita, uma taça de vinho tinto espanhol ou um *shot* de tequila mexicana (nunca na mesma ocasião, óbvio), também acredito que beber é prejudicial à longevidade. O etanol é um potente carcinógeno, e seu consumo crônico tem forte associação com a doença de Alzheimer,[9] principalmente por meio de seu efeito negativo sobre o sono,[10] além de outros mecanismos. Assim como a frutose, o álcool é preferencialmente metabolizado pelo fígado, com consequências de longo prazo bem conhecidas para quem bebe em excesso. Por fim, reduz a inibição ao consumir outros alimentos; bastam algumas doses para eu logo enfiar a mão em uma embalagem de Pringles e sair procurando outro petisco na despensa.

Inúmeros estudos amplamente divulgados[11] sugerem que o consumo de níveis moderados de álcool pode ser benéfico, por exemplo, na melhora da função endotelial e na redução dos fatores de coagulação, e ambos reduziriam o risco de ter doença cardiovascular. Mas beber em excesso tende a reverter esses efeitos. E, conforme demonstrado pelo estudo de randomização mendeliana publicado no *Journal of the American Medical Association*[12] e mencionado no capítulo anterior, a definição do que seria "beber moderadamente" se torna tão imprecisa por causa do viés do usuário saudável que é impossível confiar de olhos fechados nos estudos que visam demonstrar os benefícios do álcool à saúde.

No entanto, para muitos de meus pacientes, o estilo de vida que inclui o consumo moderado de bebida alcoólica (por exemplo, uma bela taça de vinho com um jantar não SAD) ajuda a aliviar o estresse. Minha conclusão pessoal: se você bebe, procure estar sempre atento. Assim, você se diverte mais e sofre menos com as consequências. Não continue a beber só porque os comissários de bordo estão oferecendo mais uma rodada. Recomendo enfaticamente que meus pacientes limitem o álcool a menos de sete porções por semana e, de preferência, não mais do que duas por dia, e eu mesmo sigo essa regra.

Carboidratos

O equilíbrio da nossa dieta sem álcool consiste em carboidratos, proteínas e gorduras, e trata-se basicamente de encontrar a combinação certa para você. Na época das dietas com rótulo fixo, reuníamos os macronutrientes e separávamos os diferentes tipos de alimentos, usando regras e limites arbitrários: pode-se comer isso, mas não aquilo. Só tentávamos adivinhar a combinação certa e, então, esperávamos para ver se "dava certo", o que normalmente era medido em termos de perda de peso em um período de semanas ou meses.

Hoje temos formas mais sofisticadas de encarar os macronutrientes, a começar pelo mais abundante deles: os carboidratos.

Eles provavelmente geram mais confusão do que qualquer outro macronutriente. Não são "bons" nem "ruins", embora alguns tipos sejam melhores que outros. No geral, é mais uma questão de adequar a dose à tolerância e à demanda, o que é muito menos complexo do que costumava ser. Graças aos avanços da tecnologia, não precisamos mais adivinhar nada; agora podemos contar com os dados.

Os carboidratos são nossa principal fonte de energia. Na digestão, a maioria dos carboidratos é quebrada em glicose, que, por sua vez, é consumida pelas células para criar energia na forma de ATP. O excesso de glicose, o que vai além do que precisamos de imediato, pode ser armazenado no fígado ou nos músculos na forma de glicogênio (para uso no curto prazo), ou no tecido adiposo (ou outros locais) na forma de gordura. Essa decisão é tomada com a ajuda da insulina, hormônio secretado em resposta ao aumento da glicose no sangue.

Já sabemos que não é bom consumir calorias em excesso. Como carboidratos, essas calorias extras podem provocar uma infinidade de problemas, desde DHGNA até resistência à insulina e diabetes tipo 2, como vimos no capítulo 6. Sabemos que manter a glicemia elevada durante muito tempo aumenta o risco relacionado a todos os quatro cavaleiros. Mas também existem evidências que sugerem que os picos repetidos de glicose no sangue e o aumento no grau de insulina que os acompanha podem ter consequências negativas por si sós.[13]

Cada pessoa reage de maneira diferente a um influxo de glicose. O excesso de glicose (ou de carboidratos) para uma pessoa pode ser uma quantidade quase insuficiente para outra. Um atleta que treina para ou compete em eventos de resistência de alta categoria pode muito bem ingerir — e queimar — de seiscentos a oitocentos gramas de carboidratos por dia. Se eu consumisse essa mesma quantidade, dia após dia, provavelmente me tornaria diabético dentro de um ano. Logo, o que significa excesso? E qualidade? Obviamente, uma fatia de torta afeta de modos distintos um atleta de resistência e uma pessoa sedentária, assim como a torta terá um efeito diferente se comparada a uma batata assada ou uma porção de batata frita.

Hoje em dia, temos uma ferramenta que nos ajuda a entender nossa tolerância aos carboidratos e como reagimos a alimentos específicos. Chama-se monitoramento contínuo da glicose (CGM, na sigla em inglês) e se tornou um recurso muito importante do meu arsenal nos últimos anos.*

O dispositivo consiste em um sensor de filamento microscópico implantado na parte superior do braço, conectado a um transmissor do tamanho da ponta do dedo que envia os dados** em tempo real para o celular do paciente. Como o próprio nome sugere, o CGM fornece informações contínuas e em tempo real sobre os níveis de glicose no sangue, o que é extraordinário: o paciente pode ver, na mesma hora, como o nível de açúcar no sangue se altera de acordo com o que ele come, seja um donut, um bife ou uvas-passas. Mais importante, também é possível acompanhar os níveis de glicose ao longo do tempo, pois o aparelho apresenta médias e variações históricas, além de registrar toda vez que a glicose no sangue dispara ou despenca.

O CGM representa um grande avanço em relação ao padrão da Medicina 2.0 de fazer um exame de glicose em jejum por ano, o que, na minha opinião, não diz quase nada que preste. Pense na analogia dos meus carros autônomos da Parte I: a glicemia em jejum anual indica alguma coisa, mas não é muito diferente de amarrar um tijolo no pedal do acelerador. O CGM é um pouco como os sensores que hoje encontramos nos carros com Sistemas Avançados de Assistência ao Motorista.

O poder do CGM é que ele nos permite visualizar a resposta de uma pessoa ao consumo de carboidratos em tempo real e fazer ajustes rápidos para achatar a curva e reduzir a média. A glicemia em tempo real serve como um indicador razoável da resposta à insulina, que também procuramos minimizar. E, por fim, acho que é muito mais preciso e dá muito mais margem à intervenção do que o exame de hemoglobina glicada, tradicionalmente usado para estimar a glicemia média em um dado intervalo de tempo.

No momento, o CGM está disponível apenas mediante receita médica e é mais usado por pacientes diagnosticados com diabetes tipo 1 ou tipo 2, que precisam monitorar os níveis de glicose a todo instante. Para essas pessoas, o CGM é uma ferramenta essencial que pode protegê-las de oscilações fatais na glicemia. Mas acho que quase todo adulto poderia se beneficiar desse dispositivo, pelo menos por algumas semanas, e ele provavelmente vai estar disponível

---

* Esclarecimento: eu uso o CGM periodicamente desde 2015 e, em 2021, fui consultor pago de uma empresa chamada Dexcom, que fabrica e vende dispositivos de CGM, embora meu trabalho com eles se concentre na medição de outros analitos não relacionados à glicose.

** O filamento não toca propriamente a corrente sanguínea do paciente, mas mede os níveis de glicose no líquido intersticial e a partir daí infere os níveis de glicose no sangue.

sem necessidade de receita médica em um futuro não muito distante.* Atualmente, para um não diabético, é fácil comprar um CGM pela internet, por meio de alguma *start-up* de saúde metabólica.

No entanto, alguns especialistas e pesquisadores criticam o uso crescente do CGM em pessoas não diabéticas. Eles argumentam, como de costume, que o "custo" é excessivo. O CGM custa cerca de 120 dólares por mês, o que não é pouco. Mas eu diria que ainda é muito mais barato do que permitir que alguém passe a ter disfunção metabólica e, por fim, diabetes tipo 2. O tratamento com insulina, por si só, pode custar centenas de dólares por mês. Além disso, à medida que o CGM se tornar mais comum e disponível sem receita médica, o custo com certeza irá cair. Normalmente, meus pacientes saudáveis precisam usar o CGM por apenas um mês ou dois até começarem a entender quais alimentos aumentam seu nível de glicose (e de insulina) e como ajustar o padrão alimentar para chegar a uma curva de glicose mais estável. Compreendendo o que precisam fazer, muitos não precisam mais do CGM. É um investimento que vale a pena.

O segundo argumento contra o uso do CGM em pacientes saudáveis também é bastante recorrente: não existem ensaios clínicos randomizados que comprovem os benefícios dessa tecnologia. Estritamente falando, é verdade, mas também é um argumento fraco. Por um lado, o uso do CGM está crescendo tão rápido e a tecnologia está avançando tanto que, quando você estiver lendo este livro, pode até ser que já tenham sido publicados estudos do tipo (supondo que seja possível projetar um estudo que teste as métricas mais importantes por um período bastante extenso).

Tenho confiança de que, se feitos corretamente, tais estudos vão demonstrar benefícios, porque já existem amplos dados que mostram como é importante manter a glicemia baixa e estável. Segundo um estudo de 2011 que analisou vinte mil pessoas, a maioria delas sem diabetes tipo 2, o risco de mortalidade aumenta em função monótona de acordo com os níveis médios de glicose no sangue (medidos pela hemoglobina glicada).[14] Quanto maior a glicemia, maior o risco de morte, mesmo na faixa não diabética. Em outro estudo, de 2019, que analisou a variação nos níveis de glicose no sangue dos indivíduos, constatou-

* Nesse meio-tempo, você pode obter algo próximo do CGM com um simples monitor de glicose de farmácia, fazendo uma leitura a cada hora para elaborar um gráfico a partir dos resultados (observando também as refeições e os lanches). Também é interessante fazer medições de glicose antes e depois de uma refeição, em intervalos de trinta minutos até duas horas pós-prandial, e observar como diferentes alimentos e combinações de alimentos afetam sua "curva" de glicose.

-se que as pessoas que se enquadram no quartil mais alto de variabilidade da glicose tinham um risco 2,67 vezes maior de mortalidade do que aquelas que estão no quartil mais baixo (mais estável).[15] A partir desses estudos, fica bastante evidente que devemos diminuir a média de glicose no sangue e reduzir o grau de variabilidade a cada dia e a cada hora. O CGM é uma ferramenta que pode nos ajudar nisso. Nós o usamos em pessoas saudáveis para que se mantenham saudáveis. Isso não deveria ser motivo de controvérsia.

Quando coloquei meus pacientes para usar o CGM, observei que o processo tem duas fases. A primeira é a fase de percepção, na qual você aprende que diferentes padrões de alimentação, exercício, sono (especialmente a falta dele) e estresse afetam a leitura de glicose em tempo real. Não existem palavras para descrever os benefícios de ter essa informação. Quase sempre, os pacientes ficam surpresos ao descobrir que alguns de seus alimentos preferidos fazem a glicose disparar e depois voltar a despencar. Isso nos leva à segunda fase, a que chamo de fase do comportamento. Aqui você já praticamente sabe como sua glicose vai reagir a um pacote de salgadinhos, e esse conhecimento é o que o impede de comê-los de modo displicente. Descobri que o dispositivo ativa o efeito Hawthorne, um fenômeno há muito constatado, segundo o qual as pessoas modificam seu comportamento quando sabem que estão sendo observadas. (Esse efeito também é o que dificulta o estudo dos verdadeiros hábitos alimentares das pessoas, pelo mesmo motivo.)

Normalmente, o primeiro mês de uso do CGM é repleto de insights. A seguir, vem a mudança de comportamentos. Mas ambas as fases são bastante poderosas, e mesmo depois que meus pacientes param de usar a ferramenta, acredito que o efeito Hawthorne persiste, porque eles sabem o que aquele pacote de salgadinhos fará com seu nível de glicose. (Aqueles que precisam de mais "condicionamento" para interromper o hábito de comer fora de hora costumam usar o CGM por mais tempo.) O dispositivo provou ser especialmente útil em pacientes com *APOE e4*, nos quais é comum vermos grandes picos de glicose, mesmo em idade relativamente jovem. Nesses pacientes, as mudanças de comportamento que o aparelho estimula são parte importante da estratégia de prevenção da doença de Alzheimer.

A verdadeira beleza do CGM é que ele me permite titular a dieta de um paciente sem deixar de ser flexível. Não precisamos mais estabelecer uma meta arbitrária de ingestão de carboidratos ou gorduras e torcer pelo melhor, mas podemos observar em tempo real como o corpo lida com aquilo que ele ingere.

A glicemia média está um pouco alta? O paciente está ultrapassando 160 mg/dL com mais frequência do que o desejado? Ou será que ele pode tolerar um pouco mais de carboidratos na dieta? Nem todo mundo precisa restringi-los; algumas pessoas são mais tolerantes que outras, e algumas têm dificuldade em manter uma restrição severa de carboidratos. No geral, gosto de manter a glicose média igual ou inferior a 100 mg/dL, com um desvio-padrão inferior a 15 mg/dL.* São metas ousadas: 100 mg/dL corresponde a uma hemoglobina glicada de 5,1%, o que é bem baixo. Mas acredito que a recompensa, em termos de menor risco de mortalidade e doenças, vale a pena, dadas as amplas evidências disponíveis sobre diabéticos e não diabéticos.

Tudo isso exige experimentação e iteração; a restrição alimentar deve ter capacidade de adaptação, de acordo com o estilo de vida, a idade e a rotina de exercícios físicos do paciente, entre outros fatores. É sempre interessante ver quais alimentos provocam leituras elevadas no CGM de alguns pacientes, mas não em outros. A SAD joga as medições do CGM da maioria das pessoas nas alturas, dado que o açúcar e os carboidratos processados são despejados na corrente sanguínea de uma só vez, provocando uma forte resposta de insulina, justamente o que não queremos. Mas refeições que parecem "saudáveis", como certos tacos vegetarianos, também podem elevar a glicose em algumas pessoas, mas não em outras. O horário em que os carboidratos são ingeridos também influencia. Comer 150 gramas de carboidratos de uma só vez em uma porção de arroz e feijão é diferente de comer a mesma quantidade de arroz e feijão ao longo de um dia inteiro (e, obviamente, também é diferente de ingerir 150 gramas de carboidratos na forma de cereal matinal). Além disso, todo mundo tende a ser mais sensível à insulina pela manhã do que à noite, por isso faz sentido concentrar o consumo de carboidratos no início do dia.

Uma coisa que o CGM logo nos ensina é que a tolerância aos carboidratos é muito influenciada por outros fatores, especialmente os níveis de atividade e a qualidade do sono. Um ultra-atleta, que treina para provas longas de bicicleta, natação ou corrida, pode consumir muito mais gramas de carboidratos por dia porque gasta esses carboidratos a cada treino — e sua capacidade de

* O desvio-padrão, um cálculo estatístico que indica a variação que existe em um grupo (ou em um indivíduo), nos dá uma ideia de quanto os níveis de glicose do paciente estão flutuando em torno dessa média e serve também como uma medida indireta do volume de insulina secretada para eliminar a glicose. Um desvio-padrão mais alto significa que há flutuações maiores e, provavelmente, muito mais insulina está sendo necessária para controlar a glicose. Isso, para mim, é um sinal de alerta precoce de hiperinsulinemia.

dispor da glicose também aumenta muito graças à maior eficiência dos músculos e mitocôndrias.* Além disso, perturbações ou reduções no sono prejudicam drasticamente a homeostase da glicose ao longo do tempo. Depois de anos de experiência com o CGM, seja em mim, seja nos meus pacientes, ainda me surpreende o quanto uma única noite de sono péssima compromete a capacidade de gerenciar a glicose no dia seguinte.

Outra coisa surpreendente que aprendi graças ao CGM tem a ver com o que acontece com o nível de glicose durante a noite. Se o paciente vai dormir, digamos, com 80 mg/dL, mas a glicose sobe para 110 durante a maior parte da noite, isso me diz que ele provavelmente está estressado. O estresse leva a uma elevação do nível de cortisol, que, por sua vez, estimula o fígado a colocar mais glicose na circulação. Isso me diz que precisamos nos atentar ao nível de estresse e, provavelmente, também à qualidade do sono.

Não precisa ser um exercício de privação: um paciente meu confessou, todo animado, que, embora tivesse relutado em usá-lo, o CGM havia lhe dado o "superpoder" de trapacear. Ao comer certos tipos "proibidos" de carboidratos apenas em determinados horários, fosse com outros alimentos ou após a prática de exercício, ele descobriu como atingir as metas médias de glicose sem deixar de desfrutar suas comidas preferidas. Enquanto "brincava" com o CGM, ele descobriu sem querer outra regra da nutrição, a de que o tempo importa: se você devorar uma batata assada enorme antes de se exercitar, ela vai deixar uma pegada muito menor em seu perfil diário de glicose do que se comê-la pouco antes de dormir.

É importante ressaltar as limitações do CGM — a principal delas é que ele mede uma variável. Essa variável é muito importante, mas não é a única. Portanto, considerados isoladamente, os dados do CGM não vão ajudar você a encontrar a dieta ideal. Comer bacon no café da manhã, no almoço e no jantar pode não ter nenhum impacto negativo no CGM, embora obviamente não seja parte de uma alimentação ideal. Da mesma forma, de acordo com uma balança de banheiro, em tese fumar é bom, porque faz você perder peso. É por isso que também monitoro de perto os outros biomarcadores dos meus pacientes, para me assegurar de que suas escolhas baseadas no CGM não estão aumentando o risco de desenvolver doenças cardiovasculares, por exemplo. Também monitoramos outras variáveis relevantes para a dieta, começando

* Como vimos no capítulo anterior, esse gerenciamento da glicose ocorre com ou sem a insulina.

com o peso (óbvio), mas incluindo também a composição corporal, a proporção entre massa magra e massa gorda, e como elas se alteram. Também podemos observar biomarcadores como lipídios, ácido úrico, insulina e enzimas hepáticas. Tudo isso, em conjunto, nos proporciona uma avaliação melhor do nosso progresso do que olhar para apenas uma métrica isoladamente.

Lições do monitoramento contínuo da glicose

Nos anos em que usei o CGM, tive alguns insights que talvez pareçam óbvios, mas o poder da confirmação não pode ser ignorado. São eles:

1. Nem todos os carboidratos são metabolizados do mesmo modo. Quanto mais refinado o carboidrato (por exemplo, pães industrializados, batata frita), mais rápido e mais alto será o pico de glicose. Carboidratos menos processados e com mais fibras, por outro lado, abrandam o impacto da glicose. Procuro comer mais de cinquenta gramas de fibra por dia.
2. Arroz e aveia são surpreendentemente glicêmicos (o que significa que provocam um aumento acentuado nos níveis de glicose), apesar de não serem refinados; mais surpreendente é o fato de que o arroz integral é apenas um pouco menos glicêmico do que o arroz branco de grão longo.
3. A frutose não é medida pelo CGM, mas, como é quase sempre consumida em combinação com a glicose, os alimentos ricos em frutose apresentam grande probabilidade de causar picos de glicose no sangue.
4. O tempo, a duração e a intensidade dos exercícios são muito importantes. Em geral, o aeróbico parece mais eficaz na remoção de glicose da circulação sanguínea, enquanto os exercícios de alta intensidade e os treinos de força tendem a *aumentar* a glicose por um tempo, porque o fígado coloca mais glicose em circulação para abastecer os músculos. Não se assuste com picos de glicose durante a prática de exercícios.
5. Uma noite de sono boa ou ruim faz uma enorme diferença em termos de controle da glicose. Em condições estáveis, dormir apenas de cinco a seis horas (em vez de oito) representa um salto de cerca de 10 a 20 mg/dL (muita coisa!) nos picos de glicose, e de cerca de 5 a 10 mg/dL no nível geral.
6. O estresse, supostamente, por meio do cortisol e de outros hormônios do estresse, tem um impacto surpreendente na glicemia, mesmo em jejum ou durante a restrição de carboidratos. É difícil mensurar, mas o efeito é mais visível durante o sono ou muito depois das refeições.
7. Vegetais sem amido, como espinafre ou brócolis, praticamente não causam impacto nos níveis de açúcar no sangue. Abuse deles.

8. Alimentos ricos em proteína e gordura (por exemplo, ovos, cortes dianteiros dos bovinos) praticamente não afetam os níveis de açúcar no sangue (supondo que não haja algum molho adocicado na carne),[16] mas grandes quantidades de proteína magra (por exemplo, peito de frango) elevam ligeiramente a glicose. Os shakes de proteína, principalmente os de baixo teor de gordura, têm um efeito mais marcante (ainda mais se contiverem açúcar, óbvio).
9. O acúmulo de todos esses fatores — positiva ou negativamente — é algo muito potente. Portanto, se você está estressado, dormindo mal e sem tempo para se exercitar, tenha o máximo de cuidado possível com o que come.
10. Qual seria o insight mais importante de todos? O simples monitoramento da glicose teve um impacto positivo no meu comportamento alimentar. Passei a valorizar o fato de que o CGM cria seu próprio efeito Hawthorne, fenômeno segundo o qual os participantes de um estudo mudam de comportamento porque sabem que estão sendo observados. Isso me faz pensar duas vezes quando vejo na despensa um pacote de uvas-passas com cobertura de chocolate ou qualquer alimento que possa aumentar meu nível de glicose no sangue.

Proteína

Por que a proteína é tão importante? Uma pista está no próprio nome, derivado do grego *proteios*, que significa "primário". Proteínas e aminoácidos são os tijolos essenciais para a construção da vida. Sem eles, não temos como desenvolver nem manter a massa muscular magra de que precisamos. Como vimos no capítulo 11, isso é imprescindível para nossa estratégia, porque, conforme envelhecemos, vai ficando mais fácil perder a musculatura e mais difícil recuperá-la.

Lembra o estudo de que falamos no capítulo 11, que analisou o efeito dos treinos de força em 62 idosos com síndrome da fragilidade? Os participantes que treinaram apenas a força por seis meses não ganharam massa muscular. O que eu não mencionei foi que outro grupo de participantes recebeu suplementação de proteína (por meio de um shake); esses indivíduos ganharam uma média de cerca de 1,5 quilo de massa magra. A suplementação provavelmente fez a diferença.*

* Vários outros estudos chegaram a resultados semelhantes, embora ainda não esteja evidente se a suplementação de proteína ajuda a aumentar a força muscular, além da massa muscular.

Ao contrário dos carboidratos e das gorduras, a proteína não é uma fonte primária de energia. Não dependemos dela para a produção de ATP* e tampouco a armazenamos como a gordura (nas células adiposas) ou a glicose (na forma de glicogênio). Se o consumo de proteína for maior do que a capacidade de sintetizá-la em massa magra, o excesso vai ser excretado na urina, na forma de ureia. As proteínas têm tudo a ver com estrutura. Os vinte aminoácidos que as compõem são os blocos de construção dos músculos, das enzimas e de muitos dos hormônios mais importantes do corpo. Eles estão presentes por toda parte, desde o crescimento e a manutenção do cabelo, da pele e das unhas até a formação de anticorpos no sistema imunológico. Para completar, precisamos obter nove dos vinte aminoácidos de que necessitamos por meio da alimentação, porque não somos capazes de sintetizá-los.

A primeira coisa que você precisa saber sobre as proteínas é que as recomendações-padrão de consumo diário são uma piada. Atualmente, a ingestão diária recomendada (IDR) nos Estados Unidos é de 0,8 g/kg de peso corporal. Isso pode refletir a quantidade de que precisamos para nos manter vivos, mas está muito longe do que precisamos para nos desenvolver. Inúmeras evidências mostram que precisamos de mais do que isso — e que o consumo insuficiente tem péssimas consequências. De acordo com mais de um estudo,[17] idosos que consomem essa IDR de proteína (0,8 g/kg/dia)[18] acabaram perdendo massa muscular, mesmo no curto intervalo de apenas duas semanas. Essa recomendação simplesmente não basta.

Um comentário pertinente: alguns de vocês podem ter a impressão de que as dietas com baixo teor de proteínas são boas em termos de longevidade. É verdade que, segundo uma série de estudos com camundongos, a restrição no consumo de proteínas pode aumentar a expectativa de vida desses animais. No entanto, não estou convencido de que esses resultados sejam aplicáveis aos seres humanos. Nós e os roedores respondemos de maneira muito diferente aos baixos teores de proteína, e inúmeros estudos sugerem que um baixo teor de proteína em idosos leva a menos massa muscular, resultando em maior mortalidade e pior qualidade de vida. Esses dados relacionados a estudos com seres humanos me convencem mais do que os com camundongos, que simplesmente não são idênticos a nós.

---

* Mas isso é possível. O fígado é capaz de transformar aminoácidos em glicose através de um processo conhecido como gliconeogênese. Não se trata de uma fonte primária de glicose, nem do uso preferencial dado às proteínas.

Qual é a quantidade de proteína necessária, afinal? Varia de pessoa para pessoa. Em meus pacientes, normalmente estabeleço um mínimo de 1,6 g/kg/dia, o dobro da IDR. A quantidade ideal pode variar, mas os dados sugerem que, para pessoas ativas com função renal normal, 2,2 g/kg/dia é um bom ponto de partida[19] — quase o triplo da recomendação mínima.

Portanto, uma pessoa que pesa 80 quilos precisa consumir no mínimo 128 gramas de proteína por dia — idealmente, cerca de 180 gramas, ainda mais se ela estiver tentando ganhar massa muscular. Isso é bastante proteína, e o desafio extra é não consumi-la de uma vez só, mas ao longo do dia, para evitar a perda de aminoácidos por oxidação (ou seja, usá-los na produção de energia em vez de estarem disponíveis para a síntese de proteína muscular). A literatura sugere que a forma ideal de atingir essa meta[20] é consumindo quatro porções de proteína por dia, cada uma com aproximadamente 0,25 g/kg de peso corporal. Uma porção de 170 gramas de frango, peixe ou carne fornece de quarenta a 45 gramas (cerca de um grama de proteína por quatro gramas de carne), então uma pessoa de 80 quilos precisa consumir quatro dessas porções por dia.

A maioria das pessoas não precisa se preocupar com a possível ingestão excessiva da proteína. Seria um esforço enorme consumir mais de 3,7 g/kg/dia, definido como o limite máximo seguro (devido à sobrecarga nos rins, por exemplo). Para alguém do meu tamanho, esse limite seria de quase 300 gramas de proteína pura por dia, ou o equivalente a sete ou oito peitos de frango.

A quantidade de proteína necessária depende do sexo, peso corporal e massa corporal magra, nível de atividade e outros fatores, incluindo idade. Existem algumas evidências de que pessoas mais velhas podem precisar de mais proteína[21] devido à resistência anabólica, ou seja, a maior dificuldade de ganho massa muscular, que se desenvolve com a idade. Infelizmente, não existe CGM para medir as proteínas, portanto é um processo de tentativa e erro. Procuro consumir o suficiente para manter a massa muscular enquanto me exercito. Se descubro que estou perdendo massa muscular, procuro comer mais. Pessoas mais velhas, em particular, devem acompanhar sua massa magra, como por meio da avaliação da composição corporal (ou, melhor ainda, densitometria óssea) e aumentar a ingestão de proteína caso a massa magra diminua. Para mim e meus pacientes, isso representa quatro porções, conforme descrito, sendo pelo menos uma delas um shake de whey protein. (Para mim, é muito difícil consumir quatro refeições completas. Normalmente, consumo um shake, um lanche e duas refeições, todos ricos em proteína.)

Agora, uma palavrinha sobre proteína vegetal. Você precisa comer carne, peixe e laticínios para obter proteína suficiente? Não. Mas, caso opte por obter toda a sua proteína de fontes vegetais, precisa entender duas coisas. Primeiro, a proteína encontrada nos vegetais existe para o benefício do próprio vegetal, o que significa que está em grande parte ligada a fibras indigeríveis e, portanto, menos biodisponível para quem a ingere. Como grande parte da proteína vegetal está ligada às raízes, folhas e outras estruturas, apenas cerca de 60% a 70% do que você consome contribui para suprir suas necessidades, de acordo com Don Layman, professor emérito de ciência alimentar e nutrição humana da Universidade de Illinois, *campus* de Urbana-Champaign, e especialista em proteínas.

Em parte, isso pode ser superado pelo cozimento dos vegetais, mas ainda nos deixa com o segundo problema: a distribuição de aminoácidos não é a mesma que ocorre na proteína animal. Em particular, a proteína vegetal tem menos metionina, lisina e triptofano, que são aminoácidos essenciais, o que pode levar à redução da síntese de proteínas. Juntos, esses dois fatores indicam que a qualidade geral da proteína derivada dos vegetais é significativamente menor do que a dos produtos de origem animal.

O mesmo se aplica aos suplementos de proteína. O whey protein isolado (extraído do leite) é mais rico em aminoácidos disponíveis do que a proteína isolada de soja. Portanto, se você abrir mão da proteína de origem animal, vai precisar compensar em seu índice de qualidade de proteína. Inclusive, isso logo pode se tornar complicado, porque você acaba ficando preso entre o Índice de Aminoácidos Indispensáveis Digestíveis (DIAAS, na sigla em inglês) e o Índice de Aminoácidos Corrigidos pela Digestibilidade Proteica (PDCAAS, na sigla em inglês). Eles são ótimos se você tiver tempo para vasculhar bancos de dados o dia todo, mas, para quem trabalha o dia inteiro, Layman sugere focar em alguns aminoácidos importantes, como leucina, licina e metionina. Concentre-se na quantidade absoluta desses aminoácidos encontrados em cada refeição e certifique-se de ingerir cerca de três a quatro gramas de leucina e licina por dia, além de pelo menos um grama de metionina por dia para manutenção da massa magra. Se você está tentando aumentar a massa magra, vai precisar de ainda mais leucina, cerca de dois a três gramas por porção, quatro vezes ao dia.

Vários estudos sugerem que, em geral, quanto mais proteína consumimos, melhor. Segundo um grande estudo prospectivo chamado Estudo do Envelhecimento Saudável e Composição Corporal,[22] feito com mais de dois mil idosos, aqueles que consumiam mais proteína (cerca de 18% da ingestão calórica) mantiveram mais massa corporal magra ao longo de três anos do que aqueles que estavam no quintil mais baixo de consumo de proteína (10% das calorias). A diferença era significativa: o grupo com a dieta de baixo teor de proteína perdeu 40% mais músculos do que o grupo que seguiu uma dieta de alto teor de proteína.

Pode-se argumentar que a proteína é um macronutriente que melhora o desempenho. De acordo com outros estudos, o aumento na ingestão de proteínas, mesmo moderadamente acima da IDR, pode retardar a perda progressiva de massa muscular em pessoas mais velhas,[23] incluindo pacientes com insuficiência cardíaca e caquexia. A adição de trinta gramas de proteína láctea à dieta de idosos frágeis, conforme outro estudo, melhorou significativamente o desempenho físico deles.[24]

Além de seu papel na constituição muscular, a proteína pode ter efeitos benéficos no metabolismo. Constatou-se que dar aos idosos suplementos contendo aminoácidos essenciais (ou seja, simulando alguns efeitos do aumento de proteína na dieta) reduziu seus níveis de gordura hepática e triglicerídeos circulantes.[25] Segundo outro estudo, realizado em homens com diabetes tipo 2,[26] dobrar a ingestão de proteínas, de 15% para 30% do total de calorias, e ao mesmo tempo cortar os carboidratos pela metade, melhorava a sensibilidade à insulina e o controle da glicose. O consumo de proteína também ajuda na sensação de saciedade, inibindo a liberação do hormônio grelina, que induz a fome, de modo que ingerimos menos calorias de modo geral.

Caso meu posicionamento não esteja bastante evidente, permita-me repetir: não ignore a proteína. É o único macronutriente essencial aos nossos objetivos. Não existe uma exigência mínima de carboidratos nem de gorduras (em termos práticos), mas, se você não levar as proteínas a sério, sem dúvida irá pagar um preço, principalmente à medida que envelhecer.

Gordura

O equilíbrio da nossa alimentação se dá pela gordura — ou melhor, gorduras, no plural. A gordura é essencial, mas o excesso pode ser problemático tanto em termos de ingestão total de energia quanto em termos metabólicos. Isso deveria ser relativamente simples, mas o debate sobre a gordura tem um passado sórdido que também dá origem a muitas confusões.

Há muito tempo as gorduras têm má reputação, em dois aspectos: seu alto teor calórico (9 kcal/g) e seu papel no aumento do colesterol LDL e, portanto, no risco de desenvolver doenças cardíacas. Assim como os carboidratos, as gorduras costumam ser rotuladas como "boas" ou "más" com base nas tendências ideológicas ou políticas de cada um; na verdade, óbvio, não é tão preto no branco. As gorduras têm um lugar importante em qualquer dieta, portanto, é fundamental entendê-las.

Enquanto os carboidratos são uma fonte de combustível e os aminoácidos, blocos de construção, as gorduras são as duas coisas. São tanto um combustível muito eficiente para a oxidação (como uma lenha que queima aos poucos) quanto os blocos de construção de muitos dos nossos hormônios (na forma de colesterol) e membranas celulares. A combinação certa de gorduras pode não só ajudar a manter o equilíbrio do metabolismo, mas também é importante para a saúde do cérebro, composto majoritariamente por ácidos graxos. Em um nível prático, a gordura também tende a deixar a pessoa mais saciada do que muitos tipos de carboidratos, especialmente quando combinada com proteínas.[27]

Existem (grosso modo) três tipos de gorduras: ácidos graxos saturados (AGS), ácidos graxos monoinsaturados (AGMI) e ácidos graxos poli-insaturados (AGPI).* O que os distingue tem a ver com diferenças em sua estrutura química; uma gordura "saturada" tem mais átomos de hidrogênio ligados à sua cadeia de carbono.** Entre os AGPI, fazemos mais uma distinção importante, separando as variantes ômega-6 das variantes ômega-3 (também uma

* Também existem as temidas gorduras trans, mas elas foram em grande parte removidas de nossa alimentação, então vou omiti-las deste debate.

** As diferenças entre os tipos de gorduras são uma questão de química orgânica. Os ácidos graxos são essencialmente cadeias de átomos de carbono de diferentes comprimentos. É por isso que nos referimos a algumas gorduras como ácidos graxos de cadeia média e a outras como de cadeia longa, por exemplo. Uma gordura saturada recebe esse nome por estar totalmente "saturada" por átomos de hidrogênio ligados a essa cadeia de carbono. Na gordura "monoinsaturada", a cadeia não está totalmente saturada de hidrogênio, devido à existência de uma (ou seja, mono) ligação dupla na cadeia de carbonos, em vez de uma ligação simples. Nas gorduras poli-insaturadas, há mais de uma ligação dupla (ficou mais fácil de entender?). As ligações duplas provocam curvaturas na cadeia de carbono e tornam o ácido graxo mais propenso à oxidação. As gorduras saturadas são mais estáveis e não reagem tão facilmente com outras moléculas. Como as gorduras saturadas são lineares e podem ser densamente agrupadas, costumam ser mais sólidas em temperatura ambiente. Como as gorduras insaturadas têm curvas em sua estrutura, é mais provável que sejam líquidas à temperatura ambiente.

distinção química relacionada com a posição da primeira ligação dupla). Podemos subdividir, ainda, os AGPI ômega-3 em fontes marinhas — ácido eicosapentaenoico (EPA) e ácido docosa-hexaenoico (DHA) — e não marinhas — ácido alfa-linoleico (ALA). O salmão e outros frutos do mar ricos em óleo fornecem os primeiros, as castanhas e a linhaça, este último.

A principal coisa a lembrar — e que, por alguma razão, é quase sempre esquecida — é que quase nenhum alimento pertence a apenas um grupo de gorduras. O azeite de oliva e o óleo de cártamo podem estar o mais próximo possível de uma gordura monoinsaturada pura, enquanto o óleo de palma (azeite de dendê) e o de coco podem estar o mais próximo possível de uma gordura saturada pura, mas todos os alimentos que contêm gorduras geralmente contêm todas as três categorias: poli-insaturadas, monoinsaturadas e saturadas. Mesmo um suculento bife contém muitas gorduras monoinsaturadas.

Portanto, não é possível nem viável tentar eliminar por completo a ingestão de determinada categoria de ácidos graxos; o que fazemos é ajustar as proporções. O consumo-padrão de gordura da maioria dos meus pacientes (ou seja, o consumo de gordura basal que é medido quando eles vêm até mim) chega a cerca de 30% a 40% de AGMIs e AGSs, e 20% a 30% de AGPIs. Entre esse grupo de AGPIs, geralmente se consome cerca de seis a dez vezes mais ômega-6 do que ômega-3 e normalmente escassas quantidades de EPA e DHA.

A partir das nossas observações empíricas e do que considero a literatura mais relevante, que tem suas imperfeições, tentamos elevar os AGMIs para cerca de 50-55%, enquanto reduzimos os AGSs para 15-20% e ajustamos os AGPIs totais para fechar a conta. Também aumentamos o EPA e o DHA, aqueles ácidos graxos que parecem ser importantes para a saúde cerebral e cardiovascular, com fontes de gordura marinha e/ou suplementação. Titulamos os níveis de EPA e DHA, medindo a quantidade de cada um encontrada nas membranas dos glóbulos vermelhos (hemácias) dos pacientes, usando um exame de sangue especializado, mas amplamente disponível.* Nosso alvo depende do genótipo *APOE* do indivíduo e de outros fatores de risco para doenças neurodegenerativas e cardiovasculares, mas, para a maioria dos pacientes, o intervalo que procuramos é de 8% a 12% da membrana de hemácias composta por EPAs e DHAs.

* A versão sofisticada desse teste também pode determinar a relação entre ômega-6 e ômega-3 do paciente, bem como os níveis de todos os ácidos graxos no sangue.

Implementar todas essas mudanças normalmente significa consumir mais azeite de oliva, abacate e castanhas, reduzir (mas não necessariamente eliminar) alimentos como manteiga e banha de porco, e diminuir o consumo de óleos de milho, soja e girassol ricos em ômega-6. Ao mesmo tempo, deve-se buscar formas de aumentar os AGPIs de origem marinha com alto teor de ômega-3 a partir de fontes como salmão e anchova.*

Contudo, mais uma vez, é aqui que a SAD, nosso ambiente alimentar moderno, chega para complicar as coisas. Cem anos atrás, nossos ancestrais obtinham toda a gordura de fontes animais, na forma de manteiga, banha e sebo, e/ou frutas, como azeitonas, cocos e abacates. Faziam isso, sobretudo, consumindo esses alimentos majoritariamente *in natura*, e era fácil alcançar um equilíbrio razoável entre os ácidos graxos. Ao longo do século XX, os avanços tecnológicos no processamento de alimentos nos permitiram extrair de maneira química e mecânica o óleo de vegetais e sementes. De uma hora para outra, essas novas tecnologias permitiram que grandes quantidades de óleos ricos em gorduras poli-insaturadas, como os de milho e de algodão (também conhecido como ácido linoleico, um AGPI), inundassem a indústria alimentícia. Nosso consumo *per capita* de óleo de soja, por exemplo, cresceu mais de mil vezes desde 1909,[28] ao passo que os níveis de ácido linoleico encontrados no tecido adiposo humano também cresceram 136%, nos últimos cinquenta anos, segundo alguns estudos.

Essa revolução da gordura industrial também ajudou a criar as gorduras trans, listadas nos rótulos dos ingredientes como "óleos vegetais parcialmente hidrogenados" (exemplo: margarina), que por sua vez ajudaram a alavancar a disseminação da SAD, em parte porque permitiram que os alimentos permanecessem estáveis nas prateleiras por mais tempo. Mas as gorduras trans também contribuíram para a aterosclerose (ao aumentar a apoB) e foram proibidas pela FDA.

É tentador acusar essa proliferação maciça da soja e de outros óleos extraídos de grãos e sementes de ser o vilão responsável pela atual epidemia de obesidade e síndrome metabólica. Qualquer coisa cujo consumo tenha aumentado mil vezes nas mesmas poucas décadas em que nossa saúde se deteriorou não pode ser boa, certo? Mesmo apenas alguns anos atrás, eu concordava.

* Curiosamente, a composição básica do tecido adiposo humano, de cerca de 55% de AGMIs, 30% de AGSs e 15% de AGPIs (Seidelin, 1995), está alinhada com a distribuição de gordura *dietética* que funciona bem para a maioria dos meus pacientes.

Porém, quanto mais analiso os dados, menos tenho certeza de que podemos fazer essa afirmação.

Na verdade, a revisão mais abrangente sobre esse tópico,[29] intitulada *Ácidos graxos poli-insaturados na prevenção primária e secundária de doenças cardiovasculares*, publicada pela Cochrane Collaboration em 2018 — um resumo de 422 páginas acerca de 49 estudos relevantes, que randomizaram mais de 24 mil pacientes — chegou à seguinte conclusão: "É provável que o aumento no consumo de AGPIs faça pouca, ou não faça nenhuma, diferença (nem benefício nem dano) no risco de morte, assim como no risco de morrer de doenças cardiovasculares. No entanto, é provável que o aumento no consumo de AGPIs reduza ligeiramente o risco de sofrer eventos cardíacos e que combinem coração e AVC (evidência de qualidade moderada)."

Certo, então existe uma ligeira vantagem no aumento do consumo de AGPIs. Em um estudo mais recente da Cochrane Collaboration,[30] publicada em 2020 como um tratado de 287 páginas intitulado *Redução no consumo de gorduras saturadas e doenças cardiovasculares*, constatou-se, por meio de uma análise de quinze estudos clínicos randomizados englobando mais de 56 mil pacientes, que "reduzir o consumo de gordura saturada reduziu o risco de eventos cardiovasculares combinados em 17%". Interessante. Mas, segundo a mesma revisão, "a redução no consumo de gordura saturada pouco influencia, se é que influencia, a mortalidade por todas as causas ou por eventos cardiovasculares". Além disso, "houve pouco ou nenhum efeito na mortalidade por câncer, nos diagnósticos de câncer e de diabetes, no colesterol HDL, nos triglicerídeos séricos ou na pressão arterial, bem como pequenas reduções no peso, no colesterol total sérico, no colesterol LDL e no IMC".

Há uma ligeira desvantagem em relação às gorduras saturadas, mas não foi observado nenhum impacto na mortalidade. Por último, em outra revisão recente,[31] publicada no final de 2020, intitulada *Ingestão total de gordura na dieta, qualidade da gordura e impactos na saúde: uma revisão de escopo de revisões sistemáticas de estudos prospectivos*, foram examinadas 59 revisões sistemáticas de ECRs ou estudos prospectivos de coorte e não foi encontrada "nenhuma associação relevante entre gordura total, ácido graxo monoinsaturado (AGMI), ácido graxo poli-insaturado (AGPI) e ácido graxo saturado (AGS) e o risco de doenças crônicas".

Eu poderia continuar, mas acho que você já entendeu. Os dados são muito pouco claros sobre essa questão, pelo menos em termos populacionais. Conforme discutimos na minha explicação do que é a Medicina 3.0 e anteriormente neste capítulo, qualquer esperança de aplicar constatações genéricas da medicina baseada em evidências está fadada ao fracasso quando se trata de nutrição, porque esses dados populacionais não são muito úteis no nível individual, uma vez que a dimensão do efeito é tão reduzida, como evidentemente é o caso aqui. Tudo o que a Medicina 2.0 tem a oferecer são perspectivas amplas: os AGMIs parecem ser a "melhor" gordura do grupo (com base no Predimed e no estudo Lyon Heart), e, segundo as meta-análises, os AGPIs têm uma ligeira vantagem sobre os AGSs. Mas, para além disso, não podemos contar com muita coisa.

A Medicina 3.0 pergunta: qual é a "melhor" combinação de gorduras para o paciente? Eu uso um painel lipídico expandido para acompanhar como as mudanças no consumo de ácidos graxos podem afetar a síntese e a reabsorção do colesterol dos meus pacientes e sua resposta lipídica e inflamatória geral. Mudanças sutis na ingestão de gorduras, particularmente as saturadas, podem fazer uma diferença significativa nos níveis de lipídios em algumas pessoas, mas não em outras, como testemunhei repetidas vezes. Algumas pessoas (como eu)* podem consumir gorduras saturadas quase impunemente, enquanto outras mal conseguem olhar para uma fatia de bacon sem que seu nível de apoB salte para o percentil 90.

Para a Medicina 2.0, isso prova que ninguém deve comer gorduras saturadas, ponto final. Por sua vez, a Medicina 3.0 pega esses dados e diz: "Embora obviamente não seja bom que a apoB do paciente tenha subido tanto, temos uma escolha: devemos receitar uma medicação para diminuir a apoB, ou reduzir a ingestão de gorduras saturadas? Ou os dois?" Não existe uma resposta óbvia ou uniforme aqui, e lidar com essa situação não tão rara assim é sempre uma questão de julgamento.

Em última análise, digo aos meus pacientes que, com base nos dados menos ruins e menos ambíguos disponíveis, as monoinsaturadas — azeite de oliva extravirgem e óleos vegetais com alto teor de AGMIs — são provavelmente as gorduras que deveriam compor a maior parte da combinação de gorduras que ingerimos. Tirando isso, é meio que um tiro no escuro, e a proporção real

* Na época em que eu seguia uma dieta cetogênica, consumia de 250 a 350 gramas de gordura por dia, e de 40% a 50% delas eram quase sempre AGSs, mas meus lipídios estavam perfeitamente normais e os marcadores inflamatórios eram inexistentes. Não faço ideia do porquê, mas a explicação talvez esteja nas três a quatro horas de exercício que eu fazia por dia.

entre AGSs e AGPIs se resume a fatores individuais, como resposta lipídica e inflamação medida. Por fim, a menos que os pacientes estejam consumindo muitos peixes gordurosos, enchendo seus "cofres" de ômega-3 de origem marinha, eles quase sempre precisam suplementar EPA e DHA em forma de cápsulas ou óleo.

RT: O caso a favor (e contra) o jejum

O jejum, ou alimentação com restrição de tempo (a regulação de quando você come), nos coloca diante de um enigma tático. Por um lado, trata-se de uma ferramenta poderosa para atingir alguns dos nossos objetivos, sejam grandes ou pequenos. Por outro, o jejum tem algumas desvantagens potencialmente sérias que limitam sua utilidade. Embora o jejum intermitente e as "janelas" de alimentação tenham se tornado populares, e até estejam na moda nos últimos anos, sou cético quanto à sua eficácia. No longo prazo, o jejum frequente tem tantos efeitos negativos que reluto em recomendá-lo a todos os pacientes, exceto àqueles cujo metabolismo está mais comprometido. O júri ainda não chegou a um veredito sobre a utilidade dos jejuns prolongados pouco frequentes (por exemplo, anuais). De maneira geral, minha conclusão é que as intervenções baseadas em jejum devem ser utilizadas com cuidado e precisão.

Não há como negar que algumas coisas boas acontecem quando não comemos. A insulina cai drasticamente, porque não há entrada de calorias para desencadear sua secretação. A gordura é escoada do fígado em curto prazo. Com o passar do tempo, três dias ou mais, o corpo entra em um estado chamado "cetose por inanição", quando as reservas de gordura são mobilizadas para atender às necessidades de energia — mas, ao mesmo tempo, como percebi quando fazia jejuns prolongados com regularidade, a fome quase desaparece. Esse fenômeno paradoxal provavelmente se deve aos níveis ultraelevados de cetonas que esse estado produz, o que reprime a sensação de fome.

Jejuar por longos períodos também desliga a mTOR,[32] o mecanismo pró-crescimento e pró-envelhecimento de que falamos no capítulo 5. Isso também seria desejável, pode-se pensar, pelo menos para alguns tecidos. Ao mesmo tempo, a carência de nutrientes acelera a autofagia,[33] o processo de "reciclagem" celular que ajuda as células a se tornarem mais resistentes, e ativa os *FOXO*,[34] os genes de reparo celular que talvez ajudem os centenários a viver tanto. Resumindo, o jejum ativa muitos dos mecanismos fisiológicos e celulares que queremos ver em ação. Então, por que não o recomendo a todos os meus pacientes?

É uma pergunta capciosa, porque a literatura científica sobre o jejum ainda é relativamente escassa, apesar dos muitos livros populares sobre o tema em suas várias formas. Eu mesmo recomendei (e pratiquei) diferentes modalidades de jejum, desde alimentação com restrição de tempo (comer em apenas determinado período do dia) até o jejum de água por até dez dias. Como minhas impressões sobre o jejum evoluíram bastante, acho que preciso abordar esse assunto aqui. Ainda acredito que pode ser útil às vezes, em alguns pacientes — normalmente aqueles com disfunção metabólica mais grave —, mas hoje estou menos convencido de que seja a panaceia que alguns acreditam ser.

Existem três categorias distintas de alimentação com restrição de tempo, e falaremos de cada uma delas. Primeiro, temos as janelas de alimentação de curto prazo que já mencionamos, quando a pessoa limita o consumo de alimentos a um período de tempo específico, como seis ou oito horas por dia. Na prática, isso pode significar pular o café da manhã, fazer a primeira refeição às 11h e terminar o jantar às 19h, todos os dias; ou tomar café da manhã às 8h, fazer outra refeição às 14h e não comer mais nada depois disso.

Há infinitas variações, mas o segredo é que o jejum só funciona se a janela de alimentação for curta o suficiente. O padrão de 16/8 (dezesseis horas de jejum, oito horas de alimentação) mal provoca resultados na maioria das pessoas, mas pode funcionar. Normalmente, é necessária uma janela mais estreita, como 18/6 ou 20/4, para gerar de fato um déficit de calorias. Por um tempo, experimentei uma janela alimentar de duas horas, o que basicamente significava uma única grande refeição por dia. Quando pedia várias entradas, eu adorava ver a expressão no rosto do garçom.

Pela minha experiência, a maioria das pessoas acredita que essa é a forma mais fácil de reduzir a ingestão calórica, ao se concentrar em quando, e não em quanto e/ou o que comer. Mas não estou convencido de que a alimentação com restrição de tempo de curto prazo tenha muitos benefícios além disso.

O modelo original de 16/8 veio de um estudo feito com camundongos, que constatou que animais que eram alimentados ao longo de apenas oito horas do dia e então jejuavam nas outras dezesseis eram mais saudáveis do que aqueles que eram alimentados continuamente. Os camundongos submetidos à restrição de tempo ganharam menos peso[35] do que os que comiam quando queriam, embora os dois grupos consumissem a mesma quantidade de calorias. Esse estudo deu origem à moda da dieta de oito horas, mas, por alguma razão, as pessoas perderam de vista o fato de que se trata de uma grande extrapolação de uma pesquisa feita com camundongos. Como esse animal vive apenas cerca de dois a três anos — e morre em apenas 48 horas caso fique sem comida —, um jejum de dezesseis horas para um camundongo é como um jejum de vários dias para um ser humano.[36] Simplesmente não é uma comparação válida.

Os estudos sobre esse padrão alimentar em seres humanos não tiveram êxito em encontrar muitos benefícios. Segundo um ensaio clínico de Ethan Weiss e colegas,[37] publicado em 2020, não houve perda de peso nem benefícios cardiometabólicos em um grupo de 116 voluntários com um padrão alimentar 16/8. Em dois estudos semelhantes também foram encontrados benefícios mínimos.[38] Para outro estudo, transpor a janela de alimentação para o início do dia, das 8h às 14h, na verdade resultou em níveis de glicose mais baixos em 24 horas, variações reduzidas no nível de glicose e níveis de insulina mais baixos em comparação com o grupo de controle. Portanto, talvez uma janela de alimentação no início do dia possa ser eficaz, mas, na minha opinião, dezesseis horas sem comida não é tempo suficiente para ativar a autofagia, inibir a elevação crônica da mTOR ou ativar qualquer um dos outros benefícios de longo prazo do jejum que desejamos obter.

Outra desvantagem é que é praticamente garantido que você não vai alcançar a meta de proteína com essa abordagem (ver a seção "Proteína"). Isso significa que, se a pessoa precisa ganhar massa corporal magra (ou seja, está subnutrida ou com pouca musculatura), deve abandonar essa abordagem ou consumir uma fonte de proteína pura fora da janela de alimentação (o que basicamente anula o propósito da restrição de tempo). Além disso, é muito fácil cair na armadilha do excesso de indulgência durante a janela de alimentação e comer, por exemplo, um pote inteiro de sorvete de uma só vez. Essa combinação entre pouca proteína e caloria em excesso pode ter justamente o efeito oposto ao esperado: ganho de gordura e perda de massa magra. Na minha experiência clínica, esse resultado é bastante comum.

Como eu disse, às vezes submeto certos pacientes a um padrão alimentar com restrição de tempo porque descobri que isso os ajuda a reduzir a ingestão calórica geral, passando o mínimo de fome. Mas é mais uma medida disciplinar do que uma dieta. Definir limites de tempo para se alimentar ajuda a frustrar uma característica fundamental da SAD, que é a dificuldade de parar de comer. A alimentação com restrição de tempo é uma maneira de frear os lanches e as refeições noturnas — o hábito sem sentido de "comer só por comer" que os japoneses chamam de *kuchisabishii*, ou "boca solitária". Mas, tirando isso, não acho que seja particularmente útil.

Em seguida, temos o jejum em dias alternados (JDA), que também se tornou popular. É quando você come normalmente ou até um pouco mais do que o normal em um dia e muito pouco (ou nada) no outro. Há pesquisas extensas sobre esse padrão alimentar em seres humanos — e, óbvio, também existem livros sobre o tema —, mas os resultados não são particularmente interessantes. Segundo alguns estudos, os indivíduos podem realmente perder peso,[39] mas pesquisas mais detalhadas sugerem algumas desvantagens significativas nesse tipo de jejum. De acordo com um estudo pequeno,[40] mas revelador, indivíduos submetidos a uma dieta de jejum em dias alternados perderam não só peso, mas também mais massa magra (ou seja, músculos) do que indivíduos que consumiram 25% menos calorias todos os dias.

Esse estudo é limitado devido ao seu tamanho e duração reduzidos, mas sugere que o jejum pode fazer com que algumas pessoas, especialmente as magras, percam muita musculatura.* Além disso, o grupo em JDA apresentou níveis de atividade muito mais baixos durante o estudo, o que sugere que os participantes não se sentiam muito bem nos dias em que não comiam. Com o jejum prolongado, esses efeitos se tornam mais acentuados, principalmente a perda de massa muscular. Portanto, tendo a concordar com o coordenador da pesquisa, James Betts: "Se você segue esse tipo de dieta, vale a pena pensar se os períodos prolongados de jejum não dificultam a manutenção da massa muscular e dos níveis de atividade física, que são fatores conhecidamente muito importantes para a saúde no longo prazo."

Como resultado dessa e de outras pesquisas, fiquei convencido de que os jejuns frequentes e prolongados podem não ser necessários nem a melhor es-

* Eu experimentei algo assim na minha época como ciclista. No auge, adotei uma alimentação com restrição de tempo muito rigorosa, cerca de 20/4 todos os dias. O almoço era basicamente uma salada de frango às 14h, e o jantar era de tamanho normal, às 18h, e eu estava dez quilos mais magro do que hoje — principalmente porque tinha menos músculos. Era ótimo para o ciclismo, em que o peso leve é uma vantagem, mas ruim para a massa muscular da parte superior do meu corpo.

colha para a maioria dos pacientes. O custo, em termos de perda de massa magra (músculo) e níveis reduzidos de atividade, não justifica os benefícios que eles possam trazer. Inclusive, minha regra prática para qualquer padrão alimentar é que você deve comer o suficiente para manter a massa magra (músculos) e os padrões de atividade de longo prazo. Isso é, em parte, o que torna qualquer dieta sustentável. Se vamos usar uma ferramenta poderosa como o jejum, devemos ter cuidado e estar cientes dos impactos.

Mas às vezes o jejum ainda pode ser útil em alguns pacientes — geralmente, no caso daqueles em que nenhuma outra intervenção dietética funcionou. Vou dar o exemplo do meu amigo Tom Dayspring, o lipidologista que conhecemos no capítulo 7. Tom se tornou meu paciente alguns anos atrás, porque eu estava muito preocupado com sua saúde metabólica. Na época com sessenta e poucos anos, ele pesava quase 110 quilos distribuídos em pouco mais de um metro e setenta, o que significava um IMC de 36,5, bem na faixa da obesidade. Os exames de sangue revelaram que ele também estava caminhando para um caso grave de DHGNA, se não EHNA. Por anos eu o importunei, até que ele finalmente concordou em fazer algo a respeito. Dadas as questões dele, uma dieta cetogênica era o ponto de partida óbvio. Se limitássemos a ingestão de carboidratos, imaginei, ele poderia perder peso e, com sorte, reverter a DHGNA, além de controlar seus biomarcadores e seu peso.

Mas não foi o que aconteceu. Depois de seis meses de esforço para se manter na dieta, as enzimas hepáticas e o peso de Tom não cederam. Após um ano, mesma coisa. Dois, três anos, e nada mudou. Nesse meio-tempo, sua saúde continuou a piorar, a ponto de ele ter dificuldade para andar um único quarteirão. Por fim, ele precisou passar por cirurgia de prótese de quadril e de fusão espinhal. O problema era que Tom não conseguia se manter na dieta cetogênica estrita por muito tempo. Ele segurava a onda por mais ou menos duas semanas, mas depois cedia e comia um sanduíche ou um prato de macarrão. Não era sustentável para ele.

Tom evidentemente precisava de um tratamento mais efetivo, e cheguei à conclusão de que ele deveria tentar o jejum. Infelizmente, como muitos norte-americanos que se criaram na base de SAD, Tom odiava a simples ideia de sentir fome. Era por isso que tinha dificuldade em seguir à risca a dieta cetogênica por muito tempo — ele sentia fome e ansiava por seus bons e velhos alimentos ricos em carboidratos. Dessa forma, ele nunca era capaz de mudar seu metabolismo para cetose e reduzir a sensação de fome. Por conta dos níveis persistentemente altos de insulina, suas células de gordura se recusavam a abrir mão da energia que haviam armazenado. Logo, ele sentia fome o tempo todo e não conseguia perder gordura. Estava evidente que precisava sair desse ciclo vicioso.

A princípio, Tom ficou horrorizado com a mera ideia de jejuar. Mas ele também é um cientista e, depois de se inteirar em algumas pesquisas sobre privação de nutrientes, aliando-as ao que já sabia sobre lipídios, metabolismo e risco de doenças, concordou em tentar. Sua mente científica foi convencida, mas acho que, em algum momento, ele percebeu também que estava diante do que poderiam ser seus últimos cinco anos de vida, a menos que fizesse mudanças drásticas. Traçamos um plano agressivo, no limite do que ele achava que seria capaz de tolerar: uma semana por mês, de segunda a sexta-feira, Tom sobreviveria com uma dieta drasticamente reduzida de cerca de setecentas calorias por dia, composta principalmente de gordura, com pouca proteína e quase nada de carboidrato.

Esse tipo de jejum é chamado de “hipocalórico”, porque você não jejua de fato, no sentido de não comer nada. Você come apenas o mínimo para não sentir fome demais, mas não tanto que seu corpo ache que você está totalmente alimentado. Por 25 dias a cada mês, Tom seguia uma dieta “normal” (mas, no caso dele, com alta restrição de amido e açúcar), e apenas entre meio-dia e oito da noite; durante a semana de jejum, o cardápio de um dia típico consistia em uma salada com molho leve, um abacate e algumas macadâmias ou azeitonas. Ele ficou surpreso ao perceber como se sentia bem. “Não foi tão terrível quanto achei que seria”, contou ele mais tarde. “Depois do terceiro dia, a fome desaparece.”

Não demorou muito para que seus biomarcadores de sangue melhorassem drasticamente: se antes seu exame de sangue completo costumava ser em grande parte amarelo e vermelho — o que significa que a maioria das leituras estavam no limite do “ruim” —, hoje é quase inteiramente verde. Os lipídios estão sob controle e as enzimas hepáticas voltaram a níveis normais e seguros. Depois de vários desses ciclos, ele voltou a fazer coisas como subir um lance de escadas ou caminhar vários quarteirões sem sentir falta de ar. Sua pressão arterial baixou e ele conseguiu parar de tomar muitos dos inúmeros medicamentos que tomava. Por fim, ele perdeu trinta quilos, um sinal de que sua saúde metabólica voltou realmente aos trilhos e um poderoso incentivo para que assim continuasse. “Os quilos simplesmente desaparecerem”, disse ele.

O jejum efetivamente redefiniu ou reiniciou o metabolismo de Tom como nenhuma outra intervenção dietética antes. Por ter efeitos tão deletérios sobre a massa muscular, só recorro a essa dieta em pacientes difíceis, como Tom. Ele estava tão acima do peso que podia tolerar a perda de músculos, porque perderia muita gordura ao mesmo tempo. Mas a maioria das pessoas não pode perder massa muscular com segurança, então o jejum é uma ferramenta que só podemos realmente usar *in extremis*, quando não existem outras opções viáveis.

Conclusão

Nos últimos dois capítulos, exploramos o impacto do que comemos — e às vezes do que não comemos — na saúde, e a importância de mudar nossa abordagem em favor da Nutrição 3.0, baseada em feedback e dados, em vez de rótulos, modinhas e ideologias.

No passado, fui da crença de que a alimentação poderia curar quase todos os males, mas não tenho mais essa convicção. A bioquímica nutricional é parte importante das nossas táticas, mas não é o único caminho para a longevidade, nem mesmo o mais poderoso. Eu a vejo mais como uma tática de resgate, principalmente para pacientes como Eduardo e Tom, com problemas metabólicos graves, como DHGNA e diabetes tipo 2. Também é essencial para pessoas mais velhas que precisam ganhar ou manter massa muscular. Mas seu poder de promover o aumento da expectativa de vida útil e do healthspan é mais limitado. A má alimentação pode prejudicar mais do que a boa alimentação pode ajudar. Se você já tem um metabolismo saudável, as intervenções nutricionais só funcionam até certo ponto.

Sei que parece difícil acreditar nisso, afinal, fomos condicionados a acreditar que se trata de defender uma dieta ou outra (e fomos bombardeados com todo um arsenal de argumentos a favor de uma ou outra). Mas, na realidade, os termos de primeira, segunda e terceira ordem desse problema se resumem ao equilíbrio de energia. RC, RA e RT são apenas ferramentas para reduzir a ingestão calórica e corrigir o estado de sobrenutrição e/ou de comprometimento da saúde metabólica.

A má notícia é que a maioria dos norte-americanos não tem um metabolismo saudável, então precisa prestar muita atenção à alimentação. Na maioria dos casos, a solução requer uma redução na ingestão total de energia — cortar calorias —, mas de forma sustentável para aquele indivíduo. Também precisamos focar em eliminar os tipos de alimento que aumentam demais a glicemia, mas de modo que não comprometa a ingestão de proteínas e a massa corporal magra.

É aqui que a coisa pode ficar complicada. A proteína é, como dissemos, o macronutriente mais importante, o único que não deve ser afetado. Lembre-se: a maioria das pessoas está nutrida de mais, mas tem músculos de menos. Nesses casos, é contraproducente limitar a ingestão de calorias em detrimento da proteína e, portanto, da massa muscular.

Nesse sentido, também, outras táticas podem desempenhar algum papel. Como vimos no capítulo 12, o treino aeróbico da zona 2 pode ter um grande impacto na capacidade de eliminar a glicose com segurança e de acessar a energia que armazenamos na forma de gordura. E, quanto mais massa muscular, maior a capacidade de usar e armazenar o excesso de glicose e de utilizar a gordura armazenada. No capítulo seguinte, vamos ver como o sono de qualidade pode ser importante para manter o equilíbrio metabólico.

Se seus problemas estão mais no domínio das lipoproteínas e do risco cardiovascular, faz sentido focar também nas gorduras, principalmente saturadas, que aumentam a apoB em algumas pessoas, embora isso seja relativamente fácil de controlar por meio de medicamentos. A ingestão excessiva de carboidratos também pode ter efeitos colaterais na apoB, na forma de triglicerídeos elevados. (Se existe um tipo de alimento que eu eliminaria da dieta de todo mundo, se pudesse, seriam as bebidas adoçadas com frutose, incluindo refrigerantes e sucos, que despejam muita frutose em um intervalo muito curto no intestino e no fígado, sendo que ambos os órgãos preferem processar a frutose devagar. Coma frutas e deixe que a natureza se encarregue da quantidade certa de fibras e água.)

No fim das contas, a melhor dieta é aquela que você é capaz de manter. A maneira como as três alavancas da dieta — restrição calórica, restrição alimentar e restrição de tempo — serão manipuladas depende de você. Em termos ideais, sua alimentação deve melhorar ou manter estáveis todos os parâmetros preocupantes — não apenas glicose e insulina, mas também massa muscular e níveis lipídicos, e talvez até peso —, ao mesmo tempo em que reduz o risco de se encontrar com algum ou alguns dos cavaleiros. Seus objetivos nutricionais vão depender do seu perfil de risco individual: você corre mais risco de sofrer de disfunção metabólica ou doença cardiovascular? Não existe uma resposta que funcione para todo mundo; cada paciente precisa encontrar seu próprio equilíbrio, sua melhor abordagem. Espero ter apresentado, neste capítulo, algumas ferramentas para criar um plano que funcione para você.

E uma última coisa: se, depois de ler este capítulo, você estiver chateado porque não concorda com algum detalhe que eu abordei — seja a razão entre AGMIs, AGPIs e AGSs, ou a biodisponibilidade exata da proteína de soja, o papel dos óleos de sementes e lectinas, ou a meta ideal para os níveis médios de glicose no sangue —, ou se ofendi sua sensibilidade porque não disse que sua dieta é a melhor, tenho um último conselho. Pare de pensar demais na nutrição. Ponha o livro de lado por um tempo. Saia de casa e vá se exercitar.

CAPÍTULO 16

O despertar

Como aprender a amar o sono, o melhor remédio para o cérebro

Todas as noites, quando vou dormir, eu morro.
E, na manhã seguinte, quando acordo, eu renasço.

— MAHATMA GANDHI

A residência médica é assim chamada por um motivo: você basicamente mora no hospital, dia e noite, durante esse período. A certa altura, eu trabalhava em média 120 horas por semana, muitas vezes mais de 30 horas seguidas. Com isso me restavam cerca de 48 horas por semana no total para comer, dormir, malhar, ir a encontros (que na maioria das vezes eram o primeiro e o último) e tudo o mais. Um amigo que estava um ano à minha frente na faculdade de medicina me deu o que parecia ser um conselho sábio: "Você pode até passar cada uma dessas horas livres dormindo, mas vai continuar se sentindo cansado. E, se só trabalhar e dormir, vai ser deprimente. Então, viva um pouco. O sono pode ser sacrificado."

Em uma noite de verão durante a residência, depois de um turno extraordinariamente longo, tive um gostinho do que a privação de sono é capaz. Um dos meus colegas ficou doente, e eu me ofereci para cobrir seu plantão, que era anterior ao meu. O resultado foi que eu trabalhei das 5h30 de segunda-feira até as 18h de quarta. Ao sair do hospital, entrei no carro para voltar para casa. Quando estava parado no sinal vermelho, minha cabeça pendeu e por reflexo foi puxada para trás. "Puta merda! Acabei de dormir ao volante", disse a mim mesmo. No sinal seguinte, aconteceu de novo, e dessa vez meu pé esquerdo escapou da embreagem e o carro morreu.

Até hoje agradeço aos céus por ter conseguido reunir o que me sobrava de bom senso para salvar minha vida, depois de ter passado mais de sessenta horas sem dormir. Estacionei no acostamento da avenida Eastern e saí do carro para tomar um ar fresco. Batia uma brisa quente e agradável, e foi bom sentir a luz do sol baixo no meu rosto. Por acaso havia um parque ali perto, então decidi programar o alarme do meu pager (sim, pager) para dali a trinta minutos e deitar na grama para "descansar os olhos".

Seis horas depois, acordei no meio do parque Patterson, em Baltimore, na época um ponto de tráfico de heroína e reduto de prostituição. Nosso hospital atendia alguns de seus frequentadores habituais. Já era madrugada e eu estava esparramado de costas, com meu uniforme verde brilhante e uma poça de baba no pescoço. Havia marcas de mordidas misteriosas nos meus antebraços e seringas caídas perto de mim. Tirando isso, eu estava bem. Aparentemente, ninguém se atreveu a mexer com o maluco que dormiu no chão usando uniforme hospitalar.

Gostaria de poder dizer que aprendi minha lição com esse incidente assustador e que reconheci de imediato a importância do sono. Mas, não. Na verdade, levei quase uma década para assimilar aquele episódio, em parte porque era fácil minimizar esses exemplos extremos de privação de sono, considerando-os efeitos colaterais da residência. Fazia parte do pacote. Não foi a única vez que isso aconteceu comigo: em outra ocasião, peguei no sono no carro, no estacionamento da academia, com o rádio ligado, e Jill teve que me encontrar às duas da manhã para fazer chupeta na bateria — na ocasião tínhamos apenas alguns meses de namoro (sou um cara de sorte).

Na época da minha soneca não planejada no parque, havia um grande debate sobre as horas de trabalho dos residentes, e tenho vergonha de admitir que me opus veementemente à redução dessa carga horária. A proposta era estabelecer um limite de oitenta horas semanais, diante das 110 em vigor. Eu achava que isso seria pegar leve conosco, e muitos dos meus colegas mais velhos concordavam.

Olhando para trás, é chocante perceber que se tolerava, e até mesmo se cultivava, um desprezo tão descarado pelo sono em um ambiente médico. É quase como se eles nos incentivassem a fumar e beber durante o expediente. Não é uma analogia vazia: hoje sabemos que mesmo uma única noite sem sono pode criar um estado funcional como o da embriaguez segundo a legislação.[1] Segundo estudos, profissionais de saúde privados de sono,[2] em particular, cometem muito mais erros e provocam muito mais mortes do que aqueles que estão bem descansados. Eu fazia parte desse grupo: um dos meus piores momentos como residente exaurido ocorreu durante outro turno absurdamente extenso (mais de 48 horas), quando caí de cara no campo cirúrgico de um paciente cuja vesícula biliar eu estava prestes a remover por laparoscopia. Felizmente nada de mau aconteceu com o paciente, mas essa lembrança ainda me dá calafrios.

Mesmo naquela época, menos de vinte anos atrás, sabíamos relativamente pouco sobre por que dormimos, o que acontece enquanto dormimos e a importância do sono tanto para o desempenho no curto prazo quanto para a saúde no longo prazo. Hoje sabemos que o déficit crônico de sono é um assassino muito mais insidioso do que a privação aguda de sono, que provoca cochilos em sinais de trânsito. Muitos estudos estabeleceram associações poderosas entre insuficiência de sono (menos de sete horas por noite, em média) e prejuízos à saúde, desde maior suscetibilidade a resfriados até morte por ataque cardíaco. Dormir pouco aumenta drasticamente a propensão a desenvolver disfunção metabólica,[3] incluindo diabetes tipo 2,[4] e pode comprometer o equilíbrio hormonal.[5] Olhando em retrospecto, hoje desconfio de que pelo menos alguns dos problemas de saúde que eu tinha na casa dos trinta se originaram no meu desprezo descarado pelo sono.

E se o sono é fundamental para o corpo, pode ser ainda mais para o cérebro. Um bom sono, em termos tanto de quantidade quanto de qualidade, é fundamental para a função cognitiva, a memória e até mesmo o equilíbrio emocional.[6] Nós nos sentimos melhor, em todos os sentidos, depois de uma boa noite de sono. Mesmo quando estamos inconscientes, o cérebro continua a funcionar, processando pensamentos, memórias e emoções (daí os sonhos). Esse órgão inclusive limpa a si mesmo,[7] como uma cidade varrendo as ruas. Há, inclusive, cada vez mais evidências de que dormir bem é essencial para preservar nossa cognição[8] à medida que envelhecemos e nos manter a salvo da doença de Alzheimer.

Essas conclusões baseiam-se principalmente em estudos observacionais, que questionei no capítulo 14 no que se refere à nutrição, e compartilham de alguns dos mesmos problemas — nomeadamente, a possível imprecisão das lembranças dos participantes sobre o quanto dormem. (Você sabe exatamente quantas horas e quão bem dormiu na noite passada? É provável que não.) Mas esses estudos diferem da epidemiologia nutricional porque existe apenas uma entrada, o sono; várias de suas principais descobertas foram confirmadas em estudos clínicos mais rigorosos; e os dados são mais uniformes, apontando consistentemente na mesma direção.

Resumindo, o sono de má qualidade pode ser devastador tanto para a saúde de longo prazo quanto para a capacidade de funcionar no dia a dia. Quando nos damos conta de que isso gera um efeito cascata, em uma sociedade que dá tão pouco valor ao sono quanto eu dava antigamente, a imagem que surge é assustadora.

"[O] déficit de sono nas nações industrializadas tem um impacto catastrófico na saúde, na expectativa de vida, na segurança, na produtividade e na educação dos nossos filhos",[9] declarou Matthew Walker, diretor do Centro de Ciências do Sono Humano da Universidade da Califórnia em Berkeley, em seu livro *Por que nós dormimos*. Descobri que os problemas de saúde dos meus pacientes muitas vezes podem ser atribuídos a uma rotina ruim de sono e que corrigir esse problema aumenta muito a eficácia das nossas outras táticas.

Por sorte, não foi preciso outro desastre iminente para que eu despertasse para a importância do sono. Bastou uma pergunta direta do meu amigo Kirk Parsley, um ex-SEAL da Marinha norte-americana que posteriormente atuou junto a essa força especial como médico naval. Em 2012, durante um jantar, argumentei com Kirk que dormir de cinco a seis horas por noite era mais do que suficiente e que, se eu não me sentisse cansado, não precisava dormir mais. Inclusive, cheguei a declarar que era uma pena precisarmos perder tempo dormindo. Imagine só quantas coisas mais poderíamos fazer se dispensássemos o sono!

Lá estava eu de novo, escalando bravamente as escarpas do Monte da Estupidez. Mas Kirk me interrompeu com uma pergunta simples, socrática: se o sono é tão desimportante assim, então por que a evolução não se livrou dele?

Seu raciocínio era indiscutível. Quando dormimos, não concretizamos nada de útil: não estamos nos reproduzindo, indo atrás de comida nem protegendo nossa família. Pior ainda, adormecidos, ficamos extremamente vulneráveis a predadores e inimigos, como eu fiquei no parque Patterson. Isso, argumentou ele, demonstrava perfeitamente por que o sono é tão importante. Por que a evolução permitiria que passássemos até um terço da vida inconscientes, sendo que poderíamos facilmente ser mortos ou devorados? Ele insistiu: você não acha que a seleção natural teria eliminado a necessidade de dormir centenas de milhões de anos atrás, a menos que isso fosse absolutamente essencial?

Ele estava tão certo que foi como se uma ficha tivesse caído para mim. Todo animal dorme;[10] os cientistas não encontraram nenhuma exceção até hoje. Os cavalos dormem em pé; os golfinhos adormecem com metade do cérebro de cada vez; e até mesmo grandes tubarões-brancos, que nunca param de se mover, passam algum tempo em repouso, como no sono. Os elefantes dormem apenas quatro horas por dia, enquanto o morcego-de-orelhas-de-rato cochila um total de dezenove horas por dia, o que me parece um pouco excessivo, mas a questão é que todos os animais que já foram estudados dormem de alguma forma. Kirk estava certo: em termos evolutivos, o sono é inegociável.

Eu não era o único a ignorar ou desprezar a importância do sono; havia muito tempo que ele era desdenhado pela ciência e pela sociedade industrializada ocidental. Décadas atrás, o sono era considerado apenas um estado vazio, um período de inconsciência durante o qual nada de importante acontecia. Hoje em dia, nossa cultura de alto desempenho ainda parece ver o sono como um tempo perdido, algo de que só bebês, cachorros e pessoas preguiçosas precisam. Mas, com a ascensão da ciência do sono nas últimas três décadas, descobriu-se que essa postura está completamente equivocada. Agora sabemos que o sono é tão fundamental para a saúde quanto a estabilidade para a força.

Desde que fiz do sono uma prioridade na minha vida, colho os benefícios todos os dias. Não existe sensação mais poderosa do que acordar depois de ter dormido muito, muito bem. Meu cérebro está repleto de novas ideias, fico superanimado para treinar e sou uma pessoa genuinamente melhor para quem me cerca. Mas quando foi a última vez que você acordou se sentindo assim? Hoje? Semana passada? Mês passado? Não se lembra?

Se você está nessa situação, então precisa fazer um balanço do padrão e da qualidade do seu sono e trabalhar para aprimorá-los, assim como você faz com suas lipoproteínas, sua saúde metabólica ou seus marcadores de condicionamento físico. A importância é a mesma.

* * *

De quanto tempo de sono precisamos? Essa pergunta é complicada, porque os ciclos de sono são influenciados por sinais externos, como luz solar, ruído e iluminação artificial, sem falar em nossas emoções e preocupações. Além disso, somos muito bons em nos adaptar ao sono inadequado, pelo menos por algum tempo. Mas muitos, muitos estudos confirmaram o que sua mãe já dizia: precisamos dormir cerca de sete horas e meia a oito horas e meia por noite. Algumas evidências, extraídas de estudos realizados em cavernas escuras,[11] até propõem que o ciclo de sono de oito horas pode estar profundamente inscrito em nosso organismo, o que sugere que essa é uma necessidade inegociável. Dormir significativamente menos ou mais do que isso quase sempre trará problemas no longo prazo.

Foi constatado que mesmo uma única noite de sono ruim tem efeitos nocivos no desempenho físico e cognitivo.[12] Atletas que dormem mal na noite anterior a uma corrida ou partida têm um desempenho notavelmente pior do que quando estão bem descansados. A resistência cai, assim como o VO_2 máx. e a força de uma repetição máxima. Até mesmo a capacidade de transpirar é prejudicada.[13] E temos maior probabilidade de nos machucar: segundo um estudo observacional de 2014,[14] jovens atletas que dormiam menos de seis horas por noite tinham 2,5 vezes mais chances de sofrer uma lesão do que seus pares que dormiam oito horas ou mais.

Dormir bem é uma espécie de *doping* lícito. Em um estudo, jogadores de basquete de Stanford foram incentivados a se esforçar para dormir dez horas por dia, com ou sem cochilos, e se abster de álcool e cafeína.[15] Depois de cinco semanas, os arremessos ficaram 9% mais precisos, e os tempos de *sprint* também melhoraram.* LeBron James faz do sono uma parte fundamental de sua rotina de recuperação,[16] tentando sempre dormir nove e às vezes dez horas por noite, além de um cochilo durante o dia. "Quando você dorme bem, se sente revigorado ao acordar", disse ele. "Você não precisa de um despertador, apenas sente que pode encarar esse dia no nível mais alto possível."

* Não é apenas uma questão de dormir bastante; o horário também importa. Estudos analisaram as porcentagens de vitórias das equipes das ligas profissionais NBA/NFL/NHL, e existe uma evidente desvantagem circadiana para as equipes que precisam viajar para o oeste (Roy e Forest, 2018).

Para aqueles de nós que não são atletas profissionais, o sono ainda assim é essencial para as tarefas mais mundanas — e arriscadas —, como dirigir. Segundo um estudo, após uma noite de privação de sono, um grupo de motoristas profissionais apresentou um tempo de reação muito pior em situações como frear para evitar uma colisão.[17] Infelizmente, não existe um equivalente ao bafômetro para a falta de sono, por isso é mais difícil chegar a estatísticas precisas. Mas, conforme uma pesquisa conduzida pela Associação Automobilística Americana,[18] quase um em cada três motoristas (32%) relatou que, nos trinta dias anteriores, estava tão cansado ao dirigir que teve dificuldade em manter os olhos abertos.

No entanto, muitas vezes não temos consciência do efeito devastador do sono ruim em nossa energia e desempenho. De acordo com algumas pesquisas, as pessoas em privação de sono quase sempre subestimam o efeito dessa condição sobre elas, porque se adaptam.[19] Como qualquer pessoa que teve filhos pequenos sabe, passamos a aceitar o consequente estado de leve exaustão e embotamento mental como o novo normal, um processo chamado "redefinição da linha de base". Eu mesmo aceitei. Presumi que estava dormindo o suficiente quando era residente e depois como consultor, porque não tinha parâmetro de comparação. Agora que durmo melhor, fico surpreso por ter sobrevivido tanto tempo naquele estado. É como se uma TV normal parecesse boa, se for tudo o que você já viu. Mas, quando você vê uma tela 4K, percebe que sua velha TV de tubo de raios catódicos não tinha muita definição, afinal de contas. A diferença é brutal.

Sangue de idoso

Por mais assustador que possa ser, o dano de curto prazo causado por uma ou três noites de sono ruim não é nada em comparação ao que acontece se essa situação se perpetuar. Kirk Parsley observou isso quando era médico dos SEALs. Por fora, aqueles homens pareciam ter um físico de ponta, aperfeiçoado pelo treinamento rigoroso. Mas quando Parsley analisou os hemogramas dos soldados, ficou chocado: muitos daqueles jovens tinham os níveis hormonais e marcadores inflamatórios de homens várias décadas mais velhos do que eles — "sangue de idoso", Parsley dizia. Como os exercícios e as missões muitas vezes começavam tarde da noite e exigiam que eles ficassem acordados por mais de 24 horas seguidas, eles viviam em privação de sono, e seus ciclos naturais de sono-vigília estavam totalmente perturbados.

Quando Kirk me contou essa história, me identifiquei na hora: eu também tive "sangue de idoso" durante minha fase Peter-não-magro, com insulina elevada, triglicerídeos altos e um nível de testosterona entre os 5% mais baixos de todos os homens americanos. Sempre atribuí a saúde precária e o desequilíbrio hormonal que eu tinha naquela época à alimentação ruim, apenas, mas também passei pelo menos uma década em privação de sono severa, durante a residência e depois. Demorei para perceber que não dormir também me afetava. Deve ter ficado até evidente no meu rosto: segundo estudos, pessoas que dormem menos de maneira crônica tendem a ter uma pele mais flácida e envelhecida do que pessoas da mesma idade que dormem mais.[20]

Hoje reconheço que o sono, a alimentação e o risco de doenças de longo prazo estão intimamente ligados. Sabendo o que sei hoje, aposto que alguns meses de sono perfeito poderiam ter resolvido 80% dos meus problemas naquela época, mesmo mantendo uma alimentação ruim.

Isso pode ser uma surpresa para você, como foi para mim, mas o sono ruim compromete o metabolismo. Mesmo no curto prazo, a privação de sono pode causar uma profunda resistência à insulina. A pesquisadora do sono Eve van Cauter, da Universidade de Chicago,[21] submeteu jovens saudáveis a um regime severo de restrição de sono, de apenas 4,5 horas por noite, e descobriu que, após quatro dias, eles apresentavam níveis elevados de insulina equivalentes aos de diabéticos obesos de meia-idade e, pior ainda, uma redução de aproximadamente 50% na capacidade de eliminação de glicose. Essa acabou por se mostrar uma das descobertas mais consistentes da ciência do sono. De acordo com nada menos que nove estudos diferentes,[22] a privação do sono aumenta a resistência à insulina em até um terço. Na medicina é muito raro vermos achados tão consistentes, com evidências experimentais que confirmam a epidemiologia com tanta veemência, por isso vale a pena prestar atenção. Parece bastante nítido que o sono ruim ou inadequado leva à disfunção metabólica.

Infelizmente, ainda não foram realizados estudos semelhantes de longo prazo, mas estudos observacionais sugerem uma ligação evidente entre pouco sono e distúrbios metabólicos de longo prazo. De acordo com várias meta-análises de estudos do sono,[23] há uma estreita relação entre o tempo de sono e o risco de diabetes tipo 2 e síndrome metabólica. Mas essa é uma via de mão dupla: dormir demais também é sinal de problemas. Pessoas que dormem onze horas ou mais todas as noites têm um risco quase 50% maior de mortalidade por todas as causas, provavelmente porque dormir demais costuma ser sinônimo de sono de má qualidade, mas também pode ser reflexo de uma doença subjacente. Existem associações de risco semelhantes[24] entre sono ruim ou insuficiente e hipertensão (17%), doenças cardiovasculares (16%), doenças cardíacas coronárias (26%) e obesidade (38%). Tomados em conjunto, todos esses achados sugerem que os efeitos de longo prazo do sono inadequado são paralelos ao que esperaríamos dos estudos de curto prazo: aumento da resistência à insulina e doenças subsequentes, de EHNA e diabetes tipo 2 a doenças cardíacas. Se seu sono está cronicamente comprometido, então seu metabolismo também pode estar.

Essa associação entre sono e saúde metabólica parece intrigante a princípio, mas acho que o elo perdido é o estresse. Níveis mais altos de estresse podem prejudicar o sono, como todo mundo sabe, mas dormir mal também nos deixa mais estressados. É um círculo vicioso. Tanto o sono ruim quanto o estresse elevado ativam o sistema nervoso simpático, que — apesar do nome — é o oposto de tranquilo. Ele faz parte de nossa reação de luta ou fuga, levando à liberação de hormônios chamados glicocorticoides, incluindo o cortisol, o hormônio do estresse. O cortisol aumenta a pressão arterial, faz com que a glicose seja liberada do fígado,[25] ao mesmo tempo que inibe a captação e utilização de glicose nos tecidos muscular e adiposo, talvez para garantir que ela chegue ao cérebro. No corpo, isso se manifesta como glicose elevada devido à resistência à insulina induzida pelo estresse. Vejo isso com frequência, em mim e em alguns pacientes: se o CGM indica glicose alta durante a noite, isso é quase sempre um sinal de cortisol em excesso, às vezes agravado pelo hábito de comer e beber já tarde da noite. Se persistir, essa glicemia elevada pode levar a diabetes tipo 2.

Para agravar a questão, o sono ruim também muda nosso comportamento alimentar. O grupo de Eve van Cauter[26] descobriu que limitar o sono dos indivíduos a quatro ou cinco horas por noite reduz os níveis de leptina, o hormônio que sinaliza que estamos alimentados, e aumenta os de grelina, o hormônio da "fome". Quando dormimos mal, podemos sentir uma fome desesperada e irracional no dia seguinte e ficamos mais propensos a comer alimentos com alto teor de calorias e açúcares do que alternativas saudáveis. Segundo estudos, pessoas em privação de sono tendem a ter maior probabilidade de fazer uma quarta refeição tarde da noite. O grupo de van Cauter, em estudos de acompanhamento,[27] descobriu que os participantes que dormiram pouco consumiram cerca de trezentas calorias a mais no dia seguinte, em comparação com quando estavam bem descansados. Tudo isso é uma receita perfeita para desencadear a DHGNA e a resistência à insulina.

Sono e doenças cardiovasculares

O sistema nervoso simpático também pode ajudar a explicar por que o sono ruim está tão associado a doenças cardiovasculares e ataques cardíacos. Quando notamos uma ameaça, ele assume o controle, mobilizando os hormônios do estresse, como o cortisol e a adrenalina, que aumentam a frequência cardíaca e a pressão arterial. Infelizmente, o sono de má qualidade tem quase o mesmo efeito, colocando o sistema nervoso simpático em alerta permanente; ficamos presos no modo de luta ou fuga, e a pressão arterial e a frequência cardíaca permanecem elevadas. Isso, por sua vez, multiplica o estresse sobre a vasculatura. Eu mesmo notei isso, por meio dos dispositivos de rastreamento automático com os quais gosto de brincar: durante uma noite de sono ruim, minha frequência cardíaca em repouso é mais alta (ruim) e a variabilidade da minha frequência cardíaca é menor (também ruim).

Isso talvez explique por que longos períodos de sono insuficiente estão associados a um maior risco de eventos cardíacos. É difícil estudar esse aspecto de forma definitiva, como em um ensaio controlado randomizado. Segundo duas grandes meta-análises,[28] o sono curto (definido como menos de seis horas por noite) está associado a um aumento de cerca de 6% a 26% na incidência de doenças cardiovasculares. Mas não podemos falar de causalidade. Sem dúvida, algumas das razões pelas quais as pessoas dormem mal também podem contribuir para o risco de desenvolver doenças cardíacas: mais horas de trabalho, baixos salários, mais estresse etc. Mas um estudo particularmente interessante[29] comparou dados observacionais e de randomização mendeliana em pessoas com variantes genéticas previamente identificadas que aumentam ou diminuem a exposição a um sono mais longo ou mais curto. Os dados da randomização mendeliana confirmaram as descobertas observacionais de que dormir menos de seis horas por noite estava associado a um risco 20% maior de ataque cardíaco.[30] De modo ainda mais notável, os pesquisadores descobriram que um sono de seis a nove horas por noite (ou seja, um sono adequado, de acordo com a definição deles) estava associado a uma redução no risco de ataque cardíaco — mesmo entre indivíduos com alta predisposição genética a ter doença arterial coronariana.

Traduzindo: um sono de qualidade pode ajudar a mitigar alguns dos riscos genéticos de desenvolver doenças cardíacas a que pessoas como eu estão sujeitas. Tudo isso me convenceu a priorizar o sono na minha vida e prestar atenção aos hábitos de sono de meus pacientes.

Sono e o cérebro

De tudo o que discutimos até aqui neste capítulo, isto é, o papel crucial que o sono desempenha na saúde metabólica e cardiovascular, o que mais surpreende é o quanto esse efeito é mediado pelo cérebro. O sono desempenha um papel importante na saúde cerebral, especialmente à medida que envelhecemos, em termos não apenas de função cognitiva diária, mas também de saúde cognitiva no longo prazo, um pilar crucial do healthspan.

Todos nós já nos sentimos desorientados e lentos depois de uma noite em que não descansamos; o cérebro simplesmente não funciona tão bem quanto deveria. Uma boa noite de sono ou mesmo uma soneca consistente geralmente nos restaura. Mas os pesquisadores do sono estão desvendando inúmeros motivos pelos quais o sono de qualidade é essencial para a saúde do cérebro no longo prazo — e por que o sono de má qualidade provoca tantos danos. Por muito tempo, o sono ruim foi considerado um dos primeiros sintomas de doença de Alzheimer incipiente. Pesquisas subsequentes, no entanto, apontaram que o sono ruim crônico era uma expressiva causa potencial da doença de Alzheimer e demência.[31] O sono, ao que parece, é igualmente crucial para a manutenção da saúde do cérebro e para a função cerebral.

Quando nos deitamos na cama e fechamos os olhos, uma série de mudanças fisiológicas começa a ocorrer. A frequência cardíaca diminui, a temperatura central cai, e a respiração se regulariza à medida que esperamos que o sono chegue. Enquanto isso, o cérebro embarca em sua própria jornada.

Hoje, os pesquisadores sabem que nosso sono passa por estágios bem definidos,[32] cada um com uma função e uma "assinatura" de onda elétrica cerebral específicas, que foi como os pesquisadores identificaram esses diferentes estágios pela primeira vez. Para visualizá-los, imagine que, ao se deitar e fechar os olhos, você está em um submarino que vai submergir em alto-mar. À medida que seu corpo relaxa, espera-se que você adormeça em alguns minutos, e sua embarcação metafórica começa a descer.

Normalmente, essa descida é bem rápida: mergulhamos nas profundezas, passando por um período de sono leve antes de cair no sono profundo. Esse estágio é chamado de sono não REM, ou NREM, e vem em duas intensidades, o NREM leve e o NREM profundo. Este último é o mais importante dos dois, principalmente para a saúde neurológica. Pela analogia do submarino, é quando descemos às profundezas escuras do mar, onde o cérebro está imune a estímulos externos. Mas isso não significa que não haja nada acontecendo. Conforme caímos em sono profundo, as ondas cerebrais diminuem até atingir uma frequência extremamente baixa, um ritmo estável de cerca de um a quatro ciclos por segundo. Esse sono profundo domina a primeira metade da noite, embora normalmente alternemos entre o NREM profundo e o leve.

Mais tarde, o "submarino" normalmente retorna à superfície, até uma zona chamada sono com movimento rápido dos olhos (REM, na sigla em inglês). Nesse estado, os globos oculares realmente se mexem por baixo das pálpebras. Estamos "vendo" coisas, mas apenas na mente. É nesse estágio que ocorre a maior parte dos sonhos, pois o cérebro processa imagens e eventos que parecem familiares, mas que, ao mesmo tempo, são estranhos ou estão deslocados de seu contexto típico. Curiosamente, a assinatura elétrica do sono REM é muito semelhante à de quando estamos acordados; a principal diferença é que o corpo está paralisado, o que provavelmente não se dá por acaso, pois nos impede de agir de acordo com esses bizarros pensamentos oníricos. Não seria nada bom se pudéssemos de repente levantar e sair correndo durante o sono REM. (Isso provavelmente também explica aqueles sonhos em que estamos tentando fugir de alguma coisa e o corpo parece não cooperar.)

Em uma noite típica, alternamos entre esses estágios do sono. Tais ciclos duram cerca de noventa minutos, e podemos até acordar momentaneamente entre eles. Essa provavelmente é a forma que a evolução encontrou de nos proteger de sermos comidos por um leão ou atacados por inimigos durante a noite, observa o dr. Vikas Jain, um médico do sono formado em Stanford que intervém comigo nos problemas de sono dos meus pacientes.

Tanto o sono REM quanto o NREM profundo (que vamos chamar apenas de "sono profundo" por conveniência) são cruciais para o aprendizado e a memória, mas de maneiras distintas. O sono profundo é quando o cérebro limpa o *cache*[33] de memórias de curto prazo no hipocampo e seleciona as mais importantes para serem armazenadas em longo prazo no córtex, de modo a fixar as memórias mais importantes do dia. Os pesquisadores observaram uma relação direta e linear entre a quantidade de sono profundo que se tem em determinada noite e o desempenho em um teste de memória no dia seguinte.[34]

Quando somos jovens, o sono REM é fundamental para ajudar o cérebro a crescer e se desenvolver.[35] Mesmo enquanto dormimos, ele forma novas conexões, expandindo a rede neural; é por isso que os jovens passam mais tempo no estágio REM. Na idade adulta, o tempo de sono REM tende a se estabilizar, mas continua a ser importante, principalmente para a criatividade e a resolução de problemas. Ao gerar associações que parecem aleatórias entre fatos e memórias e distinguir as conexões promissoras das sem sentido, o cérebro pode encontrar soluções para problemas que nos deixaram atônitos no dia anterior. Segundo pesquisas, o sono REM é particularmente importante para a chamada memória processual, o aprendizado de novas formas de mover o corpo, de atletas e músicos.[36]

Outra função muito importante do sono REM é nos ajudar a processar as memórias emocionais, ajudando a diferenciar entre o que sentimos e o que lembramos da experiência negativa (ou positiva) que desencadeou essas emoções.[37] É por isso que, se vamos dormir chateados com alguma coisa, essa sensação quase sempre parece apaziguada pela manhã. Nós nos lembramos do evento, mas (por fim) esquecemos a dor que o acompanhava. Sem essa pausa para a recuperação emocional, viveríamos em um estado constante de ansiedade, cada lembrança desencadeando uma onda renovada de emoções em torno daquele evento. Se isso o faz pensar em transtorno de estresse pós-traumático, você está certo: veteranos de guerra são menos capazes de distinguir memórias de emoções, justamente devido à carência de sono REM, conforme estudos.[38] Foi constatado que os veteranos liberavam altos níveis de noradrenalina, o hormônio de luta ou fuga que efetivamente impedia que seu cérebro relaxasse a ponto de entrar no estágio REM.*[39]

Talvez o mais intrigante de tudo seja o fato de que o sono REM nos ajuda a manter a consciência emocional.[40] Segundo estudos, quando somos privados do REM, temos mais dificuldade em ler as expressões faciais dos outros. Os participantes de um estudo que foram privados de sono REM interpretaram

* A noradrenalina pode ser reduzida pela prazosina, um medicamento para a pressão arterial.

até mesmo expressões amigáveis ou neutras como ameaçadoras. Isso não é trivial: nossa capacidade de agir como animais sociais*[41] depende da capacidade de entender os sentimentos dos outros e lidar com eles. Em suma, o sono REM parece proteger nosso equilíbrio emocional, ao mesmo tempo que nos ajuda a processar memórias e informações.

O sono profundo, por outro lado, parece ser essencial para a própria saúde do cérebro. Alguns anos atrás, pesquisadores da Universidade de Rochester[42] descobriram que, quando estamos em sono profundo, o cérebro ativa uma espécie de sistema interno de eliminação de resíduos que permite que o líquido cefalorraquidiano se embrenhe entre os neurônios e varra o lixo intercelular, sendo que os próprios neurônios recuam para permitir que isso aconteça, da mesma forma que os moradores da cidade às vezes são obrigados a tirar o carro do caminho para os varredores passarem. Essa limpeza elimina detritos, incluindo as proteínas beta-amiloide e tau, ambas ligadas à neurodegeneração.[43] No entanto, se o período em que passamos em sono profundo não é suficiente, o sistema não funciona com a mesma eficácia, e a amiloide e a tau se acumulam entre os neurônios. Segundo estudos mais amplos,[44] pessoas que geralmente dormem menos de sete horas por noite, ao longo de décadas, tendem a ter muito mais acúmulo de beta-amiloide e tau no cérebro do que quem dorme sete horas por noite ou mais. A proteína tau, que se acumula em "emaranhados" dentro de neurônios comprometidos, está relacionada a distúrbios do sono em pessoas cognitivamente normais e naquelas com comprometimento cognitivo leve (CCL), um estágio inicial de demência.

Isso pode se tornar um círculo vicioso.[45] Se a pessoa tem doença de Alzheimer, é provável que tenha distúrbios do sono. Portadores de Alzheimer passam cada vez menos tempo em sono profundo e em sono REM, assim como seu ritmo circadiano (ou seja, o ciclo sono-vigília) pode sofrer alterações drásticas. Além disso, até metade dos portadores da doença desenvolve apneia do sono.[46]

Mas os distúrbios do sono, por sua vez, podem ajudar a criar as condições que permitem a progressão dessa doença. A insônia afeta 30% a 50% dos adultos mais velhos,[47] e extensas pesquisas mostram que esses distúrbios muitas

* O interessante é que o sono REM apareceu relativamente tarde no tabuleiro da evolução; todos os animais apresentam sono NREM, mas apenas as aves e os mamíferos não aquáticos experimentam o sono REM, embora um estado semelhante a ele possa existir em répteis não aviários, de acordo com estudos recentes. (Os mamíferos aquáticos precisam emergir periodicamente para respirar, de modo que nunca entram em sono profundo.)

vezes precedem o diagnóstico de demência em vários anos; eles podem até aparecer antes do declínio cognitivo. Um estudo relacionou a má qualidade do sono em pessoas cognitivamente normais ao início do comprometimento cognitivo — apenas um ano mais tarde.[48]

Enquanto isso, uma qualidade superior do sono em adultos mais velhos[49] está associada a um menor risco de desenvolver CCL e doença de Alzheimer e à manutenção de um nível mais alto de função cognitiva. O tratamento bem-sucedido do distúrbio do sono pode atrasar a idade de início do CCL em cerca de onze anos, de acordo com um estudo, e melhorar a função cognitiva em pacientes já diagnosticados com Alzheimer.[50]

Visivelmente, o sono e a saúde cognitiva estão profundamente interligados; é por isso que um dos pilares da prevenção do Alzheimer, ainda mais em pacientes de alto risco, é melhorar a qualidade do sono. Não se trata apenas de passar mais tempo na cama; um sono de boa qualidade é essencial para a saúde do cérebro no longo prazo. Essa distinção é crucial. O sono irregular, fragmentado ou pouco profundo impede que o cérebro desfrute desses benefícios.

Infelizmente, nossa capacidade de dormir um sono profundo sofre um declínio com a idade, a partir dos 20 ou 30 anos, e piora quando entramos na meia-idade. Não está totalmente claro quanto desse declínio se deve ao próprio envelhecimento, em comparação com o aumento da probabilidade de passar a ter problemas de saúde que comprometem o sono à medida que envelhecemos. De acordo com uma análise, a maior parte das mudanças nos padrões de sono dos adultos ocorre entre os dezenove e os sessenta anos, e depois disso sofre um declínio muito pequeno se a pessoa permanecer com boa saúde (ênfase no "se").

Algo que possivelmente contribui para essa redução no sono profundo relacionada à idade são as mudanças na secreção do hormônio do crescimento. O hormônio do crescimento é normalmente liberado na corrente sanguínea cerca de uma hora depois que começamos a dormir à noite, próximo ao ponto em que, em tese, vamos entrar em sono profundo. A inibição do hormônio do crescimento, por sua vez, reduz a profundidade do sono, então não está claro o que é causa e o que é efeito. O hormônio do crescimento atinge o pico durante a adolescência, sofre um rápido declínio entre o início da idade adulta e a meia-idade, e depois passa a cair mais devagar. Esse padrão está em sincronia com as mudanças na quantidade de sono profundo que temos conforme envelhecemos.

De acordo com mais pesquisas,[51] os 40 e os 60 anos são apontados como as décadas da vida em que o sono profundo é especialmente importante para a prevenção da doença de Alzheimer. Quem dorme menos durante essas décadas parece ter maior risco de desenvolver demência mais tarde. Portanto, um bom sono na meia-idade parece ser especialmente importante para a manutenção da saúde cognitiva.

O que percebo é que, ao longo de todos aqueles anos em que eu dormia cinco ou seis horas por noite e achava que estava na crista da onda, na verdade meu desempenho devia estar muito abaixo do meu potencial, devido à falta de sono. E, ao mesmo tempo, provavelmente aumentava meu risco de desenvolver doenças de longo prazo: as metabólicas, cardíacas e cognitivas. Eu sempre dizia, fanfarrão: "Eu descanso quando morrer." Mal sabia eu que a ausência de sono estava antecipando esse dia.

Avaliando seu sono

Seria ótimo se a ciência encontrasse algum tipo de "botão do sono", uma via cerebral que pudesse ser acionada, ou inibida, para nos fazer adormecer na mesma hora e entrar e sair do sono profundo e do sono REM ao longo da noite, até que acordássemos revigorados. Mas isso ainda não aconteceu.

Não é por falta de tentativa das grandes farmacêuticas. O sono é um problema tão grande para tantas pessoas que a FDA já aprovou a venda de cerca de uma dúzia de medicamentos para dormir no mercado norte-americano. O primeiro a estourar nas vendas,[52] o Stilnox (Zolpidem), gerou uma receita de 4 bilhões de dólares nos primeiros dois anos após sua aprovação, na década de 1990. A procura foi enorme, mas o fenômeno vai muito além. A morfina, isolada pela primeira vez em 1806 a partir da papoula, foi assim batizada em referência a Morfeu, o deus dos sonhos, por ser bastante eficaz em induzir o sono. Fazia sentido, porque dormir e sonhar podem ser refúgios para a dor física e emocional. Mas, por ser viciante, obviamente não é ideal que esse remédio seja prescrito para dormir.

Hoje em dia, estima-se que o valor do mercado norte-americano de remédios para dormir esteja em cerca de 28 bilhões de dólares por ano.[53] Mas ultimamente o número de prescrições tem caído, talvez porque os consumidores estejam percebendo que, em geral, esses medicamentos não funcionam muito bem. Eles podem ser bons em induzir um estado de inconsciência, mas o cruzado de direita de Muhammad Ali também era bom nisso. Remédios para dormir, como Stilnox e Lunesta (Eszopiclona), não promovem um sono saudável e duradouro, mas induzem um estado de inconsciência semelhante ao sono que, no fim das contas, não tem os mesmos efeitos em termos de recuperação cerebral dos sonos REM ou profundo. Segundo um estudo, na prática, o Stilnox[54] diminuiu o sono de ondas lentas (sono profundo) sem aumentar o REM, o que significa que quem toma esse remédio não consegue recuperar o sono de alta qualidade que tanto deseja. Ao mesmo tempo, o medicamento tem o efeito colateral, bastante conhecido por alguns usuários, de levar a pessoa a andar e fazer coisas enquanto "dorme", o que causa todo tipo de problema.

A indústria farmacêutica desenvolveu, então, uma nova classe de remédios para dormir[55] que supostamente resolveria o problema do sonambulismo ao bloquear uma substância química do cérebro chamada orexina, que induz a vigília. Curiosamente, a princípio achou-se que a orexina era mais relevante para o apetite, que ela também regula (ao aumentar a fome). Ainda assim, os chamados antagonistas dos receptores da orexina, como o Dayvigo (Lemborexant) e o Quviviq (Daridorexant),[56] também foram aprovados para o tratamento da insônia e parecem promissores. Sua vantagem é permitir que os usuários mantenham uma melhor capacidade de reagir a estímulos auditivos à noite (por exemplo, um pai ou mãe que queira dormir, mas se manter capaz de responder se o filho começar a chorar). No entanto, são bastante caros.

Além disso, existem os benzodiazepínicos mais antigos,[57] como o Valium (Diazepam) e o Xanax (Alprazolam), que continuam bastante populares — quase onipresentes na nossa sociedade — e às vezes são usados também no tratamento da insônia. Eles normalmente induzem a inconsciência sem melhorar a qualidade do sono. O que preocupa é que seu uso também foi associado ao declínio cognitivo, por isso não é recomendado para adultos mais velhos por intervalos muito extensos (tampouco o Stilnox, a propósito).

Quando novos pacientes chegam ao meu consultório, não é raro que estejam usando algum desses medicamentos para dormir. Se eles tomam Stilnox ou Xanax uma vez por mês, ou apenas em viagens, ou então para dormir durante um período de estresse, não é preocupante. Mas se estiveram usando essas fármacos com regularidade, nossa maior prioridade é acabar com essa dependência e incentivá-los a dormir bem sem eles.

Um medicamento que consideramos útil para ajudar no sono é a Trazodona, um antidepressivo bastante antigo (aprovado em 1981) que nunca bombou. Na dosagem usada no tratamento da depressão, de 200 mg a 300 mg por dia, tinha o efeito colateral indesejado de dar sono. Mas o pesadelo de uns é o sonho de outros. Esse efeito colateral é justamente o que queremos em um medicamento para dormir, ainda mais se ele também melhora a arquitetura do sono,[58] que é o que a Trazodona faz, ao contrário da maioria dos outros remédios para dormir.* Normalmente, usamos doses muito mais baixas, de 100 mg a 50 mg, ou até menos; a dosagem ideal depende do indivíduo, mas o objetivo é encontrar a quantidade que melhore a qualidade do sono sem deixar o usuário grogue no dia seguinte. (Também tivemos bons resultados com o suplemento Ashwagandh, ou ginseng indiano.)

Ainda não há uma fórmula mágica para dormir no campo farmacêutico, mas existem algumas coisas bastante eficazes que você pode fazer para melhorar sua capacidade de adormecer e permanecer dormindo — e, com sorte, dormir bem o suficiente para evitar os problemas complicados de que temos falado neste capítulo. Tenha em mente, no entanto, que essas dicas e estratégias não vão funcionar se você tiver um distúrbio do sono, como insônia ou apneia do sono (veja o questionário mais adiante, que você pode apresentar ao seu médico).[59]

O primeiro passo desse processo é um eco do primeiro passo de um programa de reabilitação: devemos renunciar ao "vício" da privação de sono crônica e admitir que precisamos dormir mais, em quantidade e qualidade suficientes. Vamos nos dar permissão para dormir. Na prática, isso foi bastante difícil para mim, no começo, pois havia passado décadas fazendo exatamente o oposto. Espero ter convencido você do quanto o sono é importante para a saúde em suas várias dimensões.

O passo a seguir é avaliar seus hábitos de sono. Inúmeros rastreadores de sono podem dar um parâmetro sobre a qualidade do seu sono. Eles medem variáveis como frequência cardíaca, variabilidade da frequência cardíaca (VFC), movimento, frequência respiratória, entre outras. Essas informações são usadas para estimar a duração e o estágio do sono com precisão razoável (mas

---

* O uso da Trazodona para dormir está se tornando mais comum, mas o remédio ainda é considerado *off-label* pela FDA. Ele parece especialmente eficaz em fazer com que os pacientes permaneçam dormindo e não acordem durante a noite.

não perfeita). Embora isso tenha sido bastante útil para otimizar meu sono, algumas pessoas ficam ansiosas ao ver resultados ruins — o que pode prejudicar ainda mais o sono. Nessas situações, recomendo que meus pacientes parem de usar o rastreador por alguns meses. Também vale a pena reiterar que dormir em excesso também costuma ser um sinal não só de má qualidade do sono, mas também de outros problemas de saúde.

Em paralelo, você deve fazer uma avaliação da qualidade do sono ao longo do último mês. Um dos questionários de sono mais bem validados é o Índice de qualidade do sono de Pittsburgh, um documento de quatro páginas que faz perguntas sobre seus padrões de sono no mês anterior: por exemplo, com que frequência você demorou mais de trinta minutos para pegar no sono, acordou durante a noite, teve dificuldade para respirar (ou seja, ronco) ou para ficar acordado durante o dia (ao dirigir, por exemplo), ou, ainda, "sentiu falta de ânimo para fazer as coisas".

É fácil encontrar o questionário e o guia de pontuação na internet,* e muitas vezes acho que ele ajuda a convencer meus pacientes de que é hora de levar o sono a sério e torná-lo uma prioridade. Outro teste ainda mais simples é o chamado Escala de sonolência de Epworth, que pede aos usuários que avaliem a probabilidade de adormecer em determinadas situações, em uma escala de 0 (pouco provável) a 3 (muito provável):

- Sentado, lendo
- Vendo TV
- Durante uma reunião ou outro local público
- No banco do passageiro no carro por uma hora
- Deitado para descansar, à tarde
- Sentado, conversando com alguém
- Sentado, após almoçar (sem consumo de álcool)
- No carro, parado por alguns minutos no trânsito

Uma pontuação total de 10 ou mais indica sonolência excessiva e provavelmente aponta para um problema na qualidade do sono.**

---

* O questionário do Índice de qualidade do sono de Pittsburgh está disponível em <www.sleep.pitt.edu/instruments/#psqi>; para um guia detalhado da pontuação, ver Buysse et al. (1989).

** A Escala de sonolência de Epworth e sua pontuação podem ser consultadas em <www.cdc.gov/niosh/emres/longhourstraining/scale.html>.

Outra ferramenta de triagem útil é o Índice de gravidade da insônia, que oferece uma oportunidade para refletir sobre e relatar seus problemas de sono e o impacto no seu desempenho e bem-estar.*

Um fator importante, mas muitas vezes ignorado na avaliação do sono, é que diferentes pessoas podem ter diferentes "cronotipos", que é uma maneira elegante de dizer se alguém é uma "pessoa matinal". Todos nós podemos ter "cronotipos" variados, e grande parte dessa relação é genética: pessoas matinais e notívagas terão genes circadianos diferentes.** De acordo com estudos,[60] alguns indivíduos têm uma predisposição genética a pular da cama logo cedo pela manhã, enquanto outros naturalmente tendem a acordar mais tarde (e a ir dormir mais tarde), sem conseguir engrenar até o meio da tarde. Os últimos não são "preguiçosos", como se supôs por muito tempo; talvez eles só tenham um cronotipo diferente.

Como praticamente tudo na biologia, isso tem uma possível base na evolução: se todos os membros de um clã ou tribo dormissem exatamente nos mesmos horários, o grupo inteiro ficaria vulnerável a predadores e inimigos por horas todas as noites. Obviamente, isso não é ideal. Mas, se os horários de sono fossem escalonados, com alguns indivíduos indo para a cama cedo e outros ficando acordados até mais tarde para cuidar da fogueira, o grupo como um todo estaria muito menos vulnerável. Isso também pode explicar por que os adolescentes gostam de dormir e acordar tarde: nosso cronotipo parece sofrer uma mudança temporária na adolescência nesse sentido. O horário de início das aulas, infelizmente para os adolescentes e para nós, pais, permanece obstinadamente cedo demais — mas existe um movimento crescente que luta para atrasá-lo um pouco, de modo a melhor se ajustar aos hábitos de sono dos adolescentes.

Por último, é importante descartar — ou não — a possibilidade de apneia obstrutiva do sono, que embora subdiagnosticada é surpreendentemente prevalente. Para isso, é possível fazer um teste formal em uma clínica do sono ou em casa, mas existe outro questionário, chamado STOP-BANG, bastante correlacionado com esse teste.*** Se você ronca, tem pressão alta, se sente cansado na maioria dos dias ou seu parceiro observou que você para de respirar às

---

* O Índice de gravidade da insônia e as informações sobre sua pontuação e interpretação estão disponíveis em <www.ons.org/sites/default/files/InsomniaSeverityIndex_ISI.pdf>.

** Para descobrir seu cronotipo de sono, responda ao questionário disponível em <https://reference.medscape.com/calculator/829/morningness-eveningness-questionnaire-meq>.

*** O questionário STOP-BANG está disponível em <www.stopbang.ca/osa/screening.php>.

vezes durante a noite, mesmo que por um instante, você é um forte candidato a se submeter a um teste de apneia do sono conduzido por um profissional da área de saúde. (Outros fatores de risco incluem ter um IMC superior a trinta e ser do sexo masculino.) A apneia do sono é um problema médico sério, que pode ter implicações na saúde cardiovascular e no risco de demência.

Para dormir melhor

Depois de descartar (ou tratar) problemas sérios como a apneia do sono, você pode tomar algumas medidas concretas para melhorar seu sono ou, pelo menos, aumentar suas chances de dormir bem.

Mais importante, você deve criar um ambiente propício. O primeiro requisito para um bom sono é a escuridão. A luz é inimiga do sono, ponto final. Portanto, seu quarto deve estar o mais escuro possível: instale cortinas que escurecem o ambiente se onde você mora houver muita luz externa à noite e retire todas as fontes de luz do quarto, inclusive equipamentos eletrônicos como TVs, decodificadores e afins. Os pequenos pontinhos de LED desses aparelhos podem prejudicar seu sono. Os relógios digitais são especialmente perigosos, não só por causa dos números luminosos, mas também porque, se você acordar e perceber que são 3h31, pode ficar preocupado com o voo que precisa pegar às 7h e não dormir mais.

É mais fácil falar do que fazer, porque isso basicamente significa expulsar o século XXI do seu quarto. A vida moderna destrói de maneira quase sistemática nossa capacidade de dormir bem, a começar pela onipresença da luz elétrica. A iluminação não natural não apenas interfere no ritmo circadiano natural,[61] como também bloqueia a liberação de melatonina, o hormônio ativado pela escuridão que diz ao cérebro que é hora de adormecer. É semelhante à maneira como a SAD interfere nos hormônios da saciedade que normalmente nos dizem que estamos satisfeitos e podemos parar de comer.

Pior ainda é o advento, relativamente recente, da iluminação doméstica de LED, que se situa majoritariamente na extremidade azul do espectro, o que significa que se assemelha mais à luz do dia. Quando o cérebro detecta essa luz azul, ele pensa que é dia e que devemos ficar acordados, então tenta nos impedir de adormecer. Portanto, você também deve reduzir a exposição à luz de LED à noite. Algumas horas antes de ir para a cama, comece a desligar as lâmpadas desnecessárias em sua casa, reduzindo gradualmente a exposição à luz. Além disso, tente trocar as lâmpadas azuis de LED por outras que emitam tonalidades de luz mais quentes.

Os dispositivos que usamos antes de dormir — celulares, laptops, videogames — são ainda piores para o sono. Eles não apenas nos bombardeiam com mais luz azul, como também ativam a mente de forma a bloquear nossa capacidade de dormir. Segundo uma pesquisa de larga escala,[62] quanto mais dispositivos interativos os participantes usavam uma hora antes de dormir, mais dificuldades tinham de pegar no sono e permanecer dormindo. Por outro lado, dispositivos passivos como TV, tocadores de música e, o melhor de tudo, livros estavam provavelmente menos associados a um sono ruim. Isso pode explicar, em parte, por que assistir à TV antes de dormir não parece afetar tanto o sono quanto jogar videogame ou navegar nas redes sociais, de acordo com Michael Gradisar,[63] pesquisador do sono e professor de psicologia na Universidade Flinders, na Austrália.

Estou cada vez mais convencido de que o vício em telas e redes sociais, que usamos 24 horas por dia, sete dias por semana, talvez seja nosso hábito mais destrutivo, tanto para a capacidade de dormir quanto para a saúde mental de modo geral. Portanto, eu bani esses dispositivos das minhas noites (ou pelo menos tento). Desligue o computador e ponha o celular de lado pelo menos uma hora antes de dormir. *Não* leve o laptop nem o celular para a cama.

Outro fator ambiental muito importante é a temperatura. Muitas pessoas associam o sono ao calor, mas na verdade é o oposto: um dos sinais de que estamos adormecendo é que a temperatura do corpo cai cerca de um grau Celsius.[64] Para colaborar com isso, tente manter seu quarto fresco: cerca de 18°C parece ser ideal. Um banho quente antes de dormir pode ajudar, não só porque o banho em si é relaxante, mas também porque, quando saímos do banho e deitamos na cama fria, nossa temperatura central cai, o que sinaliza ao cérebro que é hora de repousar. (Há também uma variedade de colchões e protetores de colchão que podem ajudar quem gosta de frescor ao dormir.)

Nosso "ambiente" interno é igualmente importante para um bom sono. A primeira coisa que digo aos meus pacientes que têm dificuldade para dormir é reduzir o consumo de álcool — ou, melhor ainda, vetá-lo. Isso é contraintuitivo,[65] porque o álcool inicialmente age como um sedativo, de modo a nos ajudar a pegar no sono mais rápido. Mas, à medida que a noite avança, o álcool passa de amigo a inimigo do sono, pois é metabolizado em substâncias químicas que prejudicam a capacidade de dormir. Dependendo de quanto bebemos, durante a segunda metade da noite podemos ter mais dificuldade em entrar no sono REM e ficar mais propensos a acordar e ter um sono leve e improdutivo.

Os efeitos do álcool na memória e na cognição são aparentes mesmo em quem bebe com moderação. Segundo estudos, jovens que bebem muito têm maior probabilidade de esquecer tarefas básicas, como trancar a porta ou pôr uma carta no correio. Estudantes que bebem em média nove doses por semana (não muito, pelos padrões universitários) tiveram um desempenho pior em um teste de memória baseado em palavras. E um achado que surpreende um total de zero pessoas: os alunos que bebiam mais iam dormir mais tarde e se sentiam mais sonolentos durante o dia, além de terem um desempenho pior nas provas. Mais alarmante é que os alunos que beberam muito dois dias depois de uma aula proveitosa ou sessão de estudo intenso esqueceram ou não retiveram a maior parte do que foi aprendido.[66]

Observe que todos esses achados se referem a jovens, estudantes que supostamente estão no auge em termos cognitivos. Se você transpuser essas conclusões para nós, que estamos na meia-idade ou na velhice e podemos ter menor tolerância ao álcool e maior propensão a esquecer as coisas, as implicações são preocupantes. Acho que meu limite é de dois drinques por noite: mais do que isso, meu sono é afetado e meu desempenho no trabalho no dia seguinte é prejudicado, não importa quantas xícaras de café eu tome.

O café não é uma solução para o sono ruim, sobretudo se consumido em excesso ou (principalmente) na hora errada. A maioria das pessoas pensa na cafeína como um estimulante que dá energia,[67] mas na verdade esse composto químico funciona mais como um bloqueador do sono, inibindo o receptor de uma substância chamada adenosina, que normalmente nos ajuda a dormir toda noite. Ao longo do dia, a adenosina vai se acumulando no cérebro, criando o que os cientistas chamam de "pressão do sono", ou o impulso de ir dormir. Podemos estar cansados e precisando cair no sono, mas, se ingerimos cafeína, é como se ela tirasse o telefone do gancho, de modo que o cérebro nunca recebe a mensagem.

Isso é obviamente útil pela manhã, ainda mais se, de acordo com nosso "cronotipo", ainda deveríamos estar dormindo às seis da manhã. Mas a meia-vida da cafeína no corpo é de até seis horas,[68] então, se tomarmos uma xícara de café ao meio-dia, ainda teremos meia xícara de cafeína no organismo às seis da tarde. Agora, multiplique isso por quantas xícaras de café você bebe em um dia e faça os cálculos a partir da última xícara. Se você tomou um último *espresso* duplo às três da tarde, ainda vai ter uma dose inteira de cafeína em seu corpo às nove da noite. Assim, provavelmente você não vai ter vontade ir dormir tão cedo.

Todo mundo difere em termos de tolerância à cafeína, com base nos genes e em outros fatores (a empresa 23andMe faz testes para detectar um gene comumente relacionado à cafeína). Meu metabolismo é rápido, de modo que tolero aquele *espresso* da tarde sem que atrapalhe muito meu sono; posso inclusive tomar café depois do jantar, e isso não parece ter impacto (ao contrário do álcool). Quem tem o metabolismo mais lento deve se limitar a apenas uma ou duas xícaras antes do meio-dia.

Esse conceito de pressão do sono, nossa necessidade ou desejo de dormir, é fundamental para muitas de nossas táticas de sono. Queremos cultivar a pressão do sono, mas na quantidade certa, no momento certo — nem muito, nem pouco, nem cedo demais. É por isso que uma das principais técnicas que os médicos usam para tratar pacientes com insônia é, na verdade, a restrição do sono, limitando as horas em que eles "podem" dormir a seis ou menos.[69] Isso basicamente os deixa cansados o suficiente para que adormeçam com mais facilidade ao final do dia e seu ciclo normal de sono seja restaurado (ou assim se espera). A pressão do sono aumenta até ultrapassar o que quer que esteja causando a insônia. Mas isso também ajuda a explicar por que cochilar pode ser contraproducente. Tirar uma soneca durante o dia, embora às vezes seja tentador, também pode aliviar boa parte da pressão do sono, dificultando ainda mais dormir à noite.

Outra forma de cultivar a pressão do sono é por meio de exercícios,[70] particularmente os de resistência (por exemplo, da zona 2), idealmente até duas ou três horas antes de dormir. Muitas vezes, meus pacientes percebem que trinta minutos de treino da zona 2 podem fazer maravilhas pelo sono. Ainda melhores são exercícios em que haja exposição à luz solar (ou seja, ao ar livre). Embora a luz azul à noite possa interferir no sono, meia hora de exposição à luz forte durante o dia ajuda a regular o ciclo circadiano e nos prepara para uma boa noite de sono.

Também é importante nos prepararmos mentalmente para dormir. Para mim, isso significa evitar qualquer coisa que possa gerar estresse ou ansiedade, como ler e-mails de trabalho ou, principalmente, as notícias. Isso ativa o sistema nervoso simpático (o da reação de luta ou fuga) no momento em que queremos desestressar e desacelerar. Preciso me forçar a desligar o computador à noite; aquela lista de e-mails ainda vai estar lá quando eu acordar. Se eu não conseguir tirar algum problema da cabeça, escrevo um plano de ação para abordá-lo no dia seguinte. Outra maneira de desligar o sistema nervoso simpático e preparar o cérebro para dormir é por meio da meditação.[71] Vários aplicativos muito bons podem ajudar com meditações guiadas, incluindo alguns inteiramente focados no sono.

O principal argumento deste capítulo, em termos amplos, é que uma boa noite de sono depende, em parte, de um bom dia de vigília: que inclua exercícios, tempo ao ar livre, uma alimentação equilibrada (sem lanches tarde da noite), sem álcool (ou um consumo mínimo), um gerenciamento adequado do estresse e a consciência para estabelecer limites no trabalho e em outros fatores de estresse.

Como melhorar seu sono

A seguir estão algumas regras ou sugestões que procuro seguir para dormir melhor. Não são soluções mágicas, mas estratégias para criar melhores condições para dormir e deixar seu cérebro e seu corpo fazerem o resto. Quanto mais perto você chegar dessas condições de funcionamento, melhor será seu sono. Não estou sugerindo que é necessário fazer tudo, óbvio — de maneira geral, é melhor não ficar obcecado com o sono. No entanto, quanto mais sugestões você seguir, maiores serão suas chances de ter uma boa noite de sono.

1. Não beba álcool, ponto final. Se você tiver que beber, limite-se a uma dose até no máximo as seis da tarde. O álcool talvez seja o fator controlável que mais prejudica a qualidade do sono. Não confunda a sonolência que ele provoca com sono de qualidade.
2. Só coma até três horas antes de ir dormir — se possível, aumente esse período. É melhor ir para a cama com um pouco de fome (embora estar faminto possa ser um fator de distração).
3. Só use estimulantes eletrônicos até duas horas antes de dormir. Evite qualquer tela caso tenha problemas para pegar no sono. Se necessário, use uma configuração que reduza a luz azul da tela.
4. Por pelo menos uma hora antes de dormir, ou mais, evite fazer qualquer coisa que gere ansiedade ou que seja estimulante, como ler e-mails de trabalho ou, pior ainda, entrar nas redes sociais. Isso faz com que as áreas do cérebro que

são ruminativas e propensas a preocupações sejam ativadas, o contrário do que queremos.

5. Se puder, use uma sauna ou entre na banheira antes de dormir. Assim que você se deitar na cama fria, a redução da temperatura corporal vai sinalizar ao cérebro que é hora de dormir. (Um banho quente também funciona.)
6. O quarto deve estar fresco, com a temperatura de preferência em torno dos 18°C. A cama também deve estar em torno disso. Use um colchão "fresco" ou um dos inúmeros resfriadores de colchão que existem. Eles também são ótimas ferramentas para casais que preferem temperaturas diferentes à noite, já que cada lado do colchão pode ser controlado separadamente.
7. Deixe o quarto totalmente no escuro — se possível, a ponto de você não enxergar sua mão a um palmo de distância do rosto. Caso contrário, use uma máscara de dormir. Eu uso uma de seda chamada Alaska Bear, que custa cerca de oito dólares e funciona melhor do que as versões mais sofisticadas que já experimentei.
8. Dê a si mesmo tempo para dormir — o que os cientistas do sono chamam de oportunidade de dormir. Isso significa ir para a cama pelo menos oito horas, de preferência nove, antes de acordar. Se você não se der nem mesmo a chance de dormir o suficiente, então o resto deste capítulo é inútil.
9. Acorde sempre no mesmo horário — inclusive nos finais de semana. Se você precisa de flexibilidade, pode variar a hora de dormir, mas priorize as oito horas de sono todas as noites.
10. Não fique obcecado com seu sono, principalmente se estiver tendo problemas. Se precisar de um despertador, assegure-se de que ele fique virado de costas, para que você não veja as horas. É mais difícil pegar no sono se você ficar olhando o relógio. E se estiver preocupado com uma pontuação ruim, dê uma pausa nos questionários de sono.

Mas e se mesmo assim você não conseguir dormir? Isso nos leva ao último e mais irritante problema do sono: a insônia. Provavelmente em algum momento todos nós já vivemos na pele a incapacidade de adormecer, mas, para muitas pessoas, é um problema crônico. Então, a primeira pergunta a se fazer é: será que é mesmo insônia? Ou será que você não está se preparando direito para dormir?

Se você se pegar acordado na cama, sem conseguir dormir de novo, meu conselho é: pare de lutar. Levante-se, vá para outro cômodo e faça algo relaxante. Prepare uma xícara de chá (sem cafeína, obviamente) e leia um livro (de preferência chato) até ficar sonolento novamente. O segredo, diz Vikas Jain, é encontrar algo relaxante e agradável, mas que não sirva para nada; você não deve nunca dar um propósito à insônia, como trabalhar ou pagar contas, senão seu cérebro vai tratar de acordá-lo com regularidade. Tenha em mente também de que você pode não ter insônia; talvez só tenha um cronotipo noturno e pense que "deve" ir para a cama muito mais cedo do que seu cérebro ou seu corpo querem. Portanto, reajuste sua hora de dormir e de acordar, se possível.

Se a insônia persistir, mesmo depois de seguir os conselhos descritos, o tratamento mais eficaz é uma forma de psicoterapia chamada terapia cognitivo-comportamental para insônia, ou TCC-I. O objetivo da TCC-I é ajudar a restaurar a confiança na capacidade de dormir, auxiliando o paciente a romper com hábitos prejudiciais ao sono e eliminar manifestações da ansiedade que possam estar atrapalhando. Os terapeutas também usam a restrição do sono, anteriormente citada, para aumentar a pressão do sono. Isso, por sua vez, ajuda a restaurar a confiança do paciente na capacidade de dormir. Segundo alguns estudos, as técnicas de TCC-I são mais eficazes do que os remédios para dormir.

Depois de ignorar o sono por décadas, agora sou apaixonado por ele. Eu o considero uma espécie de melhorador do desempenho, não só físico, mas também cognitivo. No longo prazo, o sono também tem o poder de aprimorar nosso healthspan de forma notável. Assim como o exercício físico, o sono é uma espécie de remédio milagroso, com benefícios gerais e específicos para o cérebro, o coração e principalmente o metabolismo.

Portanto, se a evolução fez do sono algo inegociável, quem sou eu para discutir?

CAPÍTULO 17

Trabalho em andamento

O alto preço de se ignorar a saúde emocional

Todo homem é uma ponte que se estende do legado
que ele herdou ao legado que ele passará adiante.

— TERRENCE REAL

Toda segunda-feira, novos pacientes chegam, e eu fui o primeiro deles. Algumas semanas antes do Natal, peguei um avião de San Diego para Nashville, depois viajei por duas horas em uma minivan surrada que fedia a nicotina até um lugar do qual eu nunca tinha ouvido falar chamado Bowling Green, no Kentucky. Era uma manhã fria, e o motorista não parava de olhar para o celular enquanto dirigia. Curiosamente, não fiquei incomodado. Eu queria que houvesse um acidente. Pelo menos assim eu seria poupado do que estava por vir.

Mais tarde, cheguei a uma instituição chamada The Bridge to Recovery, um recanto no meio da floresta. Cheirava a mofo. Enquanto esperava pela chegada dos demais, dei uma volta pela cozinha e vi uma placa que dizia: "Religião é para quem tem medo do inferno. Espiritualidade é para quem já passou por ele."

Onde é que eu vim parar?, me perguntei.

O primeiro dos outros recém-chegados era uma mulher que parecia ter cerca de cinquenta anos. Trocamos olhares sem dizer nada. Ela parecia muito triste, como se tivesse passado um ano inteiro chorando. Fiquei me perguntando se eu não passava a mesma impressão. No começo da noite, todos os “novatos” já haviam chegado. Exaustos, pálidos, esgotados. Vários eram viciados em drogas, álcool, sexo ou alguma combinação destes. Eu os olhei consternado, julgando que não era como eles.

Depois de uma breve apresentação, fizemos o chamado check-in, em que nos revezamos para descrever nosso estado emocional, como nos sentíamos naquele exato momento. Eu não tinha palavras para expressar como me sentia. Estava com uma raiva impossível de descrever. Uma raiva latente. Eu simplesmente não conseguia; se eu não tinha consciência emocional para entender meus sentimentos, que dirá articulá-los. Estava furioso por ter que ir àquele lugar, por ter fracassado. Achava que não deveria estar ali, com aqueles derrotados. Cada célula do meu corpo queria chamar um táxi e dar o fora dali.

Então, um dos veteranos, uma mulher da minha idade chamada Sarah, que estava lá fazia três semanas (e que sempre sabia dizer a coisa certa, como acabei descobrindo), deve ter visto a expressão no meu rosto. Mesmo sem saber meu nome, ela se virou para mim e disse: “Ei, está tudo bem, ninguém vem parar aqui porque a vida está um mar de rosas.”

Eu até podia achar que não estava no fundo do poço, mas estava afundando a toda velocidade. Algumas semanas antes, quase me envolvi numa briga com um cara aleatório em um estacionamento. Eu estava com meu rosto colado ao dele, implorando para que ele desse o primeiro soco e eu pudesse arrancar sua laringe, um procedimento que descrevi em detalhes cirúrgicos, junto com algumas ofensas bem escolhidas, para ajudar. Tenho certeza de que teria vencido aquela briga, mas também poderia ter perdido tudo: minha casa, meu registro médico, minha liberdade, provavelmente o que restava do meu casamento. Por fora, eu era um cara aparentemente bem-sucedido, com uma próspera carreira médica, uma linda esposa e filhos, amigos maravilhosos, uma saúde de ferro e um contrato para escrever este livro. Mas, na verdade, eu estava fora de controle.

Eu também não era apenas um simples motorista maluco. Era muito pior. Meses antes — 11 de julho de 2017, uma terça-feira, às 17h45, para ser mais exato —, recebi uma ligação de Jill, minha esposa. Ela estava em uma ambulância com nosso filho pequeno, Ayrton, a caminho do hospital. Por alguma razão, ele parou de respirar de repente e ficou inconsciente. Seus olhos reviraram e ele caiu sem vida, azulado, sem pulso. Foi a reação rápida da babá que o salvou. Ela o levou às pressas para Jill, que é enfermeira. Seus instintos assumiram o controle e ela imediatamente o colocou no chão e começou a realizar o protocolo de reanimação, de forma ritmada, mas com cuidado, pressionando o pequeno esterno dele enquanto a babá ligava freneticamente para a emergência. Ele tinha apenas um mês de idade.

Quando os bombeiros chegaram à nossa casa, cerca de cinco minutos depois, Ayrton tinha voltado a respirar e sua pele azulada estava voltando ao tom rosado, conforme o oxigênio retornava ao seu corpo. Os bombeiros ficaram atordoados. Nunca vemos essas crianças voltarem, disseram a Jill. Até hoje ainda não sabemos como nem por que isso aconteceu, mas é provável que tenha sido o que ocorre quando bebês sofrem uma morte súbita durante o sono: eles engasgam com a própria saliva, ou ocorre algum incidente vasovagal e o próprio sistema nervoso, imaturo, não consegue retomar a respiração.

Quando Jill me ligou da ambulância, eu estava em Nova York, em um táxi na rua 54, a caminho de um jantar. Depois que ela terminou de me contar a história, eu apenas disse, sem um pingo de emoção: "Tudo bem, me liga quando chegar no hospital, para eu falar com os médicos da UTI."

Ela desligou e, óbvio, ficou chateada: nosso filho quase tinha morrido, e o que eu deveria ter dito, a única coisa a se dizer, era que eu ia pegar o primeiro voo para voltar para casa.

Jill ficou no hospital com Ayrton, sozinha, por quatro dias. Ela me implorou para voltar. Eu ligava diariamente para falar com os médicos e debater os resultados dos exames, mas continuei em Nova York, ocupado com meu "importantíssimo" trabalho. Ayrton teve a parada cardíaca em uma terça-feira, mas só voltei para San Diego na sexta-feira da semana seguinte. Dez dias depois.

Ainda hoje, só de pensar no que aconteceu, meu comportamento me causa repulsa. Não acredito que fiz isso com minha família. Não consigo acreditar em como eu era um marido e pai cego, egoísta e alienado. E sei que talvez jamais me perdoe totalmente por isso.

Eu devia estar emanando uma energia horrível nessa época, porque meu grande amigo Paul Conti, um colega da faculdade de medicina que hoje é um psiquiatra brilhante e bastante intuitivo, começou a me incentivar a ir àquele centro no Kentucky. Pelo que pesquisei, parecia ser um lugar para viciados. "Não faz sentido. Eu não sou um viciado", eu disse a ele.

Ele me explicou, em conversas gentis que perduraram por meses, que o vício pode assumir muitas manifestações, não apenas drogas ou álcool. Com frequência, ele prosseguiu, é resultado de algum trauma do passado. Especialista em traumas, Paul viu que eu manifestava todos os sinais comportamentais: raiva, distanciamento, obsessão, uma necessidade de realização alimentada pela insegurança. "Não sei o que foi [que aconteceu], mas você precisa confiar em mim", disse ele, implacável.

Concordei em ir até o Kentucky, mas fiquei protelando. No início de novembro, uma funcionária da instituição me ligou para fazer minha entrevista de admissão. Foi uma conversa longa e entediante, e minha paciência finalmente se esgotou quando ela perguntou: "Você já sofreu algum tipo de abuso?"

Fiquei com tanta raiva que gritei: "Vá se foder!", e desliguei o telefone. Depois dessa ligação, decidi cancelar minha ida. O que havia de errado com aquelas pessoas, fazendo perguntas tão imbecis?

Daquele fim de semana de Ação de Graças só ficou um borrão para mim. Em toda a nossa vida juntos, foi o único Dia de Ação de Graças em que não fomos para a casa de amigos ou parentes, ou que nós mesmos preparamos o jantar. Apenas ficamos em casa, sozinhos. No domingo à noite, Jill me implorou novamente para ir para o Kentucky. "Não posso ficar longe por tanto tempo", argumentei. "Meus pacientes precisam de mim, e você precisa de ajuda com as crianças." Aquilo era uma bobagem, e nós dois sabíamos disso. Ela respondeu à queima-roupa: "Você não me ajuda em nada; na verdade, você está machucando a mim e aos seus filhos também, e muito."

Confrontado com essa verdade brutal, percebi que tinha que ir.

Como já deve ter ficado óbvio, este capítulo vai ser diferente, porque nele não sou o médico, mas o paciente. E um paciente que se considera sortudo por estar vivo. Até aqui, eu me concentrei quase exclusivamente nos aspectos físicos do healthspan e da longevidade, mas agora vou explorar o lado emocional e mental, que de certa maneira é mais importante do que tudo o que eu expus.

Minha jornada transformou não só minha vida e a da minha família, mas também a forma como eu penso sobre a longevidade. O processo é contínuo e exige dedicação diária — quase o mesmo tempo e esforço que dedico aos exercícios (que não são poucos, como você já sabe). É assim que tem que ser, percebi. A saúde emocional e a saúde física estão intimamente interligadas, de uma maneira que a medicina convencional, a Medicina 2.0, está apenas começando a entender. No nível mais óbvio, um acesso de raiva como o que tive naquele estacionamento poderia muito bem ter desencadeado um ataque cardíaco, principalmente se levarmos em conta minha suposta propensão genética a ter doenças cardíacas. Eu poderia ter caído morto naquela tarde mesmo.

A saúde mental afeta a expectativa de vida por outra via muito direta: o suicídio,[1] que está entre as dez principais causas de morte em todas as faixas etárias, desde a adolescência até os oitenta anos. Quando penso em suicídio, costumo me lembrar de um homem chamado Ken Baldwin,[2] que se jogou da ponte Golden Gate, em São Francisco, em 1985, aos 28 anos. Ao contrário de 99% das pessoas que pulam dessa ponte, ele sobreviveu. Mais tarde, ele disse ao escritor Tad Friend: "[durante a queda] percebi na mesma hora que tudo na minha vida que eu achava impossível consertar era plenamente consertável — exceto o fato de ter acabado de pular."

Nem todos os suicidas pulam de pontes. Muito mais gente se aproxima pouco a pouco do sofrimento e da morte precoce por meio de rotas indiretas, deixando o estresse e a raiva corroerem a saúde, ou caindo na automedicação, no vício em álcool e drogas, ou adotando outros comportamentos imprudentes e perigosos que os profissionais de saúde mental chamam de parassuicídio. Não surpreende que as mortes relacionadas ao abuso de álcool e drogas tenham aumentado nas últimas duas décadas,[3] especialmente entre pessoas dos trinta aos 65 anos; o CDC estima que mais de cem mil norte-americanos morreram de overdose entre abril de 2020 e abril de 2021, quase o mesmo número que morreu de diabetes.[4]

Essas overdoses "acidentais" respondem por quase 40% de todas as mortes acidentais,[5] uma categoria que também inclui acidentes de carro e quedas. Algumas dessas overdoses foram, sem dúvida, verdadeiramente acidentais, mas aposto que a grande maioria pode ser atribuída aos problemas de saúde mental das vítimas, em alguma medida. Eram suicídios em câmera lenta,[6] fruto do desespero — uma faceta agonizante, mas muitas vezes invisível, da "morte lenta" de que falamos anteriormente.

Essa categoria de morte cresceu tanto nas últimas duas décadas,[7] alimentada pela prevalência dos opioides viciantes em nossa sociedade, que inclusive ajudou a diminuir a expectativa de vida de alguns segmentos da população norte-americana — pela primeira vez em mais de um século. Homens e mulheres brancos de meia-idade, em particular, estão sucumbindo a overdoses de

mos é que a Medicina 2.0 foi criada para tratar a saúde mental e emocional praticamente do mesmo modo como trata todo o resto: diagnosticar, prescrever e, óbvio, cobrar. Apesar de os antidepressivos e outros medicamentos psicoativos ajudarem muitos pacientes, inclusive a mim, raramente é simples encontrar uma solução completa. Por um lado, trata-se de um modelo baseado em doenças, que é como a Medicina 2.0 encara e resolve problemas como infecções e doenças agudas: trate os sintomas e mande o paciente de volta para casa. Ou, se o caso for mais grave, como foi comigo, mande o paciente passar algumas semanas em um lugar como a Bridge e depois o mande de volta para casa — *voilà*, problema resolvido.

Uma das razões pelas quais essa abordagem se mostrou menos eficaz no campo psicológico é que saúde mental e saúde emocional não são a mesma coisa. A saúde mental abrange estados referentes a doenças, como depressão clínica e esquizofrenia, que são complexos e difíceis de tratar, embora apresentem sintomas identificáveis. Aqui, estamos mais interessados na saúde emocional, que engloba a saúde mental, mas também é muito mais ampla — e não tão fácil de dividir em categorias e códigos. A saúde emocional tem mais a ver com a maneira como regulamos nossas emoções e gerimos nossas relações interpessoais. Eu não tinha uma doença mental propriamente dita, mas apresentava graves problemas de saúde emocional que prejudicavam minha capacidade de viver uma vida feliz e ajustada — e que potencialmente colocavam minha vida em risco. A Medicina 2.0 tem dificuldade em lidar com situações como essa.

Cuidar da saúde emocional exige uma mudança de paradigma semelhante à mudança da Medicina 2.0 para a 3.0. É preciso uma prevenção de longo prazo, assim como em nossa abordagem quanto à prevenção de doenças cardiovasculares. Temos que ser capazes de identificar problemas em potencial com antecedência e estar dispostos a cuidar deles com afinco por um período extenso. E nossa abordagem deve ser adaptada a cada indivíduo, com sua trajetória e seus problemas únicos.

A tese da Medicina 3.0 é que, se cuidarmos da nossa saúde emocional desde cedo, teremos melhores chances de evitar problemas clínicos de saúde mental, como depressão e ansiedade crônica — e nossa saúde geral também vai se beneficiar. Mas raramente há uma cura simples ou solução rápida, assim como não existe solução rápida para o câncer ou para doenças metabólicas.

Cuidar da saúde emocional requer não só esforço constante e prática diária, mas também a manutenção de outros aspectos da saúde física, como criar uma rotina de exercícios, seguir um programa nutricional, adotar rituais de sono e assim por diante. A chave é ser o mais proativo possível, para que continuemos a prosperar em todos os domínios da saúde até nossas últimas décadas de vida.

Desconfio de que o que faz com que seja mais difícil lidar com a saúde emocional do que com a saúde física é que, muitas vezes, somos menos capazes de perceber a necessidade de mudar. Poucas pessoas que estão acima do peso e fora de forma não percebem que precisam mudar (agora mudar mesmo já são outros quinhentos). Mas inúmeras pessoas precisam desesperadamente de ajuda no campo da saúde emocional, mas não sabem reconhecer os sinais e os sintomas de sua condição. Eu era a imagem perfeita desse grupo.

Depois de duas semanas, fui embora da clínica. Os terapeutas receavam que eu estivesse voltando para casa rápido demais; eles queriam que eu ficasse por mais um mês, mas senti que havia feito um progresso enorme naquele tempo relativamente curto. Aceitar meu passado parecia algo bastante relevante para mim. Eu me sentia otimista, e eles finalmente me liberaram. Portanto, peguei um avião de volta para casa às vésperas do Natal.

Isso provavelmente foi um erro.

Quisera eu dizer que esse foi o fim da história, o momento em que o antigo Peter se despediu, com seu egoísmo e sua raiva, e o novo Peter assumiu seu lugar, e todos vivemos felizes para sempre. Infelizmente, não foi o caso; na melhor das hipóteses, foi apenas o fim do começo.

Eu tinha muito trabalho a fazer quando voltasse para casa: processar o que foi desenterrado na Bridge e começar a curar meu relacionamento com minha esposa e meus filhos. Com a ajuda de duas terapeutas maravilhosas, Esther Perel (individual) e Lorie Teagno (casal), fiz progressos lentos com o passar das semanas e dos meses. Lorie e Esther achavam que eu precisava de um terapeuta do sexo masculino, alguém que pudesse servir de modelo para emoções masculinas saudáveis. Tentei me consultar com vários bons terapeutas, mas não senti uma conexão com nenhum deles como a que senti com Jeff English, meu principal terapeuta na Bridge.

Eu estava prestes a desistir quando Esther sugeriu que eu lesse o livro de Terrence Real intitulado *I Don't Want to Talk About It* ("Não quero falar sobre isso", em tradução livre),[10] um tratado inovador sobre as raízes da depres-

"T maiúsculo", enquanto ter um pai alcoólatra pode sujeitar uma criança a uma série de traumas com "t minúsculo". Mas, em doses grandes o suficiente, por tempo suficiente, estes últimos podem moldar a vida de uma pessoa tanto quanto um único evento terrível.

Ambos os tipos de trauma podem provocar danos profundos, mas aqueles com "t minúsculo" são os mais difíceis de lidar — em parte, desconfio, porque somos mais inclinados a desprezá-los. Jeff English, um dos terapeutas que me atendiam, deu uma definição geral que achei bastante útil: ter um trauma, seja com "T maiúsculo" ou "t minúsculo", significa ter vivido momentos de desamparo. As situações em questão podem ou não ter sido de vida ou morte, explicou ele, "mas, para uma criança com um cérebro subdesenvolvido, essa pode ter sido a impressão".

Isso sintetiza perfeitamente como me senti em determinados momentos da infância. Para mim, a sensação de impotência era uma fonte importante de dor (e, mais tarde, de raiva). Mas é importante também fazer uma distinção entre trauma e adversidade, que não são a mesma coisa. Não estou sugerindo que o ideal é que as crianças cresçam sem passar por nenhuma adversidade, o que às vezes parece ser o principal objetivo da educação moderna. Muitos fatores de estresse podem ser benéficos, enquanto outros, não. Não existe uma linha nítida entre trauma e adversidade; por mais terrível que tenha sido, minha experiência me fortaleceu em alguns aspectos. A pergunta de Julie é uma boa prova de fogo: eu gostaria que meu filho passasse por aquilo? Se minha filha terminasse em último lugar em uma corrida de cross-country (por exemplo) e não ganhasse uma medalha, tudo bem. Óbvio, ela poderia ficar chateada, mas isso também poderia motivá-la a treinar mais e um dia lhe permitir apreciar melhor a alegria de ficar entre as três primeiras. O que não seria nada bom é se eu tivesse gritado com ela, na frente dos outros corredores, por ter sido derrotada pela menina mais baixa da equipe.

Um aparte: em um estudo de 2019 há uma demonstração elegante do princípio de que os contratempos podem ser positivos. Os pesquisadores separaram cientistas juniores que se candidataram a bolsas do NIH em dois grupos, com base em sua pontuação na seleção: um deles obteve pontuação logo acima do limite para o financiamento, enquanto o outro ficou logo abaixo da linha do financiamento, o que significa que eles não conseguiram bolsa. Embora o grupo que perdeu por pouco tivesse maior probabilidade de abandonar a carreira científica, aqueles que permaneceram acabaram por superar os colegas que haviam recebido financiamento na primeira tentativa. O revés não afetou a carreira deles, pelo contrário.

A questão mais importante do trauma infantil não é o evento em si, mas como a criança se adapta a ele. As crianças são notavelmente resilientes, e aquelas que sofrem um trauma se tornam crianças adaptáveis. Os problemas começam quando elas crescem e se tornam adultos mal-adaptados e disfuncionais. Essa disfunção é representada pelos quatro ramos da árvore do trauma: (1) vício, não apenas em drogas, álcool e jogos de azar, mas também em coisas socialmente aceitáveis, como trabalho, exercícios e perfeccionismo (meu caso); (2) codependência ou dependência psicológica excessiva de outra pessoa; (3) estratégias de sobrevivência habituais, como propensão a acessos de raiva (meu caso); (4) transtornos de apego, dificuldade em fazer e manter conexões ou relacionamentos significativos (meu caso). Em geral, esses ramos são bastante óbvios e fáceis de detectar; a parte complicada é cavar até as raízes e começar a desembaraçá-las. Tudo isso é extremamente individualizado; cada um reage e se adapta ao trauma de forma particular. E não é como se houvesse alguma pílula que pudesse fazer o trauma, ou como a pessoa lidou com ele, simplesmente desaparecer. Isso exige trabalho árduo — e, como acabei descobrindo, pode levar muito tempo.

Essa é mais uma área em que a Medicina 2.0 muitas vezes deixa a desejar. A maioria dos terapeutas diagnostica os pacientes com base na bíblia da saúde mental, o *Manual diagnóstico e estatístico de transtornos mentais*, 5ª edição (DSM-5, na sigla em inglês), um compêndio de 991 páginas com todas as condições psicológicas concebíveis. O DSM é uma iniciativa arrojada de organizar e codificar todos os inúmeros transtornos mentais — para dar um caráter científico a eles, e também para facilitar o reembolso do seguro de saúde. Mas, na prática, como observa Paul Conti, nossas histórias e nossas condições são únicas, individuais. Nem todas se encaixam em categorias bem-definidas. Cada uma é diferente; a história de cada um é diferente. Ninguém é apenas um "código". Portanto, acredita ele, uma codificação tão rigorosa "representa um obstáculo para entendermos de fato o indivíduo".

Com isso, também é mais difícil oferecer conselhos generalizados sobre o assunto; cada leitor tem sua composição emocional, sua história e seus problemas a resolver. No entanto, uma dificuldade que todos compartilha-

lá, bufando. Na quarta ou quinta-feira, isso quase virou uma piada. Todos nós tínhamos ouvido pelo menos partes da história uns dos outros, mas ninguém sabia nada sobre a minha. A certa altura, alguém disse: "Vamos lá, cara, você é um *serial killer* ou algo assim? Tipo, o que houve?"

Não respondi. Acho que meu colega de quarto não dormiu muito bem naquela noite.

Por fim, depois de quatro ou cinco dias, não consegui mais ficar calado. Eles reservaram quase um dia inteiro para que todos contássemos nossa história de vida desde o início. Cada um teria uma hora, e deveríamos nos preparar. Então finalmente contei a história da minha vida para aquele grupo de completos estranhos — nem mesmo Jill sabia de tanta coisa —, mas narrei tudo com muita praticidade: tal coisa aconteceu quando eu tinha cinco anos, tal coisa aos sete, e assim por diante. Parte era de cunho sexual; algumas eram físicas. Mas nem tudo era uma tragédia, afinal, ao menos eu não fora abusado por ninguém da minha família, expliquei. Aqueles acontecimentos, por mais terríveis que tivessem sido, me levaram a começar a praticar boxe e artes marciais aos treze anos. Eu podia dar socos em sacos de pancada e em outras pessoas para canalizar minha raiva. Aprendi a me proteger, mas também desenvolvi disciplina e foco, qualidades que se mostraram inestimáveis quando, lá pelos dezenove anos, troquei o pugilismo pela matemática.

Por mais terrível que fosse, meu passado também foi o que me levou a me tornar um médico, continuei, entrando um pouco na defensiva. Na faculdade, trabalhei como voluntário em um abrigo para adolescentes vítimas de abuso sexual e me aproximei de muitos deles ao longo de quatro anos, incluindo uma jovem que havia sido abusada pelo próprio pai. Não tinha sido o meu caso, mas eu conseguia me identificar com a situação. Quando ela tentou se suicidar — uma entre muitas tentativas —, fui visitá-la no hospital. Eu estava no último ano e já havia me candidatado aos principais programas de doutorado em engenharia aeroespacial. Mas não tinha certeza de que aquela era minha vocação. Ao passar tanto tempo no hospital com ela tive a epifania de que eu deveria cuidar de pessoas, não resolver equações.

"Percebe?", concluí. Partes do meu passado podiam ter sido ruins, mas, de certo modo, também me levaram a trilhar o caminho de uma vida melhor. Enquanto isso, alguns dos jovens com quem cresci e lutei boxe foram presos por assalto à mão armada, engravidaram garotas durante o ensino médio e todo tipo de coisa. Poderia facilmente ter acontecido comigo. De certo modo, argumentei, os abusos que sofri podem ter salvado minha vida, então eu nem precisava estar naquele lugar!

Nesse momento, uma das terapeutas, Julie Vincent, me interrompeu. Existem muitas regras na Bridge, e uma das mais importantes é não minimizar. Você não tem o direito de minimizar nada do que a outra pessoa diz e, principalmente, não tem o direito de minimizar suas próprias experiências. Mas ela não me repreendeu. Só fez uma pergunta simples: "Você tinha cinco anos quando isso aconteceu com você pela primeira vez, certo?"

"Isso mesmo", respondi.

"E seu filho Reese está com quase cinco anos hoje, certo?"

Eu assenti.

"Então você diz que tudo bem se isso aconteceu quando tinha a idade dele. Mas você acharia tudo bem se alguém fizesse isso com o Reese agora?"

Outra regra na Bridge é que não se deve dar um lenço de papel para alguém que estiver chorando. A pessoa deve se levantar e pegar por conta própria. Aquela foi minha vez de me levantar e ir até a caixa de lenço de papel. Tudo começou a sair e, por fim, fui capaz de entender por que estava ali e começar a destrinchar arduamente os últimos quarenta anos da minha vida.

Os terapeutas do Bridge trabalham com uma perspectiva que considero útil e que se chama "árvore do trauma". A ideia é que certos comportamentos indesejáveis que manifestamos quando adultos, como o vício e a raiva descontrolada, são na verdade adaptações aos vários traumas que sofremos na infância. Portanto, apesar de enxergarmos apenas a manifestação da árvore na superfície, o tronco e os galhos, é preciso olhar no subsolo, nas raízes, para entender a árvore em sua inteireza. Mas as raízes costumam estar muito bem escondidas, como era meu caso.

O trauma geralmente se encaixa em uma das cinco categorias seguintes: (1) abuso (físico ou sexual, mas também emocional ou espiritual); (2) negligência; (3) abandono; (4) enredamento (o embaçamento das fronteiras entre adultos e crianças); e (5) o testemunho de eventos trágicos. A maioria das coisas que marcam as crianças se enquadram em alguma dessas categorias.

Trauma é uma palavra bastante carregada, e os terapeutas da Bridge tiveram o cuidado de explicar que pode haver traumas com "T maiúsculo" ou com "t minúsculo". Ser vítima de estupro se enquadra como um trauma com

drogas e álcool, doenças hepáticas e suicídio em taxas sem precedentes, como Anne Case e Angus Deaton observaram pela primeira vez em 2015.[8] A crise do abuso de substâncias criou uma crise de longevidade, porque na verdade é uma crise de saúde mental disfarçada.

Esse tipo de sofrimento é muito mais prevalente do que sugerem as taxas de suicídio, porque simplesmente lhe priva da alegria que permite que você se concentre em sua saúde, sua vida e seus relacionamentos. Assim, em vez de viver, você só espera pela morte. Foi por isso que eu passei a acreditar que a saúde emocional talvez seja o componente mais importante do healthspan. Nada relacionado à longevidade vale de muita coisa sem felicidade, realização e conexão com os outros. O sofrimento e a infelicidade também podem acabar com a saúde física, como o câncer, as doenças cardíacas, as doenças neurodegenerativas e as lesões ortopédicas.

Até mesmo morar sozinho ou se sentir solitário está associado a um risco muito maior de mortalidade. Embora a maioria das questões relacionadas à saúde emocional não dependa da idade, esse é o único "fator de risco" que parece piorar com a idade. Segundo pesquisas, os norte-americanos mais velhos relatam passar mais tempo sozinhos todos os dias[9] — uma média de cerca de sete horas diárias para aqueles com 75 anos — e têm muito mais probabilidade de viver sozinhos do que as pessoas de meia-idade ou menos. E, do jeito que as coisas estavam indo para mim, eu vislumbrava uma velhice triste, solitária e miserável.

Levei algum tempo para perceber isso, mas se sentir conectado e ter relacionamentos saudáveis com os outros e consigo mesmo é tão importante quanto metabolizar a glicose com eficiência ou ter um perfil ideal de lipoproteína. Colocar sua casa emocional em ordem é tão importante quanto fazer uma colonoscopia ou um teste de Lp(a), se não mais. Mas é muito mais complicado.

A saúde emocional e a saúde física são uma via de mão dupla. Na minha prática médica, testemunhei em primeira mão que muitos dos problemas físicos e de longevidade de meus pacientes estão enraizados ou são exacerbados pela saúde emocional. É algo que vejo diariamente. É mais difícil motivar um paciente deprimido a começar uma rotina de exercícios; quem está estressado demais no trabalho e infeliz na vida pessoal não vê sentido em fazer exames preventivos de câncer ou monitorar os níveis de glicose no sangue. Assim, essas pessoas ficam à deriva, pois o sofrimento emocional arrasta consigo sua saúde física.

Meu caso era praticamente o inverso: eu estava fazendo de tudo para viver mais, apesar de estar devastado do ponto de vista emocional. Por volta de 2017, meu corpo estava saudável como nunca antes, mas para quê? Eu estava seguindo um caminho terrível, tanto emocionalmente quanto nas minhas relações interpessoais. As palavras da minha terapeuta, Esther Perel, ecoavam na minha cabeça quase todos os dias: "Por que você quer viver mais se está tão infeliz?"

O que eu tinha em comum com alguns de meus pacientes era que todos nós achávamos mais fácil simplesmente não lidar com problemas que pareciam complexos e opressores. Eu não sabia nem por onde começar — ou melhor, nem admitia que precisava de ajuda, mesmo depois de isso ficar óbvio para todo mundo ao meu redor. Tive que chegar ao fundo do poço para enfim encarar a verdade e ir para aquela instituição no meio do nada, um lugar difícil e, em última instância, maravilhoso nas florestas do Kentucky. Lá, comecei a fazer o que precisava ser feito: adquirir as ferramentas necessárias para funcionar melhor em termos emocionais.

Meus primeiros dias na Bridge to Recovery pareceram semanas, quiçá meses. O tempo se arrastava. Eu estava sem celular, e até meus livros foram confiscados. Era parte do plano, para nos forçar a contemplar nosso sofrimento. Não havia literalmente nada mais para fazer. Eu me arrastava como um zumbi pelas atividades diárias, desde nossa única xícara de café pela manhã até o trabalho com a criança interior e a equoterapia. Meu único consolo era o treino às 4h30 da manhã, que também representava o único vício ao qual eu ainda tinha permissão para me entregar. Fora isso, não havia alívio nem solidão.

Antes de chegar, pedi à minha secretária que solicitasse um quarto particular. A pessoa ao telefone basicamente riu dela e falou: "Diga à sua excelência que não é possível. Todo mundo divide o quarto com alguém." Então, eu tinha um colega de quarto, que parecia um cara legal e tinha algumas tatuagens bem bacanas, mas, na minha pressa de julgá-lo (e a todos os outros), a única coisa que eu via eram as diferenças. Ele não tinha feito faculdade. Trabalhava em uma oficina mecânica. Gostava de strippers e cocaína. A esposa o odiava, o que na verdade era algo que talvez tivéssemos em comum.

No começo, eu me fechei. A parte do dia que eu mais temia eram os check-ins emocionais, que ocorriam duas vezes ao dia, nos quais deveríamos descrever exatamente o que estávamos sentindo. Eu não conseguia. Só ficava

De repente, tive um acesso violento e autodestrutivo como nunca experimentei nem antes nem depois. Até mesmo me lembrar disso agora é aterrorizante. Arremessei uma mesa na sala de estar de nossa casa. Rasguei minha camiseta em pedaços. Eu berrava, de raiva e dor. Minha esposa implorou para que eu saísse de casa, com medo de que eu machucasse ela ou as crianças. Pensei em jogar o carro contra o pilar de uma ponte ou de outra estrutura a uma velocidade alta o suficiente para morrer. Eu tinha certeza absoluta de que era um fracassado, um derrotado; quando fizessem a autópsia do meu cérebro, iam descobrir o quanto eu era problemático. Não havia solução. Nada seria capaz de consertar aquilo.

Acabei me enfiando em um hotel de beira de estrada e liguei para Paul, Esther e Terry. Eles insistiram para que eu fosse para alguma clínica como a Bridge. Imediatamente. Como era de costume, discordei, obstinado, alegando que eu seria capaz de resolver aquilo com um pouco mais de tempo e apoio, se ao menos eu pudesse ir para casa e descansar um pouco. Depois de rebatê-los por 48 horas, finalmente cedi. No meio da noite, fui de carro até Phoenix, no Arizona, para me internar em um lugar chamado Psychological Counseling Services (PCS).

Fazia quase um ano que Terry me falava do PCS. Ele dizia que milagres aconteciam lá, curando feridas que pareciam fadadas à eternidade. Perguntei como ele tinha tanta certeza. Ele disse que eu só precisava confiar nele.

Assim como aconteceu durante minha estadia na Bridge, dois anos e meio antes, levei alguns dias para me adaptar. Como era o início da pandemia, fiquei sozinho em um Airbnb minúsculo a alguns quilômetros da clínica, conversando com os terapeutas pelo Zoom ao longo de doze horas por dia.

Foi só a partir da segunda semana que comecei a fazer algum progresso. Pouco a pouco, passei a aceitar que havia construído uma estrutura de perfeccionismo e vício em trabalho sustentada pelos pilares de uma autoestima baseada em desempenho. Essa estrutura se assentava nos fundamentos da minha vergonha, em parte provocada pelo trauma e em parte herdada, pois as crianças assimilam a vergonha das pessoas ao seu redor. Mas tudo aquilo era intensificado pelo círculo vicioso de autodesprezo que eu alimentava e pela culpa por minhas ações. Não coincidentemente sempre me atraí por esportes que exigiam perfeição, como arco e flecha e automobilismo.

Acabei passando três semanas no PCS — 21 dias agonizantes e ininterruptos —, concluindo o trabalho que havia começado na Bridge e indo muito além do que eu imaginava ser possível. Tratamos de uma quantidade enorme de questões, mas uma tarefa me deixou inteiramente paralisado. No segundo dia, fui incumbido de fazer uma lista de 47 afirmações, com uma afirmação positiva sobre mim mesmo para cada ano de vida. Cheguei a umas cinco ou seis antes de empacar. Por dias a fio, não consegui pensar em nada de bom para dizer sobre mim. Meu perfeccionismo e minha vergonha não me permitiam acreditar em nada de bom sobre mim. Era simplesmente impossível.

Por fim, no 19º dia — uma manhã quente de quarta-feira —, aconteceu. Um dos meus terapeutas, Marcus, estava se aprofundando cada vez mais em uma história que eu havia contado sobre não querer mais comemorar meus aniversários a partir dos meus sete anos; confidenciei, inclusive, que mantive o dia do meu aniversário em "segredo" até bem depois dos vinte anos. As perguntas dele deixaram evidente que aquilo não era algo que uma criança saudável faria e que provavelmente mascarava algo mais grave. Ele continuou a cavar e não parecia disposto a parar.

Tomar consciência daquilo me lançou em uma queda livre emocional. Demorei dois anos e meio, mas finalmente fui capaz de me entregar e aceitar meu passado e como ele me moldou, sem desculpas ou racionalizações. Tudo o que eu me tornei — de bom e ruim — foi em resposta ao que experimentei. Também não foram só os traumas com "T maiúsculo"; descobrimos muitos, muitos traumas com "t minúsculo", escondidos nas rachaduras, que me afetavam ainda mais. Eu não me senti protegido nem seguro. Pessoas próximas a mim quebraram minha confiança. Eu me senti abandonado. Tudo isso se manifestava no meu autodesprezo como adulto, de modo que me tornei meu pior inimigo. E não merecia nada daquilo. Esse foi o insight fundamental. Aquele garotinho adorável não merecia nada daquilo. E ele ainda estava ali, dentro de mim.

Depois de aceitar tudo isso, foi fácil escrever as 47 afirmações.

Tenho defeitos, mas não sou defeituoso.
Sou um bom marido e um bom pai.
Cozinho bem.
Não sou uma vergonha para mim mesmo.
Vou encontrar uma forma de sentir amor por mim.

ainda parecia fora de lugar. Embora estivesse trabalhando nos meus relacionamentos mais próximos, havia ainda um grande ponto cego: meu relacionamento comigo. Eu tinha me tornado um marido e um pai muito melhor, mas, por dentro, continuava a ser duro comigo mesmo. O ódio e o desprezo profundos que eu sentia por mim ainda contaminavam a maior parte dos meus pensamentos e emoções, e eu nem sequer percebia — nem entendia por que isso acontecia.

Eu sei que não era o único a ter esse tipo de sentimento. Uma vez, conversei com um paciente, uma pessoa incrivelmente bem-sucedida e renomada, e ele falou uma coisa que me surpreendeu: "Preciso alcançar a excelência para não achar que eu não valho de nada."

Aquilo me deixou chocado. Até ele se sentia assim?

No entanto, minha insegurança e minha falta de amor próprio não paravam de me atormentar. Ainda que eu estivesse melhorando no trato com outras pessoas — isso já era alguma coisa —, mais do que nunca eu estava sendo severo comigo mesmo. A raiva ainda guiava meus passos, mesmo quando era para eu estar me divertindo. O simples ato de errar um tiro no arco e flecha ou derrapar em uma curva no meu simulador de corrida me deixava em um estado fervilhante de raiva e autodesprezo. Eu perdia constantemente a paciência comigo mesmo e tinha acessos de raiva, gritava e até quebrava uma flecha na coxa se errasse um tiro. Era muito dolorido, mas eu não parava de fazer essas coisas.

Era como se na minha cabeça eu tivesse meu próprio Bobby Knight, técnico de basquete da Universidade de Indiana famoso por seus chiliques na beira da quadra que o deixavam com o rosto vermelho (ele acabou perdendo o emprego por conta disso). Sempre que eu cometia um erro ou achava que meu desempenho havia sido ruim, mesmo em coisas pequenas, meu Bobby Knight particular se levantava do banco de reservas para gritar comigo. Cometeu um erro ao fazer o jantar? Como você não sabe grelhar a porra de um bife? Teve dificuldade ao gravar a introdução de um episódio do podcast? Você é um bosta inútil que não deveria nem estar vivo, quanto mais ter um podcast!

A parte mais doida é que eu acreditava que essa voz me fazia bem. Eu dizia a mim mesmo que essa raiva e essa insegurança alimentavam boa parte do meu ímpeto e estavam por trás de qualquer sucesso de que eu tivesse desfrutado. Era o preço que eu tinha que pagar. Mas, na realidade, tudo o que isso me gerava eram mais virtudes do currículo. E eu nem estava tão orgulhoso do meu. Ele nunca estava bom o suficiente.

Pela primeira vez na vida, fiz uma reflexão bombástica: que diferença faz seu desempenho se você está tão infeliz?

Durante esse tempo, Paul Conti, que continuou a acompanhar minha saúde emocional periclitante como amigo, percebeu que outra tempestade se aproximava. Ele começou a sugerir que eu fosse para outra clínica. A Bridge me ajudou muito, e sem ela eu teria perdido minha família. Mas Paul achava que eu havia ido embora cedo demais, tendo ficado apenas duas semanas, e, portanto, mal tinha começado a analisar e curar meu relacionamento comigo mesmo. Mas, teimoso, recusei. Iria ficar bem.

A corda ia arrebentar em algum momento, e não demorou muito.

Eu penso que, se 2020 tivesse sido como qualquer outro ano, eu poderia ter empurrado as coisas com a barriga por mais alguns anos e simplesmente sobrevivido. Mas nada como uma crise para trazer à tona todas as outras questões latentes.

Quando a pandemia chegou, a capacidade de atendimento da nossa clínica já estava no limite. Recebemos a maioria dos novos pacientes nos dois primeiros trimestres do ano, então eu já havia dedicado o máximo da minha energia para me inteirar das particularidades de cada um deles. A Covid-19 dobrou ou triplicou instantaneamente nossa carga de trabalho. Fazíamos reuniões diárias que começavam de manhã bem cedo com a equipe de pesquisa para discutir cada descoberta sobre a doença, e a lista de podcasts relacionados à doença só crescia. Deixei de lado minha meditação matinal para atender às inúmeras ligações de pacientes, que estavam compreensivelmente em pânico e em busca de algum tipo de segurança.

Quando março acabou, abrindo espaço para abril, ficou evidente que não havia um fim à vista. Um dia, no final de abril, durante uma ligação matinal de rotina com a gerente da minha clínica, não aguentei mais e comecei a desabafar. Contei a ela que tinha perdido o controle. Não conseguia mais lembrar direito as histórias dos meus pacientes. Foi o paciente X ou o Y que, na semana passada, me falou dos problemas da filha na escola? Era para a paciente A ou para a B que eu precisava ligar naquela noite para falar sobre uma questão que ela estava tendo? A gerente tentou me acalmar, dizendo que eu estava fazendo o melhor que podia, dadas as circunstâncias, e que os pacientes estavam gratos por isso. Mas, quanto mais ela falava, mais irritado eu ficava.

perto — todos os dias em que eu estava em casa. Conversava com a Jill sobre como foi viver os eventos do dia (não os eventos em si). Limitei meu tempo de uso do telefone e meu horário de trabalho. Um dia por semana, geralmente sábado ou domingo, eu me abstinha de qualquer tipo de trabalho, na contramão de um hábito de décadas. Ainda mais incrível, Jill e eu viajamos de férias pela primeira vez em anos, só nós dois, sem filhos.

Uma habilidade um pouco mais complicada à qual me dediquei se chama "reenquadramento". Trata-se, basicamente, da capacidade de olhar para determinada situação do ponto de vista de outra pessoa, literalmente a reenquadrando. Isso é muito difícil para a maioria das pessoas, como David Foster Wallace explicou em seu hoje famoso discurso para a turma de formandos de 2005 do Kenyon College, "Isto é água":

> Tudo na minha experiência imediata embasa minha crença profunda de que sou o centro absoluto do universo; a pessoa mais real, mais vívida e importante que existe. É raro refletirmos sobre esse egocentrismo natural e básico, porque ele é socialmente repulsivo. Mas vale da mesma forma para quase todos nós. É nossa configuração-padrão, programada em nossa placa-mãe desde o nascimento.
>
> Pense nisso: você é o centro absoluto de todas as experiências que você já teve. O mundo que você experimenta está diante de VOCÊ ou atrás de VOCÊ, à SUA esquerda ou à SUA direita, na SUA TV ou no SEU monitor. E assim por diante. Os pensamentos e os sentimentos das outras pessoas precisam ser transmitidos a você de alguma forma, mas os seus são imediatos, urgentes, reais.[11]

Eu me identifico. Essa sem dúvida foi minha configuração-padrão desde que me lembro por gente. É tentador atribuir isso à minha história de trauma e à minha necessidade de adaptação para me proteger, mas obviamente já não me servia mais. Fácil de descrever, não tão fácil de fazer, o reenquadramento envolve se afastar de uma situação e se perguntar: como é essa situação aos olhos da outra pessoa? Como outra pessoa enxerga isso? E por que seu tempo, sua conveniência ou suas necessidades são mais importantes que as dela?

Isso é útil quase todo dia. Por exemplo, se minha esposa chega em casa e reclama porque não a ajudei a guardar as compras, minha tendência pode ser pensar: *Ei, estou trabalhando demais e nem sempre posso ajudar*. Essa sensação de privilégio se entranharia em mim, porque, bem, eu estou mesmo trabalhando demais e alguma outra pessoa pode guardar as compras.

Mas então me pergunto: *Espera, como foi o dia da Jill hoje?*

Ela teve que buscar as crianças na escola e levá-las ao supermercado, onde devem ter brigado como animais selvagens e feito todo mundo achar que a Jill é a pior mãe do planeta por não conseguir controlar seus filhinhos mimados, enquanto esperava na fila do balcão de embutidos apenas para me trazer os frios perfeitamente fatiados que não existem na seção de cortes pré-embalados, e, a caminho de casa, parou em todos os sinais vermelhos enquanto as crianças jogavam peças de Lego uma na outra.

E sabe o que acontece? Quando enxergo a situação pelas lentes dela, logo me ponho no meu lugar e percebo que sou eu quem está sendo egoísta e que da próxima vez tenho que agir melhor. Esse é o poder do reenquadramento. Você percebe que precisa tomar distância de uma situação, moderar sua reação automática e tentar enxergar o que está acontecendo de fato.

Em algum momento ao longo desse processo, em um aeroporto aleatório durante uma longa viagem de trabalho, comprei o livro *A estrada para o caráter*, de David Brooks. No avião, li a parte em que o autor faz uma distinção fundamental entre "virtudes do currículo",[12] ou seja, as conquistas que listamos no nosso currículo, como diplomas, bolsas e empregos, e as "virtudes do elogio", coisas que nossos amigos e familiares dirão sobre nós quando partirmos. E isso mexeu comigo.

Durante toda a minha vida, acumulei principalmente virtudes do currículo. Tinha delas de sobra. Mas recentemente fui ao enterro de uma mulher da minha idade que morreu de câncer e fiquei tocado com o quanto sua família havia falado sobre ela com amor e carinho, quase sem mencionar seu impressionante sucesso profissional ou acadêmico. Para eles, o que importava era a pessoa que ela foi e as coisas que ela fez pelos outros, principalmente os filhos.

Será que alguém falaria assim de mim quando eu é que estivesse no caixão? Eu achava que não. E decidi mudar isso.

Comecei a empregar essas ferramentas e estratégias diariamente, montando uma espécie de rotina de saúde emocional. Eu me concentrei nas virtudes do elogio, não nas do currículo, me esforçando para estar mais próximo, mais presente para minha família. Tentei praticar o reenquadramento. Mas algo

são masculina. Depois que comecei, não consegui parar. Parecia que aquele cara estava escrevendo sobre mim, apesar de não nos conhecermos, e isso era assustador. Sua tese principal é que, no caso das mulheres, a depressão geralmente é algo aberto ou óbvio, mas os homens são socializados para escondê-la, canalizando-a para dentro ou para outras emoções, como raiva, sem nunca querer falar sobre o assunto (daí o título do livro). Eu me identifiquei com as histórias que ele compartilhava sobre seus pacientes. Então, comecei a fazer terapia com Terry, também. Após ter passado muito tempo sem fazer terapia, passei a ter sessões com três terapeutas diferentes.

Terry foi criado na zona operária de Camden, Nova Jersey, com um pai descrito como um "sujeito amoroso, inteligente e brutalmente violento". No fim das contas, sua força motriz era uma depressão oculta, que ele habilmente transmitiu a Terry. "Meu pai me passou sua depressão por meio do cinto", me disse ele. Tentar lidar com a raiva e a violência do pai foi o que o levou a estudar psicoterapia. "Eu precisava entender meu pai e sua violência, para não a repetir", contou ele.

Terry me ajudou a continuar ligando os pontos entre minha infância e as disfunções que marcaram minha adolescência e minha vida adulta. Olhando para trás, para quem eu era como adolescente e na faculdade, percebo que estava com depressão profunda — clinicamente, totalmente deprimido. Mas não sabia na época. Eu tinha os sintomas clássicos de depressão masculina oculta: uma tendência ao isolamento e, sobretudo, propensão a ter acessos de raiva, talvez meu vício mais potente. Uma das primeiras coisas que escrevi no meu diário, após uma conversa preliminar com Terry, ressoa até hoje: "90% da raiva masculina é desamparo disfarçado de frustração."

Terry me ajudou a compreender o quanto ainda me sentia desamparado. Entendi que o fator crucial, para mim, era a vergonha por ter sido vítima. Como acontece com muitos homens, transformei esse sentimento em soberba. "A vergonha provoca uma sensação ruim; a soberba, uma sensação boa", me disse ele. "É fundamental, para a masculinidade e a masculinidade tradicional, essa transformação de vítima em vingador. O que é diabólico em passar da vergonha para a soberba desse modo é que funciona. Faz você se sentir melhor no curto prazo, mas no longo prazo só cria confusão."

Pior ainda foi perceber como meu comportamento afetava minha família, especialmente meus filhos. Àquela altura, eu não estava tão iludido a ponto de achar que era um bom pai, mas pelo menos me orgulhava um pouco de poder proteger meus filhos do trauma que eu havia sofrido. Eu era um grande "provedor" e "protetor". Eles jamais teriam que passar pela mesma vergonha que eu tinha passado quando criança. Mas eu sabia que eles viam a raiva que transbordava de mim, embora raramente ela fosse dirigida a eles ou a Jill.

Na Bridge, aprendi que as crianças não reagem à raiva dos pais de maneira lógica. Ao me ver gritando com um motorista que acabou de me dar uma fechada, meus filhos internalizam essa raiva como se fosse dirigida a eles. Em segundo lugar, o trauma é geracional, embora não seja necessariamente linear. Filhos de alcoólatras nem sempre se tornam alcoólatras, mas de um jeito ou de outro, o trauma encontra um jeito de se perpetuar.

Como Terry havia escrito: "A patologia familiar passa de geração em geração como um incêndio na floresta destruindo tudo em seu caminho, até que uma pessoa, em uma geração, tenha coragem de se virar e enfrentar as chamas. Essa pessoa traz paz aos seus ancestrais e poupa os filhos que o sucederão."

Eu queria ser essa pessoa.

Lentamente, com a ajuda de Terry, bem como de Esther e Lorie, comecei a aplicar algumas ferramentas para lidar com meu passado e colocar meu comportamento diário nos eixos. Um modelo útil que Terry me ensinou foi pensar nos meus relacionamentos como um ecossistema delicado, uma espécie de ecologia emocional. Por que eu ia querer envenenar o ambiente em que tinha que viver? Parece algo banal, mas foi preciso muita reflexão, e até mesmo estratégias, para colocar essa ideia em prática. Isso significava me afastar das pequenas coisas que me deixavam com raiva das pessoas ao meu redor, a cada dia ou mesmo a cada hora; isso, comecei a perceber, estava envenenando o poço de onde eu bebia. Tive que aprender novos modos de lidar com os problemas e as frustrações do dia a dia. Este é um estágio importante, na perspectiva de Terry, o estágio da aprendizagem: essa é a maneira correta. É assim que você ouve a reclamação do seu parceiro e age de forma compassiva.

"Tudo isso são habilidades", me disse Terry. "E, como toda habilidade que você já tentou desenvolver ao longo da vida, essas também podem ser aprendidas."

Algumas das mudanças que empreendi parecem óbvias. Fazia questão de passar um tempo com meus filhos — individualmente, e sem o celular por

considero especialmente útil se chama ação oposta — ou seja, se eu sentir vontade de fazer alguma coisa (geralmente, não é algo útil ou positivo), me forço a fazer justamente o oposto. Assim, mudo também as emoções subjacentes.

A primeira vez que experimentei isso foi em uma agradável tarde de domingo, pouco depois de nos mudarmos para Austin. Assumi com minha esposa o compromisso de tirar um dia de folga por semana, a princípio aos domingos, para ficar com a família. Aquele dia era domingo, e eu estava atolado de trabalho. Estressado e mal-humorado, eu não queria ver ou ouvir ninguém. Só queria ficar mergulhado no trabalho. Já acostumada ao meu jeito egoísta, Jill nem discutiu quando eu disse que estava ocupado demais para levar as crianças até um córrego nas proximidades. Mas, enquanto a observava colocando as crianças no carro, vi a chance perfeita de pôr a teoria em prática. Corri para o carro, me enfiei no banco da frente e disse: "Vamos lá!" Chegamos a Barton Creek e não fizemos nada de especial além de caminhar, jogar seixos na água e ver quem conseguia pular de pedra em pedra sem se molhar. Para minha surpresa, meu humor se transformou. Eu até insisti para que parássemos para comer hambúrguer e batata frita (!) na volta.

Esse é um exemplo fácil, obviamente. Quem não gostaria de se divertir com os filhos em vez de trabalhar? Mas, se dependesse do antigo Peter, teria sido impossível. Essa pequena lição, que implementei inúmeras vezes desde então, me ensinou algo muito importante: mudar a atitude pode mudar o humor. Você não precisa esperar que seu humor melhore para pôr em prática uma mudança de comportamento. É também por isso que as terapias cognitivas, sozinhas, às vezes são insuficientes; ficar pensando nos problemas pode não ajudar em nada se nossos pensamentos estiverem desordenados.

O exercício é outro componente importante do meu programa geral de saúde emocional, particularmente a prática do *rucking*, de que falei no capítulo 12. Acho que caminhar pela natureza, curtindo o vento batendo no rosto e o cheiro das folhas da primavera (com uma mochila pesada nas costas), me ajuda a cultivar o que Ryan Holiday chama de "quietude", a capacidade de permanecer calmo e focado em meio a todas as distrações que o mundo oferece e que inventamos. Quando minha família me acompanha, é um momento importante de união. Quando estou sozinho, o *rucking* serve como uma prática de *mindfulness*, uma espécie de meditação em movimento. Sem celular, sem músicas, sem podcasts. Apenas os sons da natureza e da minha respiração pesada. Esse é outro exemplo de como a ação pode nos levar a um estado mental melhor. E, como Michael Easter me mostrou, há pesquisas que sugerem que se expor aos padrões geométricos fractais da natureza pode reduzir o estresse fisiológico,[15] um efeito que fica visível em um eletroencefalograma.

A "tática" mais importante, de longe, é minha sessão semanal de terapia (bem menos que as três ou quatro por semana que eu fazia quando saí do PCS). Isso não é opcional. Cada sessão começa com uma avaliação física: como estou me sentindo? Como dormi (muito importante)? Sinto alguma dor física? Estou em conflito? Em seguida, discutimos os eventos e as questões da semana nos mínimos detalhes. Nenhum assunto é insignificante demais para ser abordado. Se, por exemplo, fiquei muito triste assistindo a um programa de TV ou filme, pode valer a pena explorar isso. Mas também tratamos de questões gerais, aquelas que causaram a crise. Complemento as sessões de terapia escrevendo no meu diário, onde posso articular minhas emoções e entendê-las, sem esconder nada. Tenho a convicção de que não existe substituto para esse trabalho com um terapeuta profissional.

Na maior parte dos meus dias, tento me ater aos meus comportamentos de "sinal verde", mesmo quando não quero, quando estou ocupado demais ou seja qual for a circunstância. Todos os dias cometo erros, e todos os dias tento me perdoar por eles. Alguns dias são melhores do que outros, mas, com o tempo, fiz progressos notáveis. É importante observar que minha lista de atividades e comportamentos obrigatórios pode não ser a mesma de outra pessoa, e até a minha não é mais a mesma que usei nos seis meses posteriores à minha estadia no PCS; na literatura sobre a TCD, há uma citação que fala da importância de buscar atividades prazerosas que sejam "consistentes com seus valores". Todo mundo tem problemas diferentes e uma estrutura mental diferente, e todo mundo pode encontrar suas próprias soluções. As técnicas da TCD são adaptáveis e flexíveis, o que as torna úteis para uma vasta gama de pessoas.

Se for para você tirar apenas uma lição da minha história, que seja esta: se eu posso mudar, você também pode. Tudo deve começar com a simples crença de que a mudança real é possível. Esse é o passo mais importante. Eu acreditava que era o cara mais detestável, incorrigível e miserável que já tinha existido. Desde que me entendo por gente, achava que era uma aberração e que meus defeitos eram inatos. Imutáveis. Foi apenas quando, minimamente, comecei

piorando a situação (mesmo que o cara mereça)? Ou é melhor só aceitar o que aconteceu e seguir em frente? O *mindfulness* nos ajuda a colocar as coisas em perspectiva: o outro motorista pode muito bem estar correndo para o hospital com uma criança doente.

Outra utilidade do *mindfulness* é nos lembrar de que, quando sofremos, raramente é por uma causa direta, como uma pedra esmagando nossa perna naquele exato momento. Normalmente, é porque estamos pensando em alguma coisa angustiante que ocorreu no passado ou nos preocupando com algo de ruim que pode acontecer no futuro. Isso também foi uma revelação gigantesca para mim. Em termos simples, sinto menos dor porque sou capaz de perceber quando a fonte dessa dor está na minha cabeça. Não foi um insight original, mas mesmo assim foi profundo. Eu estava cerca de 2.500 anos atrasado em relação a Buda, que disse que "nem teus piores inimigos podem fazer tanto dano como teus próprios pensamentos". Sêneca aprimorou isso no século I d.C. ao afirmar que "sofremos mais na imaginação do que na realidade". E mais tarde, no século XVI, *Hamlet*, de Shakespeare, constatou: "Não há nada de bom ou mau sem o pensamento que o faz assim."

Uma aplicação óbvia disso é como pensamos sobre nós mesmos. Como anda nosso diálogo interno? É gentil, compreensivo e sábio, ou é severo e crítico, como meu Bobby Knight interior? Um dos exercícios mais poderosos que aprendi foi simplesmente ouvir minha conversa interna. Eu gravava mensagens de voz para mim mesmo no celular depois de fazer qualquer coisa que pudesse dar origem a autojulgamentos, como nos casos do arco e flecha ou do simulador de direção, ou mesmo apenas quando estava fazendo o jantar, e enviava todas elas ao meu terapeuta. Nessas situações, normalmente meu instinto era gritar comigo mesmo por ter errado. Mas meu terapeuta me disse para imaginar que meu melhor amigo havia feito exatamente o que fiz. Como eu falaria com ele? Eu iria repreendê-lo como muitas vezes me repreendia? Óbvio que não.

Essa era uma abordagem que diferia um pouco do reenquadramento, que me forçava a me distanciar de mim mesmo e enxergar a desconexão entre meus "erros" (pequenos) e como eu falava comigo mesmo sobre eles (com crueldade). Fiz isso várias vezes ao dia, todos os dias, por cerca de quatro meses; você não imagina quanto espaço do meu celular essas mensagens ocuparam. Com o tempo, meu Bobby Knight interior foi ficando cada vez mais fraco, e hoje é até difícil lembrar como era aquela voz.

Outro objetivo importante da TCD é ajudar as pessoas a aprender a regular suas emoções. Quando fui para a Bridge, tinha muito pouca capacidade de perceber como estava me sentindo, que dirá de mudar ou controlar meu estado emocional. Eu estava ciente apenas de que havia uma raiva que transbordava. Isso chegou ao limite no início da pandemia de Covid-19, quando me senti tão sobrecarregado e oprimido que simplesmente explodi. Perdi a capacidade de regular minhas emoções, para o bem e para o mal. Meu amigo Jim Kochalka, que é psicólogo clínico, chama esse tipo de desregulação emocional de "inflamação da psique", o que me parece adequado.

Essa raiva sempre foi um obstáculo nos meus relacionamentos pessoais, até mesmo com minha família. Como Terry Real havia sinalizado muito tempo antes, essa raiva estava enraizada na vergonha, mas muitas vezes também produzia mais vergonha. Se eu grito com meus filhos, por exemplo, sinto vergonha, principalmente quando estou chateado com outra coisa. Essa vergonha então se torna um obstáculo à minha capacidade de me reconciliar com eles, de modo que sinto mais vergonha. É como se eu estivesse cavando um buraco, e não só com meus filhos. Até conseguir assumir a responsabilidade pelas minhas atitudes e pedir desculpas, não tenho como seguir em frente. Isso costumava ser um problema muito maior, mas pelo menos hoje sou capaz de identificá-lo em tempo real, antes que o buraco fique fundo demais.

A TCD ensina uma variedade de técnicas que permitem às pessoas manter e melhorar sua tolerância ao mal-estar, bem como identificar e lidar com suas emoções — sem ser controladas por elas, como eu fui por tanto tempo. Uma tática simples que eu uso para lidar com o mal-estar emocional crescente é induzir uma mudança sensorial abrupta — normalmente, lavar o rosto com água gelada ou, se estiver muito difícil, tomar um banho frio ou entrar em uma banheira com gelo. Essa intervenção simples estimula um importante nervo craniano, o nervo vago, que leva à diminuição da frequência cardíaca e respiratória e nos coloca na calma do modo parassimpático (e fora do modo simpático de luta ou fuga). Intervenções como essas geralmente bastam para retomar o foco e refletir sobre uma situação de maneira mais calma e construtiva. Outra técnica de que gosto muito é a respiração lenta e profunda: inspirando por quatro segundos e expirando por seis segundos. Repita. Conforme a respiração se acalma, o sistema nervoso a acompanha.

Também é importante observar que a TCD não é uma modalidade passiva. Ela demanda pensamento e ação conscientes dia após dia. Uma tática que

cie de livro didático com o terapeuta, fazendo exercícios todos os dias. Às vezes sou melhor fazendo do que pensando. Essa prática se baseia em aprender a implementar habilidades concretas, repetidas vezes, sob estresse, visando quebrar a seguinte reação em cadeia: estímulo negativo → emoção negativa → pensamento negativo → ação negativa.

A TCD consiste em quatro pilares unidos por um tema que abrange a todos. Esse tema é o *mindfulness*, ou atenção plena, que dá a você a capacidade de trabalhar os quatro pilares: regulação emocional (obter controle sobre as emoções), tolerância ao mal-estar (a capacidade de lidar com fatores de estresse emocional), eficácia interpessoal (como comunicamos nossas necessidades e nossos sentimentos aos outros) e autogestão (o cuidado conosco, começando por tarefas básicas, como acordar na hora certa para ir ao trabalho ou à escola). Os dois primeiros, regulação emocional e tolerância ao sofrimento, são os que mais preciso exercitar, e foi neles que me concentrei com meu terapeuta Andy White, especialista nessa abordagem.

Vejo minha tolerância ao mal-estar como uma janela que se abre e fecha verticalmente. Quanto mais comprimida a janela, maior a probabilidade de eu me desregular. Meus objetivos são manter essa janela o mais aberta possível, e estar bastante atento a qualquer coisa que possa estreitá-la, incluindo fatores que estão fora do meu controle (ver Figura 15).

Muitos comportamentos fazem essa janela se abrir: exercícios, sono de qualidade, boa alimentação, tempo com a família, medicamentos como antidepressivos ou estabilizadores de humor, conexões sociais profundas, contato com a natureza e atividades recreativas que não incentivem o autojulgamento. Essas são as coisas que posso controlar. Não tenho tanto controle assim sobre as coisas que estreitam a janela, mas tenho algum — por exemplo, comprometer-me demais com projetos e dizer sim para mais coisas do que deveria. Gerenciar essa janela (em parte, aprendendo a dizer não) e tentar mantê-la o mais aberta possível é algo em que penso e trabalho quase todos os dias.

Tudo está conectado: eu precisava aumentar minha tolerância ao mal-estar para recuperar o controle sobre minhas emoções. E, quanto melhor regulo minhas emoções, menos preciso confiar nessa janela de tolerância ao mal-estar. Descobri que, ao trabalhar esses dois fatores, minha eficácia interpessoal, que obviamente estava longe de ser perfeita, naturalmente melhorou. A autogestão nunca tinha sido de fato um problema para mim, mas outra pessoa pode ter necessidades diferentes; a TCD é extremamente adaptável.

Figura 15. **Administrando a tolerância ao mal-estar**

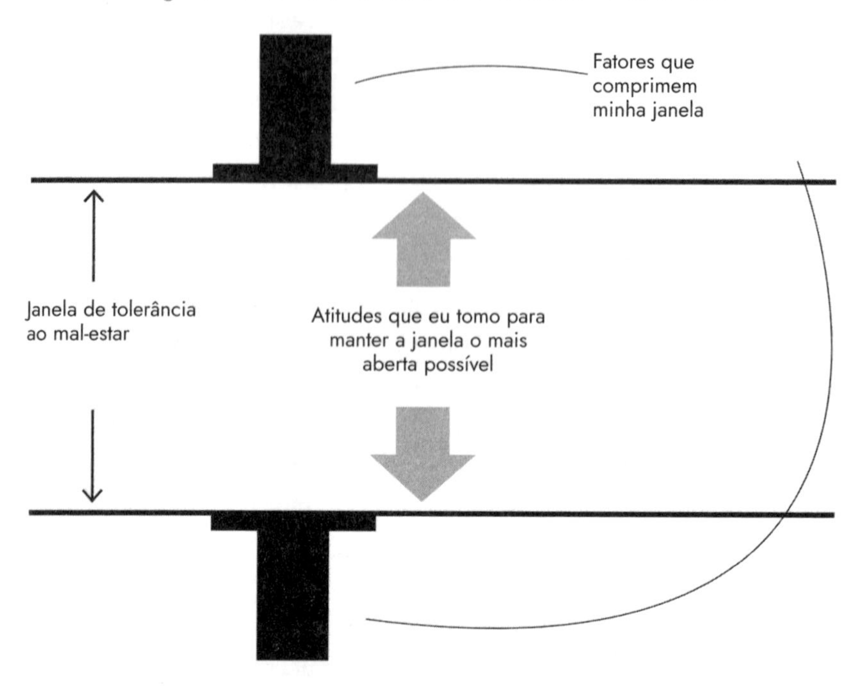

É assim que eu visualizo meus esforços diários para manter e aumentar minha tolerância ao mal-estar, representada pela "janela" ou abertura mostrada aqui. Procuro me concentrar em fazer tudo o que posso para manter essa janela o mais aberta possível.

Essa técnica tem suas raízes no *mindfulness*, que é um desses termos da moda que sempre desprezei até perceber que era uma ferramenta realmente eficaz para criar distância entre mim e meus pensamentos, para criar uma fresta que fosse entre qualquer estímulo e minha reação automática. Eu precisava disso.

Desde que saí da Bridge, eu vinha praticando a meditação *mindfulness*, com resultados obviamente variáveis, mas comecei a ter lampejos eventuais, momentos em que era capaz de me desligar dos meus pensamentos e emoções. Não é uma desconexão completa no sentido de ficar alheio, mas se trata de criar uma distância suficiente entre o estímulo e a resposta, para não ficarmos só reagindo aos fatos sem refletir, como um motorista que nos dá uma fechada no trânsito ou pensamentos de raiva ou angústia que possamos ter. Essa distância, por sua vez, nos permite processar a situação com mais calma e racionalidade. Precisamos mesmo buzinar e xingar, potencialmente

Elas simplesmente jorravam. Isso me lembrou de um comentário de Jacob Riis, o ilustre jornalista e ativista dinamarquês-americano: "Quando nada parece funcionar, eu volto e olho para um pedreiro martelando sua rocha talvez uma centena de vezes sem que uma única fenda apareça. No entanto, no 101º golpe, a pedra se parte em duas, e sei que não foi o último golpe que fez aquilo, mas todos os que vieram antes."[13]

Ao olhar para trás, uma das lições mais importantes que aprendi é que a mudança que descrevo neste capítulo não é possível se não estivermos munidos de ferramentas e sensores eficazes para monitorar, manter e restaurar nosso equilíbrio emocional. Essas ferramentas e sensores não são inatos; para a maioria de nós, eles precisam ser aprendidos, refinados e praticados diariamente. E tampouco são soluções rápidas.

Sim, medicamentos como antidepressivos e estabilizadores de humor são importantes e podem ajudar. Sim, uma prática de meditação *mindfulness* pode facilitar. Sim, moléculas como o MDMA e a psilocibina, quando usadas com orientação especializada e no ambiente adequado, podem ser poderosas; usei ambas em momentos críticos da minha recuperação, com resultados impressionantes. Mas, muitas vezes, vejo que as pessoas depositam todas as suas esperanças de transformação a uma sessão de quetamina, ou a uma jornada alucinante de ayahuasca guiada por um xamã durante uma viagem às florestas do Peru, ou a alguma outra vivência singular (ou mesmo, como no meu caso, achando que bastam duas semanas em uma clínica como a Bridge, e depois podemos seguir em frente como se nada de fundamental tivesse mudado).

Todas essas modalidades são poderosas e podem ser úteis, mas precisamos pensar nelas como meros complementos da exploração profunda — e muitas vezes desagradável, desconfortável, às vezes lenta demais, às vezes rápida demais — de si mesmo que é necessária na psicoterapia quando levada a sério. A verdadeira recuperação exige que vasculhemos as profundezas do que nos moldou, como nos adaptamos a isso e como essas adaptações são (ou não, como no meu caso) úteis hoje. Isso também leva tempo, como descobri do jeito mais difícil; o maior erro de todos é acreditar que você está "curado" após alguns meses usando um medicamento ou um punhado de sessões de terapia, quando na verdade você não está nem na metade do caminho.

Depois de voltar do PCS, meu progresso se apoiou em ações diárias, muitas delas desconfortáveis. Meu desafio mais urgente era basicamente evitar outro acesso como o que me levou a ir para o PCS, para começo de conversa. Tive outros episódios menores que pavimentaram o caminho, mas aquele foi como a explosão do ônibus espacial *Challenger* sobre o Atlântico logo após a decolagem, em 1986.

Na época, o desastre pareceu inesperado, mas uma extensa investigação revelou o contrário. Ao longo dos anos, alertas foram emitidos e o sistema do programa de ônibus espaciais foi apresentando cada vez mais falhas. Esses problemas foram documentados pelos engenheiros, mas a administração os ignorou ou encobriu, porque parecia "mais fácil" do que atrasar o lançamento. O resultado foi uma catástrofe que poderia ter sido evitada. Meu objetivo era aprender a entender os alertas e as falhas do sistema que poderiam precipitar uma explosão na minha vida, para evitar que isso se repetisse. A ideia é um pouco parecida com a que temos falado sobre a Medicina 3.0, só que aplicada à saúde emocional: identificar possíveis problemas o quanto antes e agir para preveni-los o mais rápido possível.

O modo como faço isso, as ferramentas que uso, derivam de uma escola da psicologia conhecida como terapia comportamental dialética (TCD), desenvolvida na década de 1990 por Marsha Linehan. Com base nos princípios da terapia cognitivo-comportamental, que busca ensinar aos pacientes novas formas de pensar ou agir sobre seus problemas, a TCD foi desenvolvida para ajudar indivíduos com problemas mais graves e potencialmente nocivos, como a incapacidade de regular as emoções e propensão a se machucar ou até mesmo tentar o suicídio. Essas pessoas são agrupadas sob o chamado transtorno da personalidade borderline, que é um diagnóstico bastante abrangente, mas a TCD também se mostrou útil em pacientes com problemas menos graves, uma categoria que inclui um número muito maior de pessoas. Eu comparo isso, naturalmente, à Fórmula 1: o circuito de corridas é um laboratório de alto risco, onde há muita coisa em jogo e os fabricantes de automóveis desenvolvem e testam tecnologias que chegam aos carros de passeio.

Uma coisa de que gosto na TCD é que ela é fundamentada em evidências: segundo ensaios clínicos, ela é eficaz para ajudar pacientes suicidas e que praticaram automutilação a interromper seus comportamentos nocivos.[14] Outra coisa que me atrai nessa abordagem é que ela não é apenas teórica, mas também focada em habilidades. Praticá-la significa literalmente seguir uma espé-

a razão de existência do meu podcast, *The Drive* ("A busca", em tradução livre): é uma atividade que exige que eu e minha equipe aprendamos em um ritmo vertiginoso. O conhecimento que adquiro a cada semana por meio de entrevistas com especialistas também embasou muito do que você acabou de ler.

Por mais que me sinta em dívida com os cientistas e médicos brilhantes que me orientaram ao longo de minha carreira, tenho uma dívida igual, senão maior, com Paul Conti por ter me obrigado a ir para a Bridge e com os terapeutas que salvaram minha vida: Esther Perel, Terry Real, Lorie Teagno, Katy Powell, Andy White, Jeff English e toda a equipe do PCS.

Vários amigos também leram as primeiras partes deste livro e fizeram ótimos comentários: Rosie Kurmaniak, Deb e Hugh Jackman, David Buttaro, Jason Fried e Judith Barker.

Talvez você não saiba de uma coisa sobre mim (talvez já saiba), mas eu sou um cara peculiar, então fazer a capa "certa" não foi tarefa fácil. Por sorte, Rodrigo Corral e sua equipe criaram uma capa que eu e Bill achamos que representava de verdade a obra. Eles foram incrivelmente pacientes comigo e com minha mania de querer controlar cada detalhe do processo, sem reclamar nem uma única vez.

Uma das maiores dificuldades que encontrei na escrita deste livro foi simplesmente encontrar tempo. A equipe clínica da Early Medical fez horas extras para permitir que eu passasse longos períodos sem ser interrompido. Lacey Stenson gerencia quase todas as facetas da minha vida pessoal e profissional e fez milagres para que este livro fosse escrito. Sem Lacey, tudo teria saído dos trilhos. Nick Stenson não apenas gerencia todos os aspectos do nosso conteúdo digital e do podcast, como também supervisionou toda a estratégia de lançamento e execução deste livro, que acabou sendo muito mais trabalhosa do que ele ou eu havíamos imaginado.

Por último, e mais importante, quero agradecer a Jill. Ela viveu os altos e baixos e nunca, nem por um único instante, deixou de me apoiar, mesmo quando qualquer pessoa sensata teria me jogado na sarjeta com toda a razão. Você sempre segurou a onda. Olivia, Reese e Ayrton viram o pai passar muitas noites e fins de semana diante da tela do computador e pediram insistentemente para que eu trabalhasse menos. Agora que este livro está pronto, posso enfim dar a eles mais daquilo que sempre mereceram.

Bill Gifford

Gostaria de agradecer a Martha McGraw por sua gentileza, orientação e apoio neste longo e às vezes árduo projeto. Eu não teria conseguido sem você. Agradeço também a Bob Kaplan pela extensa pesquisa e por ter me ajudado a entender muitos assuntos complexos. E ao meu amigo Stephen Dark, por todos os passeios.

AGRADECIMENTOS

Peter Attia

Este livro chegou perigosamente perto de nunca ver a luz do dia. No começo de 2020, depois de ter ficado sem editora e sem agente literário por não ter entregado um manuscrito que já deveria ter mandado um ano antes, eu não tinha mais ânimo para me dedicar ao projeto e decidi abandoná-lo. O rascunho ficou intocado por cerca de nove meses, até que meu amigo Michael Ovitz perguntou se poderia lê-lo. Algumas semanas depois, Michael me ligou para dizer que achava que o texto tinha um grande potencial e que precisava ser publicado. Ele sugeriu que meu coautor Bill Gifford e eu enviássemos uma versão mais limpa para sua amiga Diana Baroni, da Penguin Random House. Se Michael não tivesse forçado a barra, mediado o contato com Diana e consumado o acordo com a Penguin Random House, este livro poderia ser até hoje um documento aleatório do Google Docs que somente eu, Bill e meia dúzia de pessoas teriam visto. Sou grato pela capacidade de Diana de enxergar o que aquele manuscrito um tanto cru tinha potencial de se tornar e, mais importante, por sua orientação na realização desse potencial.

Muito antes disso, este livro teria caído do pé ainda verde sem a ajuda de Bill. Em meados de 2017, depois de ter escrito cerca de 30 mil palavras por conta própria, meu então editor disse que meu rascunho era técnico demais e que carecia de alguma dose de pessoalidade e do compartilhamento da jornada que trilhei até entender a importância da longevidade. Foi sugerido que eu encontrasse um coautor, e assim teve início uma longa busca que levou a Bill. Eu tinha lido uma matéria que Bill escreveu em 2015 sobre a rapamicina, bem como seu livro *Spring Chicken* ("Jovenzinho", em tradução livre), e tive a sensação de que ele era a pessoa certa para me ajudar em uma tarefa muito delicada: comunicar um assunto tão complexo com precisão e atenção às nuances e detalhes, tornando-o acessível a um público mais amplo. Como Bill disse certa vez, ele é meu tradutor. Nesse processo, Bill também se tornou um grande amigo e uma pessoa que, às vezes, via o pior de mim, mas, espero, também o melhor.

Acho que não conseguiria ter escrito este livro sem a ajuda de Bob Kaplan. De 2015 a 2021, ele foi meu diretor de pesquisa e desempenhou um papel essencial não apenas ao reunir e examinar todos os estudos citados neste livro, mas também ao discordar de mim e me forçar a ser mais rigoroso no meu raciocínio. Como se isso não bastasse, em 2022 Bob interrompeu sua aposentadoria para assumir a tarefa hercúlea de organizar as notas. Junto com Vin Miller, ele também fez a maior parte da checagem de fatos, enquanto Rachel Harrus, Sam Lipman e Kathryn Birkenbach ajudaram em parte da pesquisa.

Uma coisa que realmente me surpreendeu nesse processo foi a generosidade das pessoas em relação ao seu tempo e seu tema de especialidade. Enviei trechos do manuscrito a especialistas para receber um feedback. Sem uma única exceção, todas as pessoas a quem recorri aceitaram. É impossível expressar toda a minha gratidão às seguintes pessoas: Kellyann Niotis e Richard Isaacson (doenças neurodegenerativas), Matt Walker e Vik Jain (sono), Lew Cantley e Keith Flaherty (câncer), Layne Norton, David Allison e Kevin Bass (nutrição), Steve Austad (restrição calórica), Nir Barzilai (centenários), Matt Kaeberlein e David Sabatini (rapamicina, mTOR), Tom Dayspring (aterosclerose) e Beth Lewis, que foi imensamente prestativa enquanto eu tentava (repetidamente) escrever sobre a estabilidade de maneira que fizesse sentido.

Muitas das coisas que escrevi neste livro foram inspiradas nas interações com meus pacientes e com os convidados do meu podcast. As experiências dos meus pacientes formam o substrato deste livro, a matéria-prima, e me lembram constantemente da necessidade de estar sempre aprendendo. Essa é

Tudo isso precisa ser levado em conta para que valha a pena estender sua vida — porque o fator mais importante da equação da longevidade é o sentido. Por que queremos viver mais? Para quê? Para quem?

Minha obsessão com a longevidade, no fundo, tinha a ver com o medo de morrer. E ter filhos tornou essa obsessão cada vez mais frenética. Eu estava fugindo da morte o mais rápido que podia. No entanto, ao mesmo tempo, ironicamente, também evitava viver de verdade. Minhas táticas poderiam propiciar uma vida mais longa, com a regulação ideal da glicose e os níveis ideais de lipoproteínas, mas minha estratégia indiscutivelmente produzia uma série de episódios lamentáveis. Minha saúde física e cognitiva estava ótima, mas minha saúde emocional ia ladeira abaixo.

Meu maior arrependimento é que grande parte do sofrimento por que passei e da dor que infligi aos outros poderia ter sido evitada se eu tivesse entendido isso mais cedo, de preferência muito mais cedo. A parte mais triste é que perdi muito tempo desconectado, deprimido e desorientado. Muito tempo correndo atrás de um objetivo vazio.

Mas, à medida que fui melhorando, notei que minha preocupação com a morte começou a desaparecer. E minha busca pela longevidade não parecia mais uma tarefa sombria e desesperada; as coisas que eu fazia todos os dias começaram a ser bem-vindas, necessárias. Eu estava aprimorando minha vida e olhando para o futuro. Minha jornada para viver mais finalmente tinha clareza, propósito e significado.

Isso me lembrou algo que meu querido amigo Ric Elias me disse certa vez. Ric era um dos 155 passageiros do voo da US Airways que fez um pouso de emergência no rio Hudson em janeiro de 2009. Enquanto o avião caía, Ric e a maioria dos outros passageiros tiveram certeza de que iriam morrer. Foi somente a habilidade do piloto e uma boa dose de sorte que evitaram o pior. Se o avião estivesse um pouco mais rápido, teria se despedaçado com o impacto; se estivesse um pouco mais lento, o nariz teria se inclinado para baixo e afundado no rio. Vários pequenos fatores como esses fizeram a diferença entre todos terem sobrevivido e muitos (ou a maioria, ou todos) terem morrido.

A visão de Ric sobre a longevidade mudou naquele dia, e isso me toca de verdade. Durante todo aquele tempo, eu estava obcecado com a longevidade pelos motivos errados. Eu não estava planejando uma vida longa e saudável, mas, sim, de luto pelo passado. Estava preso à dor que meu passado havia me causado e continuava causando. Acho que queria viver mais apenas porque, no fundo, sabia que precisava de mais tempo para consertar as coisas. Mas eu estava olhando apenas para trás, não para a frente.

"Acho que as pessoas envelhecem quando param de pensar no futuro", disse Ric. "Se você quiser descobrir a verdadeira idade de uma pessoa, escute o que ela diz. Se ela fala sobre o passado e todas as coisas que já aconteceram, ela está velha. Se ela pensa em seus sonhos, suas aspirações, o que ainda está por vir — ela é jovem."

Um brinde à eterna juventude, mesmo depois que envelhecemos.

a refletir de fato sobre a hipótese de que talvez eu não fosse um monstro que pude começar a desbastar a narrativa que quase destruiu minha vida e todos ao meu redor.

Esse é o passo fundamental. Você precisa acreditar que pode mudar — e que merece uma vida melhor.

No entanto, pode ser um passo bastante difícil para muitas pessoas, por diversas razões — a começar pelo estigma social que persiste em torno da saúde mental e emocional. Para muita gente, inclusive para mim, até certo ponto, é difícil admitir que se tem um problema, admitir que precisa de ajuda e então agir, principalmente se isso significar falar de maneira aberta sobre a questão com outras pessoas, tirar uma folga do trabalho ou arcar com as despesas do tratamento.

Isso faz parte da mudança de mentalidade que precisa acontecer se quisermos começar a enfrentar a epidemia de distúrbios de saúde emocional, assim como o uso de drogas, o abuso de álcool, os distúrbios alimentares, os suicídios e a violência que vêm a reboque. Temos que fazer com que seja normal estar vulnerável, pedir ajuda e recebê-la.

Eu resisti por tempo demais a procurar ajuda. Foi somente quando fui confrontado por escolhas insuportáveis — perder minha família, ou até mesmo perder a vida por minhas próprias mãos — que, relutante, concordei em fazer o que deveria ter feito muito antes e em prestar tanta atenção à minha saúde emocional quanto sempre prestei à minha saúde física.

Ao dar início à etapa seguinte da minha recuperação, comecei a perceber algo que nunca havia experimentado antes: sentia mais alegria em ser do que em fazer. Pela primeira vez na vida, senti que poderia ser um bom pai. Poderia ser um bom marido. Poderia ser uma boa pessoa. Afinal, esse é o sentido da vida. O sentido de viver mais.

Há uma citação de Paulo Coelho que sempre me vem à mente: "Talvez a jornada da vida não seja sobre se tornar alguma coisa. Talvez seja sobre deixar de ser tudo aquilo que você não é, para que você possa ser o que sempre foi."

EPÍLOGO

Foi só depois de muita reflexão sobre toda essa experiência que comecei a entender de fato como a saúde emocional está relacionada à longevidade, e como essa jornada me ajudou a redefinir minha perspectiva.

Fazia muito tempo que eu via a longevidade e a saúde através de uma espécie de abordagem tecnológica, acreditando que era possível hackear nossa biologia até nos tornarmos humanoides perfeitos capazes de viver até os 120 anos. Eu vivia mergulhado nisso, o tempo todo refinando e experimentando novos protocolos de jejum ou dispositivos de sono para maximizar minha longevidade. Tudo na minha vida precisava ser otimizado. E a longevidade era basicamente uma questão de engenharia. Ou pelo menos era o que eu pensava.

Foram necessários cinco anos, duas temporadas em centros de reabilitação e a quase perda do meu casamento e dos meus filhos para que eu mudasse de ideia. O que percebi, depois dessa longa e dolorosa jornada, é que a longevidade não tem sentido se sua vida for uma desgraça. Ou se seus relacionamentos forem péssimos. Nada disso importa se a sua esposa te odiar. Nada disso importa se você for um pai de merda, ou se viver consumido pela raiva ou pelo vício. Seu currículo também não vai importar, no fim das contas, quando chegar a hora dos elogios no seu velório.

NOTAS

Introdução

1. Yamamoto et al. (2015).

Capítulo 1. Corrida de fundo

1. Kinsella (1992).
2. Mensah et al. (2017).
3. Siegel et al. (2021).

Capítulo 2. Medicina 3.0

1. Sokol (2013).
2. S. Johnson (2021).
3. Gordon (2016).
4. Manson et al. (2013).
5. *New York Times* (1985).

Capítulo 3. Objetivo, estratégia, táticas

1. López-Otín et al. (2013).
2. Benn et al. (2011).
3. Ference (2015).

Capítulo 4. Centenários

1. Taylor (2009).
2. Spencer (2005).
3. Picard (2018).
4. Rajpathak et al. (2011).
5. United States Census Bureau (2022).
6. Hjelmborg et al. (2006).
7. Sebastiani, Nussbaum, et al. (2016).
8. Xu (2016).
9. Evert et al. (2003).
10. Perls (2017).
11. Hitt et al. (1999).
12. Michaelson (2014).
13. Sebastiani, Gurinovich, et al. (2019).
14. Willcox et al. (2008).
15. Revelas et al. (2018).
16. Serna et al. (2012).
17. Melov et al. (2007).

Capítulo 5. Comer menos, viver mais?

1. E.J. Brown et al. (1994); Sabatini et al. (1994).
2. Tatebe e Shiozaki (2017).
3. G.Y. Liu e Sabatini (2020).
4. Attia (2018a).
5. Idem.

6. D.E. Harrison, Strong, Sharp, et al. (2009).
7. Selvarani, Mohammed e Richardson (2021).
8. Baur et al. (2006).
9. Miller et al. (2011); Strong et al. (2013).
10. D.E. Harrison, Strong, Reifsnyder, et al. (2021).
11. Selvarani, Mohammed e Richardson (2021).
12. Fontana e Partridge (2015).
13. McDonald e Ramsey (2010).
14. Hardie (2011).
15. Kourtis e Tavernarakis (2009).
16. Karsli-Uzunbas et al. (2014).
17. Mannick et al. (2014).
18. Creevy et al. (2022).
19. Urfer et al. (2017).
20. Attia (2018b).
21. Bannister et al. (2014).

Capítulo 6. A crise da abundância

1. Zelman (1952).
2. Ludwig et al. (1980).
3. S.A. Harrison et al. (2021).
4. Fryar et al. (2018); Ogden et al. (2004).
5. Kwo, Cohen e Lim (2017).
6. Prati et al. (2002).
7. Fayek et al. (2016).
8. CDC (2022b).
9. Hirode e Wong (2020).
10. Araújo, Cai e Stevens (2019).
11. Stefan, Schick e Häring (2017).
12. Gavrilova et al. (2000).
13. Tchernof e Després (2013).
14. Anand et al. (2011); Sniderman, Bhopal, et al. (2007).
15. Ahima e Lazar (2013).
16. M.C. Petersen e Shulman (2018).
17. Frayn (2019).
18. Tuchman (2009).
19. Diamond (2003).
20. Joslin (1940).
21. NIDDK (2018).
22. CDC (2022e).
23. ______. (2020).
24. Idem.
25. R.J. Johnson, Stenvinkel, et al. (2020).
26. Attia (2020c).
27. R.J. Johnson e Andrews (2015).
28. R.J. Johnson, Sánchez-Lozada, et al. (2017).
29. Igwe et al. (2015); Matsuzaki et al. (2010); Zethelius e Cederholm (2015).

Capítulo 7. Tique-taque

1. Heron (2021); WHO (2019).
2. CDC (2022c).
3. ACS (2022a); Heron, op. cit.
4. Caselli e Lipsi (2006).
5. Bautch e Caron (2015).
6. McNamara (2015).
7. Mensink e Katan (1992).
8. Lammert e Wang (2005).
9. Jaret (1997).
10. Dietary Guidelines Advisory Committee (2015).
11. Sniderman, Thanassoulis, et al. (2016).
12. Stary (2003).
13. Lawson (2016).
14. Nasir et al. (2022); Uretsky et al. (2011).
15. Marston et al. (2022).
16. Tsimikas et al. (2018).
17. O'Donoghue et al. (2019).
18. Libby (2021).
19. Orphanet (2022).
20. Ritchie e Roser (2018).
21. Dietschy, Turley e Spady (1993); Ference et al. (2019); Forrester (2010); Jakubowski et al. (2021); Karagiannis et al. (2021); R. Le, Zhao e Hegele (2022); Libby e Tokgözoğlu (2022); Masana et al. (2018); O'Keefe et al. (2004); Soran, Ho e Durrington (2018); N. Wang et al. (2020).
22. Haase et al. (2012).
23. Voight et al. (2012).

24. du Souich, Roederer e Dufour (2017); Stroes et al. (2015).
25. Mach et al. (2018); C.B. Newman et al. (2019).
26. Jose (2016).
27. Thanassoulis, Sniderman e Pencina (2018).

Capítulo 8. A célula fugitiva

1. Rosenberg e Barr (1992).
2. NCI (2022b).
3. NCI (2021).
4. Idem.
5. Jamaspishvili et al. (2018).
6. Pollack (2005).
7. Sleeman e Steeg (2010).
8. Hitchens (2012).
9. Hanahan e Weinberg (2011).
10. Warburg (1924, 1956).
11. Liberti e Locasale (2016).
12. Christofferson (2017).
13. J.D. Watson (2009).
14. Vander Heiden, Cantley e Thompson (2009).
15. Avgerinos et al. (2019).
16. Lega et al. (2019).
17. Bradley (2004); Fruman et al. (2017).
18. Mercken et al. (2013).
19. Mukherjee (2011).
20. Hopkins et al. (2018).
21. de Groot et al. (2020).
22. ACS (2022c).
23. Kochenderfer et al. (2010).
24. D.T. Le et al. (2015).
25. Gay e Prasad (2017).
26. Cavazzoni et al. (2020).
27. Attia (2021b); Rosenberg (2021).
28. Atkins et al. (2000).
29. Taieb et al. (2020).
30. Waks et al. (2019).
31. Hofseth et al. (2020).
32. ACS (2022b).
33. X. Chen et al. (2021).

Capítulo 9. Correndo atrás da memória

1. Reiman, Arboleda-Velasquez, et al. (2020).
2. Belloy et al. (2020).
3. Cacace, Sleegers e Van Broeckhoven (2016); Cruchaga et al. (2012); Cuyvers e Sleegers (2016).
4. Cummings et al. (2022).
5. Kolata (2020).
6. Blessed, Tomlinson e Roth (1968).
7. Rabinovici et al. (2019).
8. Müller, Winter e Graeber (2013).
9. Kaivola et al. (2022).
10. Attia (2018c).
11. Daviglus et al. (2010).
12. Ngandu et al. (2015).
13. Rosenberg et al. (2020); Andrieu et al. (2017); van Charante et al. (2016).
14. Mosconi et al. (2018); Rahman et al. (2020); Ratnakumar et al. (2019); Zhou et al. (2020).
15. Yan et al. (2022).
16. Cerri et al. (2019).
17. Langa e Levine (2014).
18. Brookmeyer et al. (2018).
19. Attia (2019).
20. Yasuno et al. (2020).
21. Blessed, Tomlinson e Roth, op. cit.
22. Raichle e Gusnard (2002).
23. de la Torre (2016).
24. ______. (2018).
25. Wolters e Ikram (2019).
26. Cholerton et al. (2016).
27. Neth e Craft (2017).
28. Freiherr et al. (2013).
29. Chapman et al. (2018).
30. Kerrouche et al. (2006).
31. Reiman, Caselli, et al. (1996); Small et al. (2000); Sperling et al. (2011).
32. Kerrouche et al., op. cit.
33. Neu et al. (2017).
34. Montagne et al. (2020).
35. Trumble e Finch (2019).

36. Mitter et al. (2012); Oriá et al. (2007).
37. Kloske e Wilcock (2020).
38. Yassine et al. (2017).
39. Grammatikopoulou et al. (2020).
40. Slayday et al. (2021).
41. Maeng e Milad (2015).
42. Esteban-Cornejo et al. (2022).
43. C. Wang e Holtzman (2020).
44. Zheng et al. (2017).
45. Dominy et al. (2019).
46. Laukkanen et al. (2017).
47. ______. (2015).
48. A.D. Smith et al. (2010).
49. Oulhaj et al. (2016).
50. Maddock et al. (2015).

Capítulo 10. Pensando na tática

1. Proctor (1995).
2. NHTSA (2022a).
3. ______. (2022b); Attia (2020b).

Capítulo 11. Exercícios

1. Blackwell e Clarke (2018).
2. Wen et al. (2011).
3. C.D. Reimers, Knapp e A.K. Reimers (2012).
4. Booth e Zwetsloot (2010).
5. I.-M. Lee e Buchner (2008).
6. HHS (2018).
7. Mandsager et al. (2018).
8. Idem.
9. Idem.
10. Idem.
11. Kokkinos et al. (2022).
12. Mandsager et al. (2018).
13. Li et al. (2018).
14. Artero et al. (2011).
15. Naci e Ioannidis (2015).
16. Seifert et al. (2010).
17. Barnes e Corkery (2018).
18. Westerterp et al. (2021).
19. Bunout et al. (2011).
20. Jones et al. (2017).
21. Van Ancum et al. (2018).
22. CDC (2021).
23. H.-S. Lin et al. (2016).
24. Veronese et al. (2022).
25. Nicklas et al. (2015).
26. K.L. Campbell et al. (2019).
27. Zhang et al. (2020).
28. Danneskiold-Samsøe et al. (2009); Hughes et al. (2001); Lindle et al. (1997).

Capítulo 12. Treino para principiantes

1. Allen e Coggan (2010).
2. San-Millán e Brooks (2018).
3. Lemasters (2005).
4. Kawada e Ishii (2005).
5. Richter (2021).
6. McMillin et al. (2017).
7. Seifert et al. (2010).
8. Mandsager et al. (2018).
9. C.-H. Kim et al. (2016).
10. Shephard (2009).
11. Trappe et al. (2013).
12. Shephard, op. cit.
13. Idem.
14. Booth e Zwetsloot (2010); Mandsager et al. (2018).
15. Billat et al. (2017).
16. Lexell (1995).
17. Kortebein et al. (2007).
18. T.N. Kim e Choi (2013).
19. Xue (2011).
20. Tieland, Dirks, et al. (2012).
21. Easter (2021).
22. Bohannon (2019); Hamer e O'Donovan (2017); Y. Kim et al. (2018); A.B. Newman et al. (2006).
23. Cruz-Jentoft et al. (2019).
24. Fain e Weatherford (2016).

Capítulo 13. O evangelho da estabilidade

1. Lieberman et al. (2021).
2. Dahlhamer (2018).

3. Shmagel et al. (2018).
4. Gaskin e Richard (2012).
5. Boneti Moreira et al. (2014).
6. Frank, Kobesova e Kolar (2013).
7. Attia (2021a).
8. Araujo et al. (2022).
9. Tanweer (2021).

Capítulo 14. Nutrição 3.0

1. Dye (1988).
2. Naghshi et al. (2020).
3. Bao et al. (2013).
4. Azad et al. (2017).
5. Hill (1965).
6. Schwingshackl, Schwedhelm, et al. (2018).
7. Pesch et al. (2012); Proctor (2001); Sasco, Secretan e Straif (2004); Youlden, Cramb e Baade (2008).
8. Ioannidis (2018); Moco et al. (2006); Ninonuevo et al. (2006); Wishart et al. (2007).
9. Crowe (2018), p. 300.
10. Ejima et al. (2016).
11. Naimi et al. (2017).
12. Biddinger et al. (2022).
13. WHI (n.d.).
14. Howard et al. (2006).
15. Estruch et al. (2013).
16. Martínez-Lapiscina et al. (2013).

Capítulo 15. Bioquímica nutricional aplicada

1. Colman et al. (2009).
2. Wade (2009).
3. Mattison et al. (2012).
4. Kolata (2012).
5. Cordain, Miller, et al. (2000).
6. Cordain, Eaton, et al. (2002); Pontzer et al. (2018).
7. Gibson et al. (2015); Nymo et al. (2017); Phinney e Volek (2018); Sumithran et al. (2013).
8. Oliveira, Cotrim e Arrese (2019).
9. Peng et al. (2020).
10. C. Wang e Holtzman (2020).
11. Hines e Rimm (2001); Suzuki et al. (2009).
12. Biddinger et al. (2022).
13. Hanefeld et al. (1999); Kawano et al. (1999); H.-J. Lin et al. (2009); Standl, Schnell e Ceriello (2011); Watanabe et al. (2011).
14. Pfister et al. (2011).
15. Echouffo-Tcheugui et al. (2019).
16. Franz (1997).
17. W. Campbell et al. (2001).
18. Wu (2016).
19. Baum, Kim e Wolfe (2016).
20. Schoenfeld e Aragon (2018).
21. Baum, Kim e Wolfe, op. cit.
22. Houston et al. (2008).
23. Rozentryt et al. (2010).
24. Tieland, van de Rest, et al. (2012).
25. Børsheim et al. (2009).
26. Nuttall e Gannon (2006).
27. Boden et al. (2005); Holt et al. (1995); Samra (2010).
28. Blasbalg et al. (2011).
29. Abdelhamid et al. (2018).
30. Hooper et al. (2020).
31. Schwingshackl, Zähringer, et al. (2021).
32. Vendelbo et al. (2014).
33. Bagherniya et al. (2018).
34. Gross, van den Heuvel e Birnbaum (2008).
35. Hatori et al. (2012).
36. Jensen et al. (2013).
37. Lowe et al. (2020).
38. Jamshed et al. (2019); D. Liu et al. (2022).
39. Varady e Gabel (2019).
40. Templeman et al. (2021).

Capítulo 16. O despertar

1. Dawson e Reid (1997); Lamond e Dawson (1999).

2. Mansukhani et al. (2012); Tang et al. (2019).
3. Iftikhar et al. (2015).
4. Shan et al. (2015).
5. Leproult e Van Cauter (2010); Reutrakul e Van Cauter (2018); de Zambotti, Colrain e Baker (2015).
6. Goldstein e Walker (2014); Killgore (2013); Krause et al. (2017); Kuna et al. (2012); Motomura et al. (2013); Prather, Bogdan e Hariri (2013); Rupp, Wesensten e Balkin (2012); Van Dongen, Maislin, et al. (2003); Van Dongen, Baynard, et al. (2004); Yoo et al. (2007).
7. Reddy e van der Werf (2020).
8. C. Wang e Holtzman (2020).
9. Walker (2017).
10. Cirelli e Tononi (2008).
11. Zuccarelli et al. (2019).
12. Cullen et al. (2019); Fullagar et al. (2015).
13. Dewasmes et al. (1993); Kolka e Stephenson (1988); Sawka, Gonzalez e Pandolf (1984).
14. Milewski et al. (2014).
15. Mah et al. (2011).
16. Ferriss (2018).
17. Jackson et al. (2013).
18. AAA Foundation (2016).
19. Hafner et al. (2017); Killgore (2013); Krause et al. (2017); J. Lim e Dinges (2008); Van Dongen, Maislin, et al. (2003).
20. Oyetakin-White et al. (2015).
21. Broussard, Ehrmann, et al. (2012).
22. Idem Broussard, Chapotot, et al. (2015); Buxton et al. (2010); Leproult, Holmbäck e Van Cauter (2014); Nedeltcheva et al. (2009); Rao et al. (2015); Spiegel, Leproult e Van Cauter (1999); Stamatakis e Punjabi (2010); Tasali et al. (2008).
23. Iftikhar et al. (2015); Itani et al. (2017); Shan et al. (2015).
24. Itani et al. (2017).
25. Kuo et al. (2015).
26. Spiegel, Tasali, et al. (2004); Spiegel, Leproult, L'hermite-Balériaux, et al. (2004).
27. Bosy-Westphal et al. (2008); Brondel et al. (2010); Broussard, Kilkus, et al. (2016); Calvin et al. (2013); Spaeth, Dinges e Goel (2015).
28. Itani et al., op. cit.; Yin et al. (2017).
29. Dashti et al. (2019).
30. Daghlas et al. (2019).
31. C. Wang e Holtzman (2020).
32. Lendner et al. (2020).
33. Diekelmann e Born (2010); Wilson e McNaughton (1994).
34. Walker (2009).
35. A.K. Patel, Reddy e Araujo (2022).
36. C. Smith e Lapp (1991); Stickgold et al. (2000).
37. van der Helm e Walker (2009); Hutchison e Rathore (2015).
38. Repantis et al. (2020).
39. Rasking et al. (2007).
40. Goldstein-Piekarski et al. (2015).
41. Yamazaki et al. (2020).
42. Iliff et al. (2013).
43. Lucey, McCullough, et al. (2019).
44. Branger et al. (2016); B. Brown et al. (2016); Ju et al. (2013); Spira et al. (2013); Sprecher et al. (2015).
45. C. Wang e Holtzman, op. cit.
46. Emamian et al. (2016).
47. Benito-León et al. (2009); Jack et al. (2013); A.S.P. Lim, Kowgier, et al. (2013); A.S.P. Lim, Yu, et al. (2013); Lobo et al. (2008); Osorio et al. (2011).
48. Potvin et al. (2012).
49. A.S.P. Lim, Kowgier, et al. (2013); A.S.P. Lim, Yu, et al., op. cit.
50. Ancoli-Israel et al. (2008); Moraes et al. (2006).
51. Winer et al. (2019).
52. Saul (2006).
53. Business Wire (2021).
54. Arbon, Knurowska e Dijk (2015).

55. Herring et al. (2016).
56. Ziemichód et al. (2022).
57. Picton, Marino e Nealy (2018).
58. Zheng et al. (2022).
59. Shahid et al. (2011).
60. Kalmbach et al. (2017).
61. Hardeland (2013).
62. Gradisar et al. (2013).
63. Idem.
64. Harding, Franks e Wisden (2020).
65. Ebrahim et al. (2013).
66. C. Smith e Smith (2003).
67. Urry e Landolt (2015).
68. IOM (2001).
69. Maurer et al. (2021).
70. Dworak et al. (2007); Youngstedt et al. (2000).
71. D. Kim et al. (2022).

Capítulo 17. Trabalho em andamento

1. CDC (2022f).
2. Friend (2003).
3. Spillane et al. (2020).
4. Strobe (2021).
5. CDC (2022a).
6. Case et al. (2015).
7. CDC (2022d).
8. Case e Deaton (2015).
9. Livingston (2019).
10. Real (1998).
11. Wallace (2009).
12. Brooks (2016).
13. Riis (1901).
14. Asarnow et al. (2021); Linehan et al. (2006).
15. Hagerhall (2008).

Esclarecimentos

Para ver a lista atualizada de todos os esclarecimentos, acesse <https://peterattiamd.com/about/> e clique na seção "Disclosures".

REFERÊNCIAS BIBLIOGRÁFICAS

AAA Foundation. (2016). 2015 Traffic Safety Culture Index. Disponível em: <https://aaafoundation.org/2015-traffic-safety-culture-index/>. Acesso em: 8 mai. 2023.

Abbasi, F., Chu, J.W., Lamendola, C., McLaughlin, T., Hayden, J., Reaven, G.M. e Reaven, P.D. (2004). Discrimination between obesity and insulin resistance in the relationship with adiponectin. *Diabetes 53*, 585-590. Disponível em: <https://doi.org/10.2337/diabetes.53.3.585>. Acesso em: 8 mai. 2023.

Abdelhamid, A.S., Martin, N., Bridges, C., Brainard, J.S., Wang, X., Brown, T.J., Hanson, S., Jimoh O.F., Ajabnoor S.M., Deane K.H.O., et al. (2018). Polyunsaturated fatty acids for the primary and secondary prevention of cardiovascular disease. *Cochrane Database Syst. Rev. 11*, CD012345. Disponível em: <https://doi.org/10.1002/14651858.CD012345.pub3>. Acesso em: 8 mai. 2023.

ACS (American Cancer Society). (2022a). Breast Cancer Statistics | How common is breast cancer? Revisado em: 12 jan. Disponível em: <www.cancer.org/cancer/breast-cancer/about/how-common-is-breast-cancer.html>. Acesso em: 8 mai. 2023.

______. (2022b). Colorectal cancer facts and figures, 2022-2022. Disponível em: <www.cancer.org/content/dam/cancer-org/research/cancer-facts-and-statistics/colorectal-cancer-facts-and-figures/colorectal-cancer-facts-and-figures-2020-2022.pdf>. Acesso em: 8 mai. 2023.

______. (2022c). Eating well during treatment. 16 mar. Disponível em: <www.cancer.org/treatment/survivorship-during-and-after-treatment/coping/nutrition/once-treatment-starts.html>. Acesso em: 8 mai. 2023.

ACSM (2017). *ACSM's guidelines for exercise testing and prescription.* Filadélfia: Lippincott Williams and Wilkins.

Ahima, R.S. e Lazar, M.A. (2013). The health risk of obesity — Better metrics imperative. *Science 341*, 856-858. Disponível em: <https://doi.org/10.1126/science.1241244>. Acesso em: 8 mai. 2023.

Alghamdi, B.S. (2018). The neuroprotective role of melatonin in neurological disorders. *J. Neurosci. Res. 96*, 1136-1149. Disponível em: <https://doi.org/10.1002/jnr.24220>. Acesso em: 8 mai. 2023.

Allen, H. e Coggan, A. (2010). *Training and racing with a power meter.* Boulder, Colorado: VeloPress.

Anand, S.S., Tarnopolsky, M.A., Rashid, S., Schulze, K.M., Desai, D., Mente, A., Rao, S., Yusuf, S., Gerstein, H.C. e Sharma, A.M. (2011). Adipocyte hypertrophy, fatty liver and metabolic risk factors in South Asians: The Molecular Study of Health and Risk in Ethnic Groups (mol-SHARE). *PLOS ONE 6*, e22112. Disponível em: <https://doi.org/10.1371/journal.pone.0022112>. Acesso em: 8 mai. 2023.

Ancoli-Israel, S., Palmer, B.W., Cooke, J.R., Corey-Bloom, J., Fiorentino, L., Natarajan, L., Liu, L., Ayalon, L., He, F. e Loredo, J.S. (2008). Cognitive effects of treating obstructive sleep apnea in Alzheimer's disease: A randomized controlled study. *J. Am. Geriatr. Soc. 56*, 2076-2081. Disponível em: <https://doi.org/10.1111/j.1532-5415.2008.01934.x>. Acesso em: 8 mai. 2023.

Andersson, C., Blennow, K., Almkvist, O., Andreasen, N., Engfeldt, P., Johansson, S.-E., Lindau, M. e Eriksdotter-Jönhagen, M. (2008). Increasing CSF phospho-tau levels during cognitive decline and progression to dementia. *Neurobiol. Aging 29*, 1466-1473. Disponível em: <https://doi.org/10.1016/j.neurobiolaging.2007.03.027>. Acesso em: 8 mai. 2023.

Andreasen, N., Hesse, C., Davidsson, P., Minthon, L., Wallin, A., Winblad, B., Vanderstichele, H., Vanmechelen, E. e Blennow, K. (1999). Cerebrospinal fluid beta-amyloid(1-42) in Alzheimer disease: Differences between early- and late-onset Alzheimer disease and stability during the course of disease. *Arch. Neurol. 56*, 673-680. Disponível em: <https://doi.org/10.1001/archneur.56.6.673>. Acesso em: 8 mai. 2023.

Andreasen, N., Vanmechelen, E., Van de Voorde, A., Davidsson, P., Hesse, C., Tarvonen, S., Räihä, I., Sourander, L., Winblad, B. e Blennow, K. (1998). Cerebrospinal fluid tau protein as a biochemical marker for Alzheimer's disease: A community-based follow up study. *J. Neurol. Neurosurg. Psychiatry 64*, 298-305. Disponível em: <https://doi.org/10.1136/jnnp.64.3.298>. Acesso em: 8 mai. 2023.

Andrieu, S., Guyonnet, S., Coley, N., Cantet, C., Bonnefoy, M., Bordes, S. (2017). Effect of long-term omega 3 polyunsaturated fatty acid supplementation with or without multidomain intervention on cognitive function in elderly adults with memory complaints (MAPT): A randomized placebo-controlled trial. *Lancet 16*, 377-389. Disponível em: <https://doi.org/10.1016/S1474-4422(17)30040-6>. Acesso em: 8 mai. 2023.

Araujo, C.G., de Souza e Silva, C.G., Laukkanen, J.A., Singh, M.F., Kunutsor, S.K., Myers, J., Franca, J.F. e Castro, C.L. (2022). Successful 10-second one-legged stance performance predicts survival in middle-aged and older individuals. *Br. J. Sports Med. 56*, 975-980. Disponível em: <https://doi.org/10.1136/bjsports-2021-105360>. Acesso em: 8 mai. 2023.

Araújo, J., Cai, J. e Stevens, J. (2019). Prevalence of optimal metabolic health in American adults: National Health and Nutrition Examination Survey 2009-2016. *Metab. Syndr. Relat. Disord. 17*, 46-52. Disponível em: <https://doi.org/10.1089/met.2018.0105>. Acesso em: 8 mai. 2023.

Arbon, E.L., Knurowska, M. e Dijk, D.-J. (2015). Randomised clinical trial of the effects of prolonged-release melatonin, temazepam and zolpidem on slow-wave activity during sleep in healthy people. *J. Psychopharmacol. 29*, 764-776. Disponível em: <https://doi.org/10.1177/0269881115581963>. Acesso em: 8 mai. 2023.

Artero, E.G., Lee, D.C., Ruiz, J.R. (2011). A prospective study of muscular strength and all-cause mortality in men with hypertension. *J. Am. Coll. Cardiol. 57*(18), 1831-1837. Disponível em: <https://pubmed.ncbi.nlm.nih.gov/21527158/>. Acesso em: 8 mai. 2023.

Asarnow, J.R., Berk, M.S., Bedics, J., Adrian, M., Gallop, R., Cohen, J., Korslund, K., Hughes, J., Avina, C., Linehan, M.M., et al. (2021). Dialectical Behavior Therapy for suicidal self-harming youth: Emotion regulation, mechanisms, and mediators. *J. Am. Acad. Child Adolesc. Psychiatry 60*, 1105-1115.e4. Disponível em: <https://doi.org/10.1016/j.jaac.2021.01.016>. Acesso em: 8 mai. 2023.

Atkins, M.B., Kunkel, L., Sznol, M. e Rosenberg, S.A. (2000). High-dose recombinant interleukin-2 therapy in patients with metastatic melanoma: Long-term survival update. *Cancer J. Sci. Am. 6*, Suppl 1, S11-14.

Attia, P. (2018a). #09—David Sabatini, M.D., Ph.D.: Rapamycin and the discovery of mTOR-The nexus of aging and longevity? *The Drive* (podcast), episódio 9, 13 ago. Disponível em: <https://peterattiamd.com/davidsabatini/>. Acesso em: 8 mai. 2023.

______. (2018b). #10—Matt Kaeberlein, Ph.D.: Rapamycin and dogs-man's best friends? Living longer, healthier lives and turning back the clock on aging and age-related diseases. *The Drive* (podcast), episódio 10, 20 ago. Disponível em: <https://peterattiamd.com/mattkaeberlein/>. Acesso em: 8 mai. 2023.

______. (2018c). #18—Richard Isaacson, M.D.: Alzheimer's prevention. *The Drive* (podcast), episódio 18, 1º out. Disponível em: <https://peterattiamd.com/richardisaacson/>. Acesso em: 8 mai. 2023.

______. (2019). #38-Francisco Gonzalez-Lima, Ph.D.: Advancing Alzheimer's disease treatment and prevention: Is AD actually a vascular and metabolic disease? *The Drive* (podcast), episódio 38, 28 jan. Disponível em: <https://peterattiamd.com/franciscogonzalezlima/>. Acesso em: 8 mai. 2023.

______. (2020a). Colorectal cancer screening. *peterattiamd.com* (blog), 27 set. Disponível em: <https://peterattiamd.com/colorectal-cancer-screening/>. Acesso em: 8 mai. 2023.

_____. (2020b). The killer(s) on the road: Reducing your risk of automotive death. *peterattiamd.com* (blog), 9 fev. Disponível em: <https://peterattiamd.com/the-killers-on-the-road-reducing-your-risk-of-automotive-death/>. Acesso em: 8 mai. 2023.

______. (2020c). Rick Johnson, M.D.: Metabolic effects of fructose. *The Drive* (podcast), episódio 87, 6 jan. Disponível em: <https://peterattiamd.com/rickjohnson/>. Acesso em: 8 mai. 2023.

______. (2021a). Michael Rintala, D.C.: Principles of Dynamic Neuromuscular Stabilization (DNS). *The Drive* (podcast), episódio 152, 8 mar. Disponível em: <https://peterattiamd.com/michaelrintala/>. Acesso em: 8 mai. 2023.

______. (2021b). Steven Rosenberg, M.D., Ph.D.: The development of cancer immunotherapy and its promise for treating advanced cancers. *The Drive* (podcast), episódio 177, 27 set. Disponível em: <https://peterattiamd.com/stevenrosenberg/>. Acesso em: 8 mai. 2023.

Avgerinos, K.I., Spyrou, N., Mantzoros, C.S. e Dalamaga, M. (2019). Obesity and cancer risk: Emerging biological mechanisms and perspectives. *Metabolism 91*, 121-135. Disponível em: <https://doi.org/10.1016/j.metabol.2018.11.001>. Acesso em: 8 mai. 2023.

Azad, M.B., Abou-Setta, A.M., Chauhan, B.F., Rabbani, R., Lys, J., Copstein, L., Mann, A., Jeyaraman, M.M., Reid, A.E., Fiander, M., et al. (2017). Nonnutritive sweeteners and cardiometabolic health: A systematic review and meta-analysis of randomized controlled trials and prospective cohort studies. *CMAJ 189*, e929-e939. Disponível em: <https://doi.org/10.1503/cmaj.161390>. Acesso em: 8 mai. 2023.

Bagherniya, M., Butler, A.E., Barreto, G.E. e Sahebkar, A. (2018). The effect of fasting or calorie restriction on autophagy induction: A review of the literature. *Ageing Res. Rev. 47*, 183-197. Disponível em: <https://doi.org/10.1016/j.arr.2018.08.004>. Acesso em: 8 mai. 2023.

Bannister, C.A., Holden, S.E., Jenkins-Jones, S., Morgan, C.L., Halcox, J.P., Schernthaner, G., Mukherjee, J. e Currie, C.J. (2014). Can people with type 2 diabetes live longer than those without? A comparison of mortality in people initiated with metformin or sulphonylurea monotherapy and matched, non-diabetic controls. *Diabetes Obes. Metab. 16*, 1165-1173. Disponível em: <https://doi.org/10.1111/dom.12354>. Acesso em: 8 mai. 2023.

Bao, Y., Han, J., Hu, F.B., Giovannucci, E.L., Stampfer, M.J., Willett, W.C. e Fuchs, C.S. (2013). Association of nut consumption with total and cause-specific mortality. *N. Engl. J. Med. 369*, 2001-2011. Disponível em: <https://doi.org/10.1056/NEJMoa1307352>. Acesso em: 8 mai. 2023.

Barnes, J.N. e Corkery, A.T. (2018). Exercise improves vascular function, but does this translate to the brain? *Brain Plast. 4*, 65-79. Disponível em: <https://doi.org/10.3233/BPL-180075>. Acesso em: 8 mai. 2023.

Baum, J.I., Kim, I.-Y. e Wolfe, R.R. (2016). Protein consumption and the elderly: What is the optimal level of intake? *Nutrients 8*, 359. Disponível em: <https://doi.org/10.3390/nu8060359>. Acesso em: 8 mai. 2023.

Baur, J.A., Pearson, K.J., Price, N.L., Jamieson, H.A., Lerin, C., Kalra, A., Prabhu, V.V., Allard, J.S., Lopez-Lluch, G., Lewis, K., et al. (2006). Resveratrol improves health and survival of mice on a high-calorie diet. *Nature 444*, 337-342. Disponível em: <https://doi.org/10.1038/nature05354>. Acesso em: 8 mai. 2023.

Bautch, V.L. e Caron, K.M. (2015). Blood and lymphatic vessel formation. *Cold Spring Harb. Perspect. Biol. 7*, a008268. Disponível em: <https://doi.org/10.1101/cshperspect.a008268>. Acesso em: 8 mai. 2023.

Beckett, L.A., Harvey, D.J., Gamst, A., Donohue, M., Kornak, J., Zhang, H., Kuo, J.H. e Alzheimer's Disease Neuroimaging Initiative (2010). The Alzheimer's Disease Neuroimaging Initiative: Annual change in biomarkers and clinical outcomes. *Alzheimers Dement. 6*, 257-264. Disponível em: <https://doi.org/10.1016/j.jalz.2010.03.002>. Acesso em: 8 mai. 2023.

Belloy, M.E., Napolioni, V., Han, S.S., Le Guen, Y. e Greicius, M.D. (2020). Association of *Klotho*-VS heterozygosity with risk of Alzheimer disease in individuals who carry *APOE4*. *JAMA Neurol. 77*, 849-862. Disponível em: <https://doi.org/10.1001/jamaneurol.2020.0414>. Acesso em: 8 mai. 2023.

Benito-León, J., Bermejo-Pareja, F., Vega, S. e Louis, E.D. (2009). Total daily sleep duration and the risk of dementia: A prospective population-based study. *Eur. J. Neurol. 16*, 990-997. Disponível em: <https://doi.org/10.1111/j.1468-1331.2009.02618.x>. Acesso em: 8 mai. 2023.

Benn, M., Tybjærg-Hansen, A., Stender, S., Frikke-Schmidt, R. e Nordestgaard, B.G. (2011). Low-density lipoprotein cholesterol and the risk of cancer: A Mendelian randomization study. *J. Natl. Cancer Inst. 103*, 508-519. Disponível em: <https://doi.org/10.1093/jnci/djr008>. Acesso em: 8 mai. 2023.

Biddinger, K.J., Emdin, C.A., Haas, M.E., Wang, M., Hindy, G., Ellinor, P.T., Kathiresan, S., Khera, A.V. e Aragam, K.G. (2022). Association of habitual alcohol intake with risk of cardiovascular disease. *JAMA Netw. Open 5*, e223849. Disponível em: <https://doi.org/10.1001/jama networkopen.2022.3849>. Acesso em: 8 mai. 2023.

Billat, V., Dhonneur, G., Mille-Hamard, L., Le Moyec, L., Momken, I., Launay, T., Koralsztein, J.P. e Besse, S. (2017). Case studies in physiology: Maximal oxygen consumption and performance in a centenarian cyclist. *J. Appl. Physiol. 122*, 430-434. Disponível em: <https://doi.org/10.1152/japplphysiol.00569.2016>. Acesso em: 8 mai. 2023.

Blackwell, D.L. e Clarke, T.C. (2018). State variation in meeting the 2008 federal guidelines for both aerobic and muscle-strengthening activities through leisure-time physical activity among adults aged 18-64: United States, 2010-2015. *Natl. Health Stat. Rep. 112*, 1-22.

Blasbalg, T.L., Hibbeln, J.R., Ramsden, C.E., Majchrzak, S.F. e Rawlings, R.R. (2011). Changes in consumption of omega-3 and omega-6 fatty acids in the United States during the 20th century. *Am. J. Clin. Nutr. 93*, 950-962. Disponível em: <https://doi.org/10.3945/ajcn.110.006643>. Acesso em: 8 mai. 2023.

Blessed, G., Tomlinson, B.E. e Roth, M. (1968). The association between quantitative measures of dementia and of senile change in the cerebral grey matter of elderly subjects. *Br. J. Psychiatry J. Ment. Sci. 114*, 797-811. Disponível em: <https://doi.org/10.1192/bjp.114.512.797>. Acesso em: 8 mai. 2023.

Boden, G., Sargrad, K., Homko, C., Mozzoli, M. e Stein, T.P. (2005). Effect of a low-carbohydrate diet on appetite, blood glucose levels, and insulin resistance in obese patients with type 2 diabetes. *Ann. Intern. Med. 142*, 403-411. Disponível em: <https://doi.org/10.7326/0003-4819-142-6-200503150-00006>. Acesso em: 8 mai. 2023.

Bohannon, R.W. (2019). Grip strength: An indispensable biomarker for older adults. *Clin. Interv. Aging 14*, 1681-1691. Disponível em: <https://doi.org/10.2147/CIA.S194543>. Acesso em: 8 mai. 2023.

Boneti Moreira, N., Vagetti, G.C., de Oliveira, V. e de Campos, W. (2014). Association between injury and quality of life in athletes: A systematic review, 1980-2013. *Apunts Sports Med. 49*, 123-138.

Booth, F.W. e Zwetsloot, K.A. (2010). Basic concepts about genes, inactivity and aging. *Scand. J. Med. Sci. Sports 20*, 1-4. Disponível em: <https://doi.org/10.1111/j.1600-0838.2009.00972.x>. Acesso em: 8 mai. 2023.

Børsheim, E., Bui, Q.-U.T., Tissier, S., Cree, M.G., Rønsen, O., Morio, B., Ferrando, A.A., Kobayashi, H., Newcomer, B.R. e Wolfe, R.R. (2009). Amino acid supplementation decreases plasma and liver triglycerides in elderly. *Nutr. Burbank Los Angel. Cty. Calif. 25*, 281-288. Disponível em: <https://doi.org/10.1016/j.nut.2008.09.001>. Acesso em: 8 mai. 2023.

Bosy-Westphal, A., Hinrichs, S., Jauch-Chara, K., Hitze, B., Later, W., Wilms, B., Settler, U., Peters, A., Kiosz, D. e Müller, M.J. (2008). Influence of partial sleep deprivation on energy balance and insulin sensitivity in healthy women. *Obes. Facts 1*, 266-273. Disponível em: <https://doi.org/10.1159/000158874>. Acesso em: 8 mai. 2023.

Bouwman, F.H., Van der Flier, W.M., Schoonenboom, N.S.M., Van Elk, E.J., Kok, A., Rijmen, F., Blankenstein, M.A. e Scheltens, P. (2007). Longitudinal changes of CSF biomarkers in memory clinic patients. *Neurology 69*, 1006-1011. Disponível em: <https://n.neurology.org/content/69/10/1006/tab-article-info>. Acesso em: 8 mai. 2023.

Bradley, D. (2004). Biography of Lewis C. Cantley. *Proc. Natl. Acad. Sci. 101*, 3327-3328. Disponível em: <https://doi.org/10.1073/pnas.0400872101>. Acesso em: 8 mai. 2023.

Branger, P., Arenaza-Urquijo, E.M., Tomadesso, C., Mézenge, F., André, C., de Flores, R., Mutlu, J., de La Sayette, V., Eustache, F., Chételat, G., et al. (2016). Relationships between sleep quality and brain volume, metabolism, and amyloid deposition in late adulthood. *Neurobiol. Aging 41*, 107-114. Disponível em: <https://doi.org/10.1016/j.neurobiolaging.2016.02.009>. Acesso em: 8 mai. 2023.

Brondel, L., Romer, M.A., Nougues, P.M., Touyarou, P. e Davenne, D. (2010). Acute partial sleep deprivation increases food intake in healthy men. *Am. J. Clin. Nutr. 91*, 1550-1559. Disponível em: <https://doi.org/10.3945/ajcn.2009.28523>. Acesso em: 8 mai. 2023.

Brookmeyer, R., Abdalla, N., Kawas, C.H. e Corrada, M.M. (2018). Forecasting the prevalence of preclinical and clinical Alzheimer's disease in the United States. *Alzheimers Dement. 14*, 121-129. Disponível em: <https://doi.org/10.1016/j.jalz.2017.10.009>. Acesso em: 8 mai. 2023.

Brooks, D. (2019). *A estrada para o caráter*. Rio de Janeiro: Alta Books, 2019.

Broussard, J.L., Chapotot, F., Abraham, V., Day, A., Delebecque, F., Whitmore, H.R. e Tasali, E. (2015). Sleep restriction increases free fatty acids in healthy men. *Diabetologia 58*, 791-798. Disponível em: <https://doi.org/10.1007/s00125-015-3500-4>. Acesso em: 8 mai. 2023.

Broussard, J.L., Ehrmann, D.A., Van Cauter, E., Tasali, E. e Brady, M.J. (2012). Impaired insulin signaling in human adipocytes after experimental sleep restriction. *Ann. Intern. Med. 157*, 549-557. Disponível em: <https://doi.org/10.7326/0003-4819-157-8-201210160-00005>. Acesso em: 8 mai. 2023.

Broussard, J.L., Kilkus, J.M., Delebecque, F., Abraham, V., Day, A., Whitmore, H.R. e Tasali, E. (2016). Elevated ghrelin predicts food intake during experimental sleep restriction. *Obesity 24*, 132-138. Disponível em: <https://doi.org/10.1002/oby.21321>. Acesso em: 8 mai. 2023.

Brown, B.M., Rainey-Smith, S.R., Villemagne, V.L., Weinborn, M., Bucks, R.S., Sohrabi, H.R., Laws, S.M., Taddei, K., Macaulay, S.L., Ames, D., et al. (2016). The relationship between sleep quality and brain amyloid burden. *Sleep 39*, 1063-1068. Disponível em: <https://doi.org/10.5665/sleep.5756>. Acesso em: 8 mai. 2023.

Brown, E.J., Albers, M.W., Shin, T.B., Ichikawa, K., Keith, C.T., Lane, W.S. e Schreiber, S.L. (1994). A mammalian protein targeted by G1-arresting rapamycin-receptor complex. *Nature 369*, 756-758. Disponível em: <https://doi.org/10.1038/369756a0>. Acesso em: 8 mai. 2023.

Brys, M., Pirraglia, E., Rich, K., Rolstad, S., Mosconi, L., Switalski, R., Glodzik-Sobanska, L., De Santi, S., Zinkowski, R., Mehta, P., et al. (2009). Prediction and longitudinal study of CSF biomarkers in mild cognitive impairment. *Neurobiol. Aging 30*, 682-690. Disponível em: <https://doi.org/10.1016/j.neurobiolaging.2007.08.010>. Acesso em: 8 mai. 2023.

Bunout, D., de la Maza, M.P., Barrera, G., Leiva, L. e Hirsch, S. (2011). Association between sarcopenia and mortality in healthy older people. *Australas. J. Ageing 30*, 89-92. Disponível em: <https://doi.org/10.1111/j.1741-6612.2010.00448.x>. Acesso em: 8 mai. 2023.

Business Wire (2021). U.S. sleep aids market worth $30 billion as Americans battle insomnia, sleep disorders-ResearchAndMarkets.com, 30 jun. Disponível em: <www.businesswire.com/news/home/20210630005428/en/U.S.-Sleep-Aids-Market-Worth-30-Billion-as-Americans-Battle-Insomnia-Sleep-Disorders---ResearchAndMarkets.com>. Acesso em: 8 mai. 2023.

Buxton, O.M., Pavlova, M., Reid, E.W., Wang, W., Simonson, D.C. e Adler, G.K. (2010). Sleep restriction for 1 week reduces insulin sensitivity in healthy men. *Diabetes 59*, 2126-2133. Disponível em: <https://doi.org/10.2337/db09-0699>. Acesso em: 8 mai. 2023.

Buysse, D.J., Reynolds, C.F., Charles, F., Monk, T.H., Berman, S.R. e Kupfer, D.J. (1989). The Pittsburgh Sleep Quality Index: A new instrument for psychiatric practice and research. *Psychiat. Res. 28*(2), 193-213.

Cacace, R., Sleegers, K. e Van Broeckhoven, C. (2016). Molecular genetics of early-onset Alzheimer's disease revisited. *Alzheimers Dement. 12*, 733-748. Disponível em: <https://doi.org/10.1016/j.jalz.2016.01.012>. Acesso em: 8 mai. 2023.

Calle, E.E., Rodriguez, C., Walker-Thurmond, K. e Thun, M.J. (2003). Overweight, obesity, and mortality from cancer in a prospectively studied cohort of U.S. adults. *N. Engl. J. Med. 348*, 1625. Disponível em: <https://doi.org/10.1056/NEJMoa021423>. Acesso em: 8 mai. 2023.

Calvin, A.D., Carter, R.E., Adachi, T., Macedo, P.G., Albuquerque, F.N., Van der Walt, C., Bukartyk, J., Davison, D.E., Levine, J.A. e Somers, V.K. (2013). Effects of experimental sleep restriction on caloric intake and activity energy expenditure. *Chest 144*, 79-86. Disponível em: <https://doi.org/10.1378/chest.12-2829>. Acesso em: 8 mai. 2023.

Campbell, K.L., Winters-Stone, K., Wiskemann, J., May, A.M., Schwartz, A.L., Courneya, K.S., Zucker, D., Matthews, C., Ligibel, J., Gerber, L., et al. (2019). Exercise guidelines for cancer survivors: Consensus statement from International Multidisciplinary Roundtable. *Med. Sci. Sports Exerc. 51*, 2375-2390. Disponível em: <https://doi.org/10.1249/MSS.0000000000002116>. Acesso em: 8 mai. 2023.

Campbell, W.W., Trappe, T.A., Wolfe, R.R. e Evans, W.J. (2001). The recommended dietary allowance for protein may not be adequate for older people to maintain skeletal muscle. *J. Gerontol. A. Biol. Sci. Med. Sci. 56*, M373-380. Disponível em: <https://doi.org/10.1093/gerona/56.6.m373>. Acesso em: 8 mai. 2023.

Case, A. e Deaton, A. (2015). Rising morbidity and mortality in midlife among white non-Hispanic Americans in the 21st century. *Proc. Natl. Acad. Sci. 112*(49), 15078-15083. Disponível em: <https://doi.org/10.1073/pnas.151839311>. Acesso em: 8 mai. 2023.

Caselli, G. e Lipsi, R.M. (2006). Survival differences among the oldest old in Sardinia: Who, what, where, and why? *Demogr. Res. 14*, 267-294.

Cavazzoni, A., Digiacomo, G., Alfieri, R., La Monica, S., Fumarola, C., Galetti, M., Bonelli, M., Cretella, D., Barili, V., Zecca, A., et al. (2020). Pemetrexed enhances membrane PD-L1 expression and potentiates T cell-mediated cytotoxicity by anti-PD-L1 antibody therapy in non-small-cell lung cancer. *Cancers 12*, e666. Disponível em: <https://pubmed.ncbi.nlm.nih.gov/32178474/>. Acesso em: 8 mai. 2023.

Cerri, S., Mus, L. e Blandini, F. (2019). Parkinson's disease in women and men: What's the difference? *J. Parkinson's Dis. 9*(3), 501-515. Disponível em: <https://doi.org/10.3233/JPD-191683>. Acesso em: 8 mai. 2023.

CDC (Centers for Disease Control). (2020a). The influence of metabolic syndrome in predicting mortality risk among US adults: Importance of metabolic syndrome even in adults with normal weight. Disponível em: <https://pubmed.ncbi.nlm.nih.gov/32441641/>. Acesso em: 8 mai. 2023.

______. (2020b). Diabetes. FastStats. Disponível em: <www.cdc.gov/nchs/fastats/diabetes.html>. Acesso em: 8 mai. 2023.

______. (2021). Facts about falls. Injury Center. Disponível em: <www.cdc.gov/falls/facts.html>. Acesso em: 8 mai. 2023.

______. (2022a). Accidents or unintentional injuries. FastStats. Disponível em: <www.cdc.gov/nchs/fastats/accidental-injury.html>. Acesso em: 8 mai. 2023.

______. (2022b) Adult obesity facts. Disponível em: <www.cdc.gov/obesity/data/adult.html>. Acesso em: 8 mai. 2023.

______. (2022c). Heart disease facts. Disponível em: <www.cdc.gov/heartdisease/facts.html>. Acesso em: 8 mai. 2023.

______. (2022d). Life expectancy in the U.S. dropped for the second year in a row in 2021. Release de imprensa, 31 ago. Disponível em: <www.cdc.gov/nchs/pressroom/nchs_press_releases/2022/20220831.html>. Acesso em: 8 mai. 2023.

______. (2022e). National diabetes statistics report. Disponível em: <www.cdc.gov/diabetes/data/statistics-report/index.html?ACSTrackingID=DM72996&ACSTrackingLabel=New%20Report%20Shares%20Latest%20Diabetes%20Stats%20&deliveryName=DM72996>. Acesso em: 8 mai. 2023.

______. (2022f). Ten leading causes of death and injury. Disponível em: <www.cdc.gov/injury/wisqars/LeadingCauses_images.html>. Acesso em: 8 mai. 2023.

Chan, J.M., Rimm, E.B., Colditz, G.A., Stampfer, M.J. e Willett, W.C. (1994). Obesity, fat distribution, and weight gain as risk factors for clinical diabetes in men. *Diabetes Care 17*, 961-969. Disponível em: <https://doi.org/10.2337/diacare.17.9.961>. Acesso em: 8 mai. 2023.

Chapman, C.D., Schiöth, H.B., Grillo, C.A. e Benedict, C. (2018). Intranasal insulin in Alzheimer's disease: Food for thought. *Neuropharmacology 136*, 196-201. Disponível em: <https://doi.org/10.1016/j.neuropharm.2017.11.037>. Acesso em: 8 mai. 2023.

Chen, D.L., Liess, C., Poljak, A., Xu, A., Zhang, J., Thoma, C., Trenell, M., Milner, B., Jenkins, A.B., Chisholm, D.J., et al. (2015). Phenotypic characterization of insulin-resistant and insulin-sensitive obesity. *J. Clin. Endocrinol. Metab. 100*, 4082-4091. Disponível em: <https://doi.org/10.1210/jc.2015-2712>. Acesso em: 8 mai. 2023.

Chen, X., Dong, Z., Hubbell, E., Kurtzman, K.N., Oxnard, G.R., Venn, O., Melton, C., Clarke, C.A., Shaknovich, R., Ma, T., et al. (2021). Prognostic significance of blood-based multi-cancer detection in plasma cell-free DNA. *Clin. Cancer Res. 27*, 4221-4229. Disponível em: <https://doi.org/10.1158/1078-0432.CCR-21-0417>. Acesso em: 8 mai. 2023.

Cholerton, B., Baker, L.D., Montine, T.J. e Craft, S. (2016). Type 2 diabetes, cognition, and dementia in older adults: Toward a precision health approach. *Diabetes Spectr. 29*, 210-219. Disponível em: <https://doi.org/10.2337/ds16-0041>. Acesso em: 8 mai. 2023.

Christofferson, Travis. *Tripping Over the Truth: How the Metabolic Theory of Cancer Is Overturning One of Medicine's Most Entrenched Paradigms.* Chelsea Green Publishing, 2017.

Cirelli, C. e Tononi, G. (2008). Is sleep essential? *PLOS Biol. 6*, e216. Disponível em: <https://pubmed.ncbi.nlm.nih.gov/18752355/>. Acesso em: 8 mai. 2023.

Colman, R.J., Anderson, R.M., Johnson, S.C., Kastman, E.K., Kosmatka, K.J., Beasley, T.M., Allison, D.B., Cruzen, C., Simmons, H.A., Kemnitz, J.W., et al. (2009). Caloric restriction delays disease onset and mortality in rhesus monkeys. *Science 325*, 201-204. Disponível em: <https://doi.org/10.1126/science.1173635>. Acesso em: 8 mai. 2023.

Copinschi, G. e Caufriez, A. (2013). Sleep and hormonal changes in aging. *Endocrinol. Metab. Clin. North Am. 42*, 371-389. Disponível em: <https://doi.org/10.1016/j.ecl.2013.02.009>. Acesso em: 8 mai. 2023.

Cordain, L., Eaton, S.B., Miller, J.B., Mann, N. e Hill, K. (2002). The paradoxical nature of hunter-gatherer diets: Meat-based, yet non-atherogenic. *Eur. J. Clin. Nutr. 56*, S42-S52. Disponível em: <https://doi.org/10.1038/sj.ejcn.1601353>. Acesso em: 8 mai. 2023.

Cordain, L., Miller, J.B., Eaton, S.B., Mann, N., Holt, S.H. e Speth, J.D. (2000). Plant-animal subsistence ratios and macronutrient energy estimations in worldwide hunter-gatherer diets. *Am. J. Clin. Nutr. 71*, 682-692. Disponível em: <https://doi.org/10.1093/ajcn/71.3.682>. Acesso em: 8 mai. 2023.

Creevy, K.E., Akey, J.M., Kaeberlein, M. e Promislow, D.E.L. (2022). An open science study of ageing in companion dogs. *Nature 602*, 51-57. Disponível em: <https://doi.org/10.1038/s41586-021-04282-9>. Acesso em: 8 mai. 2023.

Crispim, C.A., Zimberg, I.Z., dos Reis, B.G., Diniz, R.M., Tufik, S. e de Mello, M.T. (2011). Relationship between food intake and sleep pattern in healthy individuals. *J. Clin. Sleep Med. 7*, 659-664. Disponível em: <https://doi.org/10.5664/jcsm.1476>. Acesso em: 8 mai. 2023.

Crowe, K. (2018). University of Twitter? Scientists give impromptu lecture critiquing nutrition research. CBC Health, 5 mai. Disponível em: <www.cbc.ca/news/health/second-opinion--alcohol180505-1.4648331>. Acesso em: 8 mai. 2023.

Cruchaga, C., Haller, G., Chakraverty, S., Mayo, K., Vallania, F.L.M., Mitra, R.D., Faber, K., Williamson, J., Bird, T., Diaz-Arrastia, R., et al. (2012). Rare variants in *APP, PSEN1* and *PSEN2* increase risk for AD in late-onset Alzheimer's disease families. *PLOS ONE 7*, e31039. Disponível em: <https://doi.org/10.1371/journal.pone.0031039>. Acesso em: 8 mai. 2023.

Cruz-Jentoft, A.J., Bahat, G., Bauer, J., Boirie, Y., Bruyère, O., Cederholm, T., Cooper, C., Landi, F., Rolland, Y., Sayer, A.A., et al. (2019). Sarcopenia: Revised European consensus on definition and diagnosis. *Age Ageing 48*, 16-31. Disponível em: <https://doi.org/10.1093/ageing/afy169>. Acesso em: 8 mai. 2023.

Cullen, T., Thomas, G., Wadley, A.J. e Myers, T. (2019). The effects of a single night of complete and partial sleep deprivation on physical and cognitive performance: A Bayesian analysis. *J. Sports Sci. 37*, 2726-2734. Disponível em: <https://doi.org/10.1080/02640414.2019.1662539>. Acesso em: 8 mai. 2023.

Cummings, J.L., Goldman, D.P., Simmons-Stern, N.R. e Ponton, E. (2022). The costs of developing treatments for Alzheimer's disease: A retrospective exploration. *Alzheimers*

Dement. 18, 469-477. Disponível em: <https://doi.org/10.1002/alz.12450>. Acesso em: 8 mai. 2023.

Cuyvers, E. e Sleegers, K. (2016). Genetic variations underlying Alzheimer's disease: Evidence from genome-wide association studies and beyond. *Lancet Neurol. 15*, 857-868. Disponível em: <https://doi.org/10.1016/S1474-4422(16)00127-7>. Acesso em: 8 mai. 2023.

Daghlas, I., Dashti, H.S., Lane, J., Aragam, K.G., Rutter, M.K., Saxena, R. e Vetter, C. (2019). Sleep duration and myocardial infarction. *J. Am. Coll. Cardiol. 74*, 1304-1314. Disponível em: <https://doi.org/10.1016/j.jacc.2019.07.022>. Acesso em: 8 mai. 2023.

Dahlhamer, J. (2018). Prevalence of chronic pain and high-impact chronic pain among adults-United States, 2016. *MMWR 67*. Disponível em: <https://doi.org/10.15585/mmwr.mm6736a2>. Acesso em: 8 mai. 2023.

Danneskiold-Samsøe, B., Bartels, E.M., Bülow, P.M., Lund, H., Stockmarr, A., Holm, C.C., Wätjen, I., Appleyard, M. e Bliddal, H. (2009). Isokinetic and isometric muscle strength in a healthy population with special reference to age and gender. *Acta Physiol. 197*, 1-68. Disponível em: <https://doi.org/10.1111/j.1748-1716.2009.02022.x>. Acesso em: 8 mai. 2023.

Dashti, H.S., Jones, S.E., Wood, A.R., Lane, J.M., Van Hees, V.T., Wang, H., Rhodes, J.A., Song, Y., Patel, K., Anderson, S.G., et al. (2019). Genome-wide association study identifies genetic loci for self-reported habitual sleep duration supported by accelerometer-derived estimates. *Nat. Commun. 10*, 1100. Disponível em: <https://doi.org/10.1038/s41467-019-08917-4>. Acesso em: 8 mai. 2023.

Daviglus, M.L., Bell, C.C., Berrettini, W., Bowen, P.E., Connolly, E.S., Cox, N.J., Dunbar-Jacob, J.M., Granieri, E.C., Hunt, G., McGarry, K., et al. (2010). NIH state-of-the-science conference statement: Preventing Alzheimer's disease and cognitive decline. *NIH Consens. State Sci. Statements 27*, 1-30.

Dawson, D. e Reid, K. (1997). Fatigue, alcohol and performance impairment. *Nature 388*, 235-235. Disponível em: <https://doi.org/10.1038/40775>. Acesso em: 8 mai. 2023.

de Groot, S., Lugtenberg, R.T., Cohen, D., Welters, M.J.P., Ehsan, I., Vreeswijk, M.P.G., Smit, V.T.H.B.M., de Graaf, H., Heijns, J.B., Portielje, J.E.A., et al. (2020). Fasting mimicking diet as an adjunct to neoadjuvant chemotherapy for breast cancer in the multicentre randomized phase 2 DIRECT trial. *Nat. Commun. 11*, 3083. Disponível em: <https://doi.org/10.1038/s41467-020-16138-3>. Acesso em: 8 mai. 2023.

de la Torre, J. (2016). *Alzheimer's turning point: A vascular approach to clinical prevention.* Cham, Suíça: Springer International, 169-183.

______. (2018). The vascular hypothesis of Alzheimer's disease: A key to preclinical prediction of dementia using neuroimaging. *J. Alzheimers Dis. 63*, 35-52. Disponível em: <https://doi.org/10.3233/JAD-180004>. Acesso em: 8 mai. 2023.

de Leon, M.J., DeSanti, S., Zinkowski, R., Mehta, P.D., Pratico, D., Segal, S., Rusinek, H., Li, J., Tsui, W., Saint Louis, L.A., et al. (2006). Longitudinal CSF and MRI biomarkers improve the diagnosis of mild cognitive impairment. *Neurobiol. Aging 27*, 394-401. Disponível em: <https://doi.org/10.1016/j.neurobiolaging.2005.07.003>. Acesso em: 8 mai. 2023.

Dewasmes, G., Bothorel, B., Hoeft, A. e Candas, V. (1993). Regulation of local sweating in sleep-deprived exercising humans. *Eur. J. Appl. Physiol. 66*, 542-546. Disponível em: <https://doi.org/10.1007/BF00634307>. Acesso em: 8 mai. 2023.

de Zambotti, M., Colrain, I.M. e Baker, F.C. (2015). Interaction between reproductive hormones and physiological sleep in women. *J. Clin. Endocrinol. Metab. 100*, 1426-1433. Disponível em: <https://doi.org/10.1210/jc.2014-3892>. Acesso em: 8 mai. 2023.

Diamond, J. (2003). The double puzzle of diabetes. *Nature 423*, 599-602. Disponível em: <https://doi.org/10.1038/423599a>. Acesso em: 8 mai. 2023.

Diekelmann, S. e Born, J. (2010). The memory function of sleep. *Nat. Rev. Neurosci. 11*, 114-126. Disponível em: <https://doi.org/10.1038/nrn2762>. Acesso em: 8 mai. 2023.

Dietary Guidelines Advisory Committee. (2015). Scientific report of the 2015 Dietary Guidelines Advisory Committee: Advisory report to the Secretary of Health and Human Services and the Secretary of Agriculture. Washington, D.C.: U.S. Department of Agriculture, Agricultural Research Service. Disponível em: <https://health.gov/sites/default/files/2019-09/Scientific-Report-of-the-2015-Dietary-Guidelines-Advisory-Committee.pdf>. Acesso em: 8 mai. 2023.

Dietschy, J.M., Turley, S.D. e Spady, D.K. (1993). Role of liver in the maintenance of cholesterol and low density lipoprotein homeostasis in different animal species, including humans. *J. Lipid Res. 34*, 1637-1659.

Dominy, S.S., Lynch, C., Ermini, F., Benedyk, M., Marczyk, A., Konradi, A., Nguyen, M., Haditsch, U., Raha, D., Griffin, C., et al. (2019). Porphyromonas gingivalis in Alzheimer's disease brains: Evidence for disease causation and treatment with small-molecule inhibitors. *Sci. Adv. 5*, eaau3333. Disponível em: <https://doi.org/10.1126/sciadv.aau3333>. Acesso em: 8 mai. 2023.

du Souich, P., Roederer, G. e Dufour, R. (2017). Myotoxicity of statins: Mechanism of action. *Pharmacol. Ther. 175*, 1-16. Disponível em: <https://doi.org/10.1016/j.pharmthera.2017.02.029>. Acesso em: 8 mai. 2023.

Dworak, M., Diel, P., Voss, S., Hollmann, W. e Strüder, H.K. (2007). Intense exercise increases adenosine concentrations in rat brain: Implications for a homeostatic sleep drive. *Neuroscience 150*, 789-795. Disponível em: <https://doi.org/10.1016/j.neuroscience.2007.09.062>. Acesso em: 8 mai. 2023.

Dye, L. (1988). Nobel physicist R. P. Feynman of Caltech dies. *Los Angeles Times*, 16 fev. Disponível em: <www.latimes.com/archives/la-xpm-1988-02-16-mn-42968-story.html>. Acesso em: 8 mai. 2023.

Easter, M. (2021). *A crise do conforto*: abrace o desconforto para recuperar o seu eu feliz, saudável e livre. Rio de Janeiro: Alta Books.

Ebrahim, I.O., Shapiro, C.M., Williams, A.J. e Fenwick, P.B. (2013). Alcohol and sleep I: Effects on normal sleep. *Alcohol. Clin. Exp. Res. 37*, 539-549. Disponível em: <https://doi.org/10.1111/acer.12006>. Acesso em: 8 mai. 2023.

Echouffo-Tcheugui, J.B., Zhao, S., Brock, G., Matsouaka, R.A., Kline, D. e Joseph, J.J. (2019). Visit-to-visit glycemic variability and risks of cardiovascular events and all-cause mortality: The ALLHAT study. *Diabetes Care 42*, 486-493. Disponível em: <https://doi.org/10.2337/dc18-1430>. Acesso em: 8 mai. 2023.

Ejima, K., Li, P., Smith, D.L., Nagy, T.R., Kadish, I., Van Groen, T., Dawson, J.A., Yang, Y., Patki, A. e Allison, D.B. (2016). Observational research rigor alone does not justify causal inference. *Eur. J. Clin. Invest. 46*, 985-993. Disponível em: <https://doi.org/10.1111/eci.12681>. Acesso em: 8 mai. 2023.

Emamian, F., Khazaie, H., Tahmasian, M., Leschziner, G.D., Morrell, M.J., Hsiung, G.-Y.R., Rosenzweig, I. e Sepehry, A.A. (2016). The association between obstructive sleep apnea and Alzheimer's disease: A meta-analysis perspective. *Front. Aging Neurosci. 8*, 78. Disponível em: <https://doi.org/10.3389/fnagi.2016.00078>. Acesso em: 8 mai. 2023.

Esteban-Cornejo, I., Ho, F.K., Petermann-Rocha, F., Lyall, D.M., Martinez-Gomez, D., Cabanas-Sánchez, V., Ortega, F.B., Hillman, C.H., Gill, J.M.R., Quinn, T.J., et al. (2022). Handgrip strength and all-cause dementia incidence and mortality: Findings from the UK Biobank prospective cohort study. *J. Cachexia Sarcopenia Muscle 13*, 1514-1525. Disponível em: <https://doi.org/10.1002/jcsm.12857>. Acesso em: 8 mai. 2023.

Estruch, R., Ros, E., Salas-Salvadó, J., Covas, M.-I., Corella, D., Arós, F., Gómez-Gracia, E., Ruiz-Gutiérrez, V., Fiol, M., Lapetra, J., et al. (2013). Primary prevention of cardiovascular disease with a Mediterranean diet. *N. Engl. J. Med. 368*, 1279-1290. Disponível em: <https://doi.org/10.1056/NEJMoa1200303>. Acesso em: 8 mai. 2023.

Evert, J., Lawler, E., Bogan, H. e Perls, T. (2003). Morbidity profiles of centenarians: Survivors, delayers, and escapers. *J. Gerontol. Ser. A 58*, M232-M237. Disponível em: <https://doi.org/10.1093/gerona/58.3.M232>. Acesso em: 8 mai. 2023.

Fagan, A.M., Mintun, M.A., Mach, R.H., Lee, S.-Y., Dence, C.S., Shah, A.R., LaRossa, G.N., Spinner, M.L., Klunk, W.E., Mathis, C.A., et al. (2006). Inverse relation between in vivo amyloid imaging load and cerebrospinal fluid Abeta42 in humans. *Ann. Neurol. 59*, 512-519. Disponível em: <https://doi.org/10.1002/ana.20730>. Acesso em: 8 mai. 2023.

Fain, E. e Weatherford, C. (2016). Comparative study of millennials' (age 20-34 years) grip and lateral pinch with the norms. *J. Hand Ther. 29*, 483-488. Disponível em: <https://doi.org/10.1016/j.jht.2015.12.006>. Acesso em: 8 mai. 2023.

Fayek, S.A., Quintini, C., Chavin, K.D. e Marsh, C.L. (2016). The current state of liver transplantation in the United States. *Am. J. Transplant. 16*, 3093-3104. Disponível em: <https://doi.org/10.1111/ajt.14017>. Acesso em: 8 mai. 2023.

Ference, B.A. (2015). Mendelian randomization studies: Using naturally randomized genetic data to fill evidence gaps. *Curr. Opin. Lipidol. 26*, 566-571. Disponível em: <https://doi.org/10.1097/MOL.0000000000000247>. Acesso em: 8 mai. 2023.

Ference, B.A., Bhatt, D.L., Catapano, A.L., Packard, C.J., Graham, I., Kaptoge, S., Ference, T.B., Guo, Q., Laufs, U., Ruff, C.T., et al. (2019). Association of genetic variants related to combined exposure to lower low-density lipoproteins and lower systolic blood pressure with lifetime risk of cardiovascular disease. *JAMA 322*, 1381-1391. Disponível em: <https://doi.org/10.1001/jama.2019.14120>. Acesso em: 8 mai. 2023.

Ferriss, T. (2018). LeBron James and his top-secret trainer, Mike Mancias (#349). *Tim Ferriss Show* (podcast), episódio 349, 27 nov.

Fontana, L. e Partridge, L. (2015). Promoting health and longevity through diet: From model organisms to humans. *Cell 161*, 106-118. Disponível em: <https://doi.org/10.1016/j.cell.2015.02.020>. Acesso em: 8 mai. 2023.

Forrester, J.S. (2010). Redefining normal low-density lipoprotein cholesterol: A strategy to unseat coronary disease as the nation's leading killer. *J. Am. Coll. Cardiol. 56*, 630-636. Disponível em: <https://doi.org/10.1016/j.jacc.2009.11.090>. Acesso em: 8 mai. 2023.

Frank, C., Kobesova, A. e Kolar, P. (2013). Dynamic neuromuscular stabilization and sports rehabilitation. *Int. J. Sports Phys. Ther. 8*, 62-73.

Franz, M.J. (1997). Protein: Metabolism and effect on blood glucose levels. *Diabetes Educ. 23*, 643-646, 648, 650-651. Disponível em: <https://doi.org/10.1177/014572179702300603>. Acesso em: 8 mai. 2023.

Frayn, K. (2019). *Human metabolism: A regulatory perspective.* 4ª ed. Nova York: Wiley.

Freiherr, J., Hallschmid, M., Frey, W.H., Brünner, Y.F., Chapman, C.D., Hölscher, C., Craft, S., De Felice, F.G. e Benedict, C. (2013). Intranasal insulin as a treatment for Alzheimer's disease: A review of basic research and clinical evidence. *CNS Drugs 27*, 505-514. Disponível em: <https://doi.org/10.1007/s40263-013-0076-8>. Acesso em: 8 mai. 2023.

Friend, T. (2003). Jumpers. *New Yorker*, 13 out. Disponível em: <www.newyorker.com/magazine/2003/10/13/jumpers>. Acesso em: 8 mai. 2023.

Fruman, D.A., Chiu, H., Hopkins, B.D., Bagrodia, S., Cantley, L.C. e Abraham, R.T. (2017). The PI3K pathway in human disease. *Cell 170*, 605-635. Disponível em: <https://doi.org/10.1016/j.cell.2017.07.029>. Acesso em: 8 mai. 2023.

Fryar, C.D., Kruszon-Moran, D., Gu, Q. e Ogden, C.L. (2018). Mean body weight, height, waist circumference, and body mass index among adults: United States, 1999-2000 through 2015-2016. *Natl. Health Stat. Rep.*, 1-16.

Fullagar, H.H.K., Skorski, S., Duffield, R., Hammes, D., Coutts, A.J. e Meyer, T. (2015). Sleep and athletic performance: The effects of sleep loss on exercise performance, and physiological and cognitive responses to exercise. *Sports Med. Auckl. NZ 45*, 161-186. Disponível em: <https://doi.org/10.1007/s40279-014-0260-0>. Acesso em: 8 mai. 2023.

Gaskin, D.J. e Richard, P. (2012). The economic costs of pain in the United States. *J. Pain 13*, 715-724. Disponível em: <https://doi.org/10.1016/j.jpain.2012.03.009>. Acesso em: 8 mai. 2023.

Gavrilova, O., Marcus-Samuels, B., Graham, D., Kim, J.K., Shulman, G.I., Castle, A.L., Vinson, C., Eckhaus, M. e Reitman, M.L. (2000). Surgical implantation of adipose tissue reverses diabetes in lipoatrophic mice. *J. Clin. Invest. 105*, 271-278.

Gay, N. e Prasad, V. (2017). Few people actually benefit from "breakthrough" cancer immunotherapy. Stat News, 8 mar. Disponível em: <www.statnews.com/2017/03/08/immunotherapy-cancer-breakthrough/>. Acesso em: 8 mai. 2023.

Gibala, M.J., Little, J.P., Van Essen, M., Wilkin, G.P., Burgomaster, K.A., Safdar, A., Raha, S. e Tarnopolsky, M.A. (2006). Short-term sprint interval versus traditional endurance training: Similar initial adaptations in human skeletal muscle and exercise performance. *J. Physiol. 575*, 901-911. Disponível em: <https://doi.org/10.1113/jphysiol.2006.112094>. Acesso em: 8 mai. 2023.

Gibson, A.A., Seimon, R.V., Lee, C.M.Y., Ayre, J., Franklin, J., Markovic, T.P., Caterson, I.D. e Sainsbury, A. (2015). Do ketogenic diets really suppress appetite? A systematic review and meta-analysis. *Obes. Rev. 16*, 64-76. Disponível em: <https://doi.org/10.1111/obr.12230>. Acesso em: 8 mai. 2023.

Gillen, J.B., Percival, M.E., Skelly, L.E., Martin, B.J., Tan, R.B., Tarnopolsky, M.A. e Gibala, M.J. (2014). Three minutes of all-out intermittent exercise per week increases skeletal muscle oxidative capacity and improves cardiometabolic health. *PLOS ONE 9*, e111489. Disponível em: <https://doi.org/10.1371/journal.pone.0111489>. Acesso em: 8 mai. 2023.

Goldin, A., Beckman, J.A., Schmidt, A.M. e Creager, M.A. (2006). Advanced glycation end products. *Circulation 114*, 597-605. Disponível em: <https://doi.org/10.1161/CIRCULATIONAHA.106.621854>. Acesso em: 8 mai. 2023.

Goldstein, A.N. e Walker, M.P. (2014). The role of sleep in emotional brain function. *Annu. Rev. Clin. Psychol. 10*, 679-708. Disponível em: <https://doi.org/10.1146/annurev-clinpsy-032813-153716>. Acesso em: 8 mai. 2023.

Goldstein-Piekarski, A.N., Greer, S.M., Saletin, J.M. e Walker, M.P. (2015). Sleep deprivation impairs the human central and peripheral nervous system discrimination of social threat. *J. Neurosci. 35*, 10135-10145. Disponível em: <https://doi.org/10.1523/JNEUROSCI.5254-14.2015>. Acesso em: 8 mai. 2023.

Gordon, R.J. (2016). *The rise and fall of American growth: The U.S. standard of living since the Civil War.* Princeton, NJ: Princeton University Press.

Gradisar, M., Wolfson, A.R., Harvey, A.G., Hale, L., Rosenberg, R. e Czeisler, C.A. (2013). The sleep and technology use of Americans: Findings from the National Sleep Foundation's 2011 Sleep in America Poll. *J. Clin. Sleep Med. 9*, 1291-1299. Disponível em: <https://doi.org/10.5664/jcsm.3272>. Acesso em: 8 mai. 2023.

Graeber, C. (2018). *The breakthrough: Immunotherapy and the race to cure cancer.* Nova York: Twelve.

Grammatikopoulou, M.G., Goulis, D.G., Gkiouras, K., Theodoridis, X., Gkouskou, K.K., Evangeliou, A., Dardiotis, E. e Bogdanos, D.P. (2020). To keto or not to keto? A systematic review of randomized controlled trials assessing the effects of ketogenic therapy on Alzheimer disease. *Adv. Nutr. 11*, 1583-1602. Disponível em: <https://doi.org/10.1093/advances/nmaa073>. Acesso em: 8 mai. 2023.

Grandner, M.A., Sean, P.A., Drummond. (2007). Who are the long sleepers? Towards an understanding of the mortality relationship. *Sleep Medicine Reviews*, 11: 5, 341-360. Disponível em: <https://doi.org/10.1016/j.smrv.2007.03.010>. Acesso em: 8 mai. 2023.

Grimmer, T., Riemenschneider, M., Förstl, H., Henriksen, G., Klunk, W.E., Mathis, C.A., Shiga, T., Wester, H.-J., Kurz, A. e Drzezga, A. (2009). Beta amyloid in Alzheimer's disease: Increased deposition in brain is reflected in reduced concentration in cerebrospinal fluid. *Biol. Psychiatry 65*, 927-934. Disponível em: <https://doi.org/10.1016/j.biopsych.2009.01.027>. Acesso em: 8 mai. 2023.

Gross, D.N., Van den Heuvel, A.P.J. e Birnbaum, M.J. (2008). The role of FoxO in the regulation of metabolism. *Oncogene 27*, 2320-2336. Disponível em: <https://doi.org/10.1038/onc.2008.25>. Acesso em: 8 mai. 2023.

Guyenet, S.J. e Carlson, S.E. (2015). Increase in adipose tissue linoleic acid of US adults in the last half century. *Adv. Nutr. 6*, 660-664. Disponível em: <https://doi.org/10.3945/an.115.009944>. Acesso em: 8 mai. 2023.

Haase, C.L., Tybjærg-Hansen, A., Ali Qayyum, A., Schou, J., Nordestgaard, B.G. e Frikke-Schmidt, R. (2012). LCAT, HDL cholesterol and ischemic cardiovascular disease: A Mendelian randomization study of HDL cholesterol in 54,500 Individuals. *J. Clin. Endocrinol. Metab. 97*, e248-e256. Disponível em: <https://doi.org/10.1210/jc.2011-1846>. Acesso em: 8 mai. 2023.

Hafner, M., Stepanek, M., Taylor, J., Troxel, W.M. e Van Stolk, C. (2017). Why sleep matters: The economic costs of insufficient sleep. *Rand Health Q. 6*, 11.

Hagerhall, C.M., et al. (2008). Investigations of human EEG response to viewing fractal patterns. *Perception 37*, 1488-1494. Disponível em: <https://doi.org/10.1068/p5918>. Acesso em: 8 mai. 2023.

Hamer, M. e O'Donovan, G. (2017). Sarcopenic obesity, weight loss, and mortality: The English Longitudinal Study of Ageing. *Am. J. Clin. Nutr. 106*, 125-129. Disponível em: <https://doi.org/10.3945/ajcn.117.152488>.

Hanahan, D. e Weinberg, R.A. (2011). Hallmarks of cancer: The next generation. *Cell 144*, 646-674. Disponível em: <https://doi.org/10.1016/j.cell.2011.02.013>. Acesso em: 8 mai. 2023.

Hanefeld, M., Koehler, C., Schaper, F., Fuecker, K., Henkel, E. e Temelkova-Kurktschiev, T. (1999). Postprandial plasma glucose is an independent risk factor for increased carotid intima-media thickness in non-diabetic individuals. *Atherosclerosis 144*, 229-235. Disponível em: <https://doi.org/10.1016/S0021-9150(99)00059-3>. Acesso em: 8 mai. 2023.

Hardeland, R. (2013). Chronobiology of melatonin beyond the feedback to the suprachiasmatic nucleus: Consequences to melatonin dysfunction. *Int. J. Mol. Sci. 14*, 5817-5841. Disponível em: <https://doi.org/10.3390/ijms14035817>. Acesso em: 8 mai. 2023.

Hardie, D.G. (2011). AMP-activated protein kinase: An energy sensor that regulates all aspects of cell function. *Genes Dev. 25*, 1895-1908. Disponível em: <https://doi.org/10.1101/gad.17420111>. Acesso em: 8 mai. 2023.

Harding, E.C., Franks, N.P. e Wisden, W. (2020). Sleep and thermoregulation. *Curr. Opin. Physiol. 15*, 7-13. Disponível em: <https://doi.org/10.1016/j.cophys.2019.11.008>. Acesso em: 8 mai. 2023.

Harrison, D.E., Strong, R., Reifsnyder, P., Kumar, N., Fernandez, E., Flurkey, K., Javors, M.A., Lopez-Cruzan, M., Macchiarini, F., Nelson, J.F., et al. (2021). 17-a-estradiol late in life extends lifespan in aging UM-HET3 male mice; nicotinamide riboside and three other drugs do not affect lifespan in either sex. *Aging Cell 20*, e13328. Disponível em: <https://doi.org/10.1111/acel.13328>. Acesso em: 8 mai. 2023.

Harrison, D.E., Strong, R., Sharp, Z.D., Nelson, J.F., Astle, C.M., Flurkey, K., Nadon, N.L., Wilkinson, J.E., Frenkel, K., Carter, C.S., et al. (2009). Rapamycin fed late in life extends lifespan in genetically heterogeneous mice. *Nature 460*, 392-395. Disponível em: <https://doi.org/10.1038/nature08221>. Acesso em: 8 mai. 2023.

Harrison, S.A., Gawrieh, S., Roberts, K., Lisanti, C.J., Schwope, R.B., Cebe, K.M., Paradis, V., Bedossa, P., Aldridge Whitehead, J.M., Labourdette, A., et al. (2021). Prospective evaluation of the prevalence of non-alcoholic fatty liver disease and steatohepatitis in a large middle-aged US cohort. *J. Hepatol. 75*, 284-291. Disponível em: <https://doi.org/10.1016/j.jhep.2021.02.034>. Acesso em: 8 mai. 2023.

Hatori, M., Vollmers, C., Zarrinpar, A., DiTacchio, L., Bushong, E.A., Gill, S., Leblanc, M., Chaix, A., Joens, M., Fitzpatrick, J.A.J., et al. (2012). Time restricted feeding without reducing caloric intake prevents metabolic diseases in mice fed a high fat diet. *Cell Metab. 15*, 848-860. Disponível em: <https://doi.org/10.1016/j.cmet.2012.04.019>. Acesso em: 8 mai. 2023.

Heron, M. (2021). Deaths: Leading causes for 2018. *Natl. Vital Stat. Rep. 70*(4), 1-115.

Herring, W.J., Connor, K.M., Ivgy-May, N., Snyder, E., Liu, K., Snavely, D.B., Krystal, A.D., Walsh, J.K., Benca, R.M., Rosenberg, R., et al. (2016). Suvorexant in patients with insomnia: Results from two 3-month randomized controlled clinical trials. *Biol. Psychiatry 79*,

136-148. Disponível em: <https://doi.org/10.1016/j.biopsych.2014.10.003>. Acesso em: 8 mai. 2023.

HHS (US Department of Health and Human Services). (2018). *Physical activity guidelines for Americans*. 2ª ed. Disponível em: <https://health.gov/sites/default/files/2019-09/Physical_Activity_Guidelines_2nd_edition.pdf>. Acesso em: 8 mai. 2023.

Hill, A.B. (1965). The environment and disease: Association or causation? *Proc. R. Soc. Med. 58*, 295-300.

Hines, L. e Rimm, E. (2001). Moderate alcohol consumption and coronary heart disease: A review. *Postgrad. Med. J. 77*, 747-752. Disponível em: <https://doi.org/10.1136/pmj.77.914.747>. Acesso em: 8 mai. 2023.

Hirode, G. e Wong, R.J. (2020). Trends in the prevalence of metabolic syndrome in the United States, 2011-2016. *JAMA 323*, 2526-2528. Disponível em: <https://doi.org/10.1001/jama.2020.4501>. Acesso em: 8 mai. 2023.

Hitchens, C. (2012). Últimas palavras. São Paulo: Globo Livros.

Hitt, R., Young-Xu, Y., Silver, M. e Perls, T. (1999). Centenarians: The older you get, the healthier you have been. *Lancet 354*, 652.

Hjelmborg, J., Iachine, I., Skytthe, A., Vaupel, J.W., McGue, M., Koskenvuo, M., Kaprio, J., Pedersen, N.L. e Christensen, K. (2006). Genetic influence on human lifespan and longevity. *Hum. Genet. 119*, 312-321. Disponível em: <https://doi.org/10.1007/s00439-006-0144-y>. Acesso em: 8 mai. 2023.

Hofseth, L.J., Hebert, J.R., Chanda, A., Chen, H., Love, B.L., Pena, M.M., Murphy, E.A., Sajish, M., Sheth, A., Buckhaults, P.J., et al. (2020). Early-onset colorectal cancer: Initial clues and current views. *Nat. Rev. Gastroenterol. Hepatol. 17*, 352-364. Disponível em: <https://doi.org/10.1038/s41575-019-0253-4>. Acesso em: 8 mai. 2023.

Hoglund, K., Thelen, K.M., Syversen, S., Sjogren, M., von Bergmann, K., Wallin, A., Vanmechelen, E., Vanderstichele, H., Lutjohann, D. e Blennow, K. (2005). The effect of simvastatin treatment on the amyloid precursor protein and brain cholesterol metabolism in patients with Alzheimer's disease. *Dement. Geriatr. Cogn. Disord. 19*, 256-265. Disponível em: <https://doi.org/10.1159/000084550>. Acesso em: 8 mai. 2023.

Holt, S.H., Miller, J.C., Petocz, P. e Farmakalidis, E. (1995). A satiety index of common foods. *Eur. J. Clin. Nutr. 49*, 675-690.

Hooper, L., Martin, N., Jimoh, O.F., Kirk, C., Foster, E. e Abdelhamid, A.S. (2020). Reduction in saturated fat intake for cardiovascular disease. *Cochrane Database Syst. Rev.* Disponível em: <https://doi.org/10.1002/14651858.CD011737.pub3>. Acesso em: 8 mai. 2023.

Hopkins, B.D., Pauli, C., Du, X., Wang, D.G., Li, X., Wu, D., Amadiume, S.C., Goncalves, M.D., Hodakoski, C., Lundquist, M.R., et al. (2018). Suppression of insulin feedback enhances the efficacy of PI3K inhibitors. *Nature 560*, 499-503. Disponível em: <https://doi.org/10.1038/s41586-018-0343-4>. Acesso em: 8 mai. 2023.

Houston, D.K., Nicklas, B.J., Ding, J., Harris, T.B., Tylavsky, F.A., Newman, A.B., Lee, J.S., Sahyoun, N.R., Visser, M., Kritchevsky, S.B., et al. (2008). Dietary protein intake is associated with lean mass change in older, community-dwelling adults: The Health, Aging, and Body Composition (Health ABC) Study. *Am. J. Clin. Nutr. 87*, 150-155. Disponível em: <https://doi.org/10.1093/ajcn/87.1.150>. Acesso em: 8 mai. 2023.

Howard, B.V., Van Horn, L., Hsia, J., Manson, J.E., Stefanick, M.L., Wassertheil-Smoller, S., Kuller, L.H., LaCroix, A.Z., Langer, R.D., Lasser, N.L., et al. (2006). Low-fat dietary pattern and risk of cardiovascular disease: The Women's Health Initiative Randomized Controlled Dietary Modification Trial. *JAMA 295*, 655-666. Disponível em: <https://doi.org/10.1001/jama.295.6.655>. Acesso em: 8 mai. 2023.

Hughes, V.A., Frontera, W.R., Wood, M., Evans, W.J., Dallal, G.E., Roubenoff, R. e Singh, M.A.F. (2001). Longitudinal muscle strength changes in older adults: Influence of muscle mass, physical activity, and health. *J. Gerontol. Ser. A56*, B209-B217. Disponível em: <https://doi.org/10.1093/gerona/56.5.B209>. Acesso em: 8 mai. 2023.

Hutchison, I.C. e Rathore, S. (2015). The role of REM sleep theta activity in emotional memory. *Front. Psychol. 6*, 1439. Disponível em: <https://doi.org/10.3389/fpsyg.2015.01439>. Acesso em: 8 mai. 2023.

Iftikhar, I.H., Donley, M.A., Mindel, J., Pleister, A., Soriano, S. e Magalang, U.J. (2015). Sleep duration and metabolic syndrome: An updated dose-risk metaanalysis. *Ann. Am. Thorac. Soc. 12*, 1364-1372. Disponível em: <https://doi.org/10.1513/AnnalsATS.201504-190OC>. Acesso em: 8 mai. 2023.

Igwe, E., Azman, A.Z.F., Nordin, A.J. e Mohtarrudin, N. (2015). Association between HOMA-IR and cancer. *Int. J. Public Health Clin. Sci. 2*, 21.

Iliff, J.J., Lee, H., Yu, M., Feng, T., Logan, J., Nedergaard, M. e Benveniste, H. (2013). Brain-wide pathway for waste clearance captured by contrast-enhanced MRI. *J. Clin. Invest. 123*, 1299-1309. Disponível em: <https://doi.org/10.1172/JCI67677>. Acesso em: 8 mai. 2023.

IOM (Institute of Medicine). Committee on Military Nutrition Research. (2001). *Caffeine for the sustainment of mental task performance: Formulations for military operations.* Washington, D.C.: National Academies Press.

Ioannidis, J.P.A. (2018). The challenge of reforming nutritional epidemiologic research. *JAMA 320*, 969-970. Disponível em: <https://doi.org/10.1001/jama.2018.11025>. Acesso em: 8 mai. 2023.

Itani, O., Jike, M., Watanabe, N. e Kaneita, Y. (2017). Short sleep duration and health outcomes: A systematic review, meta-analysis, and meta-regression. *Sleep Med. 32*, 246-256. Disponível em: <https://doi.org/10.1016/j.sleep.2016.08.006>. Acesso em: 8 mai. 2023.

Jack, C.R., Knopman, D.S., Jagust, W.J., Petersen, R.C., Weiner, M.W., Aisen, P.S., Shaw, L.M., Vemuri, P., Wiste, H.J., Weigand, S.D., et al. (2013). Update on hypothetical model of Alzheimer's disease biomarkers. *Lancet Neurol. 12*, 207-216. Disponível em: <https://doi.org/10.1016/S1474-4422(12)70291-0>. Acesso em: 8 mai. 2023.

Jackson, M.L., Croft, R.J., Kennedy, G.A., Owens, K. e Howard, M.E. (2013). Cognitive components of simulated driving performance: Sleep loss effects and predictors. *Accid. Anal. Prev. 50*, 438-444. Disponível em: <https://doi.org/10.1016/j.aap.2012.05.020>. Acesso em: 8 mai. 2023.

Jakubowski, B., Shao, Y., McNeal, C., Xing, C. e Ahmad, Z. (2021). Monogenic and polygenic causes of low and extremely low LDL-C levels in patients referred to specialty lipid clinics: Genetics of low LDL-C. *J. Clin. Lipidol. 15*, 658-664. Disponível em: <https://doi.org/10.1016/j.jacl.2021.07.003>. Acesso em: 8 mai. 2023.

Jamaspishvili, T., Berman, D.M., Ross, A.E., Scher, H.I., De Marzo, A.M., Squire, J.A. e Lotan, T.L. (2018). Clinical implications of *PTEN* loss in prostate cancer. *Nat. Rev. Urol.*

15, 222-234. Disponível em: <https://doi.org/10.1038/nrurol.2018.9>. Acesso em: 8 mai. 2023.

Jamshed, H., Beyl, R.A., Della Manna, D.L., Yang, E.S., Ravussin, E. e Peterson, C.M. (2019). Early time-restricted feeding improves 24-hour glucose levels and affects markers of the circadian clock, aging, and autophagy in humans. *Nutrients 11*, 1234. Disponível em: <https://doi.org/10.3390/nu11061234>. Acesso em: 8 mai. 2023.

Jensen, T.L., Kiersgaard, M.K., Sørensen, D.B. e Mikkelsen, L.F. (2013). Fasting of mice: A review. *Lab. Anim. 47*, 225-240. Disponível em: <https://doi.org/10.1177/0023677213501659>. Acesso em: 8 mai. 2023.

Johnson, R.J. e Andrews, P. (2015). Ancient mutation in apes may explain human obesity and diabetes. *Scientific American*, 1º out.

Johnson, R.J., Sánchez-Lozada, L.G., Andrews, P. e Lanaspa, M.A. (2017). Perspective: A historical and scientific perspective of sugar and its relation with obesity and diabetes. *Adv. Nutr. 8*, 412-422. Disponível em: <https://doi.org/10.3945/an.116.014654>. Acesso em: 8 mai. 2023.

Johnson, R.J., Stenvinkel, P., Andrews, P., Sánchez-Lozada, L.G., Nakagawa, T., Gaucher, E., Andres-Hernando, A., Rodriguez-Iturbe, B., Jimenez, C.R., Garcia, G., et al. (2020). Fructose metabolism as a common evolutionary pathway of survival associated with climate change, food shortage and droughts. *J. Intern. Med. 287*, 252-262. Disponível em: <https://doi.org/10.1111/joim.12993>. Acesso em: 8 mai. 2023.

Johnson, S. (2021). *Longevidade: Uma breve história de como e por que vivemos.* Rio de Janeiro: Zahar.

Jones, K., Gordon-Weeks, A., Coleman, C. e Silva, M. (2017). Radiologically determined sarcopenia predicts morbidity and mortality following abdominal surgery: A systematic review and meta-analysis. *World J. Surg. 41*, 2266-2279. Disponível em: <https://doi.org/10.1007/s00268-017-3999-2>. Acesso em: 8 mai. 2023.

Jose, J. (2016). Statins and its hepatic effects: Newer data, implications e changing recommendations. *J. Pharm. Bioallied Sci. 8*, 23-28. Disponível em: <https://doi.org/10.4103/0975-7406.171699>. Acesso em: 8 mai. 2023.

Joslin, E.P. (1940). The universality of diabetes: A survey of diabetic morbidity in Arizona. The Frank Billings Lecture. *JAMA 115*, 2033-2038. Disponível em: <https://doi.org/10.1001/jama.1940.02810500001001>. Acesso em: 8 mai. 2023.

Ju, Y.-E.S., McLeland, J.S., Toedebusch, C.D., Xiong, C., Fagan, A.M., Duntley, S.P., Morris, J.C. e Holtzman, D.M. (2013). Sleep quality and preclinical Alzheimer disease. *JAMA Neurol. 70*, 587-593. Disponível em: <https://doi.org/10.1001/jamaneurol.2013.2334>. Acesso em: 8 mai. 2023.

Kalmbach, D.A., Schneider, L.D., Cheung, J., Bertrand, S.J., Kariharan, T., Pack, A.I. e Gehrman, P.R. (2017). Genetic basis of chronotype in humans: Insights from three landmark GWAS. *Sleep 40*, zsw048. Disponível em: <https://doi.org/10.1093/sleep/zsw048>. Acesso em: 8 mai. 2023.

Kanai, M., Matsubara, E., Isoe, K., Urakami, K., Nakashima, K., Arai, H., Sasaki, H., Abe, K., Iwatsubo, T., Kosaka, T., et al. (1998). Longitudinal study of cerebrospinal fluid levels of tau, A beta1-40, and A beta1-42(43) in Alzheimer's disease: A study in Japan. *Ann.*

Neurol. 44, 17-26. Disponível em: <https://doi.org/10.1002/ana.410440108>. Acesso em: 8 mai. 2023.

Karagiannis, A.D., Mehta, A., Dhindsa, D.S., Virani, S.S., Orringer, C.E., Blumenthal, R.S., Stone, N.J. e Sperling, L.S. (2021). How low is safe? The frontier of very low (<30 mg/dL) LDL cholesterol. *Eur. Heart J. 42*, 2154-2169. Disponível em: <https://doi.org/10.1093/eurheartj/ehaa1080>. Acesso em: 8 mai. 2023.

Karsli-Uzunbas, G., Guo, J.Y., Price, S., Teng, X., Laddha, S.V., Khor, S., Kalaany, N.Y., Jacks, T., Chan, C.S., Rabinowitz, J.D., et al. (2014). Autophagy is required for glucose homeostasis and lung tumor maintenance. *Cancer Discov. 4*, 914-927. Disponível em: <https://doi.org/10.1158/2159-8290.CD-14-0363>. Acesso em: 8 mai. 2023.

Kaivola, K., Shah, Z., Chia, R., International LBD Genomics Consortium e Scholz, S.W. (2022). Genetic evaluation of dementia with Lewy bodies implicates distinct disease subgroups. *Brain 145*(5), 1757-1762. Disponível em: <https://doi.org/10.1093/brain/awab402>. Acesso em: 8 mai. 2023.

Kawada, S. e Ishii, N. (2005). Skeletal muscle hypertrophy after chronic restriction of venous blood flow in rats. *Med. Sci. Sports Exerc. 37*, 1144-1150. Disponível em: <https://doi.org/10.1249/01.mss.0000170097.59514.bb>. Acesso em: 8 mai. 2023.

Kawano, H., Motoyama, T., Hirashima, O., Hirai, N., Miyao, Y., Sakamoto, T., Kugiyama, K., Ogawa, H. e Yasue, H. (1999). Hyperglycemia rapidly suppresses flow-mediated endothelium-dependent vasodilation of brachial artery. *J. Am. Coll. Cardiol. 34*, 146-154. Disponível em: <https://doi.org/10.1016/S0735-1097(99)00168-0>. Acesso em: 8 mai. 2023.

Keramidas, M.E. e Botonis, P.G. (2021). Short-term sleep deprivation and human thermoregulatory function during thermal challenges. *Exp. Physiol. 106*, 1139-1148. Disponível em: <https://doi.org/10.1113/EP089467>. Acesso em: 8 mai. 2023.

Kerrouche, N., Herholz, K., Mielke, R., Holthoff, V. e Baron, J.-C. (2006). 18FDG PET in vascular dementia: Differentiation from Alzheimer's disease using voxel-based multivariate analysis. *J. Cereb. Blood Flow Metab. 26*, 1213-1221. Disponível em: <https://doi.org/10.1038/sj.jcbfm.9600296>. Acesso em: 8 mai. 2023.

Killgore, W.D.S. (2013). Self-reported sleep correlates with prefrontal-amygdala functional connectivity and emotional functioning. *Sleep 36*, 1597-1608. Disponível em: <https://doi.org/10.5665/sleep.3106>. Acesso em: 8 mai. 2023.

Kim, C.-H., Wheatley, C.M., Behnia, M. e Johnson, B.D. (2016). The effect of aging on relationships between lean body mass and VO_2max in rowers. *PLOS ONE 11*, e0160275. Disponível em: <https://doi.org/10.1371/journal.pone.0160275>. Acesso em: 8 mai. 2023.

Kim, D.-Y., Hong, S.-H., Jang, S.-H., Park, S.-H., Noh, J.-H., Seok, J.-M., Jo, H.-J., Son, C.-G. e Lee, E.-J. (2022). Systematic review for the medical applications of meditation in randomized controlled trials. *Int. J. Environ. Res. Public. Health 19*, 1244. Disponível em: <https://doi.org/10.3390/ijerph19031244>. Acesso em: 8 mai. 2023.

Kim, T.N. e Choi, K.M. (2013). Sarcopenia: Definition, epidemiology, and pathophysiology. *J. Bone Metab. 20*, 1-10. Disponível em: <https://doi.org/10.11005/jbm.2013.20.1.1>. Acesso em: 8 mai. 2023.

Kim, Y., White, T., Wijndaele, K., Westgate, K., Sharp, S.J., Helge, J.W., Wareham, N.J. e Brage, S. (2018). The combination of cardiorespiratory fitness and muscle strength, and mortality risk. *Eur. J. Epidemiol. 33*, 953-964. Disponível em: <https://doi.org/10.1007/s10654-018-0384-x>. Acesso em: 8 mai. 2023.

Kinsella, K.G. (1992). Changes in life expectancy, 1900-1990. *Am. J. Clin. Nutr. 55*, 1196S--1202S. Disponível em: <https://doi.org/10.1093/ajcn/55.6.1196S>. Acesso em: 8 mai. 2023.

Kloske, C.M. e Wilcock, D.M. (2020). The important interface between apolipoprotein E and neuroinflammation in Alzheimer's disease. *Front. Immunol. 11*, 754. Disponível em: <https://doi.org/10.3389/fimmu.2020.00754>. Acesso em: 8 mai. 2023.

Kochenderfer, J.N., Wilson, W.H., Janik, J.E., Dudley, M.E., Stetler-Stevenson, M., Feldman, S.A., Maric, I., Raffeld, M., Nathan, D.-A.N., Lanier, B.J., et al. (2010). Eradication of B--lineage cells and regression of lymphoma in a patient treated with autologous T cells genetically engineered to recognize CD19. *Blood 116*, 4099-4102. Disponível em: <https://doi.org/10.1182/blood-2010-04-281931>. Acesso em: 8 mai. 2023.

Kokkinos, P., Faselis, C., Babu, H.S.I., Pittaras, A., Doumas, M., Murphy, R., Heimall, M.S., Sui, X., Zhang, J. e Myers, J. (2022). Cardiorespiratory fitness and mortality risk across the spectra of age, race, and sex. *J. Am. Coll. Cardiol.* 80, 598-609.

Kolata, G. (2012). Severe diet doesn't prolong life, at least in monkeys. *New York Times*, 29 ago. de 2012. Disponível em: <https://www.nytimes.com/2012/08/30/science/low-calorie-diet--doesnt-prolong-life-study-of-monkeys-finds.html>. Acesso em: 8 mai. 2023.

______. (2020). An Alzheimer's treatment fails: "We don't have anything now." *New York Times*, 10 fev. Disponível em: <www.nytimes.com/2020/02/10/health/alzheimers-amyloid-drug.html>. Acesso em: 8 mai. 2023.

Kolka, M.A., an.d Stephenson, L.A. (1988). Exercise thermoregulation after prolonged wakefulness. *J. Appl. Physiol. 64*, 1575-1579. Disponível em: <https://doi.org/10.1152/jappl.1988.64.4.1575>. Acesso em: 8 mai. 2023.

Konstantinos, I., Avgerinos, N.S., Mantzoros, C.S., Dalamaga, M. (2019). Obesity and cancer risk: Emerging biological mechanisms and perspectives, *Metabolism 92*, 121-135. Disponível em: <https://doi.org/10.1016/j.metabol.2018.11.001>. Acesso em: 8 mai. 2023.

Kortebein, P., Ferrando, A., Lombeida, J., Wolfe, R. e Evans, W.J. (2007). Effect of 10 days of bed rest on skeletal muscle in healthy older adults. *JAMA 297*, 1769-1774. Disponível em: <https://doi.org/10.1001/jama.297.16.1772-b>. Acesso em: 8 mai. 2023.

Kourtis, N. e Tavernarakis, N. (2009). Autophagy and cell death in model organisms. *Cell Death Differ. 16*, 21-30. Disponível em: <https://doi.org/10.1038/cdd.2008.120>. Acesso em: 8 mai. 2023.

Krause, A.J., Simon, E.B., Mander, B.A., Greer, S.M., Saletin, J.M., Goldstein-Piekarski, A.N. e Walker, M.P. (2017). The sleep-deprived human brain. *Nat. Rev. Neurosci. 18*, 404-418. Disponível em: <https://doi.org/10.1038/nrn.2017.55>. Acesso em: 8 mai. 2023.

Kuna, S.T., Maislin, G., Pack, F.M., Staley, B., Hachadoorian, R., Coccaro, E.F. e Pack, A.I. (2012). Heritability of performance deficit accumulation during acute sleep deprivation in twins. *Sleep 35*, 1223-1233. Disponível em: <https://doi.org/10.5665/sleep.2074>. Acesso em: 8 mai. 2023.

Kuo, T., McQueen, A., Chen, T.-C. e Wang, J.-C. (2015). Regulation of glucose homeostasis by glucocorticoids. *Adv. Exp. Med. Biol. 872*, 99-126. Disponível em: <https://doi.org/10.1007/978-1-4939-2895-8_5>. Acesso em: 8 mai. 2023.

Kwo, P.Y., Cohen, S.M. e Lim, J.K. (2017). ACG clinical guideline: Evaluation of abnormal liver chemistries. *Am. J. Gastroenterol. 112*, 18-35. Disponível em: <https://doi.org/10.1038/ajg.2016.517>. Acesso em: 8 mai. 2023.

Kwok, C.S., Kontopantelis, E., Kuligowski, G., Gray, M., Muhyaldeen, A., Gale, C.P., Peat, G.M., Cleator, J., Chew-Graham, C., Loke, Y.K., Mamas, M.A. (2018). Self-reported sleep duration and quality and cardiovascular disease and mortality. *JAHA*, 7:15. Disponível em: <https://doi.org/10.1161/JAHA.118.008552>. Acesso em: 8 mai. 2023.

Lammert, F. e Wang, D.Q.-H. (2005). New insights into the genetic regulation of intestinal cholesterol absorption. *Gastroenterology 129*, 718-734. Disponível em: <https://doi.org/10.1053/j.gastro.2004.11.017>. Acesso em: 8 mai. 2023.

Lamond, N. e Dawson, D. (1999). Quantifying the performance impairment associated with fatigue. *J. Sleep Res. 8*, 255-262. Disponível em: <https://doi.org/10.1046/j.1365-2869.1999.00167.x>. Acesso em: 8 mai. 2023.

Langa, K.M. e Levine, D.A. (2014). The diagnosis and management of mild cognitive impairment: A clinical review. *JAMA 312*, 2551-2561. Disponível em: <https://doi.org/10.1001/jama.2014.13806>. Acesso em: 8 mai. 2023.

Laukkanen, T., Khan, H., Zaccardi, F. e Laukkanen, J.A. (2015). Association between sauna bathing and fatal cardiovascular and all-cause mortality events. *JAMA Intern. Med. 175*, 542-548. Disponível em: <https://doi.org/10.1001/jamainternmed.2014.8187>. Acesso em: 8 mai. 2023.

Laukkanen, T., Kunutsor, S., Kauhanen, J. e Laukkanen, J.A. (2017). Sauna bathing is inversely associated with dementia and Alzheimer's disease in middle-aged Finnish men. *Age Ageing 46*, 245-249. Disponível em: <https://doi.org/10.1093/ageing/afw212>. Acesso em: 8 mai. 2023.

Lawson, J.S. (2016). Multiple infectious agents and the origins of atherosclerotic coronary artery disease. *Front. Cardiovasc. Med. 3*, 30. Disponível em: <https://doi.org/10.3389/fcvm.2016.00030>. Acesso em: 8 mai. 2023.

Le, D.T., Uram, J.N., Wang, H., Bartlett, B.R., Kemberling, H., Eyring, A.D., Skora, A.D., Luber, B.S., Azad, N.S., Laheru, D., et al. (2015). PD-1 blockade in tumors with mismatch-repair deficiency. *N. Engl. J. Med. 372*, 2509-2520. Disponível em: <https://doi.org/10.1056/NEJMoa1500596>. Acesso em: 8 mai. 2023.

Le, R., Zhao, L. e Hegele, R.A. (2022). Forty year follow-up of three patients with complete absence of apolipoprotein B-containing lipoproteins. *J. Clin. Lipidol. 16*, 155-159. Disponível em: <https://doi.org/10.1016/j.jacl.2022.02.003>. Acesso em: 8 mai. 2023.

Lee, I.-M. e Buchner, D.M. (2008). The importance of walking to public health. *Med. Sci. Sports Exerc. 40*, S512-518. Disponível em: <https://doi.org/10.1249/MSS.0b013e31817c65d0>. Acesso em: 8 mai. 2023.

Lee, J.C., Kim, S.J., Hong, S. e Kim, Y. (2019). Diagnosis of Alzheimer's disease utilizing amyloid and tau as fluid biomarkers. *Exp. Mol. Med. 51*, 1-10. Disponível em: <https://doi.org/10.1038/s12276-019-0250-2>. Acesso em: 8 mai. 2023.

Lega, I.C. e Lipscombe, L.L. (2019). Review: diabetes, obesity, and cancer- pathophysiology and clinical implications. *Endocr. Rev. 41*(1), 33-52. Disponível em> <https://doi.org/10.1210/endrev/bnz014>. Acesso em: 8 mai. 2023.

Lemasters, J.J. (2005). Selective mitochondrial autophagy, or mitophagy, as a targeted defense against oxidative stress, mitochondrial dysfunction, and aging. *Rejuvenation Res. 8*, 3-5. Disponível em: <https://doi.org/10.1089/rej.2005.8.3>. Acesso em: 8 mai. 2023.

Lendner, J.D., Helfrich, R.F., Mander, B.A., Romundstad, L., Lin, J.J., Walker, M.P., Larsson, P.G. e Knight, R.T. (2020). An electrophysiological marker of arousal level in humans. *ELife 9*, e55092. Disponível em: <https://doi.org/10.7554/eLife.55092>. Acesso em: 8 mai. 2023.

Leproult, R., Holmbäck, U. e Van Cauter, E. (2014). Circadian misalignment augments markers of insulin resistance and inflammation, independently of sleep loss. *Diabetes 63*, 1860-1869. Disponível em: <https://doi.org/10.2337/db13-1546>. Acesso em: 8 mai. 2023.

Leproult, R. e Van Cauter, E. (2010). Role of sleep and sleep loss in hormonal release and metabolism. *Endocr. Dev. 17*, 11-21. Disponível em: <https://doi.org/10.1159/000262524>. Acesso em: 8 mai. 2023.

Lexell, J. (1995). Human aging, muscle mass, and fiber type composition. *J. Gerontol. A. Biol. Sci. Med. Sci. 50A Spec No*, 11-16. Disponível em: <https://doi.org/10.1093/gerona/50a.special_issue.11>. Acesso em: 8 mai. 2023.

Li, R., Xia, J., Zhang, X., Gathirua-Mwangi, W.G., Guo, J., Li, Y., McKenzie, S. e Song, Y. (2018). Associations of muscle mass and strength with all-cause mortality among US older adults. *Med. Sci. Sports Exerc. 50*, 458-467. Disponível em: <https://doi.org/10.1249/MSS.0000000000001448>. Acesso em: 8 mai. 2023.

Libby, P. (2021). The changing landscape of atherosclerosis. *Nature 592*, 524-533. Disponível em: <https://doi.org/10.1038/s41586-021-03392-8>. Acesso em: 8 mai. 2023.

Libby, P. e Tokgözoğlu, L. (2022). Chasing LDL cholesterol to the bottom: PCSK9 in perspective. *Nat. Cardiovasc. Res. 1*, 554-561. Disponível em: <https://doi.org/10.1038/s44161-022-00085-x>. Acesso em: 8 mai. 2023.

Liberti, M.V. e Locasale, J.W. (2016). The Warburg effect: How does it benefit cancer cells? *Trends Biochem. Sci. 41*, 211-218. Disponível em: <https://doi.org/10.1016/j.tibs.2015.12.001>. Acesso em: 8 mai. 2023.

Lieberman, D.E., Kistner, T.M., Richard, D., Lee, I.-M. e Baggish, A.L. (2021). The active grandparent hypothesis: Physical activity and the evolution of extended human healthspans and lifespans. *Proc. Natl. Acad. Sci. 118*, e2107621118. Disponível em: <https://doi.org/10.1073/pnas.2107621118>. Acesso em: 8 mai. 2023.

Liguori, G., org. (2020). *ACSM's guidelines for exercise testing and prescription.* 10ª ed. Filadélfia: Wolters Kluwer Health.

Lim, A.S.P., Kowgier, M., Yu, L., Buchman, A.S. e Bennett, D.A. (2013a). Sleep fragmentation and the risk of incident Alzheimer's disease and cognitive decline in older persons. *Sleep 36*, 1027-1032. Disponível em: <https://doi.org/10.5665/sleep.2802>. Acesso em: 8 mai. 2023.

Lim, A.S.P., Yu, L., Kowgier, M., Schneider, J.A., Buchman, A.S. e Bennett, D.A. (2013b). Sleep modifies the relation of APOE to the risk of Alzheimer disease and neurofibrillary tangle pathology. *JAMA Neurol. 70*, 1544-1551. Disponível em: <https://doi.org/10.1001/jamaneurol.2013.4215>. Acesso em: 8 mai. 2023.

Lim, J. e Dinges, D.F. (2008). Sleep deprivation and vigilant attention. *Ann. N.Y. Acad. Sci. 1129*, 305-322. Disponível em: <https://doi.org/10.1196/annals.1417.002>. Acesso em: 8 mai. 2023.

Lin, H.-J., Lee, B.-C., Ho, Y.-L., Lin, Y.-H., Chen, C.-Y., Hsu, H.-C., Lin, M.-S., Chien, K.-L. e Chen, M.-F. (2009). Postprandial glucose improves the risk prediction of cardiovascular death beyond the metabolic syndrome in the nondiabetic population. *Diabetes Care 32*, 1721-1726. Disponível em: <https://doi.org/10.2337/dc08-2337>. Acesso em: 8 mai. 2023.

Lin, H.-S., Watts, J.N., Peel, N.M. e Hubbard, R.E. (2016). Frailty and post-operative outcomes in older surgical patients: A systematic review. *BMC Geriatr. 16*, 157. Disponível em: <https://doi.org/10.1186/s12877-016-0329-8>. Acesso em: 8 mai. 2023.

Lindle, R.S., Metter, E.J., Lynch, N.A., Fleg, J.L., Fozard, J.L., Tobin, J., Roy, T.A. e Hurley, B.F. (1997). Age and gender comparisons of muscle strength in 654 women and men aged 20-93 yr. *J. Appl. Physiol. 83*, 1581-1587. Disponível em: <https://doi.org/10.1152/jappl.1997.83.5.1581>. Acesso em: 8 mai. 2023.

Linehan, M.M., Comtois, K.A., Murray, A.M., Brown, M.Z., Gallop, R.J., Heard, H.L., Korslund, K.E., Tutek, D.A., Reynolds, S.K. e Lindenboim, N. (2006). Two-year randomized controlled trial and follow-up of dialectical behavior therapy vs therapy by experts for suicidal behaviors and borderline personality disorder. *Arch. Gen. Psychiatry 63*, 757-766. Disponível em: <https://doi.org/10.1001/archpsyc.63.7.757>. Acesso em: 8 mai. 2023.

Little, J.P., Gillen, J.B., Percival, M.E., Safdar, A., Tarnopolsky, M.A., Punthakee, Z., Jung, M.E. e Gibala, M.J. (2011). Low-volume high-intensity interval training reduces hyperglycemia and increases muscle mitochondrial capacity in patients with type 2 diabetes. *J. Appl. Physiol. 111*, 1554-1560. Disponível em: <https://doi.org/10.1152/japplphysiol.00921.2011>. Acesso em: 8 mai. 2023.

Liu, D., Huang, Y., Huang, C., Yang, S., Wei, X., Zhang, P., Guo, D., Lin, J., Xu, B., Li, C., et al. (2022). Calorie restriction with or without time-restricted eating in weight loss. *N. Engl. J. Med. 386*, 1495-1504. Disponível em: <https://doi.org/10.1056/NEJMoa2114833>. Acesso em: 8 mai. 2023.

Liu, G.Y. e Sabatini, D.M. (2020). mTOR at the nexus of nutrition, growth, ageing and disease. *Nat. Rev. Mol. Cell Biol. 21*, 183-203. Disponível em: <https://doi.org/10.1038/s41580-019-0199-y>. Acesso em: 8 mai. 2023.

Livingston, G. (2019). On average, older adults spend over half their waking hours alone. *Grius*, 19 jul. Disponível em: <https://qrius.com/on-average-older-adults-spend-over-half-their-waking-hours-alone/>. Acesso em: 8 mai. 2023.

Lobo, A., López-Antón, R., de-la-Cámara, C., Quintanilla, M.A., Campayo, A., Saz, P. e ZARADEMP Workgroup (2008). Non-cognitive psychopathological symptoms associated with incident mild cognitive impairment and dementia, Alzheimer's type. *Neurotox. Res. 14*, 263-272. Disponível em: <https://doi.org/10.1007/BF03033815>. Acesso em: 8 mai. 2023.

López-Otín, C., Blasco, M.A., Partridge, L., Serrano, M. e Kroemer, G. (2013). The hallmarks of aging. *Cell 153*, 1194-1217. Disponível em: <https://doi.org/10.1016/j.cell.2013.05.039>. Acesso em: 8 mai. 2023.

Lowe, D.A., Wu, N., Rohdin-Bibby, L., Moore, A.H., Kelly, N., Liu, Y.E., Philip, E., Vittinghoff, E., Heymsfield, S.B., Olgin, J.E., et al. (2020). Effects of time-restricted eating on weight loss and other metabolic parameters in women and men with overweight and obesity: The TREAT randomized clinical trial. *JAMA Intern. Med. 180*, 1491-1499. Disponível em: <https://doi.org/10.1001/jamainternmed.2020.4153>. Acesso em: 8 mai. 2023.

Lucey, B.P., McCullough, A., Landsness, E.C., Toedebusch, C.D., McLeland, J.S., Zaza, A.M., Fagan, A.M., McCue, L., Xiong, C., Morris, J.C., et al. (2019). Reduced non-rapid eye movement sleep is associated with tau pathology in early Alzheimer's disease. *Sci. Transl. Med. 11*, eaau6550. Disponível em: <https://doi.org/10.1126/scitranslmed.aau6550>. Acesso em: 8 mai. 2023.

Ludwig, J., Viggiano, T.R., McGill, D.B. e Oh, B.J. (1980). Nonalcoholic steatohepatitis: Mayo Clinic experiences with a hitherto unnamed disease. *Mayo Clinic proceedings*, 55(7), 434-438.

Lüth, H.-J., Ogunlade, V., Kuhla, B., Kientsch-Engel, R., Stahl, P., Webster, J., Arendt, T. e Münch, G. (2005). Age- and stage-dependent accumulation of advanced glycation end products in intracellular deposits in normal and Alzheimer's disease brains. *Cereb. Cortex 15*, 211-220. Disponível em: <https://doi.org/10.1093/cercor/bhh123>. Acesso em: 8 mai. 2023.

Mach, F., Ray, K.K., Wiklund, O., Corsini, A., Catapano, A.L., Bruckert, E., De Backer, G., Hegele, R.A., Hovingh, G.K., Jacobson, T.A., et al. (2018). Adverse effects of statin therapy: perception vs. the evidence: Focus on glucose homeostasis, cognitive, renal and hepatic function, haemorrhagic stroke and cataract. *Eur. Heart J. 39*, 2526-2539. Disponível em: <https://doi.org/10.1093/eurheartj/ehy182>. Acesso em: 8 mai. 2023.

Maddock, J., Cavadino, A., Power, C. e Hyppönen, E. (2015). 25-hydroxyvitamin D, APOE ε4 genotype and cognitive function: Findings from the 1958 British birth cohort. *Eur. J. Clin. Nutr. 69*, 505-508. Disponível em: <https://doi.org/10.1038/ejcn.2014.201>. Acesso em: 8 mai. 2023.

Maeng, L.Y. e Milad, M.R. (2015). Sex differences in anxiety disorders: Interactions between fear, stress, and gonadal hormones. *Horm. Behav. 76*, 106-117. Disponível em: <https://doi.org/10.1016/j.yhbeh.2015.04.002>. Acesso em: 8 mai. 2023.

Mah, C.D., Mah, K.E., Kezirian, E.J. e Dement, W.C. (2011). The effects of sleep extension on the athletic performance of collegiate basketball players. *Sleep 34*, 943-950. Disponível em: <https://doi.org/10.5665/SLEEP.1132>. Acesso em: 8 mai. 2023.

Mandsager, K., Harb, S., Cremer, P., Phelan, D., Nissen, S.E. e Jaber, W. (2018). Association of cardiorespiratory fitness with long-term mortality among adults undergoing exercise treadmill testing. *JAMA Netw. Open 1*, e183605. Disponível em: <https://doi.org/10.1001/jamanetworkopen.2018.3605>. Acesso em: 8 mai. 2023.

Mannick, J.B., Del Giudice, G., Lattanzi, M., Valiante, N.M., Praestgaard, J., Huang, B., Lonetto, M.A., Maecker, H.T., Kovarik, J., Carson, S., et al. (2014). mTOR inhibition improves immune function in the elderly. *Sci. Transl. Med. 6*, 268ra179. Disponível em: <https://doi.org/10.1126/scitranslmed.3009892>. Acesso em: 8 mai. 2023.

Manson, J.E., Chlebowski, R.T., Stefanick, M.L., Aragaki, A.K., Rossouw, J.E., Prentice, R.L., Anderson, G., Howard, B.V., Thomson, C.A., LaCroix, A.Z., et al. (2013). The Women's Health Initiative hormone therapy trials: Update and overview of health outcomes during the intervention and post-stopping phases. *JAMA 310*, 1353-1368.

Mansukhani, M.P., Kolla, B.P., Surani, S., Varon, J. e Ramar, K. (2012). Sleep deprivation in resident physicians, work hour limitations, and related outcomes: A systematic review of the literature. *Postgrad. Med. 124*, 241-249. Disponível em: <https://doi.org/10.3810/pgm.2012.07.2583>. Acesso em: 8 mai. 2023.

Marston, N.A., Giugliano, R.P., Melloni, G.E.M., Park, J.-G., Morrill, V., Blazing, M.A., Ference, B., Stein, E., Stroes, E.S., Braunwald, E., et al. (2022). Association of Apolipoprotein B--containing lipoproteins and risk of myocardial infarction in individuals with and without atherosclerosis: Distinguishing between particle concentration, type, and content. *JAMA Cardiol.* *7*(3), 250-256. Disponível em: <http://doi.org/10.1001/jamacardio.2021.5083>. Acesso em: 8 mai. 2023.

Martínez-Lapiscina, E.H., Clavero, P., Toledo, E., Estruch, R., Salas-Salvadó, J., Julián, B.S., Sanchez-Tainta, A., Ros, E., Valls-Pedret, C. e Martinez-Gonzalez, M.Á. (2013). Mediterranean diet improves cognition: The PREDIMED-NAVARRA randomised trial. *J. Neurol. Neurosurg. Psychiatry 84*, 1318-1325. Disponível em: <https://doi.org/10.1136/jnnp-2012-304792>. Acesso em: 8 mai. 2023.

Masana, L., Girona, J., Ibarretxe, D., Rodríguez-Calvo, R., Rosales, R., Vallvé, J.-C., Rodríguez--Borjabad, C., Guardiola, M., Rodríguez, M., Guaita-Esteruelas, S., et al. (2018). Clinical and pathophysiological evidence supporting the safety of extremely low LDL levels: The zero-LDL hypothesis. *J. Clin. Lipidol. 12*, 292-299.e3. Disponível em: <https://doi.org/10.1016/j.jacl.2017.12.018>. Acesso em: 8 mai. 2023.

Masters, C.L. e Selkoe, D.J. (2012). Biochemistry of amyloid β-protein and amyloid deposits in Alzheimer disease. *Cold Spring Harb. Perspect. Med. 2*, a006262. Disponível em: <https://doi.org/10.1101/cshperspect.a006262>. Acesso em: 8 mai. 2023.

Matsuzaki, T., Sasaki, K., Tanizaki, Y., Hata, J., Fujimi, K., Matsui, Y., Sekita, A., Suzuki, S.O., Kanba, S., Kiyohara, Y., et al. (2010). Insulin resistance is associated with the pathology of Alzheimer disease: The Hisayama study. *Neurology 75*, 764-770. Disponível em: <https://doi.org/10.1212/WNL.0b013e3181eee25f>. Acesso em: 8 mai. 2023.

Mattison, J.A., Roth, G.S., Beasley, T.M., Tilmont, E.M., Handy, A.H., Herbert, R.L., Longo, D.L., Allison, D.B., Young, J.E., Bryant, M., et al. (2012). Impact of caloric restriction on health and survival in rhesus monkeys: The NIA study. *Nature 489*, Disponível em: <https://doi.org/10.1038/nature11432>. Acesso em: 8 mai. 2023.

Maurer, L.F., Schneider, J., Miller, C.B., Espie, C.A. e Kyle, S.D. (2021). The clinical effects of sleep restriction therapy for insomnia: A meta-analysis of randomised controlled trials. *Sleep Med. Rev. 58*, 101493. Disponível em: <https://doi.org/10.1016/j.smrv.2021.101493>. Acesso em: 8 mai. 2023.

McDonald, R.B. e Ramsey, J.J. (2010). Honoring Clive McCay and 75 years of calorie restriction research. *J. Nutr. 140*, 1205-1210. Disponível em: <https://doi.org/10.3945/jn.110.122804>. Acesso em: 8 mai. 2023.

McLaughlin, T., Abbasi, F., Cheal, K., Chu, J., Lamendola, C. e Reaven, G. (2003). Use of metabolic markers to identify overweight individuals who are insulin resistant. *Ann. Intern. Med. 139*, 802-809. Disponível em: <https://doi.org/10.7326/0003-4819-139-10-200311180-00007>. Acesso em: 8 mai. 2023.

McMillin, S.L., Schmidt, D.L., Kahn, B.B. e Witczak, C.A. (2017). GLUT4 is not necessary for overload-induced glucose uptake or hypertrophic growth in mouse skeletal muscle. *Diabetes 66*, 1491-1500. Disponível em: <https://doi.org/10.2337/db16-1075>. Acesso em: 8 mai. 2023.

McNamara, D.J. (2015). The fifty year rehabilitation of the egg. *Nutrients 7*, 8716-8722. Disponível em: <https://doi.org/10.3390/nu7105429>. Acesso em: 8 mai. 2023.

Melov, S., Tarnopolsky, M.A., Beckman, K., Felkey, K. e Hubbard, A. (2007). Resistance exercise reverses aging in human skeletal muscle. *PLOS ONE 2*, e465. Disponível em: <https://doi.org/10.1371/journal.pone.0000465>. Acesso em: 8 mai. 2023.

Mensah, G. A., Wei, G. S., Sorlie, P. D., Fine, L. J., Rosenberg, Y., Kaufmann, P. G., Mussolino, M. E., Hsu, L. L., Addou, E., Engelgau, M. M., & Gordon, D. (2017). Decline in Cardiovascular Mortality: Possible Causes and Implications. *Circulation research, 120*(2), 366-380. Disponível em: <https://doi.org/10.1161/CIRCRESAHA.116.309115>. Acesso em: 8 mai. 2023.

Mensink, R.P. e Katan, M.B. (1992). Effect of dietary fatty acids on serum lipids and lipoproteins. A meta-analysis of 27 trials. *Arterioscler. Thromb. J. Vasc. Biol. 12*, 911-919. Disponível em: <https://doi.org/10.1161/01.atv.12.8.911>. Acesso em: 8 mai. 2023.

Mercken, E.M., Crosby, S.D., Lamming, D.W., JeBailey, L., Krzysik-Walker, S., Villareal, D., Capri, M., Franceschi, C., Zhang, Y., Becker, K., et al. (2013). Calorie restriction in humans inhibits the PI3K/AKT pathway and induces a younger transcription profile. *Aging Cell 12*, 645-651. Disponível em: <https://doi.org/10.1111/acel.12088>. Acesso em: 8 mai. 2023.

Michaelson, D.M. (2014). APOE ε4: The most prevalent yet understudied risk factor for Alzheimer's disease. *Alzheimers Dement. 10*, 861-868. Disponível em: <https://doi.org/10.1016/j.jalz.2014.06.015>. Acesso em: 8 mai. 2023.

Milewski, M.D., Skaggs, D.L., Bishop, G.A., Pace, J.L., Ibrahim, D.A., Wren, T.A.L. e Barzdukas, A. (2014). Chronic lack of sleep is associated with increased sports injuries in adolescent athletes. *J. Pediatr. Orthop. 34*, 129-133. Disponível em: <https://doi.org/10.1097/BPO.0000000000000151>. Acesso em: 8 mai. 2023.

Miller, R.A., Harrison, D.E., Astle, C.M., Baur, J.A., Boyd, A.R., de Cabo, R., Fernandez, E., Flurkey, K., Javors, M.A., Nelson, J.F., et al. (2011). Rapamycin, but not resveratrol or simvastatin, extends life span of genetically heterogeneous mice. *J. Gerontol. Ser. A 66A*, 191-201. Disponível em: <https://doi.org/10.1093/gerona/glq178>. Acesso em: 8 mai. 2023.

Mitter, S.S., Oriá, R.B., Kvalsund, M.P., Pamplona, P., Joventino, E.S., Mota, R.M.S., Gonçalves, D.C., Patrick, P.D., Guerrant, R.L. e Lima, A.A.M. (2012). Apolipoprotein E4 influences growth and cognitive responses to micronutrient supplementation in shantytown children from northeast Brazil. *Clinics 67*, 11-18. Disponível em: <https://doi.org/10.6061/clinics/2012(01)03>. Acesso em: 8 mai. 2023.

Moco, S., Bino, R.J., Vorst, O., Verhoeven, H.A., de Groot, J., Van Beek, T.A., Vervoort, J. e de Vos, C.H.R. (2006). A liquid chromatography-mass spectrometry-based metabolome database for tomato. *Plant Physiol. 141*, 1205-1218. Disponível em: <https://doi.org/10.1104/pp.106.078428>. Acesso em: 8 mai. 2023.

Mollenhauer, B., Bibl, M., Trenkwalder, C., Stiens, G., Cepek, L., Steinacker, P., Ciesielczyk, B., Neubert, K., Wiltfang, J., Kretzschmar, H.A., et al. (2005). Follow-up investigations in cerebrospinal fluid of patients with dementia with Lewy bodies and Alzheimer's disease. *J. Neural Transm. 112*, 933-948. Disponível em: <https://doi.org/10.1007/s00702-004-0235-7>. Acesso em: 8 mai. 2023.

Montagne, A., Nation, D.A., Sagare, A.P., Barisano, G., Sweeney, M.D., Chakhoyan, A., Pachicano, M., Joe, E., Nelson, A.R., D'Orazio, L.M., et al. (2020). APOE4 leads to blood--brain barrier dysfunction predicting cognitive decline. *Nature 581*, 71-76. Disponível em: <https://doi.org/10.1038/s41586-020-2247-3>. Acesso em: 8 mai. 2023.

Moraes, W. dos S., Poyares, D.R., Guilleminault, C., Ramos, L.R., Bertolucci, P.H.F. e Tufik, S. (2006). The effect of donepezil on sleep and REM sleep EEG in patients with Alzheimer disease: A double-blind placebo-controlled study. *Sleep 29*, 199-205. Disponível em: <https://doi.org/10.1093/sleep/29.2.199>. Acesso em: 8 mai. 2023.

Mosconi, L., Rahman, A., Diaz, I., Wu, X., Scheyer, O., Hristov, H.W., Vallabhajosula, S., Isaacson, R.S., de Leon, M.J. e Brinton, R.D. (2018). Increased Alzheimer's risk during the menopause transition: A 3-year longitudinal brain imaging study. *PLOS ONE 13*, e0207885. Disponível em: <https://doi.org/10.1371/journal.pone.0207885>. Acesso em: 8 mai. 2023.

Motomura, Y., Kitamura, S., Oba, K., Terasawa, Y., Enomoto, M., Katayose, Y., Hida, A., Moriguchi, Y., Higuchi, S. e Mishima, K. (2013). Sleep debt elicits negative emotional reaction through diminished amygdala-anterior cingulate functional connectivity. *PLOS ONE 8*, e56578. Disponível em <https://doi.org/10.1371/journal.pone.0056578>. Acesso em: 8 mai. 2023.

Mukherjee, S. (2012). *O imperador de todos os males: Uma biografia do câncer.* São Paulo: Companhia das Letras.

Mullane, K. e Williams, M. (2020). Alzheimer's disease beyond amyloid: Can the repetitive failures of amyloid-targeted therapeutics inform future approaches to dementia drug discovery? *Biochem. Pharmacol. 177*, 113945. Disponível em: <https://doi.org/10.1016/j.bcp.2020.113945>. Acesso em: 8 mai. 2023.

Müller, U., Winter, P. e Graeber, M.B. (2013). A presenilin 1 mutation in the first case of Alzheimer's disease. *Lancet Neurol. 12*, 129-130. Disponível em: <https://pubmed.ncbi.nlm.nih.gov/23246540/>. Acesso em: 8 mai. 2023.

Naci, H. e Ioannidis, J.P.A. (2015). Comparative effectiveness of exercise and drug interventions on mortality outcomes: Metaepidemiological study. *Br. J. Sports Med. 49*, 1414-1422. Disponível em: <https://doi.org/10.1136/bjsports-2015-f5577rep>. Acesso em: 8 mai. 2023.

Naghshi, S., Sadeghian, M., Nasiri, M., Mobarak, S., Asadi, M. e Sadeghi, O. (2020). Association of total nut, tree nut, peanut, and peanut butter consumption with cancer incidence and mortality: A comprehensive systematic review and dose-response meta-analysis of observational studies. *Adv. Nutr. 12*, 793-808. Disponível em: <https://doi.org/10.1093/advances/nmaa152>. Acesso em: 8 mai. 2023.

Naimi, T.S., Stockwell, T., Zhao, J., Xuan, Z., Dangardt, F., Saitz, R., Liang, W. e Chikritzhs, T. (2017). Selection biases in observational studies affect associations between "moderate" alcohol consumption and mortality. *Addiction 112*, 207-214. Disponível em: <https://doi.org/10.1111/add.13451>. Acesso em: 8 mai. 2023.

Nakamura, T., Shoji, M., Harigaya, Y., Watanabe, M., Hosoda, K., Cheung, T.T., Shaffer, L.M., Golde, T.E., Younkin, L.H. e Younkin, S.G. (1994). Amyloid beta protein levels in cerebrospinal fluid are elevated in early-onset Alzheimer's disease. *Ann. Neurol. 36*, 903-911. Disponível em: <https://doi.org/10.1002/ana.410360616>. Acesso em: 8 mai. 2023.

Nasir, K., Cainzos-Achirica, M., Valero-Elizondo, J., Ali, S.S., Havistin, R., Lakshman, S., Blaha, M.J., Blankstein, R., Shapiro, M.D., Arias, L., et al. (2022). Coronary atherosclerosis in an asymptomatic U.S. population. *JACC Cardiovasc. Imaging 15*(9), 1619-1621. Disponível em: <https://doi.org/10.1016/j.jcmg.2022.03.010>. Acesso em: 8 mai. 2023.

NCI (National Cancer Institute). (2015). Risk factors: Age. Disponível em: <www.cancer.gov/about-cancer/causes-prevention/risk/age>. Acesso em: 8 mai. 2023.

______. (2021). Risk factors: Age. Disponível em: <www.cancer.gov/about-cancer/causes-prevention/risk/age>. Acesso em: 8 mai. 2023.

______. (2022a). Obesity and cancer. Fact sheet, 5 abr. Disponível em: <www.cancer.gov/about-cancer/causes-prevention/risk/obesity/obesity-fact-sheet>. Acesso em: 8 mai. 2023.

______. (2022b). SEER survival statistics-SEER Cancer Query Systems. Disponível em: <https://seer.cancer.gov/canques/survival.html>. Acesso em: 8 mai. 2023.

Nedeltcheva, A.V., Kessler, L., Imperial, J. e Penev, P.D. (2009). Exposure to recurrent sleep restriction in the setting of high caloric intake and physical inactivity results in increased insulin resistance and reduced glucose tolerance. *J. Clin. Endocrinol. Metab. 94*, 3242-3250. Disponível em: <https://doi.org/10.1210/jc.2009-0483>. Acesso em: 8 mai. 2023.

Neth, B.J. e Craft, S. (2017). Insulin resistance and Alzheimer's disease: Bioenergetic linkages. *Front. Aging Neurosci. 9*, 345. Disponível em: <https://doi.org/10.3389/fnagi.2017.00345>. Acesso em: 8 mai. 2023.

Neu, S.C., Pa, J., Kukull, W., Beekly, D., Kuzma, A., Gangadharan, P., Wang, L.-S., Romero, K., Arneric, S.P., Redolfi, A., et al. (2017). Apolipoprotein E genotype and sex risk factors for Alzheimer disease: A meta-analysis. *JAMA Neurol. 74*, 1178-1189. Disponível em: <https://doi.org/10.1001/jamaneurol.2017.2188>. Acesso em: 8 mai. 2023.

Newman, A.B., Kupelian, V., Visser, M., Simonsick, E.M., Goodpaster, B.H., Kritchevsky, S.B., Tylavsky, F.A., Rubin, S.M. e Harris, T.B. (2006). Strength, but not muscle mass, is associated with mortality in the Health, Aging and Body Composition Study cohort. *J. Gerontol. Ser. A 61*, 72-77. Disponível em: <https://doi.org/10.1093/gerona/61.1.72>. Acesso em: 8 mai. 2023.

Newman, C.B., Preiss, D., Tobert, J.A., Jacobson, T.A., Page, R.L., Goldstein, L.B., Chin, C., Tannock, L.R., Miller, M., Raghuveer, G., et al. (2019). Statin safety and associated adverse events: A scientific statement from the American Heart Association. *Arterioscler. Thromb. Vasc. Biol. 39*, e38-e81. Disponível em: <https://doi.org/10.1161/ATV.0000000000000073>. Acesso em: 8 mai. 2023.

New York Times. (1985). New evidence, old debate. 12 set. Disponível em: <www.nytimes.com/1985/09/12/us/new-evidence-old-debate.html>. Acesso em: 8 mai. 2023.

Ngandu, T., Lehtisalo, J., Solomon, A., Levälahti, E., Ahtiluoto, S., Antikainen, R., Bäckman, L., Hänninen, T., Jula, A., Laatikainen, T., et al. (2015). A 2 year multidomain intervention of diet, exercise, cognitive training, and vascular risk monitoring versus control to prevent cognitive decline in at-risk elderly people (FINGER): A randomised controlled trial. *Lancet 385*, 2255-2263. Disponível em: <https://doi.org/10.1016/S0140-6736(15)60461-5>. Acesso em: 8 mai. 2023.

NHTSA (National Highway Traffic Safety Administration). (2022a). Early estimates of motor vehicle traffic fatalities and fatality rate by sub-categories in 2021. Traffic Safety Facts, mai. Disponível em: <https://crashstats.nhtsa.dot.gov/Api/Public/ViewPublication/813298>. Acesso em: 8 mai. 2023.

______. (2022b). Fatality and Injury Reporting System Tool (FIRST). Disponível em: <https://cdan.dot.gov/query>. Acesso em: 8 mai. 2023.

Nicklas, B.J., Chmelo, E., Delbono, O., Carr, J.J., Lyles, M.F. e Marsh, A.P. (2015). Effects of resistance training with and without caloric restriction on physical function and mobility in overweight and obese older adults: A randomized controlled trial. *Am. J. Clin. Nutr. 101*, 991-999. Disponível em: <https://doi.org/10.3945/ajcn.114.105270>. Acesso em: 8 mai. 2023.

NIDDK (National Institute of Diabetes and Digestive and Kidney Diseases). (2018). *Diabetes in America.* 3ª ed. Bethesda, Maryland: NIDDK.

Ninonuevo, M.R., Park, Y., Yin, H., Zhang, J., Ward, R.E., Clowers, B.H., German, J.B., Freeman, S.L., Killeen, K., Grimm, R., et al. (2006). A strategy for annotating the human milk glycome. *J. Agric. Food Chem. 54*, 7471-7480. Disponível em: <https://doi.org/10.1021/jf0615810>. Acesso em: 8 mai. 2023.

Nuttall, F.Q. e Gannon, M.C. (2006). The metabolic response to a high-protein, low-carbohydrate diet in men with type 2 diabetes mellitus. *Metabolism 55*, 243-251. Disponível em: <https://doi.org/10.1016/j.metabol.2005.08.027>. Acesso em: 8 mai. 2023.

Nymo, S., Coutinho, S.R., Jørgensen, J., Rehfeld, J.F., Truby, H., Kulseng, B. e Martins, C. (2017). Timeline of changes in appetite during weight loss with a ketogenic diet. *Int. J. Obes. 41*, 1224-1231. Disponível em: <https://doi.org/10.1038/ijo.2017.96>. Acesso em: 8 mai. 2023.

O'Donoghue, M.L., Fazio, S., Giugliano, R.P., et al. (2019). Lipoprotein(a), PCSK9 inhibition, and cardiovascular risk. *Circulation, 139*(12): 1483-1492. Disponível em: <https://doi.org/10.1161/CIRCULATIONAHA.118.037184>. Acesso em: 8 mai. 2023.

Ogden, C.L., Fryar, C.D., Carroll, M.D. e Flegal, K.M. (2004). Mean body weight, height, and body mass index, United States 1960-2002. *Adv. Data* 1-17.

Ohayon, M.M., Carskadon, M.A., Guilleminault, C. e Vitiello, M.V. (2004). Meta-analysis of quantitative sleep parameters from childhood to old age in healthy individuals: Developing normative sleep values across the human lifespan. *Sleep 27*, 1255-1273. Disponível em: <https://doi.org/10.1093/sleep/27.7.1255>. Acesso em: 8 mai. 2023.

O'Keefe, J.H., Cordain, L., Harris, W.H., Moe, R.M. e Vogel, R. (2004). Optimal low-density lipoprotein is 50 to 70 mg/dl: Lower is better and physiologically normal. *J. Am. Coll. Cardiol. 43*, 2142-2146. Disponível em: <https://doi.org/10.1016/j.jacc.2004.03.046>. Acesso em: 8 mai. 2023.

Oliveira, C., Cotrim, H. e Arrese, M. (2019). Nonalcoholic fatty liver disease risk factors in Latin American populations: Current scenario and perspectives. *Clin. Liver Dis. 13*, 39-42. Disponível em: <https://doi.org/10.1002/cld.759>. Acesso em: 8 mai. 2023.

Oriá, R.B., Patrick, P.D., Blackman, J.A., Lima, A.A.M. e Guerrant, R.L. (2007). Role of apolipoprotein E4 in protecting children against early childhood diarrhea outcomes and implications for later development. *Med. Hypotheses 68*, 1099-1107. Disponível em: <https://doi.org/10.1016/j.mehy.2006.09.036>. Acesso em: 8 mai. 2023.

Orphanet (2022). Orphanet: 3 hydroxyisobutyric aciduria. Disponível em: <www.orpha.net/consor/cgi-bin/OC_Exp.php?Lng=EN&Expert=939>. Acesso em: 8 mai. 2023.

Osorio, R.S., Pirraglia, E., Agüera-Ortiz, L.F., During, E.H., Sacks, H., Ayappa, I., Walsleben, J., Mooney, A., Hussain, A., Glodzik, L., et al. (2011). Greater risk of Alzheimer's disease in older adults with insomnia. *J. Am. Geriatr.* Soc. *59*, 559-562. Disponível em: <https://doi.org/10.1111/j.1532-5415.2010.03288.x>. Acesso em: 8 mai. 2023.

Oulhaj, A., Jernerén, F., Refsum, H., Smith, A.D. e de Jager, C.A. (2016). Omega-3 fatty acid status enhances the prevention of cognitive decline by B vitamins in mild cognitive impairment. *J. Alzheimers Dis. 50*, 547-557. Disponível em: <https://doi.org/10.3233/JAD-150777>. Acesso em: 8 mai. 2023.

Oyetakin-White, P., Suggs, A., Koo, B., Matsui, M.S., Yarosh, D., Cooper, K.D. e Baron, E.D. (2015). Does poor sleep quality affect skin ageing? *Clin. Exp. Dermatol. 40*, 17-22. Disponível em: <https://doi.org/10.1111/ced.12455>. Acesso em: 8 mai. 2023.

Patel, A.K., Reddy, V. e Araujo, J.F. (2022). *Physiology, sleep stages.* Treasure Island, Flórida: StatPearls.

Patel, D., Steinberg, J. e Patel, P. (2018). Insomnia in the elderly: A review. *J. Clin. Sleep Med. 14*, 1017-1024. Disponível em: <https://doi.org/10.5664/jcsm.7172>. Acesso em: 8 mai. 2023.

Peng, B., Yang, Q., B Joshi, R., Liu, Y., Akbar, M., Song, B.-J., Zhou, S. e Wang, X. (2020). Role of alcohol drinking in Alzheimer's disease, Parkinson's disease, and amyotrophic lateral sclerosis. *Int. J. Mol. Sci. 21*, 2316. Disponível em: <https://doi.org/10.3390/ijms21072316>. Acesso em: 8 mai. 2023.

Perls, T.T. (2017). Male centenarians: How and why are they different from their female counterparts? *J. Am. Geriatr. Soc. 65*, 1904-1906. Disponível em: <https://doi.org/10.1111/jgs.14978>. Acesso em: 8 mai. 2023.

Pesch, B., Kendzia, B., Gustavsson, P., Jöckel, K.-H., Johnen, G., Pohlabeln, H., Olsson, A., Ahrens, W., Gross, I.M., Brüske, I., et al. (2012). Cigarette smoking and lung cancer-relative risk estimates for the major histological types from a pooled analysis of case-control studies. *Int. J. Cancer 131*, 1210-1219. Disponível em: <https://doi.org/10.1002/ijc.27339>. Acesso em: 8 mai. 2023.

Petersen, K.F., Dufour, S., Savage, D.B., Bilz, S., Solomon, G., Yonemitsu, S., Cline, G.W., Befroy, D., Zemany, L., Kahn, B.B., et al. (2007). The role of skeletal muscle insulin resistance in the pathogenesis of the metabolic syndrome. *Proc. Natl. Acad. Sci. 104*, 12587-12594. Disponível em: <https://doi.org/10.1073/pnas.0705408104>. Acesso em: 8 mai. 2023.

Petersen, M.C. e Shulman, G.I. (2018). Mechanisms of insulin action and insulin resistance. *Physiol. Rev. 98*, 2133-2223. Disponível em: <https://doi.org/10.1152/physrev.00063.2017>. Acesso em: 8 mai. 2023.

Pfister, R., Sharp, S.J., Luben, R., Khaw, K.-T. e Wareham, N.J. (2011). No evidence of an increased mortality risk associated with low levels of glycated haemoglobin in a non-diabetic UK population. *Diabetologia 54*, 2025-2032. Disponível em: <https://doi.org/10.1007/s00125-011-2162-0>. Acesso em: 8 mai. 2023.

Phinney, S. e Volek, J. (2018). The science of nutritional ketosis and appetite. *Virta* (blog), 25 jul. Disponível em: <www.virtahealth.com/blog/ketosis-appetite-hunger>. Acesso em: 8 mai. 2023.

Picard, C. (2018). The secrets to living to 100 (according to people who've done it). *Good Housekeeping.*

Picton, J.D., Marino, A.B. e Nealy, K.L. (2018). Benzodiazepine use and cognitive decline in the elderly. *Am. J. Health. Syst. Pharm. 75*, e6-e12. Disponível em: <https://doi.org/10.2146/ajhp160381>. Acesso em: 8 mai. 2023.

Pollack, A. (2005). Huge genome project is proposed to fight cancer. *New York Times*, 28 mar. Disponível em: <www.nytimes.com/2005/03/28/health/huge-genome-project-is-proposed-to-fight-cancer.html>. Acesso em: 8 mai. 2023.

Pontzer, H., Wood, B.M. e Raichlen, D.A. (2018). Hunter-gatherers as models in public health. *Obes. Rev. 19*, 24-35. Disponível em: <https://doi.org/10.1111/obr.12785>. Acesso em: 8 mai. 2023.

Potvin, O., Lorrain, D., Forget, H., Dubé, M., Grenier, S., Préville, M. e Hudon, C. (2012). Sleep quality and 1-year incident cognitive impairment in community-dwelling older adults. *Sleep 35*, 491-499. Disponível em: <https://doi.org/10.5665/sleep.1732>. Acesso em: 8 mai. 2023.

Powell-Wiley, T.M., Poirier, P., Burke, L.E., Després, J.-P., Gordon-Larsen, P., Lavie, C.J., Lear, S.A., Ndumele, C.E., Neeland, I.J., Sanders, P., et al. (2021). Obesity and cardiovascular disease: A scientific statement from the American Heart Association. *Circulation 143*, e984-e1010. Disponível em: <https://doi.org/10.1161/CIR.0000000000000973>. Acesso em: 8 mai. 2023.

Prather, A.A., Bogdan, R. e Hariri, A.R. (2013). Impact of sleep quality on amygdala reactivity, negative affect, and perceived stress. *Psychosom. Med. 75*, 350-358. Disponível em: <https://doi.org/10.1097/PSY.0b013e31828ef15b>. Acesso em: 8 mai. 2023.

Prati, D., Taioli, E., Zanella, A., del a Torre, E., Butelli, S., Del Vecchio, E., Vianello, L., Zanuso, F., Mozzi, F., Milani, S., et al. (2002). Updated definitions of healthy ranges for serum alanine aminotransferase levels. *Ann. Intern. Med. 137*, 1-10. Disponível em: <https://doi.org/10.7326/0003-4819-137-1-200207020-00006>. Acesso em: 8 mai. 2023.

Proctor, R.N. (1995). *Cancer wars: How politics shapes what we know and don't know about cancer.* Nova York: Basic Books.

______. (2001). Tobacco and the global lung cancer epidemic. *Nat. Rev. Cancer 1*, 82-86. Disponível em: <https://doi.org/10.1038/35094091>. Acesso em: 8 mai. 2023.

Rabinovici, G.D., Gatsonis, C., Apgar, C., Chaudhary, K., Gareen, I., Hanna, L., Hendrix, J., Hillner, B.E., Olson, C., Lesman-Segev, O.H., et al. (2019). Association of amyloid positron emission tomography with subsequent change in clinical management among medicare beneficiaries with mild cognitive impairment or dementia. *JAMA 321*, 1286-1294. Disponível em: <https://doi.org/10.1001/jama.2019.2000>. Acesso em: 8 mai. 2023.

Rahman, A., Schelbaum, E., Hoffman, K., Diaz, I., Hristov, H., Andrews, R., Jett, S., Jackson, H., Lee, A., Sarva, H., et al. (2020). Sex-driven modifiers of Alzheimer risk: A multimodality brain imaging study. *Neurology 95*, e166-e178. Disponível em: <https://doi.org/10.1212/WNL.0000000000009781>. Acesso em: 8 mai. 2023.

Raichle, M.E. e Gusnard, D.A. (2002). Appraising the brain's energy budget. *Proc. Natl. Acad. Sci. 99*, 10237-10239. Disponível em: <https://doi.org/10.1073/pnas.172399499>. Acesso em: 8 mai. 2023.

Rajpathak, S.N., Liu, Y., Ben-David, O., Reddy, S., Atzmon, G., Crandall, J. e Barzilai, N. (2011). Lifestyle factors of people with exceptional longevity. *J. Am. Geriatr. Soc. 59*, 1509-1512. Disponível em: <https://doi.org/10.1111/j.1532-5415.2011.03498.x>. Acesso em: 8 mai. 2023.

Rao, M.N., Neylan, T.C., Grunfeld, C., Mulligan, K., Schambelan, M. e Schwarz, J.-M. (2015). Subchronic sleep restriction causes tissue-specific insulin resistance. *J. Clin. Endocrinol. Metab. 100*, 1664-1671. Disponível em: <https://doi.org/10.1210/jc.2014-3911>. Acesso em: 8 mai. 2023.

Raskind, M.A., Peskind, E.R., Hoff, D.J., Hart, K.L., Holmes, H.A., Warren, D., Shofer, J., O'Connell, J., Taylor, F., Gross, C., et al. (2007). A parallel group placebo controlled study of prazosin for trauma nightmares and sleep disturbance in combat veterans with post-traumatic stress disorder. *Biol. Psychiatry 61*, 928-934. Disponível em: <https://doi.org/10.1016/j.biopsych.2006.06.032>. Acesso em: 8 mai. 2023.

Raskind, M.A., Peskind, E.R., Kanter, E.D., Petrie, E.C., Radant, A., Thompson, C.E., Dobie, D.J., Hoff, D., Rein, R.J., Straits-Tröster, K., et al. (2003). Reduction of nightmares and other PTSD symptoms in combat veterans by prazosin: A placebo-controlled study. *Am. J. Psychiatry 160*, 371-373. Disponível em: <https://doi.org/10.1176/appi.ajp.160.2.371>. Acesso em: 8 mai. 2023.

Ratnakumar, A., Zimmerman, S.E., Jordan, B.A. e Mar, J.C. (2019). Estrogen activates Alzheimer's disease genes. *Alzheimers Dement. 5*, 906-917. Disponível em: <https://doi.org/10.1016/j.trci.2019.09.004>. Acesso em: 8 mai. 2023.

Real, T. (1998). *I don't want to talk about it: Overcoming the secret legacy of male depression.* Nova York: Scribner.

Reddy, O.C. e Van der Werf, Y.D. (2020). The sleeping brain: Harnessing the power of the glymphatic system through lifestyle choices. *Brain Sci. 10*, 868. Disponível em: <https://doi.org/10.3390/brainsci10110868>. Acesso em: 8 mai. 2023.

Reiman, E.M., Arboleda-Velasquez, J.F., Quiroz, Y.T., Huentelman, M.J., Beach, T.G., Caselli, R.J., Chen, Y., Su, Y., Myers, A.J., Hardy, J., et al. (2020). Exceptionally low likelihood of Alzheimer's dementia in APOE2 homozygotes from a 5,000-person neuropathological study. *Nat. Commun. 11*, 667. Disponível em: <https://doi.org/10.1038/s41467-019-14279-8>. Acesso em: 8 mai. 2023.

Reiman, E.M., Caselli, R.J., Yun, L.S., Chen, K., Bandy, D., Minoshima, S., Thibodeau, S.N. e Osborne, D. (1996). Preclinical evidence of Alzheimer's disease in persons homozygous for the epsilon 4 allele for apolipoprotein E. *N. Engl. J. Med. 334*, 752-758. Disponível em: <https://doi.org/10.1056/NEJM199603213341202>. Acesso em: 8 mai. 2023.

Reimers, C.D., Knapp, G. e Reimers, A.K. (2012). Does physical activity increase life expectancy? A review of the literature. *J. Aging Res. 2012*, 243958. Disponível em: <https://doi.org/10.1155/2012/243958>. Acesso em: 8 mai. 2023.

Repantis, D., Wermuth, K., Tsamitros, N., Danker-Hopfe, H., Bublitz, J.C., Kühn, S. e Dresler, M. (2020). REM sleep in acutely traumatized individuals and interventions for the secondary prevention of post-traumatic stress disorder. *Eur. J. Psychotraumatology 11*, 1740492. Disponível em: <https://doi.org/10.1080/20008198.2020.1740492>. Acesso em: 8 mai. 2023.

Reutrakul, S. e Van Cauter, E. (2018). Sleep influences on obesity, insulin resistance, and risk of type 2 diabetes. *Metabolism 84*, 56-66. Disponível em: <https://doi.org/10.1016/j.metabol.2018.02.010>. Acesso em: 8 mai. 2023.

Revelas, M., Thalamuthu, A., Oldmeadow, C., Evans, T.-J., Armstrong, N.J., Kwok, J.B., Brodaty, H., Schofield, P.R., Scott, R.J., Sachdev, P.S., et al. (2018). Review and meta-analysis of genetic polymorphisms associated with exceptional human longevity. *Mech. Ageing Dev. 175*, 24-34. Disponível em: <https://doi.org/10.1016/j.mad.2018.06.002>. Acesso em: 8 mai. 2023.

Richter, E.A. (2021). Is GLUT4 translocation the answer to exercise-stimulated muscle glucose uptake? *Am. J. Physiol.-Endocrinol. Metab. 320*, e240-e243. Disponível em: <https://doi.org/10.1152/ajpendo.00503.2020>. Acesso em: 8 mai. 2023.

Riis, J.A. (1901). *The making of an American.* Estados Unidos: Aegypan.

Ritchie, H. e Roser, M. (2018). Causes of death. Our World in Data. Disponível em: <https://ourworldindata.org/causes-of-death>. Acesso em: 8 mai. 2023.

Rosenberg, A., Mangialasche, F., Ngandu, T., Solomon, A., Kivipelto, M. (2020). Multidomain interventions to prevent cognitive impairment, Alzheimer's disease, and dementia: From FINGER to world-wide FINGERS. *J. Prev. Alzheimers Dis. 7*(1), 29-36. Disponível em: <https://doi.org/10.14283/jpad.2019.41>. Acesso em: 8 mai. 2023.

Rosenberg, S.A. e Barr, J.M. (1992). *The transformed cell.* Nova York: Putnam.

Roy, J. e Forest, G. (2018). Greater circadian disadvantage during evening games for the National Basketball Association (NBA), National Hockey League (NHL) and National Football League (NFL) teams travelling westward. *J. Sleep Res. 27*, 86-89. Disponível em: <https://doi.org/10.1111/jsr.12565>. Acesso em: 8 mai. 2023.

Rozentryt, P., von Haehling, S., Lainscak, M., Nowak, J.U., Kalantar-Zadeh, K., Polonski, L. e Anker, S.D. (2010). The effects of a high-caloric protein-rich oral nutritional supplement in patients with chronic heart failure and cachexia on quality of life, body composition, and inflammation markers: A randomized, double-blind pilot study. *J. Cachexia Sarcopenia Muscle 1*, 35-42. Disponível em: <https://doi.org/10.1007/s13539-010-0008-0>. Acesso em: 8 mai. 2023.

Rupp, T.L., Wesensten, N.J. e Balkin, T.J. (2012). Trait-like vulnerability to total and partial sleep loss. *Sleep 35*, 1163-1172. Disponível em: <https://doi.org/10.5665/sleep.2010>. Acesso em: 8 mai. 2023.

Sabatini, D.M., Erdjument-Bromage, H., Lui, M., Tempst, P. e Snyder, S.H. (1994). RAFT1: A mammalian protein that binds to FKBP12 in a rapamycin-dependent fashion and is homologous to yeast TORs. *Cell 78*, 35-43. Disponível em: <https://doi.org/10.1016/0092-8674(94)90570-3>. Acesso em: 8 mai. 2023.

Samra, R.A. (2010). Fats and satiety. In *Fat detection: Taste, texture, and post ingestive effects*, org. J.-P. Montmayeur e J. le Coutre. Boca Raton, Flórida: CRC Press/Taylor and Francis.

San-Millán, I. e Brooks, G.A. (2018). Assessment of metabolic flexibility by means of measuring blood lactate, fat, and carbohydrate oxidation responses to exercise in professional endurance athletes and less-fit individuals. *Sports Med. Auckl. NZ 48*, 467-479. Disponível em: <https://doi.org/10.1007/s40279-017-0751-x>. Acesso em: 8 mai. 2023.

Sasco, A.J., Secretan, M.B. e Straif, K. (2004). Tobacco smoking and cancer: A brief review of recent epidemiological evidence. *Lung Cancer Amst. Neth. 45,* Suppl 2, S3-9. Disponível em: <https://doi.org/10.1016/j.lungcan.2004.07.998>. Acesso em: 8 mai. 2023.

Saul, S. (2006). Record sales of sleeping pills are causing worries. *New York Times*, 7 fev. Disponível em: <www.nytimes.com/2006/02/07/business/record-sales-of-sleeping-pills-are-causing-worries.html>. Acesso em: 8 mai. 2023.

Sawka, M.N., Gonzalez, R.R. e Pandolf, K.B. (1984). Effects of sleep deprivation on thermoregulation during exercise. *Am. J. Physiol. 246*, R72-77. Disponível em: <https://doi.org/10.1152/ajpregu.1984.246.1.R72>. Acesso em: 8 mai. 2023.

Schoenfeld, B.J. e Aragon, A.A. (2018). How much protein can the body use in a single meal for muscle-building? Implications for daily protein distribution. *J. Int. Soc. Sports Nutr. 15*, 10. Disponível em: <https://doi.org/10.1186/s12970-018-0215-1>. Acesso em: 8 mai. 2023.

Schwingshackl, L., Schwedhelm, C., Hoffmann, G., Knüppel, S., Laure Preterre, A., Iqbal, K., Bechthold, A., De Henauw, S., Michels, N., Devleesschauwer, B., et al. (2018). Food groups and risk of colorectal cancer. *Int. J. Cancer 142*, 1748-1758. Disponível em: <https://doi.org/10.1002/ijc.31198>. Acesso em: 8 mai. 2023.

Schwingshackl, L., Zähringer, J., Beyerbach, J., Werner, S., Heseker, H., Koletzko, B. e Meerpoh, J. Total dietary fat intake, fat quality, and health outcomes: A scoping review of systematic reviews of prospective studies. *Ann. Nutr. Metab.* 77(1), 4-15. Disponível em: <https://doi.org/10.1159/000515058>. Acesso em: 8 mai. 2023.

Sebastiani, P., Gurinovich, A., Nygaard, M., Sasaki, T., Sweigart, B., Bae, H., Andersen, S.L., Villa, F., Atzmon, G., Christensen, K., et al. (2019). APOE alleles and extreme human longevity. *J. Gerontol. Ser. A74*, 44-51. Disponível em: <https://doi.org/10.1093/gerona/gly174>. Acesso em: 8 mai. 2023.

Sebastiani, P., Nussbaum, L., Andersen, S.L., Black, M.J. e Perls, T.T. (2016). Increasing sibling relative risk of survival to older and older ages and the importance of precise definitions of "aging," "life span," and "longevity". *J. Gerontol. A. Biol. Sci. Med. Sci. 71*, 340-346. Disponível em: <https://doi.org/10.1093/gerona/glv020>. Acesso em: 8 mai. 2023.

Seidelin, K.N. (1995). Fatty acid composition of adipose tissue in humans: Implications for the dietary fat-serum cholesterol-CHD issue. *Prog. Lipid Res. 34*, 199-217. Disponível em: <https://doi.org/10.1016/0163-7827(95)00004-J>. Acesso em: 8 mai. 2023.

Seifert, T., Brassard, P., Wissenberg, M., Rasmussen, P., Nordby, P., Stallknecht, B., Adser, H., Jakobsen, A.H., Pilegaard, H., Nielsen, H.B., et al. (2010). Endurance training enhances BDNF release from the human brain. *Am. J. Physiol. Regul. Integr. Comp. Physiol. 298*, R372-377. Disponível em: <https://doi.org/10.1152/ajpregu.00525.2009>. Acesso em: 8 mai. 2023.

Selvarani, R., Mohammed, S. e Richardson, A. (2021). Effect of rapamycin on aging and age-related diseases-past and future. *GeroScience 43*, 1135-1158. Disponível em: <https://doi.org/10.1007/s11357-020-00274-1>. Acesso em: 8 mai. 2023.

Serna, E., Gambini, J., Borras, C., Abdelaziz, K.M., Mohammed, K., Belenguer, A., Sanchis, P., Avellana, J.A., Rodriguez-Mañas, L. e Viña, J. (2012). Centenarians, but not octogenarians, up-regulate the expression of microRNAs. *Sci. Rep. 2*, 961. Disponível em: <https://doi.org/10.1038/srep00961>. Acesso em: 8 mai. 2023.

Shahid, A., Wilkinson, K., Marcu, S. e Shapiro, C.M. (2011). Insomnia Severity Index (ISI). In *STOP, THAT and one hundred other sleep scales*, org. A. Shahid, K. Wilkinson, S. Marcu e C.M. Shapiro, 191-193. Nova York: Springer New York.

Shan, Z., Ma, H., Xie, M., Yan, P., Guo, Y., Bao, W., Rong, Y., Jackson, C.L., Hu, F.B. e Liu, L. (2015). Sleep duration and risk of type 2 diabetes: A meta-analysis of prospective studies. *Diabetes Care 38*, 529-537. Disponível em: <https://doi.org/10.2337/dc14-2073>. Acesso em: 8 mai. 2023.

Shephard, R.J. (2009). Maximal oxygen intake and independence in old age. *Br. J. Sports Med. 43*, 342-346. Disponível em: <https://doi.org/10.1136/bjsm.2007.044800>. Acesso em: 8 mai. 2023.

Shmagel, A., Ngo, L., Ensrud, K. e Foley, R. (2018). Prescription medication use among community-based US adults with chronic low back pain: A cross-sectional population based study. *J. Pain 19*, 1104-1112. Disponível em: <https://doi.org/10.1016/j.jpain.2018.04.004>. Acesso em: 8 mai. 2023.

Siegel, R.L., Miller, K.D., Fuchs, H.E. e Jemal, A. (2021). Cancer statistics, 2021. *CA. Cancer J. Clin. 71*, 7-33. Disponível em: <https://doi.org/10.3322/caac.21654>. Acesso em: 8 mai. 2023.

Slayday, R.E., Gustavson, D.E., Elman, J.A., Beck, A., McEvoy, L.K., Tu, X.M., Fang, B., Hauger, R.L., Lyons, M.J., McKenzie, R.E., et al. (2021). Interaction between alcohol consumption and apolipoprotein E (ApoE) genotype with cognition in middle-aged men. *J. Int. Neuropsychol. Soc. 27*, 56-68. Disponível em: <https://doi.org/10.1017/S1355617720000570>. Acesso em: 8 mai. 2023.

Sleeman, J. e Steeg, P.S. (2010). Cancer metastasis as a therapeutic target. *Eur. J. Cancer 46*, 1177-1180. Disponível em: <https://doi.org/10.1016/j.ejca.2010.02.039>. Acesso em: 8 mai. 2023.

Small, G.W., Ercoli, L.M., Silverman, D.H.S., Huang, S.-C., Komo, S., Bookheimer, S.Y., Lavretsky, H., Miller, K., Siddarth, P., Rasgon, N.L., et al. (2000). Cerebral metabolic and cognitive decline in persons at genetic risk for Alzheimer's disease. *Proc. Natl. Acad. Sci. 97*, 6037-6042.

Smith, A.D., Smith, S.M., de Jager, C.A., Whitbread, P., Johnston, C., Agacinski, G., Oulhaj, A., Bradley, K.M., Jacoby, R. e Refsum, H. (2010). Homocysteine-lowering by B Vitamins slows the rate of accelerated brain atrophy in mild cognitive impairment: A randomized controlled trial. *PLOS ONE 5*, e12244. Disponível em: <https://doi.org/10.1371/journal.pone.0012244>. Acesso em: 8 mai. 2023.

Smith, C. e Lapp, L. (1991). Increases in number of REMS and REM density in humans following an intensive learning period. *Sleep 14*, 325-330. Disponível em: <https://doi.org/10.1093/sleep/14.4.325>. Acesso em: 8 mai. 2023.

Smith, C. e Smith, D. (2003). Ingestion of ethanol just prior to sleep onset impairs memory for procedural but not declarative tasks. *Sleep 26*, 185-191.

Sniderman, A.D., Bhopal, R., Prabhakaran, D., Sarrafzadegan, N. e Tchernof, A. (2007). Why might South Asians be so susceptible to central obesity and its atherogenic consequences? The adipose tissue overflow hypothesis. *Int. J. Epidemiol. 36*, 220-225. Disponível em: <https://doi.org/10.1093/ije/dyl245>. Acesso em: 8 mai. 2023.

Sniderman, A.D., Thanassoulis, G., Williams, K. e Pencina, M. (2016). Risk of premature cardiovascular disease vs the number of premature cardiovascular events. *JAMA Cardiol. 1*, 492-494. Disponível em: <https://doi.org/10.1001/jamacardio.2016.0991>. Acesso em: 8 mai. 2023.

Sokol, D.K. (2013). "First do no harm" revisited. *BMJ 347*, f6426. Disponível em: <https://doi.org/10.1136/bmj.f6426>. Acesso em: 8 mai. 2023.

Soran, H., Ho, J.H. e Durrington, P.N. (2018). Acquired low cholesterol: Diagnosis and relevance to safety of low LDL therapeutic targets. *Curr. Opin. Lipidol. 29*, 318-326. Disponível em: <https://doi.org/10.1097/MOL.0000000000000526>. Acesso em: 8 mai. 2023.

Spaeth, A.M., Dinges, D.F. e Goel, N. (2015). Resting metabolic rate varies by race and by sleep duration. *Obesity 23*, 2349-2356. Disponível em: <https://doi.org/10.1002/oby.21198>. Acesso em: 8 mai. 2023.

Spencer, C. (2005). *Genes, aging and immortality.* Upper Saddle River, NJ: Pearson.

Sperling, R.A., Aisen, P.S., Beckett, L.A., Bennett, D.A., Craft, S., Fagan, A.M., Iwatsubo, T., Jack, C.R., Kaye, J., Montine, T.J., et al. (2011). Toward defining the preclinical stages of Alzheimer's disease: Recommendations from the National Institute on Aging-Alzheimer's Association workgroups on diagnostic guidelines for Alzheimer's disease. *Alzheimers Dement. 7*, 280-292. Disponível em: <https://doi.org/10.1016/j.jalz.2011.03.003>. Acesso em: 8 mai. 2023.

Spiegel, K., Leproult, R., L'hermite-Balériaux, M., Copinschi, G., Penev, P.D. e Van Cauter, E. (2004b). Leptin levels are dependent on sleep duration: Relationships with sympathovagal balance, carbohydrate regulation, cortisol, and thyrotropin. *J. Clin. Endocrinol. Metab. 89*, 5762-5771. Disponível em: <https://doi.org/10.1210/jc.2004-1003>. Acesso em: 8 mai. 2023.

Spiegel, K., Leproult, R. e Van Cauter, E. (1999). Impact of sleep debt on metabolic and endocrine function. *Lancet 354*, 1435-1439. Disponível em: <https://doi.org/10.1016/S0140-6736(99)01376-8>. Acesso em: 8 mai. 2023.

Spiegel, K., Tasali, E., Penev, P. e Cauter, E.V. (2004a). Brief communication: Sleep curtailment in healthy young men is associated with decreased leptin levels, elevated ghrelin levels, and increased hunger and appetite. *Ann. Intern. Med. 141*, 846-850. Disponível em: <https://doi.org/10.7326/0003-4819-141-11-200412070-00008>. Acesso em: 8 mai. 2023.

Spillane, S., Shiels, M.S., Best, A.F., Haozous, E.A., Withrow, D.R., Chen, Y., Berrington de González, A. e Freedman, N.D. (2020). Trends in alcohol-induced deaths in the United States, 2000-2016. *JAMA Netw. Open 3*, e1921451. Disponível em: <https://www.ncbi.nlm.nih.gov/pmc/articles/PMC7043198/>. Acesso em: 8 mai. 2023.

Spira, A.P., Gamaldo, A.A., An, Y., Wu, M.N., Simonsick, E.M., Bilgel, M., Zhou, Y., Wong, D.F., Ferrucci, L. e Resnick, S.M. (2013). Self-reported sleep and β-amyloid deposition in community-dwelling older adults. *JAMA Neurol. 70*, 1537-1543. Disponível em: <https://doi.org/10.1001/jamaneurol.2013.4258>. Acesso em: 8 mai. 2023.

Sprecher, K.E., Bendlin, B.B., Racine, A.M., Okonkwo, O.C., Christian, B.T., Koscik, R.L., Sager, M.A., Asthana, S., Johnson, S.C. e Benca, R.M. (2015). Amyloid burden is associated with self-reported sleep in non-demented late middle-aged adults. *Neurobiol. Aging 36*, 2568-2576. Disponível em: <https://doi.org/10.1016/j.neurobiolaging.2015.05.004>. Acesso em: 8 mai. 2023.

Stamatakis, K.A. e Punjabi, N.M. (2010). Effects of sleep fragmentation on glucose metabolism in normal subjects. *Chest 137*, 95-101. Disponível em: <https://doi.org/10.1378/chest.09-0791>. Acesso em: 8 mai. 2023.

Standl, E., Schnell, O. e Ceriello, A. (2011). Postprandial hyperglycemia and glycemic variability: Should we care? *Diabetes Care 34,* Suppl 2, S120-127. Disponível em: <https://doi.org/10.2337/dc11-s206>. Acesso em: 8 mai. 2023.

Stary, H.C. (2003). *Atlas of atherosclerosis progression and regression.* Boca Raton, FL: CRC Press.

Stefan, N., Schick, F. e Häring, H.-U. (2017). Causes, characteristics, and consequences of metabolically unhealthy normal weight in humans. *Cell Metab. 26*, 292-300. Disponível em: <https://doi.org/10.1016/j.cmet.2017.07.008>. Acesso em: 8 mai. 2023.

Stickgold, R., Whidbee, D., Schirmer, B., Patel, V. e Hobson, J.A. (2000). Visual discrimination task improvement: A multi-step process occurring during sleep. *J. Cogn. Neurosci.*

12, 246-254. Disponível em: <https://doi.org/10.1162/089892900562075>. Acesso em: 8 mai. 2023.

Stomrud, E., Hansson, O., Zetterberg, H., Blennow, K., Minthon, L. e Londos, E. (2010). Correlation of longitudinal cerebrospinal fluid biomarkers with cognitive decline in healthy older adults. *Arch. Neurol. 67*, 217-223. Disponível em: <https://doi.org/10.1001/archneurol.2009.316>. Acesso em: 8 mai. 2023.

Strobe, M. (2021). U.S. overdose deaths topped 100,000 in one year, officials say. AP News, 17 nov. Disponível em: <https://apnews.com/article/overdodse-deaths-fentanayl-health-f34b022d75a1eb9776e27903ab40670f>. Acesso em: 8 mai. 2023.

Stroes, E.S., Thompson, P.D., Corsini, A., Vladutiu, G.D., Raal, F.J., Ray, K.K., Roden, M., Stein, E., Tokgözoğlu, L., Nordestgaard, B.G., et al. (2015). Statin-associated muscle symptoms: impact on statin therapy-European Atherosclerosis Society Consensus Panel Statement on Assessment, Aetiology and Management. *Eur. Heart J. 36*, 1012-1022. Disponível em: <https://doi.org/10.1093/eurheartj/ehv043>. Acesso em: 8 mai. 2023.

Strong, R., Miller, R.A., Astle, C.M., Baur, J.A., de Cabo, R., Fernandez, E., Guo, W., Javors, M., Kirkland, J.L., Nelson, J.F., et al. (2013). Evaluation of resveratrol, green tea extract, curcumin, oxaloacetic acid, and medium-chain triglyceride oil on life span of genetically heterogeneous mice. *J. Gerontol. Ser. A68*, 6-16. Disponível em: <https://doi.org/10.1093/gerona/gls070>. Acesso em: 8 mai. 2023.

Strozyk, D., Blennow, K., White, L.R. e Launer, L.J. (2003). CSF Abeta 42 levels correlate with amyloid-neuropathology in a population-based autopsy study. *Neurology 60*, 652-656. Disponível em: <https://doi.org/10.1212/01.wnl.0000046581.81650.d0>. Acesso em: 8 mai. 2023.

Sudimac, S., Sale, V. e Kühn, S. (2022). How nature nurtures: Amygdala activity decreases as the result of a one-hour walk in nature. *Mol Psychiatry.* Disponível em: <https://doi.org/10.1038/s41380-022-01720-6>. Acesso em: 8 mai. 2023.

Sumithran, P., Prendergast, L.A., Delbridge, E., Purcell, K., Shulkes, A., Kriketos, A. e Proietto, J. (2013). Ketosis and appetite-mediating nutrients and hormones after weight loss. *Eur. J. Clin. Nutr. 67*, 759-764. Disponível em: <https://doi.org/10.1038/ejcn.2013.90>. Acesso em: 8 mai. 2023.

Suzuki, K., Elkind, M.S., Boden-Albala, B., Jin, Z., Berry, G., Di Tullio, M.R., Sacco, R.L. e Homma, S. (2009). Moderate alcohol consumption is associated with better endothelial function: A cross sectional study. *BMC Cardiovasc. Disord. 9*, 8. Disponível em: <https://doi.org/10.1186/1471-2261-9-8>. Acesso em: 8 mai. 2023.

Tabata, I., Nishimura, K., Kouzaki, M., Hirai, Y., Ogita, F., Miyachi, M. e Yamamoto, K. (1996). Effects of moderate-intensity endurance and high-intensity intermittent training on anaerobic capacity and VO_2max. *Med. Sci. Sports Exerc. 28*, 1327-1330. Disponível em: <https://doi.org/10.1097/00005768-199610000-00018>. Acesso em: 8 mai. 2023.

Taieb, J., Gallois, C. (2020). Adjuvant chemotherapy for stage III colon cancer. *Cancers, 12*(9), 2679. Disponível em: <https://doi.org/10.3390/cancers12092679>. Acesso em: 8 mai. 2023.

Tang, C., Liu, C., Fang, P., Xiang, Y. e Min, R. (2019). Work-related accumulated fatigue among doctors in tertiary hospitals: A cross-sectional survey in six provinces of China. *Int. J. Environ. Res. Public. Health 16*, e3049. Disponível em: <https://doi.org/10.3390/ijerph16173049>. Acesso em: 8 mai. 2023.

Tanweer, S.A.W. (2021). How smart phones effects health. Tech neck: Causes and preventions. *Pak. J. Phys. Ther.* 02-02. Disponível em: <https://doi.org/10.52229/pjpt.v2i04.1135>. Acesso em: 8 mai. 2023.

Tapiola, T., Pirttilä, T., Mikkonen, M., Mehta, P.D., Alafuzoff, I., Koivisto, K. e Soininen, H. (2000). Three-year follow-up of cerebrospinal fluid tau, beta-amyloid 42 and 40 concentrations in Alzheimer's disease. *Neurosci. Lett. 280*, 119-122. Disponível em: <https://doi.org/10.1016/s0304-3940(00)00767-9>. Acesso em: 8 mai. 2023.

Tapiola, T., Alafuzoff, I., Herukka, S.-K., Parkkinen, L., Hartikainen, P., Soininen, H. e Pirttilä, T. (2009). Cerebrospinal fluid β-amyloid 42 and tau proteins as biomarkers of Alzheimer-type pathologic changes in the brain. *Arch. Neurol. 66*, 382-389. Disponível em: <https://doi.org/10.1001/archneurol.2008.596>. Acesso em: 8 mai. 2023.

Tasali, E., Leproult, R., Ehrmann, D.A. e Van Cauter, E. (2008). Slow-wave sleep and the risk of type 2 diabetes in humans. *Proc. Natl. Acad. Sci. 105*, 1044-1049. Disponível em: <https://doi.org/10.1073/pnas.0706446105>. Acesso em: 8 mai. 2023.

Tatebe, H. e Shiozaki, K. (2017). Evolutionary conservation of the components in the TOR signaling pathways. *Biomolecules 7*, 77. Disponível em: <https://doi.org/10.3390/biom7040077>. Acesso em: 8 mai. 2023.

Taylor, J. (2009). "Cigarettes, whisky, and wild, wild women." *Independent*, 20 jun. Disponível em: <www.independent.co.uk/life-style/health-and-families/health-news/cigarettes-whisky-and-wild-wild-women-1710744.html>. Acesso em: 8 mai. 2023.

Tchernof, A. e Després, J.-P. (2013). Pathophysiology of human visceral obesity: An update. *Physiol. Rev. 93*, 359-404. Disponível em: <https://doi.org/10.1152/physrev.00033.2011>. Acesso em: 8 mai. 2023.

Templeman, I., Smith, H.A., Chowdhury, E., Chen, Y.-C., Carroll, H., Johnson-Bonson, D., Hengist, A., Smith, R., Creighton, J., Clayton, D., et al. (2021). A randomized controlled trial to isolate the effects of fasting and energy restriction on weight loss and metabolic health in lean adults. *Sci. Transl. Med. 13*, eabd8034. Disponível em: <https://doi.org/10.1126/scitranslmed.abd8034>. Acesso em: 8 mai. 2023.

Thanassoulis, G., Sniderman, A.D. e Pencina, M.J. (2018). A long-term benefit approach vs standard risk-based approaches for statin eligibility in primary prevention. *JAMA Cardiol. 3*, 1090-1095. Disponível em: <https://doi.org/10.1001/jamacardio.2018.3476>. Acesso em: 8 mai. 2023.

Tieland, M., Dirks, M.L., Van der Zwaluw, N., Verdijk, L.B., Van de Rest, O., de Groot, L.C.P.G.M. e Van Loon, L.J.C. (2012a). Protein supplementation increases muscle mass gain during prolonged resistance-type exercise training in frail elderly people: A randomized, double-blind, placebo-controlled trial. *J. Am. Med. Dir. Assoc. 13*, 713-719. Disponível em: <https://doi.org/10.1016/j.jamda.2012.05.020>. Acesso em: 8 mai. 2023.

Tieland, M., Van de Rest, O., Dirks, M.L., Van der Zwaluw, N., Mensink, M., Van Loon, L.J.C. e de Groot, L.C.P.G.M. (2012b). Protein supplementation improves physical performance in frail elderly people: A randomized, double-blind, placebo-controlled trial. *J. Am. Med. Dir. Assoc. 13*, 720-726. Disponível em: <https://doi.org/10.1016/j.jamda.2012.07.005>. Acesso em: 8 mai. 2023.

Tolboom, N., Van der Flier, W.M., Yaqub, M., Boellaard, R., Verwey, N.A., Blankenstein, M.A., Windhorst, A.D., Scheltens, P., Lammertsma, A.A. e Van Berckel, B.N.M. (2009). Relationship of cerebrospinal fluid markers to 11C-PiB and 18F-FDDNP binding. *J. Nucl. Med. 50*, 1464-1470. Disponível em: <https://doi.org/10.2967/jnumed.109.064360>. Acesso em: 8 mai. 2023.

Trappe, S., Hayes, E., Galpin, A., Kaminsky, L., Jemiolo, B., Fink, W., Trappe, T., Jansson, A., Gustafsson, T. e Tesch, P. (2013). New records in aerobic power among octogenarian lifelong endurance athletes. *J. Appl. Physiol. 114*, 3-10. Disponível em: <https://doi.org/10.1152/japplphysiol.01107.2012>. Acesso em: 8 mai. 2023.

Trumble, B.C. e Finch, C.E. (2019). The exposome in human evolution: From dust to diesel. *Q. Rev. Biol. 94*, 333-394. Disponível em: <https://doi.org/10.1086/706768>. Acesso em: 8 mai. 2023.

Tsimikas, S., Fazio, S., Ferdinand, K.C., Ginsberg, H.N., Koschinsky, M.L., Santica, M., Moriarity, P.M., Rader, D.J., Remaley, A.T., Reyes-Soffer, G., et al. (2018). NHLBI Working Group recommendations to reduce lipoprotein(a)-mediated risk of cardiovascular disease and aortic stenosis. *J. Am. Coll. Cardiol. 71*(2), 177-192.

Tuchman, A. (2009). Diabetes and the public's health. *Lancet 374*, 1140-1141. Disponível em: <https://doi.org/10.1016/S0140-6736(09)61730-X>. Acesso em: 8 mai. 2023.

United States Census Bureau. (2022). National population by characteristics: 2020-2021 tables>median age and age by sex>annual estimates of the resident population by single year of age and Sex for the United States: April 1, 2020 to July 1, 2021 (NC-EST2021--SYASEX).

Uretsky, S., Rozanski, A., Singh, P., Supariwala, A., Atluri, P., Bangalore, S., Pappas, T.W., Fisher, E.A. e Peters, M.R. (2011). The presence, characterization and prognosis of coronary plaques among patients with zero coronary calcium scores. *Int. J. Cardiovasc. Imaging 27*, 805-812. Disponível em: <https://doi.org/10.1007/s10554-010-9730-0>. Acesso em: 8 mai. 2023.

Urfer, S.R., Kaeberlein, T.L., Mailheau, S., Bergman, P.J., Creevy, K.E., Promislow, D.E.L. e Kaeberlein, M. (2017). A randomized controlled trial to establish effects of short-term rapamycin treatment in 24 middle-aged companion dogs. *GeroScience 39*, 117-127. Disponível em: <https://doi.org/10.1007/s11357-017-9972-z>. Acesso em: 8 mai. 2023.

Urry, E. e Landolt, H.-P. (2015). Adenosine, caffeine, and performance: From cognitive neuroscience of sleep to sleep pharmacogenetics. In *Sleep, neuronal plasticity and brain function*, org. P. Meerlo, R.M. Benca e T. Abel, 331-366. Berlin: Springer.

Van Ancum, J.M., Pijnappels, M., Jonkman, N.H., Scheerman, K., Verlaan, S., Meskers, C.G.M. e Maier, A.B. (2018). Muscle mass and muscle strength are associated with pre- and post--hospitalization falls in older male inpatients: A longitudinal cohort study. *BMC Geriatr. 18*, 116. Disponível em: <https://doi.org/10.1186/s12877-018-0812-5>. Acesso em: 8 mai. 2023.

Van Cauter, E., Caufriez, A., Kerkhofs, M., Van Onderbergen, A., Thorner, M.O. e Copinschi, G. (1992). Sleep, awakenings, and insulin-like growth factor-I modulate the growth hormone (GH) secretory response to GH-releasing hormone. *J. Clin. Endocrinol. Metab. 74*, 1451-1459. Disponível em: <https://doi.org/10.1210/jcem.74.6.1592893>. Acesso em: 8 mai. 2023.

Van Charante, E., Richard, E., Eurelings, L.S., Van Dalen, J-W., Ligthart, S.A., Van Bussel, E.F., Hoevenaar-Blom, M.P., Vermeulen, M., Van Gool, W. A. (2016). Effectiveness of a 6-year multidomain vascular care intervention to prevent dementia (preDIVA): A cluster-randomised controlled trial. *Lancet 388*, 797-805. Disponível em: <https://doi.org/10.1016/S0140-6736(16)30950-3>. Acesso em: 8 mai. 2023.

Vander Heiden, M.G., Cantley, L.C. e Thompson, C.B. (2009). Understanding the Warburg effect: The metabolic requirements of cell proliferation. *Science 324*, 1029-1033. Disponível em: <https://doi.org/10.1126/science.1160809>. Acesso em: 8 mai. 2023.

Van der Helm, E. e Walker, M.P. (2009). Overnight therapy? The role of sleep in emotional brain processing. *Psychol. Bull. 135*, 731-748. Disponível em: <https://doi.org/10.1037/a0016570>. Acesso em: 8 mai. 2023.

Van Dongen, H.P.A., Baynard, M.D., Maislin, G. e Dinges, D.F. (2004). Systematic interindividual differences in neurobehavioral impairment from sleep loss: Evidence of trait-like differential vulnerability. *Sleep 27*, 423-433.

Van Dongen, H.P.A., Maislin, G., Mullington, J.M. e Dinges, D.F. (2003). The cumulative cost of additional wakefulness: Dose-response effects on neurobehavioral functions and sleep physiology from chronic sleep restriction and total sleep deprivation. *Sleep 26*, 117-126. Disponível em: <https://doi.org/10.1093/sleep/26.2.117>. Acesso em: 8 mai. 2023.

Varady, K.A. e Gabel, K. (2019). Safety and efficacy of alternate day fasting. *Nat. Rev. Endocrinol. 15*, 686-687. Disponível em: <https://doi.org/10.1038/s41574-019-0270-y>. Acesso em: 8 mai. 2023.

Vendelbo, M.H., Møller, A.B., Christensen, B., Nellemann, B., Clasen, B.F.F., Nair, K.S., Jørgensen, J.O.L., Jessen, N. e Møller, N. (2014). Fasting increases human skeletal muscle net phenylalanine release and this is associated with decreased mTOR signaling. *PLOS ONE 9*, e102031. Disponível em: <https://doi.org/10.1371/journal.pone.0102031>. Acesso em: 8 mai. 2023.

Veronese, N., Koyanagi, A., Cereda, E., Maggi, S., Barbagallo, M., Dominguez, L.J. e Smith, L. (2022). Sarcopenia reduces quality of life in the long-term: Longitudinal analyses from the English longitudinal study of ageing. *Eur. Geriatr. Med. 13*, 633-639. Disponível em: <https://doi.org/10.1007/s41999-022-00627-3>. Acesso em: 8 mai. 2023.

Voight, B.F., Peloso, G.M., Orho-Melander, M., Frikke-Schmidt, R., Barbalic, M., Jensen, M.K., Hindy, G., Hólm, H., Ding, E.L., Johnson, T., et al. (2012). Plasma HDL cholesterol and risk of myocardial infarction: A Mendelian randomisation study. *Lancet 380*, 572-580. Disponível em: <https://doi.org/10.1016/S0140-6736(12)60312-2>. Acesso em: 8 mai. 2023.

Voulgari, C., Tentolouris, N., Dilaveris, P., Tousoulis, D., Katsilambros, N. e Stefanadis, C. (2011). Increased heart failure risk in normal-weight people with metabolic syndrome compared with metabolically healthy obese individuals. *J. Am. Coll. Cardiol. 58*, 1343-1350. Disponível em: <https://doi.org/10.1016/j.jacc.2011.04.047>. Acesso em: 8 mai. 2023.

Wade, N. (2009). Dieting monkeys offer hope for living longer. *New York Times*, 9 jul. Disponível em: <www.nytimes.com/2009/07/10/science/10aging.html>. Acesso em: 8 mai. 2023.

Wahlund, L.-O. e Blennow, K. (2003). Cerebrospinal fluid biomarkers for disease stage and intensity in cognitively impaired patients. *Neurosci. Lett. 339*, 99-102. Disponível em: <https://doi.org/10.1016/s0304-3940(02)01483-0>. Acesso em: 8 mai. 2023.

Waks, A.G. e Winer, E.P. (2019). Breast cancer treatment: A review. *JAMA, 321*(3), 288-300. Disponível em: <https://doi.org/10.1001/jama.2018.19323>. Acesso em: 8 mai. 2023.

Walker, M.P. (2009). The role of slow wave sleep in memory processing. *J. Clin. Sleep Med. 5*, S20-S26.

______. (2018). *Por que nós dormimos: A nova ciência do sono e do sonho.* Rio de Janeiro: Intrínseca.

Wallace, D.F. (2012). Isto é água. In *Ficando longe do fato de já estar meio que longe de tudo.* São Paulo: Companhia das Letras.

Wang, C. e Holtzman, D.M. (2020). Bidirectional relationship between sleep and Alzheimer's disease: Role of amyloid, tau, and other factors. *Neuropsychopharmacology 45*, 104-120. Disponível em: <https://doi.org/10.1038/s41386-019-0478-5>. Acesso em: 8 mai. 2023.

Wang, N., Fulcher, J., Abeysuriya, N., Park, L., Kumar, S., Di Tanna, G.L., Wilcox, I., Keech, A., Rodgers, A. e Lal, S. (2020). Intensive LDL cholesterol-lowering treatment beyond current recommendations for the prevention of major vascular events: A systematic review and meta-analysis of randomised trials including 327 037 participants. *Lancet Diabetes Endocrinol. 8*, 36-49. Disponível em: <https://doi.org/10.1016/S2213-8587(19)30388-2>. Acesso em: 8 mai. 2023.

Wang, Y. e Brinton, R.D. (2016). Triad of risk for late onset Alzheimer's: Mitochondrial haplotype, APOE genotype and chromosomal sex. *Front. Aging Neurosci. 8*, 232. Disponível em: <https://doi.org/10.3389/fnagi.2016.00232>. Acesso em: 8 mai. 2023.

Wang, Y., Jones, B.F. e Wang, D. (2019). Early-career setback and future career impact. *Nat. Commun. 10*, 4331. Disponível em: <https://doi.org/10.1038/s41467-019-12189-3>. Acesso em: 8 mai. 2023.

Warburg, O. (1924). Warburg: The metabolism of cancer cells. Google Scholar.

______. (1956). On the origin of cancer cells. *Science 123*, 309-314. Disponível em: <https://doi.org/10.1126/science.123.3191.309>. Acesso em: 8 mai. 2023.

Watanabe, K., Oba, K., Suzuki, T., Ouchi, M., Suzuki, K., Futami-Suda, S., Sekimizu, K., Yamamoto, N. e Nakano, H. (2011). Oral glucose loading attenuates endothelial function in normal individual. *Eur. J. Clin. Invest. 41*, 465-473. Disponível em: <https://doi.org/10.1111/j.1365-2362.2010.02424.x>. Acesso em: 8 mai. 2023.

Watson, A.M. (2017). Sleep and athletic performance. *Curr. Sports Med. Rep. 16*, 413-418. Disponível em: <https://doi.org/10.1249/JSR.0000000000000418>. Acesso em: 8 mai. 2023.

Watson, J.D. (2009). Opinion | To fight cancer, know the enemy. *New York Times*, 5 ago. Disponível em: <www.nytimes.com/2009/08/06/opinion/06watson.html>. Acesso em: 8 mai. 2023.

Wen, C.P., Wai, J.P.M., Tsai, M.K., Yang, Y.C., Cheng, T.Y.D., Lee, M.-C., Chan, H.T., Tsao, C.K., Tsai, S.P. e Wu, X. (2011). Minimum amount of physical activity for reduced mortality and extended life expectancy: A prospective cohort study. *Lancet 378*, 1244-1253. Disponível em: <https://doi.org/10.1016/S0140-6736(11)60749-6>. Acesso em: 8 mai. 2023.

Westerterp, K.R., Yamada, Y., Sagayama, H., Ainslie, P.N., Andersen, L.F., Anderson, L.J., Arab, L., Baddou, I., Bedu-Addo, K., Blaak, E.E., et al. (2021). Physical activity and fat-free mass during growth and in later life. *Am. J. Clin. Nutr. 114*, 1583-1589. Disponível em: <https://doi.org/10.1093/ajcn/nqab260>. Acesso em: 8 mai. 2023.

WHI (Women's Health Initiative). n.d. About WHI-Dietary Modification Trial. Disponível em: <https://sp.whi.org/about/SitePages/Dietary%20Trial.aspx:. Acesso em: 28 set. 2022.

WHO (World Health Organization). (2019). Global health estimates: Leading causes of death. Disponível em: <www.who.int/data/gho/data/themes/mortality-and-global-health-estimates/ghe-leading-causes-of-death>. Acesso em: 8 mai. 2023.

Willcox, B.J., Donlon, T.A., He, Q., Chen, R., Grove, J.S., Yano, K., Masaki, K.H., Willcox, D.C., Rodriguez, B. e Curb, J.D. (2008). FOXO3A genotype is strongly associated with human longevity. *Proc. Natl. Acad. Sci. 105*, 13987-13992. Disponível em: <https://doi.org/10.1073/pnas.0801030105>. Acesso em: 8 mai. 2023.

Wilson, M.A. e McNaughton, B.L. (1994). Reactivation of hippocampal ensemble memories during sleep. *Science 265*, 676-679. Disponível em: <https://doi.org/10.1126/science.8036517>. Acesso em: 8 mai. 2023.

Winer, J.R., Mander, B.A., Helfrich, R.F., Maass, A., Harrison, T.M., Baker, S.L., Knight, R.T., Jagust, W.J. e Walker, M.P. (2019). Sleep as a potential biomarker of tau and β-amyloid burden in the human brain. *J. Neurosci. 39*, 6315-6324. Disponível em: <https://doi.org/10.1523/JNEUROSCI.0503-19.2019>. Acesso em: 8 mai. 2023.

Wishart, D.S., Tzur, D., Knox, C., Eisner, R., Guo, A.C., Young, N., Cheng, D., Jewell, K., Arndt, D., Sawhney, S., et al. (2007). HMDB: The Human Metabolome Database. *Nucleic Acids Res. 35*, D521-526. Disponível em: <https://doi.org/10.1093/nar/gkl923>. Acesso em: 8 mai. 2023.

Wolters, F.J. e Ikram, M.A. (2019). Epidemiology of vascular dementia. *Arterioscler. Thromb. Vasc. Biol. 39*, 1542-1549. Disponível em: <https://doi.org/10.1161/ATVBAHA.119.311908>. Acesso em: 8 mai. 2023.

Wu, G. (2016). Dietary protein intake and human health. *Food Funct. 7*, 1251-1265. Disponível em: <https://doi.org/10.1039/c5fo01530h>. Acesso em: 8 mai. 2023.

Xu, J. (2016). Mortality among centenarians in the United States, 2000-2014. NCHS Data Brief 233. Disponível em: <www.cdc.gov/nchs/products/databriefs.html>. Acesso em: 8 mai. 2023.

Xue, Q.-L. (2011). The frailty syndrome: Definition and natural history. *Clin. Geriatr. Med. 27*, 1-15. Disponível em: <https://doi.org/10.1016/j.cger.2010.08.009>. Acesso em: 8 mai. 2023.

Yamamoto, T., Yagi, S., Kinoshita, H., Sakamoto, Y., Okada, K., Uryuhara, K., Morimoto, T., Kaihara, S. e Hosotani, R. (2015). Long-term survival after resection of pancreatic cancer: A single-center retrospective analysis. *World J. Gastroenterol. 21*, 262-268. Disponível em: <https://doi.org/10.3748/wjg.v21.i1.262>. Acesso em: 8 mai. 2023.

Yamazaki, R., Toda, H., Libourel, P.-A., Hayashi, Y., Vogt, K.E. e Sakurai, T. (2020). Evolutionary origin of distinct NREM and REM sleep. *Front. Psychol. 11*, 567618. Disponível em: <https://doi.org/10.3389/fpsyg.2020.567618>. Acesso em: 8 mai. 2023.

Yan, Y., Wang, X., Chaput, D., Shin, M.K., Koh, Y., Gan, L., Pieper, A.A., Woo, J.A.A., Kang, D.E. (2022). X-linked ubiquitin-specific peptidase 11 increases tauopathy vulnerability in women. *Cell*, 185: 21, 3913-3930.e19. Disponível em: <https://doi.org/10.1016/j.cell.2022.09.002>. Acesso em: 8 mai. 2023.

Yassine, H.N., Braskie, M.N., Mack, W.J., Castor, K.J., Fonteh, A.N., Schneider, L.S., Harrington, M.G. e Chui, H.C. (2017). Association of docosahexaenoic acid supplementation with Alzheimer disease stage in apolipoprotein E ε4 carriers. *JAMA Neurol. 74*, 339-347. Disponível em: <https://doi.org/10.1001/jamaneurol.2016.4899>. Acesso em: 8 mai. 2023.

Yasuno, F., Minami, H., Hattori, H. e Alzheimer's Disease Neuroimaging Initiative (2020). Interaction effect of Alzheimer's disease pathology and education, occupation, and socioeconomic status as a proxy for cognitive reserve on cognitive performance: In vivo positron emission tomography study. *Psychogeriatr. 20*, 585-593. Disponível em: <https://doi.org/10.1111/psyg.12552>. Acesso em: 8 mai. 2023.

Yin, J., Jin, X., Shan, Z., Li, S., Huang, H., Li, P., Peng, X., Peng, Z., Yu, K., Bao, W., Yang, W., Chen, X., Liu, L. (2017). Replationship of sleep duration with all-cause mortality and cardiovascular events. *JAHA 117*. Disponível em: <www.ahajournals.org/doi/full/10.1161/JAHA.117.005947>. Acesso em: 8 mai. 2023.

Yoo, S.-S., Gujar, N., Hu, P., Jolesz, F.A. e Walker, M.P. (2007). The human emotional brain without sleep: A prefrontal amygdala disconnect. *Curr. Biol. 17*, R877-878. Disponível em: <https://doi.org/10.1016/j.cub.2007.08.007>. Acesso em: 8 mai. 2023.

Youlden, D.R., Cramb, S.M. e Baade, P.D. (2008). The international epidemiology of lung cancer: Geographical distribution and secular trends. *J. Thorac. Oncol. 3*, 819-831. Disponível em: <https://doi.org/10.1097/JTO.0b013e31818020eb>. Acesso em: 8 mai. 2023.

Youngstedt, S.D., O'Connor, P.J., Crabbe, J.B. e Dishman, R.K. (2000). The influence of acute exercise on sleep following high caffeine intake. *Physiol. Behav. 68*, 563-570. Disponível em: <https://doi.org/10.1016/S0031-9384(99)00213-9>. Acesso em: 8 mai. 2023.

Zelman, S. (1952). The liver in obesity. *Arch. Intern. Med. 90*, 141-156. Disponível em: <https://doi.org/10.1001/archinte.1952.00240080007002>. Acesso em: 8 mai. 2023.

Zethelius, B. e Cederholm, J. (2015). Comparison between indexes of insulin resistance for risk prediction of cardiovascular diseases or development of diabetes. *Diabetes Res. Clin. Pract. 110*, 183-192. Disponível em: <https://doi.org/10.1016/j.diabres.2015.09.003>. Acesso em: 8 mai. 2023.

Zhang, Y., Zhang, Y., Du, S., Wang, Q., Xia, H. e Sun, R. (2020). Exercise interventions for improving physical function, daily living activities and quality of life in community-dwelling frail older adults: A systematic review and meta-analysis of randomized controlled trials. *Geriatr. Nur. 41*, 261-273. Disponível em: <https://doi.org/10.1016/j.gerinurse.2019.10.006>. Acesso em: 8 mai. 2023.

Zheng, Y., Fan, S., Liao, W., Fang, W., Xiao, S. e Liu, J. (2017). Hearing impairment and risk of Alzheimer's disease: A meta-analysis of prospective cohort studies. *Neurol. Sci. 38*, 233-239. Disponível em: <https://doi.org/10.1007/s10072-016-2779-3>. Acesso em: 8 mai. 2023.

Zheng, Y., Lv, T., Wu, J. e Lyu, Y. (2022). Trazodone changed the polysomnographic sleep architecture in insomnia disorder: A systematic review and meta-analysis. *Scientific reports, 12*(1), 14453. Disponível em: <https://doi.org/10.1038/s41598-022-18776-7>. Acesso em: 8 mai. 2023.

Zhou, C., Wu, Q., Wang, Z., Wang, Q., Liang, Y. e Liu, S. (2020). The effect of hormone replacement therapy on cognitive function in female patients with Alzheimer's disease: A meta-analysis. *Am. J. Alzheimers Dis. Other Demen. 35*, 1533317520938585. Disponível em: <https://doi.org/10.1177/1533317520938585>. Acesso em: 8 mai. 2023.

Ziemichód, W., Grabowska, K., Kurowska, A. e Biała, G. (2022). A comprehensive review of daridorexant, a dual-orexin receptor antagonist as new approach for the treatment of insomnia. *Molecules 27*(18), 6041. Disponível em: <https://doi.org/10.3390/molecules27186041>. Acesso em: 8 mai. 2023.

Zuccarelli, L., Galasso, L., Turner, R., Coffey, E.J.B., Bessone, L. e Strapazzon, G. (2019). Human physiology during exposure to the cave environment: A systematic review with implications for aerospace medicine. *Front. Physiol. 10*.

ÍNDICE

Nota: números de página em *itálico* indicam figuras e tabelas.

intrinseca.com.br

@intrinseca

editoraintrinseca

@intrinseca

@editoraintrinseca

editoraintrinseca

1ª edição SETEMBRO DE 2023
reimpressão JANEIRO DE 2025
impressão LIS GRÁFICA
papel de miolo LUX CREAM 60 G/M²
papel de capa CARTÃO SUPREMO ALTA ALVURA 250 G/M²
tipografia MINION PRO